Aus Freude am Lesen

New Brunswick, Kanada. Ein kleines Haus am Rande einer zerklüfteten Steilküste. Hier leben die Schwestern Idella und Avis nach dem Tod der Mutter allein mit ihrem chaotischen Vater. In einer Welt, die aus nichts als Kartoffelfarmen, Hummerfallen, rauen Männern und harter Arbeit zu bestehen scheint. Wäre da nicht das liebenswerte Dienstmädchen Maddie, das sich nach einer Familie sehnt. Und der schrullige Doktor, der ein schreckliches Geheimnis hütet. Und natürlich Avis' störrische Kuh Bossy, die eines Tages beinahe im Schlamm versinkt. Über sieben Jahrzehnte hinweg begleiten wir die unvergesslichen Schwestern von Kanada nach Neuengland, wo Idella in ihrem Gemischtwarenladen in Maine kauzige Einheimische bedient, während ihr Mann anderen Frauen nachstellt. Und wo Avis an einem stürmischen Wintertag etwas ganz Entscheidendes verliert ...

BEVERLY JENSEN, wurde in Westbrook, Maine, geboren. Sie studierte zunächst Schauspiel und schrieb dann mit Hingabe an den »Hummerschwestern«, während sie gemeinsam mit ihrem Mann Jay die beiden Kinder großzog und halbtags in einem Büro in New York City arbeitete. Als Beverly Jensen mit 49 Jahren an Bauchspeicheldrüsenkrebs starb, hatte sie noch kein Wort ihres Textes publiziert. Es waren ihre Familie und einige begeisterte Unterstützer, die »Die Hummerschwestern« schließlich als Buch veröffentlichten. Und die so dazu beitrugen, dass Beverly Jensen nach ihrem Tod der literarische Ruhm zuteil wurde, der ihr schon zu Lebzeiten gebührt hätte. www.beverlyjensen.net

Beverly Jensen

Die Hummerschwestern

Roman

Deutsch von Beate Brammertz

btb

Die amerikanische Originalausgabe erschien 2010 unter dem Titel
»The Sisters from Hardscrabble Bay« bei Viking Penguin, New York.

»Die Totenwache«, »Fort« und »In der Pfanne gebraten« erschienen
im Original zuerst im *New England Review*. »Idellas Kleid« erschien
im Original zuerst in *Sisters: An Anthology*, herausgegeben von Jan
Freeman, Emily Wojcik und Deborah Bull (Paris Press, 2009). »Die
Totenwache« wurde außerdem veröffentlicht in *The Best American
Short Stories 2007*, herausgegeben von Stephen King (Houghton
Mifflin Harcourt).

Verlagsgruppe Random House FSC® N001967
Das für dieses Buch verwendete FSC®-zertifizierte
Papier *Lux Cream* liefert Stora Enso, Finnland.

11. Auflage
Genehmigte Taschenbuchausgabe Juni 2013
Umschlaggestaltung: semper smile, München
Umschlagmotiv: Alan Copson/ Getty Images
Druck und Einband: CPI – Clausen & Bosse, Leck
UB · Herstellung: sc
Printed in Germany
ISBN 978-3-442-74403-9

www.btb-verlag.de
www.facebook.com/btbverlag
Besuchen Sie auch unseren LiteraturBlog www.transatlantik.de

Für Noah und Hannah

Inhalt

Teil vier

Teil eins

Fort

Chaleur-Bucht, New Brunswick
April 1916

Sie hatten ihre Schuhe mit den Schnürsenkeln an eine einsame Ulme gehängt, bevor sie in den Wald hinterm Feld gingen. Beide Mädchen waren froh, sie los zu sein und den kühlen Morast des Frühlings unter ihren nackten Fußsohlen zu spüren. Während des langen kanadischen Winters waren ihre Füße gewachsen. Ihre Schuhe, abgelegte Kleidungsstücke entfernter Cousinen, waren immer noch von den Abdrücken der fremden Füße geformt und engten ihre Zehen ein.

»Wie weit wollen wir noch reingehen, Della? Meine Füße frieren.«

»Du möchtest doch Maiblumen für Mutter pflücken, oder?«

»Ja.« Avis hatte sich auf einen morschen Baumstamm gehockt, die Knie gespreizt wie die Beine eines Grashüpfers.

»Dann los.« Idella schob sich einen Himbeerzweig aus dem Gesicht und ging weiter.

»An mir kleben überall diese verdammten Kletten.«

Idella drehte sich um. »Gott, du siehst aus wie ein Stachelschwein.« Sie begann, die dornigen Büschel aus den Falten von Avis' Kleid zu zupfen.

Auch das Kleid war schon von irgendeiner Cousine getragen – wahrscheinlich von einem der Mädchen von Tante

Eva aus Maine. Avis wrang den Rock wie einen Waschlappen aus, um an die Stacheln zu gelangen, die sich in ihre mageren Beine bohrten. »Ich hab genug an mir, um einen ganzen Kübel vollzubekommen.«

»Du hast sogar welche im Haar.«

»Wie kommt es, dass du keine hast?«

»Ich pass auf, wo ich hintrete.« Idella blickte nach vorne. »Komm weiter. Es ist schon bald Zeit zum Abendessen.«

»Wird Mutter noch viel runder?«

»Ich glaube, das geht gar nicht. Das Baby kommt jeden Augenblick.«

»Dann werde ich nicht länger das Baby sein«, sagte Avis.

»Du bist fast sechs. Du bist kein Baby mehr.«

Sie marschierten nebeneinanderher, schoben buschige Sträucher zurück, stiegen über Wurzeln und umgestürzte Bäume und matschige Pfützen, von denen der Geruch nach Frühling aufstieg, bis sie eine kleine Lichtung erreichten. Avis lehnte sich gegen einen großen, moosbedeckten Stein. Idella ging in die Hocke und suchte unter den raschelnden Pflanzenresten des Vorjahres nach grünen Trieben.

»Mutter hat gesagt, man soll am Rand von Lichtungen nach ihnen suchen.«

Avis rümpfte die Nase. »Irgendwas ist hier in der Nähe gestorben. Es stinkt.«

»Deine Füße. Du bist in was getreten.«

Avis hob den Fuß an die Nase und lachte. »Oh, stimmt. Willst du mal riechen?« Sie streckte das Bein in Idellas Richtung.

»Hör auf!« Idella ließ den Blick über die Lichtung schweifen, die fast vollständig von Himbeersträuchern bedeckt war. Sie ging am Rand entlang zu etwas, das zwischen den niedrigen Steinen wie ein Blaubeerbusch aussah. Da bemerkte sie die kleinen weißen Blüten. »Avis, da sind Maiblumen!«

Avis rannte ihr hinterher. »Wo? Wo sind welche?«

Beide Mädchen beugten sich über die kleine Stelle mit Blumen, die wie winzige Motten zwischen den Rankgewächsen herumflatterten. »Mutter sagt, wenn sie etwas Sonne abkriegen, öffnen sie sich zum Maifeiertag. Jetzt sind sie zu, weil kein Licht da ist.« Sanft betastete Idella eine Blüte. »Ganz kleine weiße Dinger…«

Avis streckte sich, um einen Stängel abzubrechen. »Lass uns welche pflücken.«

»Nein!« Idella packte ihre Hand. »Sie würden verwelken. Wir holen sie morgen früh. Dann ist Maifeiertag.«

»Was, wenn sie fort sind? Was, wenn sie jemand pflückt?«

»Wer soll sie denn pflücken?« Idella stand auf. »Und tritt nicht drauf. Es sind nicht viele.«

»Wofür hältst du mich, für ein Pferd?«

»Manchmal schon.«

Avis lachte, hielt einen Fuß über die Blumen und streckte das Bein zur Seite. »Pssssss!«

»Avis!« Idella kicherte und hob ihren Rocksaum. Sie galoppierte voraus. »Oder vielleicht auch für einen Hornochsen!«

Avis prustete. Wenn sie über etwas lachte, platzte es einfach so aus ihr heraus. Dad nannte es »Nasenpupse«, und wenn er das sagte, prustete Avis noch lauter.

»Jetzt komm schon!«, rief Idella über die Schulter. »Das Abendessen, wir sind spät dran.«

Atemlos und lachend, sich gegenseitig zwickend und kneifend und mit Wörtern beschimpfend, die sie die Männer hatten benutzen hören – »verfluchte Scheiße«, »Armleuchter«, »verdammter Franzmann« –, tauchten die Mädchen triumphierend aus dem Wald auf. Der Himmel dehnte sich milchig weiß. Es dämmerte. Licht sickerte durch die Wolken, hinterließ sanfte graue Streifen und blauschwarze Kleckse. Die Mädchen hasteten weiter, um vor der Dunkelheit zu Hause zu sein. Sie fanden ihre zurückgelassenen Schuhe, die wie betrunkene Krähen an ihren Schnürsenkeln baumelten, und rannten über die flachen, kratzigen Felder zum Abendessen nach Hause.

»Wo zum Teufel habt ihr beide gesteckt?« Dad stand mitten in der Küche, groß und aufrecht wie eine Heugabel. Sie waren viel zu spät. »Noch fünf Minuten länger, und es würde kein Abendessen für euch zwei geben, verdammt noch mal.«

»Lass sie in Ruhe, Bill.« Mutter trug langsam die Teller zum Tisch. Sie musste sie weit vor sich halten, so groß war ihr Bauch. »Della, du deckst den Tisch zu Ende.«

Mutters Stimme klang erschöpft. Dad setzte sich an den Tisch. Dalton, mit zwölf der Älteste und der einzige Junge, saß bereits auf seinem Platz, starrte nach unten, obwohl nichts vor ihm stand. Niemand sagte etwas. Jeder spürte, dass es besser wäre zu schweigen. Immer noch schwer atmend vom Laufen, verteilte Idella die Teller und setzte sich auf ihren Stuhl. Mutter, die vor dem Ofen stand, drehte sich zu Dad um. »Bring bitte den Topf für mich zum Tisch, Bill.«

Dann ging sie in ihre Vorratskammer, eine kleine Nische, die vom Hauptraum abging, und kam mit Dads großem Messer zurück. »Hier ist dein verdammtes Messer.« Sie legte es vor ihn hin. »Und jetzt gib mir deinen Teller, Della – den von Avis auch.« Idella reichte Mutter die Teller, und diese schöpfte Eintopf erst auf den einen, dann auf den anderen und reichte sie zurück. Es war Hühncheneintopf mit Karotten und Kartoffeln. Das war etwas Besonderes, ein Huhn zu schlachten. »Und jetzt, Dalton, gib mir deinen.«

Dad schnappte sich den Teller, als er bei ihm ankam. »Ich arbeite den ganzen verfluchten Tag, reiße mir den Arsch auf und muss wie ein gottverdammter Hund warten? Du würdest diesen faulen Bastard füttern, bevor du mir einen Topf zum Pissen gibst.«

»Beruhig dich, du wirst schon nicht verhungern.« Am Abend musste es einen Streit gegeben haben. Mutter nahm Dad Daltons Teller ab und häufte Eintopf darauf. Idella fürchtete, dass ihr Zuspätkommen der Auslöser gewesen war.

»Jetzt reich mir deinen Teller, Bill.« Sie gab eine Schöpfkelle nach der anderen auf Dads Teller. »Du verdammter Spinner.«

Sie aßen schweigend. Die einzigen Geräusche waren Dads und Daltons Kauen und das Kratzen ihrer Gabeln auf den Tellern.

»Nun iss schon, Della«, sagte Mutter leise.

Idella spießte ein Stück Karotte auf. Sie konnte nie viel essen, wenn Dad schlechte Laune hatte. Dann versuchte sie sich völlig still zu verhalten.

»Wo zum Teufel seid ihr zwei gewesen?«

»Mach doch kein Fass auf, Bill.« Mutters Stimme war müde.

»Ich frag doch bloß, was in Herrgotts Namen sie gemacht haben, während wir hier gesessen und auf sie gewartet haben.« Dad wandte sich an Idella. »Wo seid ihr gewesen, Della?«

»Wir waren spazieren. Im Wald.« Je länger Dad sie ansah, desto mehr beschlich sie das Gefühl, weiterreden zu müssen. »Wir haben … Wir haben etwas gesucht.«

»Es ist ein Geheimnis«, sagte Avis, den Mund voll Eintopf,

da sie nicht zu kauen gewagt hatte, seit Dad sie angesprochen hatte. »Es ist ein Geheimnis.«

»Ein Geheimnis?« Dad wandte sich an Avis. »Was für ein Geheimnis?« Idella war unsicher, ob Dad sie jetzt auf den Arm nahm, aber das vermochte sie nie genau zu sagen. Das war es, was es so schwierig machte. Avis gelang es besser als jedem anderen, ihn aus seiner schlechten Laune zu reißen. »Von wem habt ihr das Geheimnis?«

Mutter stand auf. »Lass sie in Ruhe, Bill. Wenn sie ein Geheimnis haben, lass es ihnen. Sie haben weiß Gott sonst nicht viel.« Sie ging zur Speisekammer und kam mit einem Laib Brot zurück.

Auf einmal veränderte sich ihr Gesichtsausdruck. Sie gab ein erschrockenes Geräusch von sich. Langsam legte sie das Brot ab, löste die Schürze, faltete sie und legte sie über den Stuhl. Sie blickte zu Dad, die Hand auf ihrem geschwollenen Bauch. »Bill, meine Fruchtblase ist geplatzt.« Sie drehte sich zu Idella um. »Della, Liebling, du und Avis beendet euer Abendessen und geht dann ins Bett. Das Baby wird bald kommen.« Idella nickte. Mutter ging ins Schlafzimmer und schloss die Tür. Idella sah eine klare Pfütze an der Stelle, wo Mutter gerade noch gestanden hatte, und eine Tropfspur hinter ihr. Sie hatte ein Leck. Irgendwo in ihr drinnen musste ein Beutel mit Wasser gewesen sein, und der war gerade geplatzt. Dad stand auf, folgte Mutter ins Zimmer und schloss die Tür.

»Es dauert nicht mehr lange. Noch ein hungriges Maul, das gestopft werden muss.« Dalton streckte sich und nahm das Brot. Er riss sich ein großes Stück ab.

Dad kam aus dem Schlafzimmer. »Dalton, geh und hol Elsie. Sag ihr, das Baby kommt. Ich hole Mrs. Jaegel.« Ausnahmsweise rannte Dalton einmal, um einer Anordnung seines Vaters Folge zu leisten. Dad ging hinaus, um das Pferd vor den Wagen zu spannen und die Hebamme zu holen. Mrs. Jaegel wohnte ein Stück weiter die Straße hinauf.

Die Schwestern saßen am Tisch, wagten nicht, sich von ihren Stühlen zu rühren. Mrs. Doncaster, die auf der angrenzenden Farm lebte, kam mit Dalton zurückgerannt. In den Armen hatte sie Stoffreste und Laken. Die Säume von alten Kleidern und zerrissene Arbeitshemden waren vor ihrem breiten Oberkörper zusammengerafft. Sie sah aus, als würde sie die Kleidung zum Waschen tragen, doch Idella wusste, dass sie für das Baby waren. Fürs Fruchtwasser.

Mrs. Doncaster lächelte. »Gerade eben habe ich ein Baby zum Schlafen gebracht, und jetzt muss ich mich um das nächste kümmern.« Ihr Baby, Austin, war drei Monate alt. Mutter war mitten in der Nacht zu ihr hinübergegangen und hatte bei seiner Geburt geholfen.

Mrs. Doncaster sah die Pfütze, die Mutter auf dem Boden hinterlassen hatte. »Della, Süße, nimm den Lumpen hier und wisch das auf. Du bist ein großes Mädchen.« Sie warf einen Lappen auf den Boden und nahm den Rest des Bündels mit ins Schlafzimmer.

Das Fruchtwasser färbte den Lumpen blassgelb. Es war warm und roch süßlich.

»Wofür ist eigentlich das Wasser?«, fragte Avis, die immer noch am Tisch saß.

»Keine Ahnung.« Idella wischte die dünne Spur auf, die zum Schlafzimmer führte. »Vielleicht für das Baby, zum Trinken.«

»Es sieht aus wie Pipi.« Avis lachte. »Als würde es Pipi trinken.«

Mrs. Doncaster kam aus dem Schlafzimmer. »Wir werden

um Mitternacht ein neues Baby haben.« Sie bückte sich und nahm Idella den Lappen aus der Hand. »Und jetzt esst euer Abendessen auf. Eure Mom wird beschäftigt sein. Vielleicht ist das die letzte anständige Mahlzeit, die ihr in nächster Zeit auf den Tisch bekommt, wenn ich mich in eurem Vater nicht täusche.« Sie legte alle benutzten Lappen in die blecherne Abwaschschüssel und rollte die Ärmel hoch.

»Ich kann kochen.« Idella setzte sich wieder an den Tisch. »Ich kann Parker House Rolls machen.«

»Was du nicht sagst.« Mrs. Doncaster war mit der Küchenpumpe beschäftigt. Sie füllte die Schüssel mit Wasser, schrubbte dann ihre Hände mit der Laugenseife.

»Ich werde im Juli acht. Ich bin jetzt schon mehr acht als sieben.«

»Aber du bist dürr wie ein Grashalm, also werdet ihr Mädchen jetzt das Abendessen aufessen.« Sie beobachteten, wie Mrs. Doncaster ihre Arme bis hoch zu den Ellbogen abschrubbte und dann im Schlafzimmer verschwand. Ihre muntere Stimme drang durch die geschlossene Tür.

Niemand bekam einen weiteren Bissen herunter. Es war einfach zu aufregend.

Der Wagen fuhr vor dem Haus vor. Dad kam herein, gefolgt von Mrs. Jaegel, einer kleinen, gedrungenen Frau. Sie hatte einen schwarzen Koffer bei sich, der dieselbe quadratische Form hatte wie sie, nur kleiner. Mrs. Jaeger ging geradewegs ins Schlafzimmer, wobei sie Mrs. Doncaster zunickte, die in die Küche zurückgekehrt war.

»Ihr geht's gut, Bill.« Mrs. Doncaster lächelte Dad zu.

»Du bist ein Geschenk des Himmels, Elsie.« Dad ging zum Tisch, nahm seinen Teller und aß seinen Eintopf im Stehen auf. »Das verfluchte Baby stört mich schon jetzt beim Essen.

Und heute Nacht werde ich wahrscheinlich auch noch wenig Schlaf bekommen.« Er brach sich ein großes Stück Brot ab und eilte zur Tür. »Du weißt, wo ich zu finden bin.«

»Nicht so schnell, mein Lieber. Füll die Waschzuber und kümmere dich ums Feuer. Wenigstens ein bisschen Hilfe solltest du sein.«

»Na komm schon, Elsie, lass mich verflucht noch mal in die Scheune. Ihr Frauen kümmert euch doch am besten selber um alles.«

»Himmelherrgott, Bill, das ist jetzt das vierte Mal, und du bist immer noch zu nichts nütze.«

»Ich hab am Anfang meinen Teil beigetragen.« Beide lachten.

»Das zumindest ist dir gelungen. Und jetzt kümmere dich ums Wasser, dann kannst du in die Scheune verschwinden.«

Dad kam mit dem großen Blechzuber zurück, den sie zum Baden benutzten, und einem Eimer, den sie zum Putzen der Böden hernahmen. Er stellte die Wanne auf den Ofen, legte Holz nach und schürte das Feuer. Dann ging er zur Pumpe am Spülbecken, füllte den Eimer und goss das Wasser in den Zuber, bis er fast voll war.

»Ihr Mädchen geht jetzt nach oben. Della, du bringst Avis ins Bett. Tu, was deine Mutter sonst tut. Kommt ja nicht wieder runter und stört die Frauen.« Ein spitzer Schrei drang aus dem Schlafzimmer. »Na los«, sagte Dad. »Raus!«

Wenn Dad einen Befehl gab, wurde nicht lange gezögert. Die Mädchen rannten die Treppe hinauf und in ihr Schlafzimmer. Sie hörten die Tür zuknallen, als Dad in die Scheune ging.

»Es tut weh, ein Baby zu kriegen.« Avis rollte sich mit angewinkelten Knien auf dem Bett von einer Seite zur anderen und stöhnte jämmerlich.

Idella setzte sich neben sie aufs Bett. »Hör auf, Avis.«

»Ich will zuhören.« Avis schlich aus dem Zimmer und kauerte sich auf dem oberen Treppenabsatz zusammen.

Da die Tür nun offen stand, konnte Idella hören, wie Mrs. Doncaster am Ofen herumhantierte. Auf einmal vernahm sie das rasche Klackern von Schritten. »Ich könnte schwören, ich hätte eine Maus gesehen.« Mrs. Doncaster stand unten an der Treppe. Avis huschte ins Zimmer und schloss die Tür.

»Wegen dir kriegen wir noch Ärger.«

Avis hüpfte ins Bett zurück.

»Komm her«, sagte Idella. »Ich bürste dir die Haare.«

Avis setzte sich still hin. Idella bürstete ihr die kastanienbraunen Haare, die denselben Farbton wie Mutters hatten.

»Ich habe eine Idee, wie wir es nennen könnten«, sagte Idella. »Wenn es ein Mädchen ist.«

»Wie meinst du das?«

»Mutter hat gesagt, dass ich vielleicht beim Aussuchen vom Namen helfen darf.« Avis drehte sich um und starrte sie mit zusammengekniffenen Augen an, wie immer, wenn sie wütend war. »Wenn es morgen geboren wird, am Maifeiertag…« Idella machte eine Pause und lächelte scheu. »Ich dachte, vielleicht… Daisy May! Wie May Day rückwärts.«

Avis kniff die Lippen zusammen, dass sich ihr Mund kräuselte. »Daisy May! Das ist bescheuert! Das klingt wie der Name einer Kuh.«

»Nun, wie würdest *du* es denn nennen?«

»Dumpfbacke!« Avis gackerte.

»Jetzt im Ernst. Und hör auf, das Stroh aus der Matratze zu zupfen.«

»Wenn es ein Mädchen ist«, fragte Avis, legte sich auf den

Rücken und ließ die Beine über den Bettrand baumeln, »wird es dann hier bei uns schlafen?«

»Es bekommt kein eigenes Zimmer!«

»Drei in einem Zimmer.« Avis stöhnte. »Was auch immer es wird, ich finde, Dalton sollte seines mit ihm teilen.«

Idella kletterte ins Bett. Die Mädchen verstummten und lauschten auf die Geräusche von unten.

»Della«, fragte Avis, »denkst du, das Baby wird uns in die Quere kommen?«

»Wobei?«

»Dabei, ihr das Körbchen zu geben. Was, wenn sie es am Türknauf nicht bemerkt?«

»Sie wird es bemerken.« Idella drehte sich zum Fenster. »Das wird sie schon. Schlaf jetzt.«

Sie war müde. Avis wälzte sich unruhig hin und her und weckte sie, kurz bevor sie in den Schlaf glitt, mit ihrem Flüstern: »Schläfst du, Della?« Sie gab keine Antwort und tat so, als wäre sie bereits eingeschlafen. Und wenig später war sie es auch.

»Della! Wach auf!« Avis zerrte an ihr. »Es ist da! Ich hab das Baby schreien gehört. Ich war die ganze Zeit wach.« Avis rannte zur Tür und öffnete sie.

Idella erhob sich mit schweren Gliedern aus dem Bett und stellte sich hinter sie in den Türrahmen. Da war es! Ein dünner, schwacher Schrei, der kaum die Treppe heraufdrang.

»Es hört sich wie ein Lamm an. Bääääh«, flüsterte Avis.

Die Schlafzimmertür im Erdgeschoss ging auf. »Ich sage Bill, dass er noch ein Mädchen hat.« Es war die Stimme von Mrs. Jaegel. »Er ist wahrscheinlich in der Scheune.«

»Hoffentlich ist er nüchtern«, sagte Mrs. Doncaster. »Er

wollte einen Jungen. Geh, erzähl es ihm. Und Dalton auch, wenn du ihn siehst. Ein sonderbares Kind.«

Mrs. Doncaster kam mit einer Lampe zum unteren Treppenabsatz und blickte zu den beiden Mädchen hoch. »Ich hab mir schon gedacht, dass ich euch Frechdachse dort oben gehört habe. Kommt schon runter. Eure Mutter möchte, dass ihre Mädchen ihre neue Babyschwester kennenlernen. Beeilt euch, aber seid leise.«

»Welchen Tag haben wir heute, Mrs. Doncaster?«, fragte Idella. »Wann ist ihr Geburtstag?«

»Nun, das Baby ist am ersten Mai geboren, Della. Kurz nach Mitternacht.« Mrs. Doncaster hielt die Lampe hoch, während sie auf Zehenspitzen die Treppe hinabschlichen. Ihre Schatten glitten neben ihnen über die Wand. Mrs. Doncaster hielt mit einem mahnenden Finger an den Lippen inne.

»Eure Mutter ist sehr müde. Das Baby ist schnell gekommen, aber es hat ihrem Körper trotzdem viel abverlangt.«

Die Mädchen folgten Mrs. Doncaster ins Schlafzimmer. Die Lampe am Bett war zu einem sanften Flackern gedimmt. Mutter saß in die Kissen gelehnt da, das Haar hing ihr lose den Rücken herab. Sie hielt das Baby vor sich. Doch es war so eingewickelt, dass sie fast nichts von ihm sahen.

»Alle meine Mädchen. Zum ersten Mal zusammen.« Mutter lächelte. Man kann ihr Lächeln sehen, dachte Idella, egal wie trüb das Licht ist. Die Mädchen beugten sich, so weit es ging, über das Baby, um einen Blick darauf zu erhaschen. Seine winzigen Hände waren an Mutter gepresst. Sein Gesicht war verkniffen. »Sie sieht aus wie eine Walnuss«, sagte Idella.

»Oh, Della.« Mutter lächelte wieder. »Ich kann sie kaum lang genug wachhalten. Sie schläft den Schlaf der Neugeborenen.«

»Darf ich sie anfassen?« Idella konnte die Augen nicht von den winzigen Fingern lösen.

»Ihr könnt sie beide ganz vorsichtig anfassen. Ihr dürft nur nicht an mir herumdrücken, meine Süßen. Kommt nicht an meinen Bauch.«

Idella strich mit einem Finger über die Wange des Babys. Sie fühlte sich weich wie warme Butter an. Avis legte die Handfläche sanft auf den kleinen Kopf und zog sie dann schnell wieder zurück. »Er ist nass!«, sagte sie.

»Das stimmt.« Mutter umarmte sie, so gut es ihr gelang. »Und nun ist es höchste Zeit, dass alle zurück ins Bett gehen.«

Mrs. Doncaster trat vor. »Kommt schon, Mädchen, ich bring euch hoch.«

»Wo ist Bill?«, fragte Mutter, als Mrs. Doncaster gerade die Tür schloss. »Elsie, hol Bill. Er sollte hier sein.«

»Mrs. Jaegel ist zu ihm gegangen, um ihm Bescheid zu geben, meine Liebe.« Sie machte eine Pause. »Bei dir dort unten alles in Ordnung?«

Mutter nickte. »Bin nur auf einmal so schrecklich müde.« Sie winkte ihnen matt mit der Hand und warf ihnen einen Kuss zu, lehnte sich dann ins Kissen zurück und schloss die Augen.

»Euer Vater …« Kopfschüttelnd scheuchte Mrs. Doncaster Avis und Idella die Treppe hinauf. Sie murmelte leise vor sich hin, während sie hinter ihnen herging, doch Idella konnte hören, was sie sagte. »Verdammter Narr, wenn er sich besoffen hat.« Sie beobachtete, wie die Mädchen ins Bett schlüpften. »Und jetzt will ich bis morgen früh keinen Pieps aus diesem Zimmer hören«, mahnte sie und schloss sanft die Schlafzimmertür.

Avis und Idella lagen da und starrten an die Decke. »Glaubst du, er ist betrunken?«, wollte Avis wissen.

»Schon möglich.«

»Glaubst du, es liegt daran, weil's ein Mädchen ist?«

»Vielleicht.«

»Vielleicht wollte er gar keine Babys mehr.«

»Zu spät. Es ist da.« Idella drehte sich zum Fenster und zog sich die Decke bis über die Schultern.

»Lass das.« Avis zog die Decke zurück. »Ich bin auch noch hier.«

Die Tür unten ging auf. Die Mädchen lauschten. Dad durchquerte die Küche. Die Schritte eines Mannes klingen anders, dachte Idella. Sie landen so schwer auf dem Fußboden.

»Er geht ins Schlafzimmer«, sagte Avis, die wieder flach dalag.

»Falls er betrunken ist, brüllt er zumindest nicht«, flüsterte Idella.

»Ich hoffe, er ist es nicht.« Avis strampelte die Decke beiseite. »Es sieht irgendwie komisch aus, findest du nicht?«

»Ich habe nicht viel vom Gesicht gesehen.« Idella hatten die Runzeln im Gesicht beunruhigt. Sie wusste, dass Babys manchmal nicht richtig herauskamen.

»Bist du müde?« Avis setzte sich auf.

»Vielleicht.« Idella rollte sich noch fester zusammen.

»Ich nicht«, sagte Avis. Aber sie legte sich hin, und schon bald hörte Idella die vertrauten Geräusche ihres langsamen gleichmäßigen Atems.

Idella konnte ihre Gedanken nicht zur Ruhe bringen, selbst als sie die Augen lange geschlossen hielt. Sie schlug sie auf und starrte aus dem Fenster. Die Bäume wiegten sich und machten leise Geräusche, die Äste waren jetzt mit winzigen Knospen übersät. Sie konnte förmlich spüren, wie voll das

Haus war. Es war überladen mit Menschen. Und da war das neue Baby.

Es kam ihr vor, als wären bereits so viele Menschen in der Familie. Wozu noch mehr? »Man nimmt, was man kriegen kann«, hatte sie einmal Mutter zu Tante Francie sagen hören. Idella war nicht sicher, ob sie von Babys gesprochen hatten. Sie hatte den Satz irgendwann aufgeschnappt, und er war ihr im Gedächtnis hängen geblieben.

Ein anderes Mal erzählte Mutter Tante Francie, dass sie kaum über die Runden kamen und sich immer alles »zusammenkratzen« mussten. Idella fand das komisch. Sie überlegte, was sie alles zusammenkratzte: die Essensreste vom Geschirr, den Schmutz vom Boden, besonders wo der Dreck von den Männerstiefeln ganz fest angetrocknet war, die Kartoffeln aus dem Feld. Das war viel Geschabe und Gekratze. Es war, als würden die Reihen voller Kartoffeln nie aufhören. Und sie kratzten die Fische innen aus. Innereien nannten es die Männer. *Dieses* Kratzen erledigte sie nicht. Aber sie hielt die Laterne hoch, wenn die Männer es taten, nachdem sie im Morgengrauen vom Wasser zurückgekommen waren.

Oh, und sie hatte Mutter geholfen, die Tapete abzukratzen. Das war lustig gewesen. Sie hatten das Wasser richtig heiß gemacht und große Lappen genommen, richtig klitschnasse, und damit über die Wände in Mutters und Vaters Schlafzimmer gerieben. Dann hatten sie die neuen Tapeten angebracht. Wunderhübsche blaue Kornblumen überall an den Wänden. Mutter hatte die Tapete aus einem Katalog bestellt, und sie war mit dem Zug aus Portland geliefert worden, wo ihre Mutter aufgewachsen war. Dad sagte, er würde sich beim Einschlafen inmitten all der Blumen »wie eine gottverdammte Schildlaus« vorkommen. Idella hatte sich schlecht gefühlt, als er das gesagt hatte, aber Mutter hatte gelacht und gesagt, es wäre nicht die erste Blumenwiese, in der er geschlafen hätte.

Als Mutter damals gesagt hatte: »Idella, wir bekommen im Frühling ein Baby«, hatte Idella sie eine Weile angesehen und schließlich gefragt: »Weiß Dad davon?« – »O ja, Dad weiß es.« Mutter hatte auf ihre warmherzige Art gelacht. »Er ist mein Hahn, und ihr seid meine kleinen Küken.«

Mutter gab ihnen viele komische Namen, wenn sie glücklich war. Sie waren ihre süßen Zuckerschoten oder ihre Giftpilze oder ihre Feldmäuse. Sie gab ihnen solche Namen, jagte sie in der Küche herum und kitzelte sie. Avis drehte dann fast durch vor Kichern. Anschließend scheuchte Mutter sie meistens aus dem Haus. Sie stoben wie aufgeschreckte Bienen auseinander, bis Mutter sie wieder zu sich holte. »Kommt zurück, kommt zurück!«, rief sie dann über den Hof oder zum Heuboden hoch, wo sie sich manchmal versteckten. »Es ist Zeit, etwas Sinnvolles zu tun.« Und sie kamen. Gemeinsam machten sie sich daran, etwas aufzuräumen… oder eine Steppdecke zu flicken… oder die endlosen Bohnen zu enthülsen… oder zu schälen… oder etwas zusammenzukratzen.

Idella drehte das Gesicht ins Kissen und schlief ein.

Da war ein Geräusch. Idella konnte es hören, eigenartig, es drängte sich von außen in ihren Schlaf. Sie warf sich unruhig hin und her. Es ist das Baby, dachte sie, erinnerte sie sich. Das Baby weint. Aber es klang nicht nach einem Baby. Idella versteifte sich. Ein Schrei durchzuckte ihren ganzen Körper. Aber es war nicht ihr Schrei. Er kam von unten. »O Gott, der Schmerz! Der Schmerz! Er geht genau durch mich hindurch!« Es war Mutter.

Idella lauschte gebannt. Das Haus hatte sich verändert. Da

waren Schritte, von Männern und Frauen. Draußen konnte sie Männerstimmen hören. Dad war da. Sie setzte sich auf und blickte aus dem Fenster. Es war immer noch Nacht, aber sie konnte Umrisse erkennen. Blackie war dort draußen, Dads Pferd. Es scheute, und jemand hielt es fest. »Wechsel sie bei Mulligans, Bill. Sie haben dort gute Pferde, und es ist auf halber Strecke.« Mit einer einzigen Bewegung schwang sich Dad auf Blackie und preschte los. Kein Wagen, nur das Pferd jagte die Straße hinab in die Dunkelheit.

»Della?« Avis flüsterte neben ihr. »Warum weint sie? Das Baby ist doch schon da.«

»Keine Ahnung, Avis. Dad ist gerade auf dem Pferd losgeritten.«

Idella ging zur Tür und öffnete sie einen Spalt. Die Küchenlampen leuchteten hell. Sie hörte Mrs. Doncaster am Ofen. »Wir brauchen mehr Lappen. Fred, geh rüber ins Haus und hol mir mehr Lappen. Bring die Laken und Bettdecken, falls es nötig ist. Wir reißen sie auseinander. Die hier sind schon schwarz. Und bring unseren Kessel für sauberes Wasser. Ich bleibe hier, bis der Arzt kommt, und dann nehme ich das Baby.« Idella hörte Mr. Doncasters schwere Schritte verklingen, noch bevor Mrs. Doncaster ihren Satz beendet hatte.

Idella kroch in den Flur. Sie sah Mrs. Doncaster, die irgendetwas in dem großen Waschzuber umrührte. Da waren hässliche dunkle Flecken an der Vorderseite ihres Kleides, auf ihrem Rock und an ihren Armen. Es war Blut. Schwarzes Blut kam aus Mutter, durchtränkte alle Lappen. Und Dad wollte mitten in der Nacht zwanzig Meilen reiten, um den Arzt zu holen.

Die Schlafzimmertür öffnete sich. Mrs. Pettigrew, die ganz in der Nähe wohnte, kam mit dem Baby heraus. »Du solltest dich jetzt lieber um sie kümmern, Elsie. Das arme Ding muss saugen. Ich übernehme hier. Gott helfe uns, dass wir diese Nacht überstehen.«

Mrs. Doncaster wischte sich mit ihrer Schürze Blut vom Arm. »Gib sie mir. Ich würde sie gleich mit nach Hause nehmen, aber ich will Emma nicht allein lassen.« Vorsichtig schob sie die Hand unter den Kopf des Babys. »Ist es schwächer geworden?«

»Kaum der Rede wert.« Mrs. Pettigrew ging zum Ofen und blickte in den dampfenden Kessel mit Stoffresten. »Großer Gott, wie schnell sie sich alle vollgesogen haben. Und der Schmerz will einfach nicht aufhören. Mitten aus dem Herzen, sagt sie, mitten durch sie hindurch.«

Idella lag flach auf dem Boden und drückte sich die Faust auf den Mund. Sie wollte Mutter. Sie wollte die Treppe hinablaufen und all die Menschen nach Hause schicken und sich um sie kümmern. Sie wollte, dass der Schmerz und das Bluten aufhörten. So viel Blut floss heraus, dass es alles schwarz färbte.

Ein spitzer Schrei drang aus dem Schlafzimmer. »Geh zu ihr rein, Petty, und tu, was du kannst.« Mrs. Doncaster hielt das Baby, wiegte es, hielt ihren rosafarbenen Finger an seinen Mundwinkel. Das Baby drehte sich zu ihr und begann zu saugen.

»Was ist los? Wer ist dort unten?« Avis flüsterte durch die angelehnte Tür.

Idella winkte Avis zurück ins Schlafzimmer und kroch dann hinter ihr hinein. »Mutter ist krank«, flüsterte sie und zog die Tür zu. »Ich gehe hinunter.«

»Du darfst nicht runter, Della. Das sollen wir nicht. Hat Dad gesagt.« Avis hielt Idella an ihrem Nachthemd zurück.

»Und Mrs. Doncaster auch. Bitte, Della, geh nicht runter. Und lass mich hier oben nicht allein!«

»Ich muss, Avis! Mutter geht's nicht gut. Sie holen den Arzt. Lass los!« Idella löste Avis' Faust von ihrem Nachthemd. »Du bleibst hier.« Sie würde Avis nichts von dem Blut erzählen.

Sie kehrte auf den Flur zurück und spähte hinab. Niemand war da. Alle Stimmen kamen aus dem Schlafzimmer, und die Tür war geschlossen. Sie musste dort hinunter. Sie drängte sich ans Geländer, schlich die Treppe hinab und schlüpfte auf die schmale Bretterbank, die hinter den Ofen gezwängt war und auf der sie im Winter die Socken und Fäustlinge trockneten. Dort hinten war es dunkel. Niemand würde von der Bank oder Idella Notiz nehmen.

Sie presste die Knie und die Füße zusammen und starrte in die Küche oder was sie von ihr sehen konnte. Der Tisch war näher an den Ofen geschoben worden. Sie konnte das Abendessen vom Vortag sehen, Teller mit Eintopf, aufeinandergestapelt. Ein Teil des Brotlaibs lag noch dort, wo Dalton sich ein Stück abgebrochen hatte. Dads großes Messer war verschwunden.

Die Schlafzimmertür öffnete sich. Idella drängte sich weiter hinter den Ofen. »So etwas habe ich noch nie gesehen.« Es war Mrs. Pettigrew. »Sie war gesund wie ein Fisch im Wasser.«

»Ich habe gedacht, das Blut fließt einfach so aus ihr heraus. Es hat ein wenig nachgelassen.« Mrs. Doncaster stand dicht neben ihr an der Haustür. Sie hielt das Baby fest an sich geschmiegt und schien nicht einmal zu bemerken, dass sie es hatte.

»In Gottes Namen, ich hoffe, der Doktor kommt bald.« Mrs. Pettigrew öffnete die Tür und blickte in die Nacht hinaus. »Wir haben ihr die Pillen für die Nachgeburt gegeben, gegen den Schmerz, aber sie helfen nicht. Sie schreit nach mehr. Wir dürfen ihr doch nur so viel geben wie draufsteht.«

»Nein, ich glaube nicht ... Der Doktor wird es wissen. Lass sie offen, Petty. Fred kommt gleich zurück.« Mrs. Pettigrew nickte, und beide Frauen traten in den offenen Türrahmen. »Die Luft tut gut«, sagte Mrs. Doncaster und seufzte. »Wird diese Nacht nie enden?«

»Diese Farbe.« Mrs. Pettigrew senkte die Stimme zu einem zischenden Flüstern. Idella spitzte die Ohren. »Ich hab noch nie jemanden mit einer solchen Farbe gesehen.«

»Schwarz, ich schwör's bei Gott.« Mrs. Doncaster senkte ebenfalls die Stimme. Die Frauen standen eine Minute schweigend da, starrten nach draußen.

Aus dem Schlafzimmer drang ein lauter Schrei.

»Mutter Gottes, ich versuche, Mrs. Jaegel zu helfen.« Mrs. Pettigrew hastete zurück ins Schlafzimmer.

Mr. Doncaster kam mit mehr Laken und einem weiteren großen Kessel herein. Mrs. Doncaster sah zu ihrem Ehemann und schüttelte den Kopf. »Füll den Kessel auf, und stell ihn auf den Herd. Wir brauchen sauberes Wasser. Dann bringst du den Säugling zu uns nach Hause. Sag Lilly, dass sie ein Auge auf ihn haben soll. Vielleicht schläft er jetzt noch eine Weile.« Sie stand da und hielt das Baby, bis Mr. Doncaster den zweiten Kessel auf den Ofen gehievt und eimerweise Wasser aus der Pumpe hineingegossen hatte, so wie Dad früher am Abend. Dann reichte sie ihm das eingewickelte Baby und brachte den Armvoll Laken ins Schlafzimmer. Mr. Doncaster trug das Baby aus dem Haus. Es war, als würde es von seinem rot karierten Hemd, an das er es drückte, verschluckt.

Die Frauen blieben lange bei Mutter im Schlafzimmer. Es

wurde ruhig. Ab und an ging die Tür auf, und Mrs. Pettigrew oder Mrs. Doncaster schlüpften heraus, wobei sie die Tür mit einem sanften Klicken hinter sich zuzogen. Sie sahen dann nach dem Wasser auf dem Herd oder gingen zum Fenster und blickten auf die Straße, in der Hoffnung, der Doktor käme bald.

Die ganze Zeit, viele Stunden lang, saß Idella auf der Holzbank. Die raue Kante scheuerte ihr die Kniekehlen auf. Die Wärme des Feuers drängte gegen ihr Gesicht, als würde jemand auf ihre Wangen und die Stirn hauchen. Haarsträhnen klebten ihr an der Schläfe. Doch ihre nackten Füße waren kalt. Wenn sie sie an den Ofen schob, würde sie vielleicht jemand sehen. Sie legte einen auf den anderen und versuchte, sie warm zu reiben. Von ihrem Platz konnte sie aus dem Fenster blicken. Sie sah zwar die Straße nicht, über die der Arzt käme, doch sie konnte aufs Feld schauen.

Die Morgendämmerung setzt bald ein, dachte Idella. Das Licht hatte sich allmählich verändert. Der Morgennebel war von der Bucht her aufgezogen, schwebte grau vor den Fenstern. Wenn man über die Felder ging, wob er sich einem wie Rauch um die Füße. Mutter sagte, es sei, als ginge man durch Wolken, nur besser, weil man das Meer roch.

Idella war schon manchmal so früh wach gewesen. Es gab Tage, an denen sie und Avis und Mutter die Laternen für die Männer hochhielten, die die ganze Nacht fischen gewesen waren. Die Männer putzten dann den Fisch und legten ihn auf Kisten, damit er in der Sonne trocknete. Hering. Ein Teil wurde für den Winter aufbewahrt, ein anderer in Fässer gefüllt und eingelegt und an Menschen in der ganzen Welt verkauft. Idellas Arm schmerzte nach einer Weile, während sie versuchte, die Laterne genau richtig zu halten. Mutter sagte ihr, sie solle sich auf das Kommen und Gehen des Nebels konzentrieren, den Vögeln und den Geräuschen des Wassers in der Bucht lauschen. Das machte es ein wenig erträglicher, und Idella wusste, dass das, was sie taten, wichtig war, aber sie wünschte sich immer ins Bett zurück.

Ihr Rücken war fürchterlich müde. Es gab nichts, woran sie sich hätte anlehnen können. Sie wagte nicht, sich auf ihrem Platz auf der Bank zu rühren, nicht mal ein bisschen. Sie wusste, sie sollte das tun, was Mutter geraten hatte, sich auf den Nebel und den Anbruch des Tages konzentrieren. Vögel erwachten. Sie hörte die Kühe. Dalton war wohl draußen in der Scheune und kümmerte sich darum, dass sie gemolken wurden. Er war kein einziges Mal hereingekommen. Idella fragte sich, was er wusste.

Die Schlafzimmertür öffnete sich. Idella wich zurück. Mrs. Doncaster ging zur Treppe, blickte hinauf zum Zimmer der Mädchen und lauschte. Idella glaubte, dass sich die Tür oben schloss. Avis. Dann ging Mrs. Doncaster zum Fenster an der Tür. Sie stand lange dort. Idella konnte sie deutlich sehen. Mr. Doncaster kam ins Haus. Er legte den Arm um sie, und sie lehnte sich an ihn. So etwas hatte Idella noch nie zwischen den beiden gesehen. »Sie ist schrecklich schwach«, flüsterte Mrs. Doncaster, »so schrecklich schwach.«

»Das Baby schreit. Ich bin gekommen, um dich zu holen. Lilly weiß nicht, was sie noch tun soll.« Er strich ihr das Haar aus den Augen.

Sie nickte. »Die größte Hilfe bin ich ihr jetzt, wenn ich ihr Baby füttere.« Mr. Doncaster hielt sie weiter umarmt und half ihr aus der Tür.

Idella zitterte. Mrs. Doncaster würde nun Mutters Baby stillen. Es hatte noch keinen Namen. Niemand dachte auch nur daran, ihm einen Namen zu geben. Idella presste die Knie fester und immer fester aneinander, bis sie schmerzten. Sie begann, vor- und zurückzuschaukeln, umschlang den ganzen Körper mit den Armen.

Auf einmal kam Mr. Doncaster zurückgerannt. »Sie kommen! Sie reiten im vollen Galopp!« Idella zwang sich, ruhig dazusitzen. Mrs. Jaegel kam aus dem Schlafzimmer. Idella vernahm das Stöhnen ihrer Mutter, als sich die Tür öffnete. Sie hörte, wie Mrs. Jaegel eine Schüssel mit heißem Wasser füllte und zurückeilte.

Die Bank bebte unter Idella, als die Pferde näher kamen. »Lebt sie? Lebt sie noch?«, schrie Dad, als er herbeiritt.

»Ich nehme die Pferde, Bill!« Mr. Doncaster schrie ebenfalls.

Dad und der Arzt hasteten durch die Küche und ins Schlafzimmer, schlossen die Tür hinter sich. Sie klopften nicht einmal den Morast von ihren Stiefeln. Die gedämpften Stimmen der Männer waren leise und tief. Idella spitzte die Ohren. Manchmal vernahm sie Mrs. Pettigrews Stimme oder die von Mrs. Jaegel, aber nur selten.

Jemand kam aus dem Schlafzimmer. Es war der Doktor. Idella drückte sich in die Schatten. Er ging geradewegs zum Herd. Idella hörte seinen Atem, der vom Ritt noch stoßweise ging. Die Ofentür öffnete und schloss sich. Dann ging der Arzt so schnell, wie er gekommen war, zurück ins Schlafzimmer.

Idella saß auf der Bank, allein in der Küche, wagte lange Zeit nicht, sich zu bewegen. Sie beobachtete, wie es im Zimmer heller wurde. Es war jetzt Morgen. Avis musste wach sein, kam aus Angst wohl nicht herunter, lag bei angelehnter Tür dort oben, lauschte. Idella legte die Hände auf den Bauch.

Sie hatte Hunger. Sie wünschte, sie könnte den Arm ausstrecken und sich ein Stück Brot vom Tisch angeln. Mutter hatte es erst gestern gebacken. Wie konnte sie hungrig sein, während etwas so Schlimmes passierte?

Plötzlich wurden die Stimmen lauter. »Emma! Emma!« Dad rief Mutters Namen. Da war ein Lärm, ein Knall, etwas Schweres krachte zu Boden. Aufruhr brach los. Dann wurde es mit einem Schlag still. Nicht einmal ein Flüstern war zu hören. Idella lauschte und lauschte, drückte den ganzen Körper nach unten, damit sie sich keinesfalls rührte, aber da war immer noch kein Geräusch.

Schließlich öffnete sich die Schlafzimmertür, und Mrs. Jaegel kam mit einer Schüssel heißem Wasser heraus, die sie in beiden Händen hielt. Dampf stieg noch davon in die Höhe. Wassertropfen rannen ihr das Gesicht hinab. Sie stand mitten im Zimmer und sagte leise, aber deutlich: »Sie ist fort.«

Mrs. Pettigrew kam hinter ihr her, schwankte wie eine Betrunkene. Sie streckte die Hand aus, um nicht zu stürzen, und brach auf einem Stuhl zusammen, warf den Kopf und die Arme auf die Knie. Sie weinte. Idella sah, dass sie am ganzen Körper zitterte.

Idellas Mund war trocken, ihre Zunge dick und schwer. Alles klang, als käme es von weit her, als wäre der Nebel ins Haus gewabert und hätte es bis oben hin gefüllt.

»Diese Pillen.« Mrs. Jaegel ging langsam zum Tisch und stellte die Schüssel ab. Sie beugte sich über Mrs. Pettigrew und flüsterte: »Er hat die Pillen ins Feuer geworfen. Er hat Emma nur ganz kurz angeschaut, und dann hat er das Päckchen genommen und ist hier rausgegangen und hat alle ins Feuer geworfen. Das hast du doch auch gesehen.«

Mrs. Pettigrew setzte sich auf. »Denkst du …?«

»Er ist schnurstracks hergekommen und hat sie reingeworfen.« Mrs. Jaegel zeigte auf den Herd. »Sie war gesund wie ein Fisch im Wasser. Das weißt du. Das Baby ist mühelos rausgekommen. Dann haben wir ihr die Pillen gegen die Nachwehen gegeben. Und da haben die Probleme angefangen. Und sie wollte mehr.«

»Aber wir alle haben diese Pillen genommen.«

»Er hat Emma nur kurz angeschaut, und dann hat er die Pillen genommen und sie ins Feuer geworfen. Einfach so.« Mrs. Jaegel deutete eine rasche Wurfbewegung an.

Mrs. Pettigrew blickte zur geschlossenen Schlafzimmertür und dann zurück in Mrs. Jaegels Gesicht, das wutverzerrt war. Sie wischte sich mit ihrem Rock die Augen. »Heilige Mutter Gottes. Hat Bill das gesehen?«

»Er hat nicht aufgepasst. Er hat an ihrem Bett gekniet, der arme Mann.«

»Wir sollten ihm nichts davon erzählen. Es würde sie nicht zurückbringen. Er würde ihn mit bloßen Händen umbringen.«

Dad kam aus dem Schlafzimmer. Die Frauen verstummten. Er stand im Türrahmen, starrte in den Raum. Dann durchquerte er die Küche und ging hinaus auf die Veranda. »Dieses Miststück! Dieses gottverdammte Miststück!« Dads Faust, sein Stiefel oder irgendetwas anderes schlug hart gegen die Hauswand. »Dieses gottverdammte Miststück!« Idella spürte die Erschütterung, während er wieder und wieder und wieder gegen den Verandapfosten trat.

»Er wird sich noch wehtun«, flüsterte Mrs. Pettigrew. »Er wird ein Fenster einschlagen.«

»Lass ihn«, sagte Mrs. Jaegel. »Lass den armen Mann.«

Fort. Das Wort dröhnte in Idellas Kopf. Fort, dachte sie.

Mutter war fort. Idella sackte auf der Bank zusammen. Die Schreie, die sie so lange zurückgehalten hatte, brachen aus ihr heraus.

»Heilige Mutter Gottes!« Mrs. Jaegel stand über ihr, versuchte, sie hochzuheben. »Komm, mein Kind. Komm da raus.« Idella klammerte sich an der Bank fest, ihre Finger krallten sich in die raue Maserung des Holzes. »Bring sie nach oben. Großer Gott, wir müssen das Kind nach oben bringen!«

»Della, Liebling, Della, halt dich an mir fest. Lass dich von Mrs. Pettigrew hochnehmen.« Mrs. Pettigrew zerrte an ihr, zog an ihrem Nacken, packte sie an den Handgelenken.

»Was ist los?« Es war die Stimme des Doktors, dunkel und tief. »Armes Kind. Lasst mich helfen. Wie lang ist das Mädchen schon hier?«

»Wir haben sie eben erst gefunden. Sie hat sich versteckt.«

Idella spürte, wie die großen Hände des Doktors ihre Schultern umfassten. Er hob sie hoch und nahm sie in die Arme, mit einer Kraft, der sie sich nicht widersetzen konnte. Er roch nach etwas Starkem und Verbranntem. »Nein!«, schrie Idella. »Nein, nein, nein! Loslassen!« Sie hieb mit den Fäusten auf seine Schultern ein.

»Das Kind ist hysterisch. Lasst mich ihr etwas zur Beruhigung geben.«

»Nein!« Idella tobte. Sie schlug um sich und versuchte zu entkommen. »Keine Pillen! Keine Pillen!«

»Ich nehme sie.« Es war Dad, der auf einmal vor ihnen stand. Idella streckte sich nach ihm und packte ihn und zog sich in seine Arme. Dad hob ihr Kinn an und sah auf sie herab. Sein Gesicht wirkte müde und schlaff und sonderbar. »Komm, Della, komm, setz dich zu mir.« Er trug sie zu einem Küchenstuhl und setzte sie sich auf den Schoß. Er legte ihr die Hand auf den Hinterkopf und streichelte ihr übers Haar. Idella rieb das Gesicht an seinem roten Wollhemd, dem verschlissenen weichen Stoff. Sie packte das Hemd mit beiden Händen und riss es an sich. Es roch nach der Scheune, nach Heu und den Pferden.

»Na, na«, sagte Dad, und seine Hand umfasste ihren ganzen Hinterkopf, sanft, als wäre es eine Teetasse, und drückte Idella vorsichtig an sich. »Sie ist an einem besseren Ort, Della.« Er flüsterte die Worte. »Deine Mutter ist an einem besseren Ort, weit weg von hier.«

»Ich will mit ihr mit«, schluchzte Idella.

»Ich auch«, flüsterte Dad. »Ich will auch mit ihr mit.«

Den restlichen Tag über wurden die Mädchen hierhin und dorthin geschickt, nach oben und nach unten gescheucht, dann wieder nach oben. Alle Menschen, insbesondere Mrs. Pettigrew und Mrs. Doncaster erklärten, was ihrer Ansicht nach das Beste für sie wäre. Die Mädchen gehorchten, saßen still da, aus dem Weg geräumt, auf Stühlen, gegen die Küchenwand geschoben, erlaubten Nachbarn, die nach und nach, während sich die Neuigkeit auf den Farmen herumsprach, bei ihnen auftauchten, dass sie ihnen die Wangen küssten, ihre Hände hielten, ihnen den Kopf tätschelten und ihr Beileid aussprachen. Man sagte ihnen, sie sollten tapfer sein und was ihre Mutter von ihnen gewollt oder nicht gewollt hätte. Außerdem sollten sie ihrem Dad eine Hilfe sein.

Die Mädchen nickten schüchtern zu allem und hielten die Augen starr auf die Schlafzimmertür geheftet, wo sich ein kleiner, dunkel gekleideter Mann namens Mr. Beeny um Mutter kümmerte. Er war am späten Nachmittag aus der Stadt gekommen, der Doktor hatte nach ihm geschickt.

Er war allein auf einem schwarzen Wagen mit einer langen hölzernen Kiste auf der Ladefläche gekommen. Dad war aus der Haut gefahren, sobald sie abgeladen werden sollte. »Verdammt noch mal, ich wollte grüne Eiche. Nehmen Sie das verdammte Ding wieder mit, und bringen Sie mir das, was ich wollte. Ich lass nicht zu, dass sie in einem einfachen Kiefernsarg liegt.« Idella hörte die langsame, bedächtige Stimme des Bestatters, der mit Dad redete, und die Stimmen der anderen Männer, die sich um sie versammelten. Letzten Endes war Mr. Beeny hereingekommen, hatte den Frauen wortlos zugenickt und war geradewegs ins Schlafzimmer gegangen.

Onkel Sam war auf Mr. Beenys Wagen davongefahren, hatte Dad versprochen, er werde ihm das bringen, was er wollte, was Emma verdiente. Idella beobachtete, wie Dads Bruder hoch oben auf dem Kutschbock davonfuhr. Er fuhr viel schneller mit dem Kiefernsarg davon, als der mit Mr. Beeny gekommen war.

Während der Bestatter mit Mutter dort drinnen war, fragte sich Idella die ganze Zeit über, was er wohl tat, was sich in der schwarzen Tasche befand und was es bedeutete, sie zu bestatten. Sie behielt die Tür im Auge, für den Fall, dass er Mutter fortschaffte.

Gegen Abend kam Mrs. Pettigrew. »Solch traurige, kleine Gesichter, solch arme, kleine Dinger. Kommt, meine Lieben, ich bring euch ins Bett. Ihr musstet mit anschauen, was kein Kind jemals sehen sollte.« Sie zog Idella und Avis auf die Beine und scheuchte sie die Treppe hinauf.

»Idella, du musst eine Kleinigkeit essen. Du weißt, deine Mama hätte gewollt, dass ihr Mädchen etwas esst.« Idella schüttelte entschlossen den Kopf und legte sich hin. Woher wusste *sie*, was Mutter gewollt hätte? Sie war nur eine Nachbarin, das war alles. Idella zog sich die Decke über den Kopf und rollte sich darunter zusammen.

»Ich stelle dir etwas Maisbrot, das Mrs. Adams gebacken hat, genau hier auf die Kommode.« Mrs. Pettigrew klopfte ihr auf die Schulter, ihre Finger krallten sich wie ein Vogelfuß durch die Decke. »Della, Liebling, iss etwas. Du bist die Ältere. Du solltest deiner Schwester ein Vorbild sein.«

Idella schloss die Augen. Sie hatte das Geheimnis für sich behalten – dass der Doktor ihrer Mutter die falschen Pillen gegeben und dann ins Feuer geworfen hatte. Das Geheimnis hatte sich so fest in ihr zusammengeballt, dass es ihr vorkam, als hätte sie einen Stein verschluckt.

Avis weinte in der Ecke. Idella hörte ihren abgehackten, schniefenden Atem. Ich habe nicht die Kraft, sie zu trösten, dachte sie. Die habe ich einfach nicht. Sie spürte, wie ihr feuchter Atem unter der Decke auf ihr Gesicht zurückfiel. Mutter hatte zu atmen aufgehört. Idella blinzelte, spürte das weiche Kratzen ihrer Wimpern an der Decke, dann kniff sie die Augen zu. Gegen ihren Willen, obwohl sie alles sehen und hören wollte, fiel sie in einen langen und wirren Schlaf, der sie direkt in den nächsten Tag brachte.

Sie erwachte früh vom Lärm der Menschen, die in der Küche hantierten. Sie lag ruhig da, wusste nicht, wie sie einen solch schrecklichen Tag beginnen sollte. Mutter würde beerdigt werden. Idella hörte Schritte die Treppe heraufkommen. Mrs. Pettigrew steckte den Kopf herein.

»Meine Güte, Della, Liebes, wie lang bist du schon wach? Wir müssen dich anziehen. Die Leute werden bald kommen.«

Wie benommen ließ Idella über sich ergehen, dass Mrs. Pettigrew an ihr herumzupfte und -zog, ihr das Haar kämmte und

Zöpfe flocht. Idella wusste, dass sie ihr bestes Kleid anziehen musste. Ihr einziges Paar Schuhe musste genügen. Avis war nun auch wach und beobachtete sie schweigend vom Bett aus.

»Eigentlich solltest du richtig baden, aber dazu haben wir keine Zeit. Du gehst jetzt runter, Liebling, und frühstückst. Ich kümmere mich um deine Schwester.«

Langsam, verhalten, stieg Idella die Treppe hinab. Die Küche wirkte eigenartig und still. Körbe voller Essen bedeckten den Tisch. Die Nachbarsfrauen waren mit Mutter im Schlafzimmer, schlurften hin und her.

Idella stand vor der geschlossenen Tür und spähte durch das Schlüsselloch. Sie konnte Mutter auf dem Bett liegen sehen. Aber ihre Beine waren am falschen Ende. Ihr Kopf war an der Fußseite. Ihr langes Haar war über die Bettkante gekämmt und hing bis auf den Boden. Das war alles, was Idella sehen konnte, ihr kastanienbraunes Haar, das den Boden berührte, und ein bisschen von dem spitzenbesetzten Ärmel an der Bluse ihrer Mutter. Ihr Arm baumelte herab.

Idella klopfte sachte an die Tür. Mrs. Doncaster öffnete sie einen Spalt. »Oh, Della, Liebling, sie ist noch nicht fertig. Du kannst sie sehen, wenn sie ganz fertig ist. Wir warten auf deine Tante Francie, damit sie ihr die Haare macht. Und du holst dir jetzt etwas zu essen. Wenn es an der Zeit ist, wird dein Dad dich herbringen, damit du sie sehen kannst.« Dann ging die Tür sanft zu.

Allein in der Küche suchte sich Idella einen Stuhl aus, schob ihn gegen die Wand und setzte sich, die Hände im Schoß, abwartend. Dad kam leise herein. Ohne Idella zu bemerken, ging er in Mutters Vorratskammer, die von der Küche abging. Idella beobachtete, wie er langsam die Finger über die Oberflächen gleiten ließ, Dinge berührte.

Alles dort drinnen zeugte von Mutter: die Reihen der Gläser und Fässer, die guten Teetassen, die behutsam eingewickelt waren, das gebügelte und ordentlich gefaltete Tischtuch für den Sonntag. Mutters Honigtopf stand in einem der oberen Regale. Dad hatte ihn einem Mann abgekauft, der seine eigenen Bienen züchtete. »Wilder Kleehonig«, hatte Dad gesagt, als er ihn ihr gegeben hatte, und sie hatte gelacht, als hätte er einen Witz gemacht, und ihn umarmt. Mutter nahm manchmal einen ganzen Löffel voll Honig und leckte ihn langsam ab, während sie auf ihrem Stuhl am Fenster saß und hinaus aufs Feld blickte.

Jetzt starrte Dad lange aus dem Fenster in der Vorratskammer. Dann drehte er sich um und sah den Wäschekorb, der seit zwei Tagen dort stand, unberührt. Er blickte auf und bemerkte, dass Idella ihn beobachtete. Er kam auf sie zu und beugte sich zu ihr herab. »Hast du genügend Kleider?« Er sah so ernst und besorgt aus. »Habt ihr Mädchen genügend Kleider?« Idella nickte. Sie hätte zu allem ja gesagt, was er sie gefragt hätte. »Gut.«

Avis kam mit Mrs. Pettigrew herunter, angezogen, gekämmt und schweigend. Sie setzte sich neben Idella an die Wand.

Dalton kam von draußen herein. Er stand vor der geschlossenen Schlafzimmertür, die Arme kerzengerade an die Seiten gepresst. Dad stellte sich hinter ihn, öffnete ihm die Tür und redete mit den Frauen. »Lasst ihn eine Weile allein mit ihr.« Sie nickten und rauschten aus dem Zimmer. Dalton blieb lange allein im Schlafzimmer bei Mutter. Niemand sagte ein Wort. Als sich die Schlafzimmertür öffnete, trat er mit gesenktem Kopf heraus. Damit die Leute sein Gesicht nicht sehen können, dachte Idella. Sie bemerkte, dass seine Finger fest ineinander verknotet waren. Er ging durch die Küche und aus der Tür.

Nachbarn trafen den ganzen Morgen über ein, ein unaufhörlicher Strom, der Essen in Körben brachte, als kämen sie zu einer Tanzveranstaltung. Nur dass sie so traurig waren, so fassungslos, so schockiert. Immer und immer wieder hörte Idella Menschen flüstern, wie gesund ihre Mutter gewesen sei, wie stark, wie problemlos das Baby gekommen sei.

Überall im Hof standen Pferde und Wagen. Nie zuvor hatte Idella so viele Menschen in ihrem Haus gesehen. Dalton war mehr als einmal zum Bahnhof geschickt worden, um weitere Gäste abzuholen.

Als alle Schwestern von Mutter da waren – Tante Martha, Tante Linda, Tante Ida, Tante May und schließlich Tante Francie –, setzte das Weinen und Umarmen von vorne ein, wie ein Sturm, der durch das Haus fegte. Dann flaute er zu einem Flüstern ab, und die Frauen hielten sich ruhig in den Armen, sagten nicht viel.

Die ganze Zeit über hatten die zwei Schwestern die Hände im Schoß, starrten auf das schreckliche Kommen und Gehen, zu verängstigt, um auch nur miteinander zu tuscheln.

Idella beobachtete, wie Mrs. Pettigrew die Frauen in eine Ecke der Küche zog und mit ihnen flüsterte. Idella wusste, dass es um die Pillen ging.

»Nichts auf Gottes Erden kann es rückgängig machen.«

»Überhaupt nichts.«

»Und was würde es Bill nützen? Was würde es nützen, wenn er in die Stadt fährt und sich auf den Doktor stürzt?«

»Nichts.«

»Und was würde dann aus seinen Mädchen werden?«

»Der Herr weiß, wie schwer es schon jetzt für sie ist.«

Idella spürte die Blicke der Frauen auf ihnen beiden, während sie hinab auf das Fingergewirr in ihrem Schoß starrte.

Dad wanderte im Haus herum. Die Leute ließen ihn in Ruhe. Er setzte sich, stand wieder auf und ging ins Schlafzimmer, um mit Mutter allein zu sein, sodass die Frauen, die sich um sie kümmerten, wie ein Haufen aufgeschreckter Hühner herausgeflattert kamen. Schließlich ging er aus dem Haus und zur Scheune. Jeder beobachtete ihn. Mrs. Pettigrew sagte, sie hoffe, dass er nichts Dummes anstellen würde, nichts, was er bereuen würde, nichts, was mit Whiskey zu tun hätte. Idella hoffte das ebenfalls.

Als Tante Francie aus dem Schlafzimmer trat und ihnen zunickte, war Dad noch nicht zurückgekehrt. Idella beobachtete, wie sich die Menschen leise in Reih und Glied vor dem Schlafzimmer aufstellten. Die Männer hatten ihre Hüte in der Hand, die Frauen zogen ihre Umhänge fester um sich, als gingen sie an einen kalten Ort. Idella hatte Angst aufzustehen. Mrs. Doncaster hatte gesagt, dass Dad sie hineinführen würde, aber er war noch nicht da. Sie bemerkte, dass Avis sie ansah. Am liebsten wäre ihr gewesen, all die Menschen würden verschwinden. Sie wollte, dass Mutter allein mit ihren Mädchen war, auch mit dem Baby, wie sie es das eine Mal gewesen war.

Auf einmal stand Dad im Anzug mitten in der Küche. Sein Haar war mit Pomade zurückgekämmt, und er war frisch rasiert. Er sah gut aus. Er gab Idella ein Zeichen. Sie konnte noch die Seife an seinen Wangen riechen, als er sich zu ihr herabbeugte, um ihr zuzuflüstern: »Du siehst hübsch aus, Della. Jawohl.« An seiner Art konnte sie erkennen, dass er nicht betrunken war. In der Hocke breitete er die Arme aus.

»Wo ist mein Mädchen?« Avis rannte auf ihn zu. Dads Arme schlossen sich um sie, und Avis lehnte den Kopf an seine Schulter. Sie war wie ein Welpe, dachte Idella, während sie sich in seiner Armbeuge steif und sonderbar vorkam. Sie war zu groß, um richtig hineinzupassen.

»Es ist Zeit, dass ihr euch von eurer Mutter verabschiedet.« Dads Stimme war ernst und tief. »Ich will euch Mädchen nicht auf dem Friedhof. Ihr seht sie hier bei uns zu Hause, wunderschön wie immer. Ihr sollt euch so an sie erinnern.«

Keiner der Erwachsenen sagte ein Wort. Die Männer, die nicht schon draußen waren, traten auf die Veranda. Idella hörte, wie sie mit ihren Stiefeln die wenigen Stufen hinabtrampelten und dann warteten. Sie spürte das Unbehagen der Männer. Die Frauen schienen sich wie Kissen gegen die Wände zu drücken, in ihren Sonntagskleidern weich und leise wie Gänsedaunen.

Dad stand auf und drehte sich um. Avis klammerte sich weiter an ihn. »Francie, wir bringen jeweils ein Mädchen hinein, eines nach dem anderen. Della, du bist älter. Du wartest und kommst mit mir.«

»Komm, Avis, Liebling, komm mit Francie.«

Idella wartete neben Dad. Ihre Hände waren feucht. Sie rieb sie in den Falten ihres Kleides aneinander. Tante Francie sagte etwas zu Avis, das konnte Idella durch die Schlafzimmertür hören. Ansonsten waren alle Gespräche verstummt.

Idella wusste, solange sie wartete, solange die Tür geschlossen war, war *vorher*. Sie hatte noch Zeit, mit Mutter zusammen zu sein. Doch sobald sich der Sarg schloss, wäre keine Zeit mehr, ihren Mund oder ihr Haar oder auch nur ihre Hände zu sehen. Idella wollte, dass es für immer *vorher* bliebe. Doch schließlich öffnete sich die Tür, und Avis kam mit Tante Francie heraus. Ihr Gesicht war rot und fleckig. Sie ging geradewegs auf Dad zu. »Ich will mit zum Friedhof. Ich will auch mitkommen.«

»Nein, Avis.« Dads Stimme war entschlossen. »Du bleibst hier bei deiner Schwester.

»Das werde ich nicht!«, schrie Avis. »Ich bleib nicht im Haus!« Sie riss die Hand aus Tante Francies Griff und rannte zur Haustür. »Sie schläft nicht!« Sie stürmte in den Hof, an den Pferden und Menschen vorbei, die auf den Trauerzug zum Friedhof warteten. »Sie schläft nicht!«, kreischte sie und hastete in Richtung der Viehweide. »Sie ist tot!«

Alle blieben wie angewurzelt stehen. Da machte Dad einen Schritt zur Tür. »Lass sie, Bill.« Mrs. Doncaster legte ihm eine Hand auf die Schulter. »Sie ist schon zu lange mit all dem hier eingesperrt. Lass ihr ein bisschen Zeit.«

Dad nickte. »Sie ist eine Hillock. Ja, das ist sie.« Er wandte sich an Idella. »Komm jetzt, Della. Komm mit.« Er nahm sie an der Hand. Zögerlich gingen sie ins Schlafzimmer.

Da war Mutter, im Sarg. Idella trat näher, spürte die Bettkante an ihren Beinen. Mutters Augen waren geschlossen. Ihr Kopf ruhte auf einem kleinen, am Rand mit Spitze besetzten Kissen. Tante Francie hatte ihr wunderschön das Haar gerichtet. Sie hatte eine schwarze Samtschleife hineingebunden und es weich und glänzend neben ihrem blassen Gesicht drapiert. Um ihr Haar lagen winzige weiße Maiblumen, wie der Heiligenschein eines Engels. Jemand hatte welche gefunden, vielleicht dieselben, die für das Maikörbchen bestimmt gewesen waren, und Francie hatte sie behutsam angeordnet.

Der Sarg lag in der Mitte des Bettes. Idella hatte Angst gehabt, dass er zu klein war, dass Mutter nicht hineinpasste. Oben war noch Platz, ihre Schultern waren nicht einge-

quetscht, doch unten war ihr Rock an den Seiten etwas zusammengerafft. Er war nicht ausgestellt, wie es ein Rock sein
sollte.

Sie trug eine zarte weiße Bluse. An den Ärmeln und um
das Handgelenk war sie mit Spitze besetzt, die so drapiert
und zurückgeschlagen war, dass sie die Hände nicht bedeckte.
Mutters Hände waren über ihrer Taille gefaltet. Es waren
starke Hände. Mutter hatte es selbst gesagt: »Starke Hände für
eine Frau.« Sie waren nicht so weich, wie man wahrscheinlich vermutet hätte, hätte man nur in ihr hübsches Gesicht
geblickt. Idella wusste, wie sie sich anfühlten. Sie streckte den
Arm aus, um sie zu berühren. »Nein, Della.« Dad unterband
es, packte rasch ihre Finger. »Sie sind kalt. Du willst nicht
wissen, wie kalt. Behalt sie warm in Erinnerung.«

Idella presste ihre eigenen Hände fest an die Seiten. Auf
einmal hatte sie Angst. Kalt. Mutter war ganz kalt. Sie standen
mehrere Minuten da, blickten auf ihr Gesicht hinab. Schon
jetzt war Mutter so weit weg.

»Es ist Zeit zu gehen, Bill«, sagte Mr. Doncaster leise durch
die Tür zu Dad. »Natürlich nur, wenn du so weit bist. Der
Wagen ist vorgefahren.«

»Della, es ist an der Zeit. Denk immer dran, wir hatten
die Beste.« Dads Stimme kam von weiter hinten. »Geh jetzt
raus«, sagte er. »Lass mich hier allein. Dann müssen wir sie
rausbringen.« Er schob Idella sanft zur Tür. »Du bist ein braves Mädchen. Ihr seid beide brave Mädchen. Gott steh mir
bei, ich werd's versuchen.«

Idella ging aus dem Zimmer. Sie fühlte sich leer, als wäre
etwas Wichtiges vergessen worden. Mr. Doncaster und Onkel
Sam und Onkel Guy und mehrere andere Männer standen
alle in einer Reihe in der Küche, grimmig und unbeholfen in

ihren Sonntagsanzügen. Keiner von ihnen warf Idella mehr als einen hastigen Blick zu. Sie hatten sich aufgestellt, um Mutter in dem Sarg hinauszutragen. Idella sah durch die geöffnete Tür, dass das Pferd und der Wagen vor der Veranda warteten. Mr. Pettigrew kümmerte sich ums Pferd, beruhigte es.

Dalton stand etwas abseits auf der Veranda. Er hatte einen geborgten Anzug an. Er selbst besaß keinen, hatte nie einen getragen, ging nicht zur Kirche.

»Della, meine Liebe, komm und setz dich neben mich.« Idella ging bereitwillig zu Mrs. Doncaster und schmiegte sich an sie. Sie roch den süßsauren Geruch von all der Milch, die sie produzierte, wo sie nun zwei Babys stillte. Die Milch lief in dunklen, immer größer werdenden Flecken aus.

Manchmal vergaß Idella, dass da noch ein Baby war. Sie hatten ihr den Namen Emma gegeben, nach ihrer Mutter, weil Dad es so wollte. Bislang war sie drüben bei den Doncasters gewesen. Verwandte würden sich wohl von nun an um das Baby kümmern, hatte sie gehört. Tante Beth, aus der Nähe von Bathurst, hatte sich immer ein Mädchen gewünscht. Sie würden auch eine Kuh mitnehmen, die beste Milchkuh, denn das Baby brauchte Milch zum Leben.

Dad öffnete die Tür. Er nickte den Männern zu. »Lasst uns sie rausbringen.« Jeder im Raum erhob sich wie in der Kirche, wenn es Zeit für ein Lied war. Feierlich marschierten die Männer ins Schlafzimmer. Dad musste den Sarg dort drinnen allein geschlossen haben, nachdem er sich verabschiedet hatte. Das war *danach*. Auf einmal wünschte Idella, sie hätte das Haar ihrer Mutter berührt. Das wäre nicht kalt gewesen, sondern weich und wunderbar und normal. Aber es war zu spät. Sie konnte nicht zurück. Sie begann zu weinen.

Die Männer kamen jetzt heraus. Sie versuchten, den Sarg auf den Schultern zu tragen, würdevoll, für Mutter, aber sie mussten ihn absetzen und schieben, um ihn durch die schmale Schlafzimmertür zu bekommen. Dad führte sie an. Als der Sarg durch die Tür war, blieben die Männer stehen, um ihn wieder zu schultern und ihn aus dem Haus zu tragen. Idella sah zu, wie sie auf die Veranda traten und ihn auf den Wagen herabließen. Die Männer, die nicht halfen, hielten ihre Hüte in den Händen.

Dad drehte sich zu Dalton um. »Wir bringen sie gemeinsam hin.« Dad kletterte auf den Kutschbock und nahm die Zügel von Mr. Pettigrew entgegen. Dalton kletterte neben ihn. »Es hat keinen Sinn, noch länger zu warten.« Dad schnalzte mit den Zügeln, und der Wagen machte einen Satz vorwärts. Der Sarg mit Mutter verrutschte und knallte mit einem schrecklichen Krachen gegen den Verandapfosten.

»Nur mit der Ruhe, mein Junge, nur mit der Ruhe.« Mr. Pettigrew schnappte sich die Zügel, um das Pferd zu besänftigen. Dad blieb auf dem Wagen. Mr. Doncaster und ein paar andere schoben den Sarg zurück. Das Pferd setzte sich wieder in Bewegung, zog den Wagen auf die Straße. Die Frauen gingen hinaus zu ihren Männern, und die Wagenreihe rollte stockend los, zum Friedhof.

Idella stand im Türrahmen und sah ihnen hinterher. »Warum gehst du nicht nach oben, Della?« Mrs. Doncaster wischte sich die Augen. »Ich bin gleich nebenan, wenn du mich brauchst. Ich muss die Babys stillen. Du kommst einfach zu mir, falls du etwas brauchst.« Idella hörte die Worte kaum. Sie blickte dem Wagen mit Mutter so lange wie möglich nach. Dann rannte sie durch die Küche und die Treppe hinauf zu ihrem Schlafzimmerfenster, um ihm noch länger nachblicken zu können.

Während sie hinausschaute, sah sie eine einsame Gestalt, die vom Wäldchen her über die Felder rannte. Es war Avis. Sie rannte, rannte wie ein wild gewordenes Tier – mit gerafftem Kleid, barfuß, zerzausten Haaren – rannte auf die Straße, zum Friedhof, weit hinter der langen Wagenreihe her. Idella sah, dass sie etwas umklammert hielt. Ein Teil fiel ihr vor die Füße, und sie bückte sich rasch danach und rannte weiter, erwischte jedoch nicht alles. Die Maiblumen. Avis war losgelaufen und hatte sie alle gepflückt. Sie wollte sie Mutter bringen. Idella lächelte. Avis würde es schaffen. Idella stand da, die Stirn ans Fenster gepresst, spürte die glatte, kühle Oberfläche an ihrer Haut und sah zu, bis die zerzauste, verzweifelte Gestalt über dem Hügel verschwunden war.

Idella wusste, wenn sie vom Fenster wegging, würde ein anderes Leben beginnen. Schon jetzt gab es so viel zu tun.

Pomme de terre

»Wer kommt denn da die Straße lang? Was die wohl will?«, murmelte Elsie Doncaster, während sie eine nasse Hemdhose über die Wäscheleine klatschte und sie mit Holzwäscheklammern an den Schultern befestigte. Der Wind, der von der Bucht herauffegte, blies ihr in den Rücken und ließ die langen, leeren Hosenbeine flattern, in denen ihr Ehemann so häufig steckte. Sie stand da und beobachtete die Gestalt eines Mädchens oder einer Frau, genau ließ sich das nicht sagen, die langsam den steinigen Weg entlangschlurfte, den sie alle »die Straße« nannten.

Es war eine Französin. Da war sich Elsie sicher. Diese Französinnen hatten eine besondere Art an sich, einen besonderen Gang. Sie benutzten ihren ganzen Körper, nicht nur die Beine. Das Mädchen ging ruhig und war ganz allein, kam nun nah genug, dass Elsie sah, was es fest an sich drückte, nämlich eine Art Bündel und ein Paar Männerstiefel. Mit der anderen Hand hielt es einen Zettel umklammert, dessen Ecken im Wind flatterten.

In dem Augenblick kam Tippie bellend herausgerannt, und Elsie rief den Hund zurück. Das Mädchen blieb stehen und blickte zu Elsie, die es ebenfalls ansah. Langes braunes Haar wehte der Französin wirr ums Gesicht, aber Elsie konnte jetzt ihre weichen Gesichtszüge erkennen – rund und fest dank ihrer Jugend, nicht die schlaffe, herabhängende Aufgedunsenheit, die sich bei ihr selbst allmählich bemerkbar machte. Das Mädchen hatte jedoch Brüste, zwei runde Laibe, frisch aus dem Ofen. Die üppige Fülle zeichnete sich an der Vorderseite ihres Kleids ab – das unter den Armen spannte und ihren Busen zusammendrückte. Sie, die Französin, musste in letzter Zeit gewachsen sein, und niemand hatte ihr genug Aufmerksamkeit geschenkt, um ihr neue Kleidung zu besorgen.

Das Mädchen hob die Hand mit dem Papier. Elsie winkte zurück und wartete. Das Mädchen kam auf sie zu, über das Stück Feld, das hinter dem Hof lag.

»*Bonjour.*« Das Mädchen lächelte nicht. Es war angespannt. »*Pardon*«, sagte es, als es vor Elsie stand. Die Wäscheleine hing zwischen ihnen, und Freds lange Unterhosen leckten wie kalte, nasse Zungen an dem Mädchen. »Gibt es hier einen …« Es zögerte und sagte dann bedächtig: »H… Hillock?«

»Oh, hier gibt es viele Hillocks, Kleine.« Elsie streckte den Arm aus und brachte das nasse Kleidungsstück zur Ruhe. »Du musst schon etwas genauer werden.«

Die junge Frau blickte auf den Zettel, den sie in der Hand hielt. »Mit Mädchen.«

Elsie betrachtete den Zettel und lächelte. »Du meinst Bill. Er hat Mädchen, ganz genau. Drei. Und einen Jungen.«

Die Sonne stand im Rücken der jungen Frau, weshalb es Elsie nun schwerfiel, ihr Gesicht auszumachen. Sie hob eine Hand, weil das Licht sie blendete.

»Jetzt sind es nur noch zwei Mädchen, aber die beiden sind kleine Nervensägen. Plus der Junge. Und Bill. Ein echtes Hillocks-Quartett.« Sie lachte. »Mit dir wären es fünf. Ein volles Haus.«

Die Französin sah sie mit zusammengekniffenen Augen

an, als versuchte sie angestrengt, die Informationen aufzunehmen.

»Du hast den Zettel aus Salmon Beach?« Elsie zeigte auf die zerknitterte, handschriftliche Annonce, die sie schon häufig gesehen hatte. Bill hängte sie immer wieder im Gemischtwarenladen auf, um jemanden zu finden, der ihm bei der Hausarbeit und mit den Kindern half. Und jedes Mal waren es Französinnen, die es jedoch nicht lange bei ihm aushielten. Das hatte zahlreiche Gründe.

»Welches Haus, bitte?«

Elsie drehte sich um und deutete mit dem Finger darauf. »Du kannst es von hier sehen, meine Liebe. Das nächste die Straße runter. Das kleine graue Haus am Rand der Klippen. Siehst du's?«

Es war unmöglich, es nicht zu sehen. Es zeichnete sich einsam gegen den Morgenhimmel ab, ein Stück abseits von der kleinen Scheune. Ein blauer Streifen, dunkler als der Himmel, lag wie ein Band genau dahinter. Die Chaleur-Bucht.

»*Merci, Madame.*«

»Oh, nicht der Rede wert, meine Liebe. Und du kannst die Abkürzung nehmen.« Sie zeigte auf ihr Feld. »Die Kinder haben einen Pfad getrampelt, direkt bis zu meiner Haustür.« Sie lachte. »Lass dich nicht von ihnen einschüchtern. Es sind gute Kinder. Es ist bloß so, dass sie jetzt schon seit zwei Jahren nur Bill und keine Emma mehr haben.« Sie schüttelte den Kopf. »Gott segne sie, die gütige, liebe Seele.«

Elsie wusste es besser. Avis und Idella – und Dalton – hatten kein Interesse, dass jemand bei ihnen wohnte und ihnen zu helfen versuchte. Sie glaubten, auch allein gut zurechtzukommen. Sie gingen zu Bett, wenn ihnen danach war, und aßen, wann es ihnen passte. Sie scherten sich nicht darum, an einem bestimmten Tag zu waschen – weder die Kleidung noch sich selbst. Aber sie taten es, wuschen sich und schnitten sich die Zehennägel und klopften die Teppiche aus und lüfteten die Steppdecken. Es gefiel ihnen bloß nicht, wenn es ihnen jemand vorschrieb. Das hatte Elsie früh gelernt und sich bedächtig im Hintergrund gehalten.

Es war die Erinnerung an ihre Mutter, an Emeline, der Wunsch, ihr immer noch zu gefallen, weshalb sie die Badewanne mit heißem Wasser füllten und badeten oder Eintopf kochten, so wie sie ihn zubereitet hatte, oder im Frühling die Vorhänge wuschen. Für ihre Mutter hätten sie alles getan.

Elsie beobachtete, wie das Mädchen – wahrscheinlich fünfzehn, dachte sie – langsamen, gleichmäßigen Schrittes auf Bills Haus zuhielt. Es machte keine Pause und blickte sich nicht um, während es Bills Hof durchquerte und zum Haus ging. Muss an den Stiefeln liegen, die sie trägt, dachte Elsie, dass sie so geht. Wie eine Kuh, die von der Weide kommt – müde, entschlossen, bereit, gemolken und in ihren Stall gebracht zu werden. Die Arme.

Das Mädchen stand auf der schiefen Veranda, klopfte einmal und wartete lange, bis endlich jemand die Tür öffnete und herauskam.

»Monsieur Hillock?«, fragte sie. Es war Dalton. Er stand da, hochgewachsen für seine vierzehn Jahre, und blickte auf sie herab. Sein ungekämmtes Haar glich einem Strohdach, das dem schlechten Wetter ungeschützt ausgesetzt war.

»Bin kein Monsieur.« Er lachte. »Auch wenn ich dazu verdammt bin, ein Hillock zu sein.« Er hob den Kopf und rief von der durchhängenden Veranda über den kargen Innenhof zur offenen Scheunentür. »Dad, 'ne neue Französin ist da!«

Dann nahm er ihre Hand und schüttelte sie. Das Mädchen hielt immer noch den Zettel, das zusammengeschnürte Bündel und die Stiefel an sich gepresst. »Viel Glück«, sagte er und spazierte zu der Leiter, die zur Klippe hinabführte. »Ich stell jetzt meine Hummerfallen auf.«

»*Bonne chance.*« Das Mädchen lächelte, als er sich umdrehte und den Kopf schief legte. »Dir auch viel Glück. Beim Fischen.«

Dalton lächelte und kletterte nach unten.

Sie stand auf der Veranda und beobachtete, wie er langsam verschwand. Das Klatschen der Wellen tief unten in der Bucht war zu hören, und sie roch das Meer. Sie ging zum Ende der Veranda und blickte sich um. In der Nähe des Hauses gab es so gut wie keine Bäume. Die wenigen Exemplare wuchsen, als wären sie in der Mitte umgeknickt worden, weg vom Wind, der im Winter stürmisch blies. Denn es gab keinen Schutz vor dem Wind. Die Felder, die sich hinter der Scheune erstreckten, waren weit und eben. Schon auf den ersten Blick sah sie, dass es ebenso viele Steine wie Kartoffeln zu ernten gäbe.

»Wie lang wird die durchhalten? Was denkst du?« Idella spähte durch die Küchenvorhänge.

»Hoffentlich nicht lang.« Avis kauerte vor dem Fenster, die Augen knapp über dem mit Rissen durchzogenen hölzernen Fensterbrett.

»Hast du ihre Füße gesehen?«, flüsterte Idella. »Sie trägt Stiefel, die so groß wie Scheunentore sind.«

»Ich wette, die hat Zehennägel wie alte Schindeln«, sagte Avis. Die beiden Schwestern kicherten. Avis lugte wieder über den Fenstersims. »Von hinten sieht sie aus wie ein Elch.«

»Oder wie ein großer, alter Kürbis«, sagte Idella, »der in der Erde verfault ist.«

»Oder wie ein toter Fisch mit weit aufgerissenen Augen – und Fliegen, die ihm ins Maul schwirren und wieder raus.«

»Das reicht, Avis. Herrgott noch mal! Sie ist ein Mensch.«

»Vermutlich.«

»Komm zurück an den Tisch, oder sie merkt, dass wir sie beobachten.« Idella streckte die Hand aus und zog Avis am Ärmel. »Und sie kann dich hören.«

»Wie kommt es, dass Dad immer nur Französinnen bekommt, die sich um uns kümmern?«

»Das sind die Einzigen, die kommen.« Idella saß am Küchentisch, wo es Brötchen und Sirup zum Frühstück gab. »Für sie führen wir ein ziemlich gutes Leben. Ist eine Verbesserung für sie.«

»Im Vergleich wozu?«

»Zum Leben unten im Süden.«

»Kein Geld der Welt könnte mich dazu bringen, dass ich mich um uns kümmere.«

»Du meinst wohl um dich.« Idella lachte. »Ich bin nicht das Problem.«

Avis gab einen großen Klecks Sirup auf ihren Teller und fuhr mit dem Finger hindurch. »Ich wünschte, die würden nicht in unserem Zimmer schlafen. Es gibt schon so nicht mal genug Platz zum Furzen.«

»Du schaffst es trotzdem.«

Beide kicherten los.

Bill Hillock kam aus der Scheune, aber erst, nachdem er den Pferdestall fertig ausgemistet hatte. Er schlenderte zur Verandatreppe, wobei er die Hände an der Vorderseite seiner

Latzhose abwischte. »Bei Gott, du bist schnell.« Das Mädchen streckte ihm den Zettel mit der hingekritzelten Anzeige entgegen. Er nickte. »Hab es erst gestern aufgehängt.« Er stützte sich mit einem Arm am Verandageländer ab und sah sie an. »Ich zahl nicht viel. Aber du hast zumindest ein Dach überm Kopf.« Er schaute hoch, hielt dann inne. »Solange es hält.« Das Mädchen folgte seinem Blick. Eine verwitterte Schindel hatte sich am Rand gelöst und baumelte herab wie ein Wassertropfen, der jeden Moment platzen konnte. »Ich lass das von Dalton reparieren.« Er reckte sich und nahm die Schindel von der Dachrinne.

»Und du bekommst Essen.« Er zeigte zu den flachen Feldern. »Wir haben dieses Jahr genug Kartoffeln, um jede Kuh und jeden Menschen im Umkreis von zehn Meilen durchzufüttern. Wenn du Kartoffeln auf jede erdenkliche Art außer roh magst, mit einem Hering dazu oder darunter oder oben drauf, wird dir das Essen schmecken.« Das Mädchen lächelte schüchtern, blickte auf seine abgetragenen Stiefel hinab.

»Nun, wenn du etwas Heißes auf den Tisch kriegst und die Hühner und die Kuh glücklich machst und die Kleidung und das Haus und den ganzen Rest sauber hältst, hast du den Job. Wir haben euch Mädchen wie Bonbons verschlissen, aber mit dir lass ich es noch mal auf einen Versuch ankommen.« Er nickte zum Haus. »Die beiden haben sich hier um alles gekümmert. Keine Mutter mehr seit zwei Jahren.« Er machte eine Pause und blickte zu den Klippen. Er schüttelte den Kopf und sah dann wieder zu ihr. »Der Winter kann verdammt kalt sein. Immer noch Interesse?«

Das Mädchen lächelte ihn an. »*Oui*. Bitte.«

»Hier solltest du dir Englisch angewöhnen. Es wird kein Französisch gesprochen.«

»Ja.« Sie nickte langsam mit dem Kopf, wie eine Sonnenblume, die schwer an Samen trug.

»Hast du auch 'nen Namen?«

»Madeleine.«

»Wir werden dich Maddie nennen. In Ordnung?«

»Maddie.«

»Du hast Dalton schon getroffen?« Bill deutete zur Leiter. Maddie nickte lächelnd. »Von dem wirst du nicht viel zu Gesicht bekommen. Bei den Mahlzeiten. Er hat ein selbstgebautes Boot und verbringt die meiste Zeit damit, Hummer zu fangen – außer ich zerre ihn aufs Feld.« Er blickte auf sie hinab. »Bist etwas jung, nicht wahr?«

Maddie zuckte mit den Schultern und sah weg.

Bill starrte sie einen langen Moment an. Er wollte ihr das zusammengeschnürte Bündel abnehmen, aber sie presste es noch fester an sich. Dann griff er nach ihrem zusätzlichen Paar Stiefel, und sie schüttelte abwehrend den Kopf, auf diese ihr ganz eigene, langsame Art.

»Na schön, Maddie«, sagte er, die Hand an der Tür, »ich bring dich zu den Mädchen.«

Avis und Idella saßen wieder am Tisch. Allein ihre Augen bewegten sich, als Bill die Tür aufschob und Maddie hinter ihm das Haus betrat. Sie hatten jedem einzelnen Wort gelauscht. Sie saßen vor halb aufgegessenen Brötchen, und unter dem Tisch schwangen ihre Beine vor und zurück.

»Mädchen, das ist Maddie. Sie wird uns helfen. Della, du zeigst ihr, wo sie schläft, und die Schublade für ihre Sachen.«

Die Mädchen beäugten sie grußlos.

»Sie wird nicht in unser Zimmer reinpassen«, sagte Avis nach einer Pause. »Einen Teil von mir werd ich aus dem

Fenster hängen müssen, wenn wir alle dort drinnen schlafen sollen.«

Bill lachte. »Dann steck den Kopf raus. Das wird Platz sparen.« Er wandte sich um und ging hinaus. Maddie stand mit gesenktem Blick da, die breiten Schultern angezogen, als wäre ihr kalt.

»Dann komm.« Idella stand auf und machte Anstalten, die Treppe hochzusteigen. Maddie rührte sich nicht, hob nicht einmal den Kopf. Idella blieb stehen und drehte sich um. »Ich hab gesagt, komm. Was ist los mit dir?«

Avis war auf ihrem Stuhl sitzen geblieben, beobachtete sie. Maddie hob den Kopf und wandte sich zu Idella auf der Treppe.

»Sprichst du kein Englisch?«, fragte Idella.

»Nicht so gut, wenn ich irgendwo neu bin.«

»Ich habe nur gesagt: Komm. Herrgott noch mal!«

»Das hier ist deine Schublade.« Avis war ihnen hinterher-gesaust. Sie zog die unterste Schublade der einzigen Kom-mode im Zimmer auf. Sie war leer.

»Das ist dein Bett. Es ist ziemlich klein – ich glaub nicht, dass du reinpasst.« Idella war verärgert, ohne zu wissen, warum. Sie fühlte sich groß und steif, wie sie auf die Neue he-rabblickte, die vor dem Bett in die Hocke gegangen war und das zusätzliche Paar Männerstiefel darunterstopfte. Dann setzte sie sich mit dem Bündel im Schoß aufs Bett. Mit ihrem breiten Hintern füllte sie es fast aus.

»*Très bon.*« Sie lächelte ihnen zaghaft zu. »Gut«, verbes-serte sie sich und klopfte auf das Bett.

Idella und Avis beobachteten, wie sie langsam den Knoten öffnete und die Decke ausbreitete. Ihre Hände waren groß, die Finger wie die eines Mannes, mit breiten, dicken Finger-nägeln.

Vorsichtig nahm sie ein paar Kleidungsstücke aus dem Bündel und legte sie in die Schublade. Ein weiteres Kleid, plump und sackförmig wie das, das sie gerade trug, etwas Unterwäsche und ein zweites Paar lange Strümpfe. Aber da war noch etwas in den Falten von Maddies alter Decke, irgendein Gegenstand. Beide Schwestern bemerkten es. Maddie knotete das Tuch wieder zu und behielt es im Schoß.

Idella stand in der Ecke, sah aus dem Fenster. Sie hatte nicht die Kraft, freundlich zu der Neuen zu sein, sie wollte einfach ihre Ruhe. Die Mädchen verschwanden ja sowieso wieder. Warum sich also Mühe geben?

»Bist du den ganzen Weg von Salmon Beach hergelaufen?« Avis war neugierig.

»*Oui*.« Idella warf Maddie einen ungehaltenen Blick zu. »Ja«, sagte Maddie. »Von Salmon Beach.«

»Sie ziehen Dad wegen seiner Anzeigen in Wheelers Laden auf«, sagte Avis. »Mr. Wheeler meint, wenn er Dad ein Fünf-centstück für jede abknöpfen würde, die er aufhängt, würde er im Geld schwimmen.«

»Avis, Füße runter vom Bett, wenn du Schuhe anhast.« Idella bückte sich und wischte die getrockneten Klumpen Erde von der Flickendecke. Es war ein hartes Stück Arbeit gewesen, sie sauber zu bekommen.

»Hast du irgendwo übernachtet?« Avis ignorierte ihre Schwester und beugte sich erwartungsvoll zu Maddie, bis ihr Hintern kaum mehr den Bettrand berührte. »Du bist so früh am Morgen gekommen.«

»In einer Scheune.«

»Haben sie gewusst, dass du dort gewesen bist?«

»Die Pferde.« Maddie lächelte. »Und die Kuh. Ich hab Milch getrunken.«

»Von der Kuh?« Avis lachte. »Du hast deinen Mund direkt an ihre Titte gehalten?«

»Avis!«

Maddie lachte. »Ich habe gemolken.« Maddie machte ein Geräusch, als würde sie etwas herausquetschen. »Die Milch ist gut. Warm.«

»Warum bist du hergekommen?« Idella wandte sich vom Fenster ab und fauchte die Frage geradezu ins Zimmer.

Maddie sah sie an. »Hier habe ich Luft. Nicht wie in der Hummerfabrik.«

»Du arbeitest dort?«, fragte Avis.

Maddie nickte. »Ich hasse es.«

»Ich und Idella beobachten die Mädchen, die in ihrer Mittagspause auf und ab spazieren. Wir können sie hinten vom Feld aus sehen.«

Idella konnte selbst aus der Entfernung erkennen, dass Maddies Finger mit unschönen Rissen übersät waren. Sie waren rot und wund.

»Was hast du da drinnen?« Avis zeigte auf das Bündel.

»Avis! Das geht dich nichts an! Du hackst auf ihr rum, als wäre *sie* ein Hummer. Pick, pick, pick.«

Maddie blickte auf ihre großen Hände herab und zuckte mit den breiten Schultern.

An diesem ersten Tag bewegte sich Maddie langsam durchs Haus, sog die Dinge regelrecht in sich auf. Anfangs war sie nervös, unruhig. Avis folgte ihr wie eine Klette. Idella stand abseits und beobachtete sie. Maddie prägte sich alles ein. Sie ging in Mutters Speisekammer und schüttelte und hob jeden einzelnen Sack und jedes Fass. Sie schraubte den Deckel von jedem von Mutters Gewürzgläsern auf und steckte die Nase tief hinein, um an dem kostbaren Inhalt zu riechen. Ihre Hände waren überall.

»Was ist das?« Maddie streckte sich und holte das Glas Honig vom obersten Regal.

»Das darfst du nicht anfassen. Es war Mutters besonderer Honig.« Idella schnappte ihn sich. »Sie hat ihn von Dad.«

Maddie sah zu Idella. »*Pardon*. Das wusste ich nicht.«

»Honig hält sich ewig.« Idella stellte das Glas genau an die Stelle zurück, an der es gestanden hatte. »Ich lass es für immer dort, wo sie es hingetan hat. Ihr Französinnen müsst alles betatschen.«

Das Geräusch eines herannahenden Wagens war zu hören. Maddie drehte sich rasch vom Fenster weg und zog den Kopf ein, als wollte sie sich verstecken.

»Hallo, ihr Hillocks!«, rief der Mann im Wagen. »Braucht ihr heute was aus Salmon Beach?«

»Das ist bloß Mr. Pettigrew«, sagte Avis. »Er fragt das immer, wenn er vorbeifährt. Aber er ist ganz nett.« Sie rannte zur Tür. »Nein danke, Mr. Pettigrew. Heute nicht.«

»War nur 'ne Frage.« Er fuhr weiter. »Richte deinem Dad aus, dass er nicht zu hart arbeiten soll!« Er lachte, während er das sagte. »Richte ihm das von mir aus.«

»Kommen viele Menschen hier entlang?«, fragte Maddie.

»Nee. Die Pettigrews, weil die weiter oben leben. Die Doncaster-Jungen sausen hier vorbei. Sie fluchen die ganze Zeit, also weiß man, dass sie es sind. Dann schreit ihnen Mrs. Doncaster von ihrer Veranda hinterher. Komm mit zur Scheune.« Avis nahm Maddie an der Hand und zog sie in den Hof. Idella folgte mit einigem Abstand.

Maddie besah sich jedes Huhn, als gäbe es einen Unterschied zwischen ihnen. Sie schlich sich von hinten an sie heran, während sie im Hof auseinanderstoben, befühlte sie, umschloss ihre Körper mit den Händen und lachte, als sie nach ihr pickten.

Sie legte die Hand auf die Schnauze von Knolle, der Kuh, die ihren großen Kopf schwerfällig in Maddies Richtung drehte. »Ihr habt eine hübsche Kuh«, sagte Maddie, als sie im Türrahmen der Scheune standen und sie beobachteten.

»Idella hat der Kuh da das Leben gerettet«, sagte Avis. »Ein Stück Kartoffel hat ihr in der Kehle gesteckt, und die Kuh wäre fast erstickt.«

»Lass mich das erzählen, Avis – immerhin habe ich's getan. Dad hat aus der Scheune nach mir gerufen, und ich wusste nicht, was er wollte, aber ich wusste, dass es dringend war! Er sagte: ›Du musst die Kartoffel rausholen. Wir kriegen unsere Arme da nicht runter.‹ Also hab ich getan, was er mir gesagt hat. Dad und Dalton haben ihr das Maul aufgehalten, und ich hab mit dem Arm reingegriffen – ich hab ihn tief reingesteckt, durch das Maul und noch tiefer – und hab herumgefühlt, und dann hab ich die Kartoffel gefunden – ich hab sie mit den Fingern umschlossen und die Hand den ganzen Weg mit dem Stück Kartoffel wieder rausgezogen. Dad hat gesagt, ich habe ihm den Tag gerettet. Genau das waren seine Worte.«

»Deshalb nennen wir sie Knolle«, sagte Avis. »Wir hatten zwei Kühe, aber die beste Milchkuh ist mit Baby Emma fort.«

»Wer ist Baby Emma?«

»Unsere Schwester.« Avis hob ein Büschel Stroh auf, streute es sich über den Kopf und wirbelte im Kreis herum. »Sie wird am Maifeiertag zwei. Sie wohnt zehn Meilen von hier, und sie hat die Kuh wegen der Milch gebraucht. Mutter ist bei der Geburt gestorben.«

»Avis!«

»Nun, das ist sie doch.« Avis hörte auf sich zu drehen und blieb stehen. »Deshalb hat Dad sie zu Tante Beth gegeben. Sie wollte ein Mädchen, und Dad hatte schon zwei.«

Maddies Hand ruhte auf der Kuh, und sie blickte erst zu Avis und dann zu Idella. »*C'est triste*«, sagte sie schließlich, bevor sie sich verbesserte. »Traurig. So traurig.«

»Sie ist wunderschön gewesen«, sagte Idella und erwiderte Maddies niedergeschlagenen Blick mit zusammengekniffenen Augen. »Unsere Mutter ist wunderschön gewesen. Sie ist eine Dame gewesen. Nicht wie du.«

»*Non*.« Maddie schüttelte den Kopf, die gespreizten Finger immer noch auf dem Rücken der Kuh. »*Non*. Nicht wie ich.« Sie sprach leise. »Es tut mir leid, Idella. Ich habe nicht gewusst, was mit deiner Mutter passiert ist. Ich hatte nicht lange eine Mutter.«

»Ist sie gestorben?«, fragte Idella.

»Sie hat mich verlassen.«

»Dich verlassen? Weil sie gestorben ist?«, fragte Avis.

»Weil sie in einem Wagen weggefahren ist und mich nicht mitgenommen hat. Sie hat mich bei meinem Vater zurückgelassen.«

Avis ließ nicht locker. »War er nett zu dir?«

Maddie sah Avis an. »Es hat kein Glas Honig gegeben.«

»Dad hat den Honig für Mutter extra von dem Mann mit den Bienen geholt«, sagte Idella.

»Es tut mir leid, dass ich das Glas verrückt habe. Sei nicht böse, Idella. Bitte.«

Idella rannte zu einem Bündel Heu und trat mit dem

Fuß dagegen, woraufhin harte Halme in einem stacheligen Schauer herabregneten. Sie drehte sich um und lief ins Haus, sprang die Verandatreppe hinauf und schlug die Tür hinter sich zu.

»Was hat die denn in den Arsch gebissen?«, sagte Avis, die ihr nachblickte.

Maddie wandte sich um und lächelte Avis an. »So eine Sprache, Jeune Avie. Deine Schwester ist traurig. Und wütend.«

»Jeune Avie?« Avis lachte. »Ist das Französisch für ›schöne Avis‹?«

Maddie streckte den Arm aus und zupfte Stroh aus Avis' Haar. »Schöne Avis. *Oui*. Traurige Idella.«

Maddie ging erst nach den Mädchen schlafen. Sie sagte, sie wollte einfach noch eine Weile auf ihrem Bett sitzen und aus dem Fenster schauen. Sie schlafe sehr wenig, erklärte sie, und nie vor Mitternacht oder ein Uhr.

»Nun, du solltest lieber etwas früher einschlafen, um rechtzeitig aufzuwachen und deinen Kram zu erledigen«, sagte Idella, die steif in ihrem Nachthemd auf dem Bett saß.

»Ah, *oui*, ich bin bei Morgengrauen wach. Ich bin besser als jeder Hahn.«

»Warum gehst du nicht runter zu Dad?«, fragte Avis.

»Ah, *non*. *Non*, ich gehöre hierher zu euch Mädchen.«

»Hm, das finde ich komisch«, sagte Idella.

»Sei still, Idella, und schlaf endlich.« Avis war schon unter der Bettdecke. »Dann merkst du nicht, dass sie hier ist.«

Idella kam es wirklich sonderbar vor. Sie konnte Maddies schwere Gegenwart spüren. Sie war ein solcher Brocken. Ihre Wangen waren rau und rot, als würde sie sich ständig das Gesicht reiben. Idella zog sich die Decke über den Kopf. Und dennoch, in ihrem Lächeln lag etwas Süßes. Es kam und ging so schnell wie ein Kaninchen, das aus dem hohen Gras schoss und dann wieder darin verschwand.

»Gute Nacht, Maddie«, sagte Avis schließlich in einem Tonfall, der seine beißende Schärfe verloren hatte. »Ich bin froh, dass du hier bist.« Kurze Zeit später schlief sie.

Idella lag länger wach, spürte die neue Gegenwart im Zimmer, nahm die Gerüche von Maddies Körper wahr. Da war Erde und Milch und Salz. Idella drehte das Gesicht zur Wand und schlief ein.

Am nächsten Morgen setzte sich Avis im Bett auf und blickte zu der kleinen Liege. Die braune Wolldecke, die Maddie mitgebracht hatte, war sorgfältig darüber ausgebreitet. Die Ausbuchtung war verschwunden, und Maddie selbst war ebenfalls fort. »Wo ist sie?«

»Schau doch mal aus dem Fenster!« Idella, die wach dalag, zeigte zu den Klippen.

Maddie stand oben bei der Klippenleiter und blickte hinaus auf die Bucht.

»Sie sollte lieber nicht runterklettern«, sagte Idella und gesellte sich zu Avis ans Fenster. »Dad würde fuchsteufelswild werden.«

Avis drehte sich zu Idella. »Lass uns ihre Sachen durchwühlen. Ich will ihren Schatz finden.«

»Nein, Avis. Das ist nicht nett. Und sie kommt auch schon zurück.«

»Maddie ist nicht besonders hübsch, nicht wahr?«, sagte Avis, als sie wieder durch den Vorhang sah.

»Hm, nein. Eher nicht«, sagte Idella.

Sie zogen sich an und hüpften die Treppe hinunter. Es

war viel früher als sonst, aber sie waren neugierig. Maddie stand inzwischen in der Küche und beugte sich am Herd über die schwarze Eisenpfanne. Noch war nichts darin. Aus dem Schnabel der blauen Zinnkanne, die auf dem Ofen stand, quoll immer noch Dampf. Der Geruch von Kaffee hing schwer in der Luft. Bills Tür war geschlossen.

Maddie sah auf, als die Mädchen eintraten. »*Bonjour.*« Ihr Lächeln währte etwas länger als am Tag zuvor. »*Café?*«

»Du denkst zu viel Französisch am Morgen«, sagte Avis. »Du musst auf Englisch umschalten, bevor Dad aufsteht. Er hasst es, die Worte nicht zu verstehen.«

»Kaffee?«, wiederholte Maddie. »Süß?«

»Na sicher!«

»Avis! Wir trinken noch keinen Kaffee.«

»Ich bin bereit. Bisher hat ihn mir nur keiner angeboten.« Avis holte sich einen Becher vom Regal und hielt ihn unter die Kanne. Maddie sah zu Idella, die mit den Achseln zuckte und sich ihre eigene Tasse holte. Maddie nickte und füllte Avis' Becher bis zur Hälfte.

»Sieht aus wie Frühlingsmatsch«, sagte Avis.

Stirnrunzelnd schürzte Maddie die Lippen. »Zu stark, denkst du?«

»O nein. Glaub ich nicht.« Avis nahm den Becher. »Wo ist der Zucker?« Maddie wies zur Zuckerdose.

Die Schlafzimmertür ging quietschend auf. Bill kam heraus, ungekämmt und unrasiert und die Augen gegen die Morgensonne zusammengekniffen. »Das ist der beste Kaffeegeruch, von dem ich je in meinem ganzen Leben geweckt worden bin, Maddie. Er riecht so stark, dass ich ihn nicht mal trinken muss. Wenn dieser Geruch weiterhin im Haus bleibt, muss ich dich wohl oder übel heiraten.«

Idella sah, wie Maddie errötete und den Kopf senkte. Ihre Haare, immer noch wild und vom Wind zerzaust, fielen nach vorne und verbargen ihr Gesicht.

Dad zog sich die Hosenträger über die Schultern, während er zum Tisch trat. »Ihr zwei seid früh auf. Geht ihr fischen?«

»Dalton, er ist gegangen.« Maddie stellte einen vollen Kaffeebecher vor ihn hin und eilte zurück zum Herd.

»Er macht alles allein.« Dad hob den Becher hoch und hielt ihn sich unter die Nase. »Das hier ist wie das Paradies für mich, Maddie. Aufwachen und Kaffee riechen. Ist seit Emma nicht mehr vorgekommen.« Idella beobachtete, wie Dad vorsichtig nippte. »Um Himmels willen!« Seine Stimme dröhnte. Alle drei Mädchen erstarrten. »Ist da überhaupt Wasser drin?« Er drehte sich scharf um und sah Maddie an. Dann warf er den Kopf in den Nacken und lachte so laut, dass die Knöpfe seiner langen Unterwäsche wie auf Wellen tanzten. »Ist mir ein neues Haar gewachsen?«, fragte er, als er endlich wieder etwas sagen konnte. »Hat der eine Schluck schon was mit mir angestellt?«

Langsam, vorsichtig schüttelten die drei Mädchen den Kopf. Keines von ihnen wagte mehr als ein zaghaftes Lächeln.

»Du machst verdammt starken Kaffee, Maddie!« Er nahm einen großen Schluck. »Und verdammt guten!« Da brachen sie alle in Gelächter aus, glücklich und erleichtert.

Schon sehr bald hatte sich alles eingespielt. Jeden Morgen, wenn die Mädchen früh erwachten, wussten sie, dass sie nur aus dem Fenster schauen mussten, um Maddie zu finden. An manchen Morgen hörten sie Stimmen draußen im Hof. Wenn sie hinausblickten, sahen sie Dalton, der mit Maddie sprach, bevor er die Leiter hinabstieg. Einmal sahen sie, wie Maddie in die Hände klatschte und über etwas lachte, das Dalton gesagt hatte. Ein anderes Mal zeigte er ihr etwas, aber sie konnten nicht erkennen, was es war. Sie vermuteten, dass es etwas mit dem Boot oder mit Fischen zu tun hatte. Dalton konnte sich nicht über viele andere Dinge ereifern.

Der Kaffee blieb weiterhin stark und heiß. Dad verlangte mit der Zeit schon nach einer neuen Tasse, noch bevor er die erste zu Ende getrunken hatte, und meinte, er wüsste nicht, wie er die verwässerte Pisse hatte trinken können, die er früher Kaffee genannt hatte. Maddie errötete.

Zum Frühstück machte sie Bratkartoffeln und dann Spiegeleier in der schwarzen Pfanne. Jeden Tag. Die Kartoffeln waren heiß und braun und knusprig und die Eier durchgebraten, bis der Eidotter zu einem krümeligen hellen Gelb geworden und das Weiß am Rand braun gesprenkelt war. Jeder aß sie so, wie Maddie sie servierte, wenn sie die Eier mit einem Klatschen auf den Tellern landen ließ.

Mittags gab es Kartoffeln und Räucherfisch aus dem Fass. Das Abendbrot bestand aus Bohnen mit gepökeltem Schweinefleisch und Kartoffeln.

»Maddie, wie kommt es, dass wir jeden Tag immer nur dasselbe essen?«, fragte Avis eines Morgens, nachdem Dalton und Dad vom Tisch aufgestanden waren. »Kriegen wir irgendwann auch mal was anderes?«

Maddie schürzte die Lippen und schrubbte weiter den Teller sauber. »Dir schmeckt, was ich koche?«

»Es ist gut«, sagte Avis, »aber irgendwie ist es langweilig, jeden Tag das Gleiche zu essen.«

»Dein Vater, hat er sich beschwert?«

»Nicht bei mir.«

»Ich hab es wirklich satt«, sagte Idella und sah von ihrem

Teller auf. »Ich denke, du weißt einfach nicht, wie man was anderes kocht.«

Die Mädchen lernten bald, dass es Dinge gab, über die Maddie nicht reden wollte, dass sie sich manche Fragen nicht einmal zu Ende anhörte – woher sie kam, wie ihre Verwandten waren, wer ihre Eltern waren. Es war, als käme sie von nirgendwoher.

»Wie kommt es, dass du die Stiefel nie trägst, die du mitgebracht hast?«, fragte Avis sie eines Morgens. »Du bist mit ihnen hergekommen und hattest fast nichts anderes dabei. Wem gehören sie? Sie sind schrecklich groß.«

»Sie gehören mir.«

Selbst Avis wusste, dass sie nicht weiterbohren sollte.

Während Maddie sich langsam bei ihnen eingewöhnte, liebte sie es, den Mädchen Fragen zu stellen – wie man etwas anpflanzte, wie ihre Mutter die Dinge im Haus verrichtet hatte. Wie deckte man einen Tisch richtig? Wie nähte man einen Saum an einen Rock? Das waren Dinge, von denen Idella mit zehn zu viel wusste, und die Maddie mit fünfzehn längst hätte wissen müssen.

In Bills Anwesenheit gab sie kaum einen Ton von sich. Sie antwortete zwar auf Fragen, wenn ihr welche gestellt wurden, jedoch nie mit mehr als ein oder zwei Worten oder einfach nur mit einem Nicken. Sobald sie die Antwort gegeben hatte, senkte sie den Blick auf die Füße.

Bislang hatte Avis einiges herausgefunden. Maddie hatte keine Brüder oder Schwestern, zumindest wusste sie von keinen. Sie hatte Französisch gesprochen, als sie klein war, aber sie hatte ihr Englisch verbessert, nachdem ihre Mutter sie verlassen hatte. Früher hatte sie mal eine Katze mit dem

Namen Nuage gehabt, was Wolke bedeutete, aber sie war im Wald verschwunden und wahrscheinlich gefressen worden.

Sie hatte keinen zweiten Vornamen.

»Hat dir deine Mutter keinen gegeben?«

»Davon hat sie nie was gesagt.«

Avis mochte es, »Jeune Avie« genannt zu werden, und begann, sich nach Worten auf Französisch zu erkundigen. Es amüsierte Maddie, und sie zeigte dann auf Dinge und nannte Avis das Wort: *la fourchette, le cheval, la tasse, il pleut.*

Eines Morgens brachte Avis Maddie schallend zum Lachen, als sie fragte, ob sie ihr »ein aff« reichen könne. »*Oeuf!*«, lachte Maddie. »Nicht ›Affe‹.«

»Was genau ist überhaupt ein Affe?«, fragte Avis.

»Nun, das wäre wohl jemand wie ich«, sagte Dad, der ebenfalls lachte. »Nicht wahr, Maddie?«

»*Non.*« Ihr Gelächter verstummte. »*Mon père*«, erwiderte Maddie. »*Mon père est un* ›Affe‹.«

Maddie trug nur das eine Kleid. Es war aus grauer Wolle, mehr wie eine Decke als ein Kleid, spannte an den Brüsten und unter den Armen. Sie hatte es so lange getragen, dass es an manchen Stellen weich und dünn geworden war, etwa an den Ellbogen. Eines Tages bemerkten die Mädchen, dass sie etwas an dem Kleid verändert hatte, damit es besser über ihre Oberweite passte. Sie hatte mehrere Streifen Stoff von ihrer braunen Decke abgeschnitten und sie an den Seitennähten unter den Armen eingearbeitet. Es sah komisch aus, aber das Kleid spannte nicht mehr. Ihre Brüste saßen lockerer, waren nicht mehr so flachgedrückt. Idella und Avis entschieden, die Veränderung nicht laut anzusprechen, auch wenn sie ihnen sofort aufgefallen war und sie heimlich darüber redeten.

An Maddie gab es viel Braun. Idella fand, dass ihr Haar und ihre Augen den hellen Ton von Blättern aufwiesen, die den ganzen Winter am Boden gelegen hatten und zerbröselten, wenn man sie aufhob. Ein erdfarbenes Braun.

Aber all ihre Farbe kam zum Vorschein, sobald sie sang. Die ganze erste Woche, die sie bei ihnen war, sang sie keinen einzigen Ton. Sie war die ganze Zeit ernst. Dann, eines Tages, sang sie beim Fensterputzen. Es war ein klarer, strahlender, windiger Tag, und mit einem Mal stimmte Maddie ein französisches Lied an. Anfangs leise, fast nur ein Summen, dann wurde sie lauter, je sauberer die Fenster wurden, als könnte sie mehr von ihrer Stimme herauslassen, je mehr Licht sie hereinließ. Es war, als sänge ein Vogel im Haus, dachte Idella, die vom Schlafzimmer aus lauschte.

Eines Tages kam Dalton unerwartet zum Mittagessen nach Hause. Er verhielt sich ruhig, als er Maddie oben singen hörte. Er stand in der Küche und lauschte, bis sie die Treppe heruntergestürzt kam, die Steppdecken zum Auslüften in den Armen. Bei seinem Anblick blieb sie wie angewurzelt stehen.

»Mach weiter, Maddie.«

»Oh, ich dachte, niemand wäre hier.«

»Das war auch so. Aber jetzt bin ich hier.« Er lächelte. »Es wäre schön, wenn du weitersingen würdest. Mutter hat auch im Haus gesungen.«

Maddie errötete und lächelte. Doch sie sang nicht weiter. Sie ging hinaus, um die Steppdecken über die Wäscheleine zu hängen. Sie hielt sie an den Ecken und schüttelte sie heftig aus, bis Dalton aus dem Haus trat. Mit einem belegten Brot in der Hand winkte er ihr zu und ging in die Scheune.

»Sie trägt Dinge«, sagte Avis eines Morgens, als sie Maddie am Rand der Klippe stehen sah.

»Wovon redest du?« Idella wandte sich ab und schlüpfte aus ihrem Baumwollnachthemd.

»Sie trägt Dinge in ihrer Kleidung. Da ist eine Beule, die sich bewegt.« Avis stand auf dem Bett, um einen besseren Blick auf Maddie zu erhaschen. »Manchmal glaube ich, dass es zwischen ihrem Busen steckt.« Avis demonstrierte es, glitt mit der Hand unter ihr Nachthemd und über ihre flache, kleine Brust. »Manchmal glaube ich, dass es unter ihrem Rock ist.« Avis wackelte mit dem Hintern.

»Du bist verrückt.«

»Hast du ihr je beim Ausziehen zugeschaut?«

»Nein. Aber ich möchte, dass *du* dich jetzt *an*ziehst.« Idella schleuderte Avis ihre Kleidung hin.

»Sie wartet, bis wir eingeschlafen sind, bevor sie zu Bett geht.« Gedankenlos zerrte sich Avis das Nachthemd über den Kopf. »Und sie ist vor uns wach.«

»Warum sollte jemand etwas in seiner Kleidung verstecken?« Behutsam zog Idella ihre Strümpfe an und zwängte die Füße in die Schuhe.

»Vermutlich, weil man keinen anderen Ort hat.« Avis streifte sich das Kleid über.

»Wir haben ihr eine Schublade gegeben.«

»Das ist nicht viel.«

»Hast du da etwa schon nachgeschaut?« Idella sah zu der geschlossenen untersten Schublade.

»Na klar. Nichts drin außer ein paar alte Klamotten.«

»Ich will verdammt sein, wenn diese Stiefel noch einen weiteren gottverdammten Tag halten.« Bill stand über einen

Küchenstuhl gebeugt und untersuchte seine gestiefelten Füße. Die Hosenträger spannten sich über seinen breiten Schultern, und seine lange wollene Unterwäsche rutschte aus der Hose. Er zog einen Stiefel aus und setzte sich mit ihm in den Händen hin. »Hier an der Seite wie ein kaputter Schornstein aufgeplatzt. Das Salzwasser ist schuld. Frisst sich durch alles.« Er hielt ihn hoch und starrte in den abgetragenen, alten Stiefel. »Wundert mich, dass das Licht nicht durchscheint.«

»Die Kirche riecht anders als deine Stiefel.« Avis lachte.

»Nun«, sagte Bill, »kommt wohl drauf an, was du von der Kirche hältst.«

»Ich finde, dass es in der Kirche nach Kiefernzweigen riecht«, sagte Idella und beobachtete Maddie, die am Herd herumhantierte. Sie machte Pfannkuchen in verschiedenen Größen und Formen. Dem Anschein nach, so wie sie sie aufgeregt wendete und aus der Pfanne kratzte, gelangen ihr einige besser als andere. Als der gesamte Teig aufgebraucht war, gab sie den größten und besten auf Dads Teller. Dann suchte sie die nächstbesten für Avis und Idella aus. Dalton hatte Brot und getrockneten Fisch mitgenommen und war bereits draußen, um seine Hummerkäfige zu überprüfen.

»Nun, ich hab mich schon gefragt, was du dort drüben kochst, Maddie.« Bill blickte hinab auf die großen, unförmigen Pfannkuchen. »Reich mir lieber den Sirup und noch eine Tasse Kaffee.«

Avis hielt ihren Pfannkuchen hoch. »Ich frage mich immer noch, was sie da kocht. Dieser hier sieht aus wie eine Landkarte von Kanada.«

»Hm, vielleicht kann ich einen von denen benutzen, um ihn als Sohle in meine Stiefel zu legen. Wenn ich den dort zurechtschneide, könnte es vielleicht klappen.« Idella sah, wie

Maddie leise aus der Küche schlich, als Avis und Bill in Gelächter ausbrachen. Er gab viel Sirup auf seinen Teller.

»Avis, leg dein Essen hin.« Idella warf ihr einen Blick zu. »Du hast Maddies Gefühle verletzt. Sie ist nach oben gegangen. Was ist nur los mit dir?«

Alle verstummten und machten sich über das Essen her.

»Die hier sind verdammt köstlich!«, rief Bill laut. »Ich hoffe, du kannst mir noch ein paar zaubern, bevor ich losmuss, Maddie.«

»Ich liebe sie!«, rief Avis die Treppe hinauf. »Ich will mehr!«

Idella versuchte, den Pfannkuchen zu essen, der für sie bestimmt war. Auf der einen Seite war er schrecklich verbrannt, auf der anderen noch ganz klebrig. Es gab nichts dazwischen. »Reich mir den Sirup, Avis.«

Maddie kam von oben in die Küche zurück. Sie stand einen Moment vor Bill – und holte dann hinter ihrem Rücken das neue Paar Männerstiefel hervor, mit dem sie bei ihrer Ankunft durch die Tür gekommen war. Ohne Bill anzuschauen, stellte sie ihm die Stiefel hin und sagte so leise, dass es kaum zu vernehmen war: »*Pour vous.* Diese Stiefel. Sie gehören Ihnen, wenn sie passen.«

Sie hörten zu kauen auf und sahen Maddie an.

»Wo zum Teufel sind die her?« Er hob die Stiefel hoch und begutachtete sie. »Das ist ein feines Paar Stiefel. Eine Spezialanfertigung. Seht euch die doppelte Naht an, die hier am Rand entlangführt. Und mit diesem Absatz könnte man ein Maultier plattmachen, wenn man auf eines tritt. Woher hast du die, Maddie?«

Maddie schüttelte den Kopf. »Sie gehören mir. Ich will sie nicht.«

Bill starrte Maddie fest an. Idella kannte diesen Blick, der so durchdringend war, dass einen das Gefühl beschlich, die eigenen Knochen könnten Löcher bekommen. Schließlich schürzte er die Lippen und verengte die Augen. Die Mädchen wussten das als Zeichen zu deuten, dass er zu irgendeiner Entscheidung gekommen war. »Na schön. Dort oben nützen sie niemandem was. Es ist ein gutes Paar Arbeiterstiefel, und ich habe Arbeit, die auf mich wartet.« Er zog seine alten Stiefel aus und glitt langsam, einen Fuß nach dem anderen, in die neuen Schuhe. »Bei Gott, sie passen!« Er stand auf. »Und die Zehen haben sogar noch etwas Platz. Mit zu viel Platz kann ich leben. Zu kleine Schuhe hasse ich.« Er ging in der Küche herum, zur Tür und wieder zurück. Alle Augen waren auf seine neuen Stiefel gerichtet.

»Nun, vielen Dank, Maddie. Du scheinst immer für eine Überraschung gut zu sein.« Er lächelte sie an.

Maddies Gesicht strahlte, wie sie es nie zuvor an ihr gesehen hatten. »Es ist also gut? Sie brauchen keine Pfannkuchensohle?«

Bill lachte laut. »Keine Pfannkuchensohle.«

»Sie werden sie tragen?« Sie lächelte.

»Ich werde sie tragen, und ich werde darin tanzen, Maddie.« Er schleuderte die Füße hoch in die Luft, machte tänzelnde Schritte. Dann packte er Maddie bei den Händen und wirbelte sie lachend in kleinen Kreisen im Zimmer herum. Avis und Idella lachten jetzt auch.

Avis stand auf und packte Maddies und Bills Hand und schob sich in den Kreis. »*Round and round the mulberry bush!*«, begann sie zu singen, und dann stimmten sie alle ein, lachend und sich drehend. »*The monkey chased the weasel.*« Als sie beim »*pop*« angelangt waren, hob Bill – nicht Avis, die es erwartet hatte – sondern die erschrockene, eingeschüchterte Maddie an der Taille hoch. Er hob sie nur ein kleines bisschen hoch, denn Maddie war kein kleines Mädchen, aber hoch genug, dass es jeder bemerkte. Das Lied endete, und sie hörten auf zu tanzen.

»Die Felder warten auf mich. Ich stapfe mal mit meinen neuen Stiefeln raus.« Bill schnappte sich seinen Hut vom Haken an der Tür und ging aus dem Haus.

Maddie räumte summend und lächelnd das Geschirr ab. Avis und Idella sahen von der Tür zu den alten Stiefeln, die immer noch am Boden standen, und dann zu Maddie, die um den Tisch tänzelte.

Nachmittags an einem der folgenden Tage besuchte Mrs. Doncaster sie. Sie brachte ihnen einen Apfelkuchen vorbei, da sie vor Neugierde brannte. Sie hatte so viel wie möglich von ihren Fenstern aus beobachtet. Doch es war an der Zeit, sich die Sache aus der Nähe anzuschauen.

»Bill«, sagte sie, nachdem sie Maddie beim Kaffeekochen beäugt hatte. Maddie servierte allen den Kaffee, Avis eingeschlossen, und der erste Schluck zog Mrs. Doncaster fast den Boden unter den Füßen weg. »Du hast dir fast noch ein Kind ins Haus geholt. Was zum Teufel hast du dir dabei gedacht?«

»Sie ist plötzlich aufgetaucht. Gütiger Himmel, sie hat wie ein trauriger, alter Hund vor der Haustür gestanden. Du hast gesehen, in welchem Zustand sie war. Und verdammt noch mal, Elsie, ich brauch jemanden, der kocht und mir mit den Mädchen hilft, wenn ich sie behalten will. Ich bin am Ende, seit Emma tot ist. Das Leben ist kein Leben mehr. Es ist nichts als Arbeit und sonst fast nichts.«

»Du solltest dich vor dem ›sonst fast nichts‹ hüten, Bill Hillock.«

»Geh zurück an deine Fenster, Elsie.« Bill lachte. »Aus der Ferne sieht man die Dinge manchmal klarer.«

In dieser Nacht, wie in den meisten Nächten, saß Bill mit seiner Flasche Whiskey an dem abgenutzten Ahorntisch. Er hatte den Tisch von seinen Brüdern zur Hochzeit geschenkt bekommen. John und Sam hatten den Baum gefällt und den Tisch eigenhändig angefertigt.

Er saß mit einem Glas Whiskey im flackernden Licht der Lampe und strich mit der Hand über das Holz. Die Oberfläche war nicht glatt. Aber der Tisch war stabil und gut geölt und vertraut. Emma hatte ihn geliebt, so wie er. Ihre Hände hatten jeden Zentimeter des Holzes berührt.

Es war nun zwei Jahre her, seit Emma gestorben war. Es hatte ihn schwer getroffen – zwei kleine Mädchen, ein Sohn, der kaum den Mund aufmachte, und obendrein noch ein Baby. Vier Kinder. Er trank einen Schluck Whiskey und schob die Lampe hin und her, die Schatten beobachtend, die über die Wände glitten.

Die Mädchen waren jetzt oben, bei Maddie. Jemand schlich noch herum, ließ die Holzdielen knarren. Sein Gefühl sagte ihm, dass es Maddie war. Sie war ein sonderbares Geschöpf. Er hoffte, es würde klappen. Elsie war auf dem Holzweg, sie suchte nach Problemen, die nicht da waren.

Er brauchte Hilfe. Es war falsch, so viel von Idella zu erwarten. Sie war noch nicht einmal ganz zehn. Avis, ihre kleine Helferin, war erst acht. Die Mädchen brauchten eine Frau im Haus, die ihnen unter die Arme griff und Dinge erklärte, die er selbst nicht so recht verstand – Frauensachen eben und Dinge, die Frauen können sollten. Dem hatte er nie viel Beachtung geschenkt. Herrgott noch mal, er tat alles, was ein

Mann tun konnte – pflügen und säen, jagen, wenn möglich, und während der Angelzeit Heringe und Hummer fischen. Es war ein karges Land und eine karge Bucht – nicht einfach, dort seinen Lebensunterhalt zu verdienen. Ihm war zu Ohren gekommen, dass drüben im Westen zur Erntezeit gutes Geld beim Einfahren von Weizen gemacht werden konnte. Er würde gerne fahren und sich etwas hinzuverdienen. Er hatte mit Sam darüber gesprochen. Aber was sollte er mit den Kindern tun, die unter seinem einsamen Dach heranwuchsen?

Er goss sich Whiskey nach und hielt das Glas in den Schein der Lampe. Der Whiskey schimmerte golden. Emmas Haar hatte so ausgesehen, wenn die Sonne daraufschien, es hatte dann die goldene Farbe von Whiskey angenommen. Er hatte das Gesicht in ihrem offenen Haar vergraben und ihr gesagt, dass er seinen Durst an ihr löschen würde und es immer noch nicht genug wäre.

Als Emma starb, blieb ihr Geruch. Er ging ins Bett und spürte ihr Haar so eindringlich an seinem Gesicht, dass er in seinem gepeinigten Schlaf manchmal die Hand ausstreckte, um es wegzuschieben. Er war vor Kummer fast verrückt geworden.

Seine Mutter war gekommen, um bei ihnen zu wohnen und zu helfen. Aber sie war dreiundsiebzig Jahre alt. Ihre Kinder waren alle erwachsen und hinaus in die Welt gezogen, und sie war erschöpft, ausgemergelt wie ein knorriger Baum. »Diese Kinder sind zu viel für mich, Bill«, sagte sie. Sie hielt es drei Wochen aus, die letzte Woche nur, weil Bill sie angefleht hatte, ihm Zeit zu geben, um sich Hilfe ins Haus zu holen.

Und so hatte er sich angeschickt, die einzige Hilfe zu bekommen, von der er wusste, dass er sie sich leisten konnte –

er stellte ein französisches Mädchen ein, das bei ihnen lebte und sich für Kost und Logis und ein paar Münzen, die er am Ende eines jeden Monats zu einem kleinen Haufen zusammenkratzte, um alles kümmerte.

»Man bekommt das, was man bezahlt«, sagte er laut und nahm einen gierigen Schluck. Er lachte in sich hinein. So war es nun mal.

Manchmal bekam er mehr als das, wofür er bezahlte, manchmal weniger. Da war die eine, die ihm auf den Teppich geschissen hatte. Verdammt noch mal, das war lustig gewesen. Sie wollte es doch glattweg Idella in die Schuhe schieben. Sagte, Idella wäre es in der Nacht gewesen und hätte den Teppich zusammengerollt, um es zu verbergen. Er hatte Idella noch nie so wütend erlebt. Es war schlimmer als alles, was Avis ihr je angetan hatte.

Er zog Idella damit auf. Er wusste, das sollte er nicht, aber manchmal brauchte sie es, ein wenig geneckt zu werden. Sie war so oft verzweifelt und traurig. Er wusste nicht, wie er ihr helfen sollte. Avis war anders. Sie hätte bei einer solchen Anschuldigung laut gelacht. Oder zum Spaß mitgespielt. Idella hingegen war gekränkt.

Es war gut, dass die Kleine kurz nach der Teppich-Geschichte verschwunden war. Sie war eine Hübsche. Zu hübsch für ihn. Das wusste er. Er hatte mehr von ihr mitbekommen, als gut für ihn war. Es waren nicht nur die lockigen schwarzen Haare und schwarzen Augen gewesen, die ihn auf eine vielsagende Art anblinzelten. Es waren auch ihre Brüste. Mehr als einmal hatte er seine Hand gewaltsam fortreißen müssen, um sie nicht anzufassen. Und dann, eines Tages, hatte er es getan. Sie hatte sich über ihn gebeugt, um seinen Teller vom Tisch abzuräumen. Er saß allein da, mit seiner Pfeife und seinem

Whiskey. Die Kinder waren draußen auf den Feldern. Und er hatte sie berührt.

Sie war erstarrt und hatte ihn angesehen. Ihm fest in die Augen gesehen, während sie den halb vollen Teller mit Bohnen hielt und er seine Hand auf ihrer Brust hatte und sie nicht wegnahm. Bis sich ihre Augen zu Schlitzen verengten und sie ihn anspuckte, ihn mitten ins Gesicht traf – heiße feuchte Spucke. Dann hatte er seinen Whiskey genommen, und es war kein weiteres Wort mehr gefallen. Das war die Nacht, in der sie auf den Teppich geschissen hatte. Er wusste nicht, ob sie aus Angst vor ihm nicht das Plumpsklo benutzt oder es mit voller Absicht getan hatte. Er wusste jedoch, dass es etwas mit ihm zu tun hatte. Am nächsten Tag war sie verschwunden. Aber erst, nachdem sie Idella beschuldigt hatte. Und erst, nachdem er sie bezahlt hatte.

Bill griff in seine Tasche und zog die Pfeife und den Tabak heraus.

Diese hier, diese Maddie, die wie ein Pferd aussah und auch ungefähr wie eines kochte… nun, sie war seine letzte Hoffnung. Wenn es mit ihr nicht klappte, so hatte er entschieden, würde er Avis und Idella nach Maine verfrachten, damit sie bei John und Martha wohnten und weiter zur Schule gingen. John und Martha hatten sieben Jungen. Himmel noch mal! Er stopfte den Tabak in die Pfeife und saß lange da, bevor er sie anzündete. Nun, schließlich hatten sie es angeboten.

Eines Nachmittags hatten alle drei Mädchen in der Zinnwanne in der Küche gebadet – die Männer waren tagsüber normalerweise fort. Nun saßen sie oben auf ihren Betten, entwirrten mit den Fingern das nasse Haar und ließen den einzigen Kamm reihum gehen. Auf einmal sah Maddie beide

Mädchen mit weit aufgerissenen Augen an. »Ich wünschte, ich wäre hü…« Sie saßen da und warteten, dass Maddie das Wort vervollständigte, aber das tat sie nicht.

»Hübsch?«, fragte Avis schließlich. »Meinst du, du willst hübscher aussehen?« Maddie nickte, wobei sie kaum den Kopf bewegte.

»Sollen wir dir die Haare schneiden, ich und Idella?« Avis war ganz aufgeregt.

»Das könnt ihr?«

»Ich denke schon.« Idella zuckte mit den Achseln.

Avis rannte die Treppe hinunter, kam mit Mutters bester Schere zurück und reichte sie Idella, die Maddie bereits die Haare kämmte und einen Mittelscheitel zog.

»Halt still«, sagte Idella. »Du musst den Kopf hochhalten und nicht runterschauen, Maddie, sonst seh ich nicht, wie dein Haar fällt.« Vorsichtig machte sie sich daran, die ausgefransten Spitzen von Maddies Haar so gleichmäßig wie möglich zu schneiden. »Das ist auf jeden Fall eine Verbesserung.«

»Eure Mutter«, fragte Maddie und hielt den Kopf still. »Hatte sie schönes Haar?«

»O ja.« Avis redete, während sich Idella ums Schneiden kümmerte. »Sie hatte lange, lange Haare, und sie trug sie mit einer Schleife oben auf dem Kopf. Du solltest dir das Haar auch hochstecken, Maddie.«

»Ich weiß nicht, wie das geht.«

»Nicht zu Avis schauen.« Idella beugte sich konzentriert vor.

»Dad hat eine ganz besondere Schublade, wo er Mutters Sachen aufbewahrt.« Avis hockte sich vor Maddie, um mit ihr reden zu können. »Manchmal gehen ich und Idella in sein Zimmer und schauen sie uns an. Ihre Kleidung und ihre Bürsten und all die anderen Dinge fürs Haar.«

»Mutter hatte wunderschöne hellbraune Haare.« Idella
legte die Schere beiseite und machte sich nun daran, Maddie
behutsam die Haare zu kämmen. »Wenn die Sonne daraufschien, hatte sie blonde Strähnen. Sie hat sie mit dem Wasser aus der Regentonne gewaschen und dann an der Sonne
trocknen lassen. Wir haben alle unsere Gesichter in ihr Haar
gedrückt, um daran zu riechen. Dad auch. Er kam einmal aus
der Scheune und hörte uns lachen, weil Mutter uns sanft mit
ihrem Haar übers Gesicht strich. Das hat gekitzelt! Er kam zu
uns rüber und sagte, jetzt wäre er gern an der Reihe. Und das
war er dann auch. Und zwar sehr lange.«

»Sie haben sich dann direkt vor unseren Augen geküsst.«
Auf einmal sprang Avis auf. »Tante Francie hat Mutter einen
wunderschönen Zopf geflochten, als sie gestorben ist, und
wir haben alle ein Stück bekommen. Möchtest du mal sehen?«

»Das solltest du nicht tun«, sagte Idella.

»Warum nicht? Es gehört mir.«

Avis ging zu ihrer Schublade und hob eine Zigarrenschachtel heraus. Dad hatte ihnen zum Geburtstag je eine für
ihre Schätze geschenkt. Idella wusste, was in Avis' Schachtel
war. Getrocknete Blumen von Mutters Grab, die sie auch in
ihrer eigenen hatte, und Muscheln und Steine, die sie unten
am Strand gefunden hatten – hauptsächlich unbedeutender
Kleinkram.

In Idellas Schachtel waren wahrhaft wertvolle Kostbarkeiten. Neben ihrer eigenen Locke von Mutters Haar befanden
sich dort ein Taschentuch, das Mutter gehört hatte, und Stoffreste von einem ihrer Kleider und herrliche Knöpfe, die Mutter von einer alten Bluse abgeschnitten und Idella geschenkt
hatte. Es waren acht, und sie waren blau. Idella wollte sie eines

Tages für ein besonderes Kleid benutzen, vielleicht sogar für ihr Hochzeitskleid.

Avis fuhr durch ihre Schachtel und zog ein sorgfältig gefaltetes Taschentuch heraus. Sie legte es aufs Bett. Langsam holte sie einen dünnen hellbraunen Zopf aus dem Stoff. An jedem Ende war er mit einem winzigen Samtband zugeknotet. »Wenn man ihn ins Licht hält, kann man das Blond funkeln sehen.«

»Darf ich ihn anfassen?«, fragte Maddie.

»Wenn deine Hände sauber sind.«

Maddie wischte sich die Hände an ihren Rockfalten ab und legte dann eine dicke, raue Fingerspitze auf die Locke. »Er ist so weich«, murmelte sie.

»Avis, tu das weg. Du wirst nie wieder eine andere Haarsträhne von Mutter haben. Niemals.« Idella drehte sich weg und starrte regungslos aus dem Fenster.

»Lass uns was tun, Maddie«, sagte Avis. »Hauen wir hier ab.« Sie wickelte den Zopf in das Taschentuch und legte die Schachtel behutsam in die Schublade.

»Ich muss jetzt arbeiten. Ich kann nicht den ganzen Tag mit euch spielen.« Maddie stand auf und schüttelte ihr Haar aus. »Vielen Dank, Idella, für den Haarschnitt.« Idella nickte, erwiderte den Blick jedoch nicht.

»Ich helfe dir bei der Arbeit«, sagte Avis.

Maddie lachte. »Du willst mit mir die Kartoffeln fürs Abendbrot schälen? Dann mal los.«

»Wirst du mir neue französische Wörter beibringen?«, fragte Avis.

»*Oui.*« Maddie lachte. »*Bien sûr.*«

»Was heißt Kartoffel?«

»*La pomme de terre.* Das bedeutet ›der Apfel der Erde‹.«

»Apfel der Erde! Dad nennt mich sein Äpfelchen.«

»So hat er Mutter genannt.« Idella wirbelte herum und funkelte Avis an.

»Mich nennt er auch so. Wenn du nicht dabei bist, du Zicke.«

Avis stürmte die Treppe hinunter. Maddie sah Idella an, die ihr wieder den Rücken zukehrte. Sie blieb kurz stehen, sagte jedoch nichts und zog dann die Schlafzimmertür leise hinter sich zu. »Apfel der Erde«, flüsterte Idella. Sie dachte an Maddie, die in ihrem Wollkleid ganz unförmig aussah. »Ja. Kartoffel.«

Maddie schlich ins Schlafzimmer im Erdgeschoss. Zögernd ging sie hinein. Sie hatte den ganzen Morgen gewartet, bis Avis und Idella fort waren, um Farnwedel zu suchen. Dalton und Bill waren beide draußen bei der Arbeit. Sie war allein im Haus.

Es war dunkel im Zimmer. Das Bett war nicht gemacht und zerwühlt. Es gab eine Kommode mit einem Spiegel, vor dem sich Emeline das Haar hochgesteckt haben musste. Vor dem er sich nun rasierte. Sie nahm den Rasierpinsel in die Hand. Er war rutschig am Griff und roch süß, war immer noch feucht von der morgendlichen Rasur. Sie stellte den Pinsel zurück und schnupperte an ihren Fingern. Beim Frühstück, wenn sie sich herabbeugte, um den Teller mit Eiern vor ihn hinzustellen, roch er nach Seife. Sie liebte diesen Geruch.

Sie sah sich die Kommode an. Die oberste Schublade gehörte also Emeline. Maddie zog sie auf, was ein leises, schleifendes Geräusch verursachte. Der Geruch von getrocknetem Lavendel stieg zu ihr hoch. Duftkissen, zugebunden mit purpurfarbenen Schleifen, lagen auf ordentlich gefalteten Kleidungsstücken. Spitzenborte und Samtbänder waren in einer Ecke zusammengerollt – und ein Taschentuch mit einer wunderhübschen blauen Stickerei. Maddie streckte die Hand aus und berührte die zarten blauen Stiche in Blumenform am Rand. Leinen. Und weiche Baumwolle. Es gab Haarbürsten und Spangen aus Schildpatt. Sie glitt mit den Fingern über die scharfen Zacken. Als sie eine Haarspange mit der Hand umschloss, konnte sie dem Drang nicht widerstehen – hastig steckte sie sie in ihre Tasche.

Da waren Blusen mit Spitzenkrägen und Bündchen und ein Jäckchen mit winzigen Stickereien und Rüschen, richtige Frauensachen, weiß und sehr empfindlich. Emeline musste sie selbst gefertigt haben, für besondere Anlässe. Maddie betastete die zusammengelegten Stoffe und hob eine Bluse hoch. Darunter lag etwas Dunkles. Sie erschrak. Zusammengerollt und an beiden Seiten mit einem Band verknotet lag dort ein langer, dicker Zopf. Er musste das Haar nach der Beerdigung bekommen haben, dachte sie, während sie es mit der Fingerspitze berührte. Es gehörte ihm, damit er es anfassen und daran riechen und die Lippen daraufdrücken konnte, wie er es getan hatte, als sie noch am Leben war, als er noch eine Ehefrau hatte.

Aber jetzt hatte er keine Ehefrau mehr. Sie war fort. Es gab keine Frau mehr, die hier lebte und die Kleider für ihn trug. Maddie hielt den Zopf an einem Ende und ließ ihn herabbaumeln. Was für lange Haare sie gehabt hatte!

Sie hob den Zopf an ihr eigenes Haar, um zu sehen, wie lang er in Wirklichkeit war. Sie ging zum Fenster und versuchte, ihn gegen das fahle Licht zu halten, das hereinkam. Selbst im Tod glänzte es.

Ohne zu zögern nahm Maddie den Zopf, eilte in die Küche

und streckte sich nach dem Nähkästchen. Sie holte die Schere und schnitt ein paar Zentimeter Haar ab, bevor sie das Band um das neue Ende befestigte. Dann legte sie das abgeschnittene Stück in ihre Rocktasche. Rasch ging sie zurück ins Schlafzimmer, rollte den restlichen Zopf vorsichtig wieder ein und schob ihn unter die Bluse, wo sie ihn gefunden hatte. Sie schloss die Schublade und blickte einen Moment ihr Spiegelbild an, das im Dämmerlicht dunkel und voller Schatten war. Dann verließ sie das Zimmer und zog die Tür zu. Sie ging die Treppe hinauf, bevor die anderen zurückkamen, und stopfte den Zopf in ihren Kissenbezug. Sie würde ihn später einnähen. Nachts, wenn sie Dinge erledigte.

Am nächsten Morgen, noch bevor die Mädchen aufgestanden waren, hatte Maddie ihre Haare zu einer Hochsteckfrisur gezwirbelt. Sie stand am Ofen und briet Eier. Bills Augen ruhten auf der heißen schwarzen Flüssigkeit, als sie ihm seinen ersten starken Kaffee des Tages eingoss. »Den hab ich nötig, Maddie. Hab letzte Nacht wie ein Pferd mit Flöhen geschlafen. Fühle mich schlechter als vorher. Aber das gottverdammte Feld muss gepflügt werden. Ein Schönheitsschlaf ist da nicht drin.«

Dalton kam durch die Haustür, goss sich eine Tasse schwarzen Kaffee ein und setzte sich an den Tisch.

»Wo zum Teufel hast du gesteckt?«, fragte Bill.

»Hab die Netze geflickt.«

»Ich brauch dich heute auf dem Festland.«

»Ich bin hier.«

»Ich bin keiner, der einen Zweimannjob allein macht.«

Maddie kehrte an den Herd zurück. »Auch Eier, Dalton?« Er nickte lächelnd und hielt seinen gesprungenen Becher hoch. »Guter Kaffee.«

»Du hast es noch nie zu Maddies Frühstück geschafft.« Bill zwinkerte Maddie zu. »Sie ist eine Meisterin mit dem Ei in der Pfanne.«

Maddie lächelte und schlug sechs Eier in die schwarze Bratpfanne.

»Dein Haar sieht anders aus, Maddie.« Dalton nahm einen großen Schluck Kaffee.

Bill wandte sich um und betrachtete sie von hinten. »Du hast alles oben auf dem Kopf.« Maddie nickte und hielt den Blick auf die Eier geheftet, die vor ihr brutzelten. Bill und Dalton beobachteten sie beide und tranken ihren Kaffee, bis sie ihnen das Essen vorsetzte.

Sie aßen hastig und ohne ein weiteres Wort. Nachdem Bill aufgestanden war, sich den Hut aufgesetzt und seine Hosenträger zurechtgerückt hatte, drehte er sich um. »So siehst du älter aus, Maddie. Ist 'ne Überraschung.«

»Maddie, wann ist eigentlich dein Geburtstag?« Dalton sah sie vom Tisch aus an, wo er den Rest seiner Eier mit einem Brötchen aufwischte.

Maddie blickte auf die Herdplatte. »Am dreiundzwanzigsten Juni.«

»Das war letzte Woche.« Bill sah auf.

Maddie nickte.

»Hm, du solltest ein Geschenk bekommen«, sagte Dalton.

»Verdammt. Verdammt noch mal. Maddie, wir wussten nicht, dass dein Geburtstag war. Jetzt schau dir nur deine Wangen an. Rot wie ein gekochter Hummer.« Maddie wandte sich ab und starrte auf den Herd. »Also, warum nimmst du dir heute nicht frei? Verbring den Tag am Meer – du schaust immer zum Wasser. Idella kann das Kochen übernehmen. Nicht wahr, Idella?«

Avis und Idella kamen gerade die Treppe heruntergepoltert. Sie blieben auf der untersten Stufe stehen und ließen überrascht den Blick durch die Küche schweifen.

»Maddie hat ihr Haar hochgesteckt!« Avis war begeistert.

Dalton, der den letzten Tropfen Kaffee aus der Kanne leerte, sah zu Maddie. »Möchtest du morgen mit mir aufs Boot? Warum begleitest du mich nicht bei meiner Morgenrunde?«

»Ich auch! Ich auch!« Avis hüpfte wie ein Floh an Daltons Beinen hoch.

»Würde dir das gefallen, Maddie?«, fragte Bill. »Möchtest du mit dem Boot fahren?«

Maddie lächelte und nickte.

»Kann ich auch mitkommen?« Avis zog am Hosenbein ihres Bruders.

»Wenn du mir beim Rudern hilfst.« Dalton streckte die Hand aus und kitzelte Avis unterm Arm. »Euch beide kann ich nicht durch die Gegend rudern, dafür seid ihr mir zu schwer.«

»Bist du damit einverstanden, Della?« Bill sah zu ihr. »Im Boot ist kein Platz mehr für dich.«

»Ich möchte nicht ins Boot. Mir gefällt es dort sowieso nicht.«

»Vielleicht können wir eine kleine Feier machen? Wir könnten ein Huhn schlachten, wo doch die Dame des Hauses keinen Hummer mag.« Dad lächelte in die Runde. »Und wir brauchen einen Geburtstagskuchen. Möchtest du ihr einen Kuchen backen, Idella?«

Idella nickte. Sie blickte zu Maddies Haar, das auf ihrem Kopf aufgetürmt war, und fragte sich, wie es dort oben hielt.

»Na so was, hallo Fremde!« Mrs. Doncaster hatte Tippie bellen gehört und Idella den Weg zu ihrem Haus spazieren sehen. »Komm und setz dich. Was gibt's Neues?«

»Tut mir leid, Mrs. Doncaster, ich kann nicht bleiben. Ich bin hier, um mir etwas Vanille zu borgen. Die ist uns ausgegangen.«

»Natürlich kannst du welche haben. Komm zumindest auf die Veranda. Ich hole sie dir.«

Idella betrat die Veranda und blickte hinüber zu ihrem Haus. Von hier wirkte es so klein, wie es sich gegen den blassblauen Himmel abhob. Dad und Dalton waren bereits auf dem Feld. Sie konnte sie gerade noch ausmachen, wie sie hinter dem Pflug hergingen. Avis war draußen im Wald, um einen Schatz für Maddies Geburtstag zu finden. Was Avis für einen Schatz hielt, konnte man sich schon denken. Wahrscheinlich tauchte sie mit einem Knochen oder einem vertrockneten Wespennest auf und glaubte, ihr etwas Besonderes zu schenken. Idella würde ihnen allen zeigen, was für einen guten Kuchen sie backen konnte. Sie war eine viel bessere Köchin als Maddie.

»Hier, meine Liebe. Backst du etwas?«

»Einen Kuchen. Für Maddie. Sie hatte Geburtstag.«

»Wie alt ist sie geworden?«

Idella zuckte mit den Achseln. »Das hat sie nicht gesagt.«

»Läuft alles gut mit ihr?«

»Sie ist in Ordnung. Avis mag sie.«

»Nun, da hat sie die erste Hürde genommen.« Mrs. Doncaster lachte. »Wenn Avis einen nicht mag, lässt sie es einen schon wissen.«

»Und Dalton nimmt sie morgen mit in sein Boot. Und Dad mag ihren Kaffee.«

»Dann hat sie vier oder fünf weitere Hürden genommen.«
Idella lächelte.

»Dann bleibst nur noch du übrig, meine Liebe. Was hältst du davon, dass sie bei euch ist?«

Idella hob die Schultern. »Sie ist in Ordnung, denke ich.« Sie hielt die Vanille hoch. »Danke, Mrs. Doncaster.« Sie drehte sich um und ging den Pfad zurück.

»Hast du genug Zucker?«

»O ja«, rief Idella über die Schulter und begann zu laufen.

Mrs. Doncaster beobachtete, wie sie den Weg zurücklief, und sah noch ein wenig länger hinüber. Es kocht und brodelt, dachte sie. Etwas braut sich dort drüben zusammen. Armer Bill. Der glaubt, es ist bloß der starke Kaffee.

»Maddie!«, rief Idella, als sie mit der Vanille ins Haus rannte. »Bist du hier?« Sie stand am unteren Treppenabsatz. »Bist du oben?«

Da kam ein Geräusch aus Dads Zimmer. Idella ging zur Tür und schob sie ein Stück auf, bis sie hineinsehen konnte. Maddie stand dort, wie erstarrt, vor Mutters Spiegel. Sie trug die langen weißen Handschuhe, die Mutter zur Kirche angehabt hatte. Mutters weiße Bluse mit dem schwarzen Samtband, das sie sich am Hals immer zu einer Schleife gebunden hatte, hielt sich Maddie vor die Brust. Idella stieß die Tür ganz auf. Ein langer schwarzer Rock war über Maddies formloses graues Kleid gestreift. Hinten klaffte er auf. Maddie war zu breit, zu massig, als dass sich der Knopf zumachen ließ. Sie hielt die Bluse mit ihren großen Händen umklammert, zerdrückte den zarten Stoff, den Mutter so elegant getragen hatte.

»Nein! Du ziehst das aus! Du dürftest ihre Sachen nicht

mal anfassen!« Idella stürzte auf Maddie zu und packte ihre behandschuhte Hand. »Du bist zu schmutzig, um sie anzufassen!« Sie zog und zerrte. »Raus hier!« Der Handschuh ließ sich nicht von Maddies geschwollenen Fingern lösen. Er musste ihr regelrecht von der Hand gerissen werden. »Wenn ich das Dad erzähle, bringt er dich um. Er wird dich im hohen Bogen rausschmeißen.«

Maddie schluchzte. »Ich wollte mich wie eine Dame fühlen.«

»Du bist keine Dame!«, schrie Idella. »Du bist eine Französin aus dem Süden! Du gehörst in die Hummerfabrik. Wir brauchen dich nicht!«

»Bitte, Idella. Ich flehe dich an. Ich will nicht zurück. Ich will nicht fort von euch.« Ihre Schultern bebten. Sie zerdrückte die Bluse in ihrer verzweifelten Faust. »Du verstehst das nicht, Idella. Mein Vater, er wird mich umbringen. Oder etwas Schlimmeres mit mir anstellen. Etwas viel Schlimmeres.« Maddie war nun auf den Knien, und der wunderschöne Rock zerknitterte auf dem Boden unter ihrem Gewicht. Idella hielt den einen Handschuh, ausgebeult und verunstaltet von ihrem heftigen Gezerre. Sie stand da, verstummte, und beobachtete die schluchzende Gestalt.

Dann legte sie den Handschuh vor Maddies Füße, ging leise aus dem Zimmer und schloss die Tür hinter sich. Sie marschierte nach oben und rollte sich in der Ecke ihres Bettes zu einer Kugel zusammen. Es überkam sie ein Gefühl, als hätte jemand eine heiße, schwere Flüssigkeit über sie und in sie hinein gegossen.

Sie musste geschlafen haben. Als sie die Augen öffnete, konnte man im Zimmer den späten Nachmittag erahnen. Das Licht war gewandert, und Schatten verdunkelten den Raum. Jemand hatte sie mit einer Bettdecke zugedeckt und die Schlafzimmertür geschlossen. Mit langsamen Bewegungen entrollte sie ihren zerschlagenen Körper, ging zum Fenster und sah zum Wasser. Maddie stand dort, hielt sich am oberen Teil der Leiter fest und blickte hinaus zur Bucht. Ihr graues Kleid bauschte sich im Wind.

Idella wandte sich vom Fenster ab und ließ den Blick zu Maddies Bett gleiten. Es war ordentlich gemacht, wie immer. Idella ging hinüber und setzte sich. Sie bückte sich und öffnete Maddies Schublade. Sie tastete mit den Händen über die wenigen Kleidungsstücke, die Maddie so sorgfältig zusammengelegt hatte. Nichts war dort versteckt. Sie schloss die Schublade und sah sich im Zimmer um. Nichts.

Sie legte die Beine hoch, lehnte sich auf dem kleinen Bett zurück und ließ den Kopf auf das Kissen fallen. Etwas war unter dem Kissen, im Bezug. Vorsichtig befühlte Idella den Umriss des versteckten Gegenstandes. Er war weich und klobig. Sie glitt mit der Hand in den Bezug und holte ihn heraus. Sie sog scharf die Luft ein. Es war eine Puppe, eine schmutzige kleine Stoffpuppe ohne Schuhe und mit einem einfach genähten Kleid aus Sackleinen. Das Gesicht war kaum zu erkennen. Sie hatte einen schwarzen Knopf als Nase und eine dünne, mit einem Wollfaden gestochene Linie als Mund. An einigen Stellen war er herausgezupft. Wo einst die Augen eingenäht gewesen sein mussten, waren nun nichts als Löcher. Sie hatte keine Haare oder einen Hut oder auch nur eine Schleife. Ein trauriges kleines Etwas. Idella wollte sie nicht sehen. Sie stopfte sie wieder unters Kissen, stieg aus dem Bett und strich alles glatt. Maddie besaß eine Puppe, und sie schlief mit ihr. Sie versteckte sie vor ihnen und schämte sich. Maddie war weder so alt, dachte Idella, noch so erwachsen, wie sie ihnen weismachen wollte.

Als Maddie mit Avis im Schlepptau ins Haus zurückkehrte, hatte Idella den Kuchen bereits in den Ofen geschoben. Sie hatte ihn trotz allem gemacht, nach einem Rezept aus dem Kochbuch, das sie bei der Mehlfirma bestellt hatte.

Maddie sah sie nicht an.

»Hast du mir die Schüssel aufgehoben?«, fragte Avis, sobald sie durch die Tür war. »Hast du mir Teig übrig gelassen?«

»Nein«, sagte Idella. »Hab ich nicht.«

»Hast du wohl«, sagte Avis und ging zum Tisch. »Hier wartet er doch auf mich.«

»Es ist Maddies Kuchen. Ich hab den Teig für sie aufgehoben.«

»Oh!« Maddie blickte auf. »Oh, Idella.«

Idella schaute ihr in die Augen und nickte, bevor sie rasch wegsah.

»Oh, Idella.« Maddie stürzte auf sie zu. »Vielen Dank.« Sie streckte die Hände aus, als wollte sie sie umarmen, dann drehte sie sich verwirrt weg.

»Na ja, so toll ist es auch wieder nicht, die Schüssel auszulecken.« Avis lachte.

»Komm, Jeune Avie, wir lecken die Schüssel alle drei mit den Fingern aus.« Auf einmal war Maddie ganz aufgeregt.

»Macht ihr zwei das ruhig«, sagte Idella mit einem schwachen Lächeln. »Ich hatte schon eine Menge.«

»Nun, das Geburtstagsessen war einer Königin würdig. Du bist die Königin, Maddie.« Bill schob seinen Stuhl vom

Tisch. »Ein verdammt guter Kuchen, den du da gemacht hast, Idella.«

Idella lächelte. »Ich habe bloß das Rezept befolgt.«

»Wer hat das Huhn geschlachtet?«, fragte Bill.

»Ich«, sagte Dalton.

»Dalton musste es tun, ansonsten hätten wir ein lebendiges Huhn essen müssen«, sagte Avis lachend. »Maddie hat nicht den blassesten Schimmer, wie man ihnen den Kopf abschlägt.«

»Ich hätte es tun können«, sagte Idella. »Wirklich. Aber ich habe den Kuchen gebacken.«

»Du hast noch nie ein Huhn geschlachtet, Maddie?«

»Nein. Noch nie.«

»Sie hat noch nie eins ausgenommen«, sagte Idella. »Sie weiß nicht, wie das geht. Auch das musste Dalton für sie machen.«

»Tja, dann hast du also richtig geholfen und die Frauenarbeit übernommen?« Bill sah zu Dalton. »Was ist denn in dich gefahren?«

»Warum sollte sie ihr eigenes Geburtstagshuhn schlachten?«

»Ich werde es nie über mich bringen, ein Huhn zu schlachten«, sagte Maddie in ernstem Tonfall.

»Du hättest ihnen nie Namen geben dürfen«, sagte Idella. »Das war dumm.«

»Ihnen Namen geben?« Bill lachte. »Wen essen wir denn heute Abend?«

Maddie errötete und schüttelte den Kopf.

Bill nahm einen Knochen von seinem Teller. »Nun komm schon, wessen Bein hab ich hier?«

»Zieh sie nicht auf.« Dalton funkelte seinen Vater an. »Man braucht sie deshalb nicht aufzuziehen.«

»Ich mach doch nur einen kleinen Scherz, das ist alles. Reg dich nicht so auf. Ich hab bloß noch nie den Namen eines Vogels gekannt, den ich zum Abendessen hatte. Ist reine Neugierde.«

»Sie haben französische Namen«, mischte sich Avis ein. »Maddie hat ihnen Namen gegeben, um mir Worte beizubringen.«

»Ist das so?« Bill sah zu Avis. »Du lernst Französisch?«

»Ein bisschen.« Avis lächelte. »Wir haben Nuage Gris gegessen. Graue Wolke. Weil es grau wie eine Regenwolke war. Und am leichtesten zu fangen.«

»Graue Wolke klingt mehr wie der Name eines Indianers als der eines Huhns.« Bill lachte.

»Ich denke, wir sollten das Huhn jetzt sein lassen«, sagte Dalton.

»Wirklich?« Bill wirbelte zu Dalton herum und ließ die Faust auf den Tisch knallen. »Ich denke, ich werde an meinem gottverdammten Tisch über genau das reden, wozu ich verdammt noch mal Lust habe.«

Idella verschränkte die Hände im Schoß und beobachtete ihren Vater und ihren Bruder, die sich über den Tisch hinweg anstarrten.

»Ich würde Idella gern für den wunderbaren Kuchen danken.« Maddie sprach leise und durchbrach die Stille. »Ich habe noch nie einen solchen Kuchen bekommen.«

»Ich hab ein Geschenk für Maddie!« Avis zog hinter ihrem Stuhl eine vom Meer abgeschliffene blaue Glasscherbe hervor.

»Die ist aus deiner Schatztruhe!«, sagte Idella. »Wir haben sie mit Mutter zusammen gefunden.«

»Ich weiß. Draußen gab es nichts Hübscheres.« Avis reichte sie Maddie. »Ich will, dass du sie kriegst.«

»*Merci*, Avie.«

»Jeune Avie«, korrigierte sie Avis.

»*Oui*.« Maddie lächelte. »Jeune Avie. Ich werde sie für immer in Ehren halten.«

»Sie ist gar nicht so jung«, sagte Idella. »Sie ist fast acht.«

»Ich habe auch ein Geschenk für dich«, sagte Dalton. »Etwas zum Kochen.« Er zog einen handgeschnitzten Holzlöffel aus seiner Hosentasche und reichte ihn Maddie. »Aus Ahornholz. Ich war dabei, ihn für dich zu machen, zum Kochen. Dann kam dein Geburtstag, also hab ich mich beeilt und ihn fertig gemacht.«

Alle starrten Dalton an. Avis mit offenem Mund. »Ich wusste nicht, dass du so etwas machen kannst.«

»Na, das ist ja nett, Dalton.« Interessiert beäugte Bill den Löffel. »Das erklärt wohl, warum das Licht in der Scheune so lang gebrannt hat. Ich hatte mich schon gefragt, ob wir irgendeine Art nächtlichen Besuch haben.« Dalton errötete. »Ich zieh dich nur auf, mein Junge.« Er streckte sich und nahm Maddie den Löffel aus der Hand. »Jetzt kannst du mit Stil anderer Leute Herzen rühren.«

»Vielen Dank, Dalton.« Maddie nahm den Löffel wieder an sich. Sie beugte sich vor und berührte seine Hand. »*Merci*.«

»So, wenn ihr alle morgen früh mit dem Boot fahren wollt, will ich eure Ärsche jetzt im Bett sehen.« Bill schob seinen Stuhl mit einem lauten Scharren vom Tisch weg.

»Ich fahre nicht im Boot mit«, protestierte Idella.

»Aber du fährst mit mir in die Stadt.« Er zwinkerte ihr zu. »Wir müssen was im Laden erledigen.«

»Heute Nacht ist Vollmond«, sagte Avis. »Ich will sein Licht auf dem Wasser sehen, das ist dann ganz golden.«

»Du wirst morgen das goldene Licht der Sonne sehen. Jetzt macht ihr Damen den Abwasch, und dann ab ins Bett.«

Lange nachdem Bill die Mädchen die Treppe hinaufgescheucht hatte, goss er sich sein allabendliches Glas Whiskey ein. Das Haus war vom Mondschein durchflutet, und er schenkte sich reichlich ein, denn er verspürte ein ungewöhnliches Verlangen danach. In Nächten wie dieser vermisste er Emma. Sie liebte die Klippen im Mondlicht und zerrte ihn zu jeder Nachtzeit aus dem Haus, damit er mit ihr ansah, wie das weißlich gelbe Licht im Zickzack über die Bucht glitt.

Er lauschte dem Rauschen des Windes, der von unten gegen die Schindeln drückte, bis sie ächzten, und die Vorhänge zum Kräuseln brachte. Er trat in das Muster, das der Mond auf den Boden warf, und sah auf seine neuen Stiefel hinab. Ihr Glanz wurde von dem sonderbaren Licht noch verstärkt. Er hob den Fuß und setzte ihn mit einem dumpfen Poltern ab. Neue Stiefel. Emma hatte immer dafür gesorgt, dass seine alten glänzten. »Das sind Arbeitsstiefel«, hatte er gesagt. »Es ist sinnlos.« Und jeden Samstagabend hatte sie ihm einen Eimer mit Seifenwasser und einen Lumpen mit Poliermittel gegeben und ihn auf die Veranda geschoben. »Es sind aber gleichzeitig deine Sonntagsschuhe«, hatte sie ihm nachgerufen. Am nächsten Morgen zerrte sie ihn dann zur Kirche. Die Kirche bereitete ihr Freude. Jeden Sonntag mitzukommen, war eines der wenigen Dinge, um die sie ihn bat – also putzte er die Schuhe und begleitete sie. Er hatte sogar Spaß am Singen, auch wenn er das niemals zugegeben hätte, denn andernfalls hätte sie versucht, ihn in den gottverdammten Chor zu stecken.

Nach einem langen Schluck aus seinem Glas ging er an den

Tisch und goss sich nach. Er spürte kaum mehr ein Brennen. Der Whiskey war wie Wasser, ohne einen Kitzel, ohne ein Summen. Wenn er dieses Summen verlor, was blieb ihm dann noch? Er trug die Flasche mitsamt Glas hinaus auf die Verandatreppe. Sie knarrte wie immer unter seinem Gewicht. Emma hatte stets das Knarren der Veranda und das Trampeln seiner Stiefel gehört, wenn er seinen Hintern am Ende eines langen Tages nach Hause schleppte, an dem er irgendein verdammtes Zeug gezogen hatte, einen Wagen mit Kartoffeln oder Dung. Und er wusste, dass sie lächelte, weil sie wusste, dass er schon bald durch die Tür käme. Sie stand dann in der Küche, am gedeckten Tisch, das Essen war bereits fertig und ihr Lächeln noch auf ihren Lippen, wenn sie ihn sah. Bei dem Gedanken schüttelte er den Kopf. Sein Bedürfnis, sie zu berühren, war manchmal so stark, dass sich seine Finger wie von selbst bewegten, gierig durch die Luft griffen, um einen Teil von ihr zu fassen zu bekommen, irgendeinen Teil – ihre Haare oder die Bluse oder den sanften Schwung ihrer Hüfte. Seine ganze Hand schmiegte sich manchmal an diese Rundung. Er saß auf der Stufe und trank, dann schenkte er sich aus der Flasche nach.

Dieser Tage wusste er, dass das Geräusch seiner Stiefel nicht mehr dasselbe bedeutete. Da gab es irgendein armes französisches Mädchen, das gerade bei ihnen war und es hörte. Oder Idella und Avis, die armen Welpen, die irgendwas zum Abendessen zusammenkratzten. Er jagte ihnen allen Angst ein. Er konnte nichts dagegen tun. Es lag daran, wie sie um den Tisch huschten, versuchten Essen zu verteilen, zu verängstigt, um ihn anzusehen, aus Furcht, er könnte über sie herfallen, dass es über ihn kam – der Zorn, der Schmerz, die Wut auf die gottverdammte Welt, die ihm Emma weggenommen und ihn allein zurückgelassen hatte. Es waren nicht sie, auf die er wütend war. Aber es waren sie, die seinen Jähzorn zu spüren bekamen.

Unter dem Scheunentor flackerte Licht auf. Dalton war dort, in seiner eigenen Welt. Sonderbarer Junge, Maddie aus freien Stücken einen solchen Löffel zu schnitzen. Dalton hätte das wohl für Emma getan, hätte sie noch gelebt. Er hätte ihr heimlich etwas gebastelt. Bill vergaß manchmal, dass auch Dalton seine Mutter verloren hatte. Bei den Mädchen war es ihm bewusster. Ihr Bedürfnis nach Emma war so offensichtlich. Seine Hilflosigkeit ihnen gegenüber war überwältigend, sie nagte an ihm wie eine Krähe, die an Kornähren pickte, die eine Reihe hoch, die andere wieder runter. Bill ließ den Whiskey auf der Zunge kreisen und hinter den Zähnen, spürte seine staubige Wärme. Er beobachtete den schwachen Schein der Lampe, der sich unter dem Türspalt ergoss. Dann, so schnell wie das Licht gekommen war, erlosch es, und die Scheune lag wieder im Dunkeln. Bill schüttelte den Kopf. Er fühlte sich auf einmal wie erdrückt – von den Sorgen oder dem Whiskey, da war er nicht sicher. Er leerte die Flasche in sein Glas. Dann presste er es behutsam an seine Brust, stand auf und ging langsam hinaus in den Hof.

Die Luft war schwer vom Mondlicht, eingehüllt in ein graues Glühen. Bill ging zum Rand der Klippen und blickte zum Strand hinab. Das Wasser war fort, der blasse Sand freigelegt und hell erleuchtet. Wellen, von einem Glanz überzogen wie hauchdünnes Eis, das man mit einem Finger zerbrechen konnte, leckten am Ufer. Er trank einen Schluck. Emmas Stimme hallte in seinem Ohr. Sie hätte die Arme um ihn gelegt und ihn zum Rand der Klippen gezogen, um das Wasser und das Licht zu betrachten. Der Wind hätte ihr das

Haar zerwühlt, das ihr offen um die Schultern hing. Sie hätte ihm die Arme entgegengestreckt und die Brise in ihre langen Ärmel gelassen, bis Bill es nicht länger hätte mitansehen können und sie wieder um die Schultern gepackt hätte, damit der Wind sie nicht zu lange für sich allein hatte.

Er drehte sich um. Selbst das Haus, grau und wüst und einsam, war in ein unheimliches Licht getaucht. Emma war dort gestorben. Er würde es nie ohne sie verlassen können. Dieser gottverlassene Hügel aus nichts gehörte ihm, und er würde bis zu seinem Ende davon zehren.

Ein Geräusch holte ihn in die Wirklichkeit zurück. Der Hauch eines Liedes schwebte vom Strand zu ihm hoch, seine Reinheit vom Schmatzen der Wellen überdeckt. Jemand sang. Er strengte seine Augen an, blickte hinab zum Strand und bemerkte jetzt eine Gestalt, die in Daltons Boot saß, das am Ufer lag. Eine Wolke streifte den Mond, schirmte das Licht ab. Er richtete den Blick auf die dunkle Gestalt, bis die Wolke weitergewandert war. Es war Maddie, die auf Französisch sang, während sie zusammengekauert in Daltons Boot saß.

»Maddie, was zum Teufel tust du da unten?« Er hielt sich am oberen Rand der Leiter fest, um nicht das Gleichgewicht zu verlieren.

»Oh!« Sie drehte sich um und blickte hoch. Er konnte das Weiß ihres Gesichts inmitten des Wirrwarrs ihres dunkleren Haars ausmachen.

Er leerte sein Glas und stellte es auf den Boden, dann setzte er einen Fuß auf die Leiter. Sein Körper fühlte sich aufgedunsen an. Seine Füße schienen in den großen Stiefeln doppelt so schwer zu sein. »Verdammt, Maddie.« Langsam stieg er hinab. »Diese verfluchte Leiter ist schon an einem klaren Tag gefährlich.« Er tastete taumelnd nach der nächsten Stufe, versuchte zaghaft, das Gewicht zu verlagern, während er sich schwankend an den Holmen festklammerte. »Eine dieser verdammten Sprossen wackelt wie das Hinterteil einer Kuh.«

»Die fast ganz unten!«, rief Maddie.

Mit einem bedächtigen Schritt ließ er sich fluchend herunter. Als seine Stiefel schließlich Sand berührten, sah er zu Maddie. »Verdammt noch mal, Maddie. Ich hab dir verboten, die Leiter alleine runterzuklettern, und noch dazu nachts, um Himmels willen.«

»Ich hab dem Licht auf dem Wasser zugeschaut. Ich bin so aufgeregt, weil ich morgen mit dem Boot fahren werde.«

»Nun mal los! Steh auf und komm her! Gott steh uns bei, ich bin für dich verantwortlich.«

»Noch ein paar Minuten, bitte. Sehen Sie sich das Wasser an.«

Bill sah sich um. »Nun. Das hat schon was. Es wirkt irgendwie unecht.« Seine Stiefel knirschten, als er über Muschelschalen trat, um zum Boot zu gelangen.

»Ich kann nicht schlafen«, flüsterte Maddie. Sie saß zusammengekauert auf der hölzernen Sitzbank und blickte zu ihm hoch. »Ich schlafe nachts nicht viel.«

»Wie ein Waschbär, nicht wahr? Oder ein Fuchs?«

Sie sah weg. »Zu viele Dinge passieren in der Dunkelheit. Ich halte lieber die Augen offen.«

»Du bist mir ein Rätsel, Maddie. Ich glaube, du hast Geheimnisse.«

Sie zuckte mit den Schultern und schaute aufs Wasser hinaus.

»Mich interessieren deine Geheimnisse nicht. Du kannst sie für dich behalten. Ich hab meine eigenen, denk ich. Zum Teufel. Wir alle haben welche.« Er legte den Kopf in den Nacken und sah zum Mond. »Mit dem Auf und Ab und dem Whiskey und dem Licht dreht sich mir der Kopf ganz schön.«

»Setzen Sie sich.« Maddie klopfte auf den Platz neben sich. »Es ist meine Übungsfahrt.«

Mit ausgestreckten Armen hielt er sich an den Bootsseiten fest und ließ sich ihr gegenüber nieder. »Hier unten ist es verdammt hell. Der Mond scheint heute besonders intensiv, Maddie.«

»*Oui.*« Sie lächelte. »Es ist so wunderschön. Ich liebe es hier.«

»Weil du's dir im Mondschein anschaust.«

»Ich habe es in jeder Art von Licht gesehen, selbst im Regen. Ich finde es trotzdem wunderschön, hier zu leben.«

»Du hast den Winter noch nicht miterlebt. Es ist harte Arbeit, von einem Stück Land zu leben, das sich um nichts schert. Ich muss jede gottverdammte Kartoffel mit bloßen Händen in die Erde stecken. Steine wachsen über Nacht. Sie vermehren sich wie die Karnickel.« Er lachte. »Wahrscheinlich sind sie dort oben und machen gerade in diesem Moment weitere Steine, damit ich sie am Morgen finde. Aber meine anderen Samen und Pflanzen verrotten oder erfrieren oder bekommen den Garaus gemacht vom Wind und Salz und was auch immer Gott in seiner Weisheit sonst noch fabriziert hat.« Er schüttelte seufzend den Kopf. »Die Kartoffeln erhalten uns am Leben.«

»Ich liebe Kartoffeln.«

»Schön zu hören. In dir muss neben dem Französischen was Irisches stecken.«

Maddie sah auf ihre Hände hinab. »Vielleicht.«

Bill hob ein Stück zerrissenes Netz vom Boden des Boots auf. »Und natürlich die Heringszeit. Wir fressen sie das ganze liebe lange Jahr über.« Er zog verheddertes Seegras aus dem Geflecht und warf es über Bord. »Für *den* Genuss bist du noch nicht lang genug hier. Manchmal sind wir die ganze Nacht unterwegs, wir Männer. Wann auch immer die Fische vorbeiziehen, folgen wir ihnen. Wir kommen früh am Morgen zurück, vor Sonnenaufgang.« Er strich übers Netz. »Dann halten die Mädchen die Laternen hoch. Genau dort drüben.« Er zeigte auf eine kleine Erhebung am Ufer. »Sie klettern die Leiter herab, noch warm von ihren kleinen Betten, und kommen, um die Laternen hochzuhalten. Es ist dunkel, aber wir müssen den Fang säubern und salzen und jeden einzelnen verdammten Fisch zum Trocknen auslegen, sobald wir aus dem Wasser sind. Abendessen oder Frühstück oder beides müssen warten.« Er blickte zu Maddie, hielt einen Teil des Netzes hoch. »Die Arme meiner Mädels sind vielleicht so dick wie dieses Seil. Aber ich brauche ihre Hilfe. Ihre kleinen Hände.«

Maddie saß schweigend da und beobachtete ihn.

»Und gleichzeitig liebe ich es. Diesen Ort. Wie soll man das erklären? Es ist die Herausforderung. Ich bin dickköpfig, stur wie ein Esel. Und wenn hier etwas gut ist, gibt es nirgends was Besseres.« Er stand auf und atmete tief ein. »Es ist, als würde man kaltes Wasser einatmen, wenn der Wind über die Bucht weht.«

»Ich will es essen!«, sagte Maddie und riss den Mund auf. »Ahhhhhhhhhh.«

Bill lachte und setzte sich mit gespreizten Beinen auf die Holzbank. Sein Blick war aufs offene Meer gerichtet. »Mit dem Boot im Sommer rauszufahren, mit den Hummerfallen – das ist ein Geschenk, das Gott mir nur an manchen Tagen macht. Das Wasser unter mir zu spüren und die Luft um mich herum und die verfluchten hässlichen Teile aus dem Wasser zu ziehen, für die die Menschen unten in den Staaten viel Geld bezahlen. Das bringt mich zum Lachen. Wir verkaufen sie nämlich an die Hummerfabrik, weißt du.«

»Ich kenne die Fabrik. Nur zu gut.«

Bill nickte. Er lehnte sich vor und hob eine Handvoll Steine auf. Einen nach dem anderen schleuderte er ins Wasser. Sie lauschten jedem weit entfernten Aufplatschen, bis alle Steine geworfen und Bills Hände leer waren. Lange Zeit saßen sie da, starrten hinaus aufs Wasser und das schimmernde Licht, das seine Oberfläche überzog. Schließlich wandte sich Bill ihr zu.

»Hier oben ist es schwer für meine Mädchen. Ich sehe die Traurigkeit in ihren Gesichtern, wenn sie zu mir hochschauen, auf etwas warten, das ich ihnen nicht geben kann. Und ich gerate so verdammt schnell in Wut. Dann ist es, als ob es durch mich hindurchpeitscht. Das hast du bis jetzt noch nicht mitbekommen.« Er redete leise, sah zum mondbeschienenen wogenden Wasser.

»Sie vermissen sie so sehr, Ihre Frau?«

Bill bückte sich und packte einen Stein und warf ihn mit voller Wucht. Er durchschnitt die Luft, bis er einen Felsen traf und abprallte. »Welche Art von Gott mag all die hübschen Lieder am Sonntag und nimmt mir dann Emma, lässt ihre Babys allein zurück? Welche Art von Gott wäre das wohl?« Er sah auf sie hinunter. »Er verschwindet nicht«, flüsterte er, »so ein Schmerz.«

»Nein.« Maddie schüttelte den Kopf. »Nein. Der verschwindet nie.«

»Ich hatte die Beste.« Bill saß mit gesenktem Kopf da. Maddie beobachtete ihn, bis er weiterredete. »Wenn ich bei dreien aufgehört hätte. Drei Kinder.« Sie verstand ihn kaum.

»Emma, so haben wir das Baby genannt, damit es ihren Namen trägt.« Er sah zu Maddie. »Das Baby, es erinnert mich an sie – wenn ich es sehe. Dann kommt alles zusammen – die Geburt und der Verlust von Emeline.« Er machte eine Pause, lachte leise und schlug mit der flachen Hand auf die Holzbank. »Herrgott noch mal! Der verdammte Whiskey ist leer.« Er sah zu Maddie. »Deshalb hab ich das Baby Beth gegeben, damit sie es großzieht. Wie sollte ich mich um ein Baby kümmern, ganz zu schweigen von dem ganzen Rest?« Er starrte lange zum Meer. »Ich tue denen weh, die ich am meisten liebe. Ich töte die, die ich liebe.«

»Nein«, flüsterte Maddie und schüttelte den Kopf. »Nein. Das ist nicht wahr, was Sie sagen.«

»So wahr, wie wir Ratten in der Scheune haben, Maddie.« Er stand auf. »Komm. Es ist Zeit, schlafen zu gehen. Morgen gehst du auf große Fahrt.« Er stieg aus dem Boot, bückte sich dann und packte ihre Hände, um sie auf die Beine zu ziehen. »Mensch«, sagte er, ohne ihre Hände loszulassen. »Du hast ein Paar Hände, um das dich jeder Maultiertreiber beneiden würde. Das sind verfluchte Arbeiterhände!« Sie zog die Hände weg und vergrub sie in ihrem Rock. »Verdammt, tut mir leid. Das sollte ein Kompliment sein. Ist nur falsch rübergekommen. Verdammt.« Sanft umfasste er ihren Ellbogen und schob sie vom Boot. »Komm jetzt.« Maddie lächelte. »Das ist nicht viel, aber besser als nichts.« Er lachte. Mit einem Lächeln ließ sich Maddie von ihm aus dem Boot führen und über den steinigen Sand. Sie hob ihren Rock an und ging zur Leiter, dann drehte sie sich um und wartete auf ihn.

»Du gehst schon mal vor und ins Bett, Maddie. Ich muss erst mal was von dem Whiskey loswerden, den ich getrunken habe, bevor ich irgendwelche Leitern hochklettere. Sobald du weg bist, werd ich die Bucht mit meinen Tropfen Gold beglücken. Gute Nacht.«

»*Bonne nuit.*«

»Bonn Nwie.« Er sah ihr beim Klettern zu, wie sie, den Rock zusammengerafft, die oberste Sprosse erreichte, ihm zuwinkte und verschwand. Dann stolperte er über die Steine zum Ufer und erleichterte sich in einem langen und befriedigenden Bogen. »In den Wind pissen«, murmelte er. »Hier steh ich, in einer bonn Nwie, und piss in den Wind.« Er stand lange so da, starrte hinauf zum Mond, der hoch und hell über dem Wasser schwebte, mehr weiß als gelb.

»*Buffalo Gal, won't you come out tonight, come out tonight, come out tonight …*‹« Schwerfällig taumelte er zur Leiter und hielt sich an den Seiten fest. Er sang leise und fluchte laut, während er immer weiter nach oben kletterte und schließlich das Ende erreichte. Nachdem er endlich wieder festen Boden unter den Füßen hatte, drehte er sich mit ausgebreiteten Armen zum Wasser und zum Wind. »*And we'll dance to the light of the moon.*‹« Er lachte und machte einen Schritt vor, als wollte er tanzen. Dabei stieß er aus Versehen das leere Glas um, das er am Rand abgestellt hatte und das nun über die Klippe fiel und auf den Felsen unten zersplitterte. »Verdammt«, sagte er, spähte hinunter und erhaschte einen Blick auf mondhelle Scherben. »Da war vielleicht noch ein Tropfen drin.«

Schwankend drehte er sich vom Rand der Klippen zur Scheune, die im Mondschein grau leuchtete. Dalton stand in der geöffneten Tür, beobachtete ihn. Bill hielt für einen Moment inne, erschrocken, dann winkte er, sagte aber nichts. Dalton rührte sich nicht, obwohl Bill wusste, dass er ihn ansah. Die Augen seines Sohnes folgten ihm den ganzen Weg zum Haus und sogar noch hinein. »Sonderbares Kind«, murmelte er, als er auf sein ungemachtes Bett fiel. »Ich lass die Stiefel beim Schlafen an.«

Am nächsten Morgen weckte Maddie Avis in aller Früh, rüttelte sie leicht an der Schulter und flüsterte: »Jeune Avie. Aufstehen. Wir fahren mit dem Boot. Dalton wartet auf uns.«

Idella wachte ebenfalls von den Stimmen auf, aber sie rührte sich nicht. Sie lauschte, bis die beiden aus dem Zimmer und die Treppe hinabgeschlichen waren, zu aufgeregt, um sich wirklich still zu verhalten. Als sie hörte, wie sich die Haustür schloss, stand sie auf und sah aus dem Fenster. Dalton, der schon fast so groß war wie Dad, stand mit einer Hand oben an der Leiter.

Maddie und Avis rannten glücklich auf ihn zu, einen Korb voll Essen zwischen sich. Der Morgen war windig, und ihre Röcke wehten ihnen um die Beine. Maddie wirkte leichter, als Idella es jemals für möglich gehalten hätte, beinahe mädchenhaft. Im Grunde war sie sowieso nicht viel mehr als ein Mädchen. Vielleicht sechzehn Jahre. Das war für Idella noch keine echte Frau, aber es war auch kein Kind. Irgendetwas dazwischen.

»Ihr zwei bleibt im Boot, verdammt noch mal, und tut, was Dalton euch sagt.« Dad war auch dort draußen. Idella konnte ihn hören, aber nicht sehen. »Wag ja nicht, dich zu den Fischen zu gesellen, Avis!«

»Werden wir nicht! Werden wir schon! Werden wir nicht!« Avis lachte und hüpfte. Dalton nahm den Korb und half den Mädchen bei der Leiter, bevor auch er langsam aus dem Blickfeld verschwand. Idella starrte weiter hinaus. Dad spazierte jetzt zum Rand der Klippe, die Hände in den Hosentaschen. Er stand lange da, mit zerzaustem Haar und zerknittertem Hemd. Dann richtete er sich die Hosenträger und ging zurück zum Haus. Idella hörte ihn eintreten.

»Bist du wach?«, rief er.

»Ja.« Idella kam auf den oberen Treppenabsatz.

»Ich hab gedacht, wir könnten in die Stadt fahren, du und ich. Alle anderen haben einen freien Tag. Lass uns Maddie eine Geburtstagsüberraschung mitbringen. Was meinst du, Idella?«

»Hm.«

»Glaubst du, du könntest was aussuchen, was ihr gefällt? Ich weiß einfach nicht, was eine junge Frau braucht. Wir kriegen alle eine Kleinigkeit. Magst du Bonbons?«

»Bonbons wären gut.«

»Such für dich und Avis Bonbons aus und dann etwas Nettes für Maddie. Vielleicht eine Bürste oder einen Spiegel. Sie stellt irgendwas mit ihrem Haar an.«

Idella nickte. Sie hätte selbst gerne eine neue Bürste. Sie fragte sich, ob Dad daran denken würde, wenn ihr Geburtstag kam. Sie fühlte sich ein bisschen zu alt dafür, immer Bonbons auszusuchen, auch wenn sie die harten roten Lutscher in Tierform mochte.

»Dann mal los. Auf geht's. Die Kühe sind gemolken und die Hühner gefüttert. Zieh dich an. Wir fahren los, bevor ich damit wieder von vorne anfangen muss.«

Idella bemerkte den großen Mann, der vor dem Schaukasten mit Pfeifen und Tabaksbeuteln stand, schon, als sie den Laden betraten. Er sah beim Bimmeln der Glocke über der Tür auf, beobachtete und belauschte sie die ganze Zeit. Was ihr als Erstes ins Auge stach, war die Art, wie sein Hut ein Ohr bedeckte, aber das andere nicht, und dass er beim Zuhören den Kautabak von einer Seite im Mund zur anderen schob. Er sah sie einmal an und lächelte. Daraufhin blickte sie absichtlich in eine andere Richtung.

»Bill Hillock! Bist du hier, um schon wieder eine Anzeige für ein Hausmädchen aufzuhängen?« Mr. Wheeler putzte mit einem Staubtuch seine Brillengläser, aber er schien instinktiv zu wissen, dass es Dad war, wahrscheinlich von der Art, wie er eingetreten war, so groß und aufrecht. »Ich werd dir bald eine Gebühr abknöpfen.« Die Männer zogen einander immer auf, bevor sie alles Geschäftliche abwickelten.

»Ich denke, wir haben jetzt eine, die bei uns bleiben wird. Ob du es glauben willst oder nicht, sie mag den gottver-dammten Wind.«

»Wind habt ihr dort bei Gott genug.« Behutsam setzte Mr. Wheeler die Brille wieder auf, schob erst den einen Bügel hinters Ohr, dann den anderen. »Ich verstehe nicht, wie ihr es im Winter dort auf der Klippe aushaltet. Der Wind würde mir die Haut von meinen alten Knochen blasen.«

»Worüber redet ihr zwei da schon wieder?« Mrs. Wheeler kam mit einem Stoffballen in den Händen aus dem hinteren Teil des Ladens. »Hugh, hilf mir doch rasch mit der Baum-wolle – ich krieg sie nicht zurück ins Regal.« Sie sah den Mann an, der vor den Pfeifen stand. »Kann ich Ihnen helfen?«

Der Mann lächelte. »Ich bin mir noch nicht sicher. Ich muss erst nachdenken.«

Mr. Wheeler lachte. »Oh, lieber nicht zu viel. Wie ich ge-hört habe, soll das gefährlich sein!«

»Was weißt du schon davon?«, sagte Mrs. Wheeler lächelnd. Sie wandte sich an den Mann. »Geben Sie mir Bescheid, wenn ich Ihnen helfen kann. Was Sie da sehen, ist alles, was wir führen, falls Sie nach einer neuen Pfeife suchen. Ich öffne die Vitrine, wenn Sie möchten. Männer scheinen sie eine Weile halten zu müssen, bevor sie eine Entscheidung treffen können.«

»Pass auf, was du sagst, Frieda. Es sind nicht nur Pfeifen, die sie zuerst halten wollen.« Dad tat so, als wollte er die Arme um sie legen, und sie schob ihn weg.

»Du Schwachkopf, Bill Hillock!«

»Das bezieht sich jetzt nicht auf Ihre Hausmädchen, oder?« Der Mann redete mit Dad, wobei eine seiner Wangen immer noch vom Tabak ausgebeult war.

»Was haben Sie gesagt?«, fragte Dad.

»Ich sagte, das bezieht sich jetzt nicht auf Ihre Hausmädchen, oder?« Der Mann lächelte. »Dass Sie sie erst halten müssen, bevor Sie eine Entscheidung treffen.«

Idella spürte, wie die fröhliche Stimmung mit einem Mal umgeschlagen war. Keiner sagte ein Wort. Alle sahen den Mann an. Schließlich wandte sich Mrs. Wheeler ab und lächelte Idella an. »Idella, meine Liebe. Was bringt die Dame des Hauses heute in die Stadt?«

»Wir sind hier, um ein Geburtstagsgeschenk zu kaufen.« Idella lächelte zurück, erleichtert.

»Ein Geschenk? Für Avis? Ist das der Grund, weshalb ich ihre Hand nicht in meinen Süßigkeitengläsern sehe? Ihr habt sie zu Hause gelassen, um ihr eine Überraschung bereiten zu können?«

»Es ist fürs Hausmädchen«, flüsterte Idella. »Sie hat Geburtstag gehabt. Und ich glaube, sie hatte noch nie irgendwas Hübsches. Ich helfe beim Aussuchen.«

»Dann lass uns mal sehen, was es hier an Haarbürsten und kleinen Spiegeln gibt.« Dad legte eine Hand auf ihre Schulter.

Idella wusste, dass der sonderbare Mann ihr Gespräch belauschte. Sie konnte regelrecht spüren, wie er sie beobachtete. Während Mrs. Wheeler ihr die Spiegel reichte, forderte sie Idella eindringlich auf, sie hochzuhalten und ein Gefühl für sie zu bekommen und sich darin anzuschauen. »Man will doch keinen, der verschleiert ist. Man will ein gutes, klares Spiegelbild. Und keine Flecken auf der Rückseite. Einige von denen sind besser als andere, aber ich habe kein großes Mitspracherecht bei dem, was sie uns hochschicken. Wir nehmen, was wir kriegen können.«

Idella begutachtete den Spiegel, den sie selbst am liebsten besessen hätte. Er war aus Vogelaugenahorn, mit entzückenden kleinen, runden Verzierungen im hellen Holz. Das Glas war oval und an den Seiten abgeschrägt. Schüchtern besah sie ihr Spiegelbild, ihre unzulänglichen braunen Augen. Als sie den Spiegel ein Stück vom Sonnenlicht wegdrehte, das vom Ladenfenster einfiel, bemerkte sie, dass der Mann mit dem Hut sie beobachtete. Er lächelte. Sie legte den Spiegel weg. »Der hier«, sagte sie. »Das ist der richtige.«

»Willst du auch die Bürste, Bill?«

»Zum Teufel, warum nicht«, sagte Dad. »Pack sie ein, während sich Idella Süßigkeiten aussucht.«

Der Mann mit dem Hut schritt plötzlich an ihnen vorbei zur offenen Ladentür, steckte den Kopf hinaus und spuckte schwungvoll auf den Gehweg. Er gab ein so lautes Spuckgeräusch von sich, dass sie alle bei dem innehielten, was sie gerade taten oder sagten. Dann trat er zurück ins Geschäft und wischte sich den Mund am Ärmel ab. Seine Wange war immer noch ausgebeult. Der Tabak roch bitter, was Idellas Freude daran trübte, die Süßigkeiten auszusuchen. Sie konnte ihn riechen, als er sich hinter sie stellte.

»Nimm genug für euch alle«, sagte Dad.

»Das sind feine Stiefel, Sir.« Der Mann mit dem Hut richtete das Wort wieder an Dad.

»Mir gefallen sie.«

»So, wie die aussehen, sind sie extra für Sie gemacht worden?«

»Schon möglich. Was bin ich dir schuldig, Hugh?«

»Kann ich sie mir mal näher anschauen? Die Naht?«

»Sie können sie von dort, wo Sie stehen, gut genug sehen.«

»Wie wäre es, wenn ich es dir auf die monatliche Rechnung schreibe, Bill? Bezahl am ersten des Monats, wenn die Heringssaison beginnt.«

»Danke, Hugh. Das weiß ich zu schätzen. In einem Monat sieht es schon besser aus.«

»Was, wenn der Spiegel zerbricht?«

»Wie bitte?«

»Was, wenn der Spiegel zerbricht, wenn das Hausmädchen reinsieht?«

Idella beobachtete, wie sich das Gesicht des Mannes veränderte. Sein Lächeln wurde breiter, sein Ausdruck bösartiger. Er war größer als Dad und stämmiger. Die Stiefel, die er trug, waren alt und zerschlissen und allem Anschein nach kaum mehr zu gebrauchen. Zwei verschiedene Farben von Schuhbändern.

»Ich denke nicht, dass das geschehen wird. Und es geht Sie einen feuchten Kehricht an.«

»Ich hab mir mal ein Paar Stiefel wie die da machen lassen. Genau wie die da. Selbst die Naht ist dieselbe. Fünf-Dollar-Stiefel. Sie wurden mir gestohlen. Das gottverdammte blöde Mädchen ist mit meinen Stiefeln abgehauen.«

»Ach wirklich?«

»Sie haben sie wohl nicht gesehen? Eine fette Kuh. Langsam und dumm.«

»Kommt mir nicht bekannt vor. Die einzige Kuh, die ich habe, steht in der Scheune.«

Da gab es eine versteckte Botschaft zwischen den Zeilen der Männer. Idella spürte, wie sie sich versteifte, wie sie sogar die Arme fest an die Seiten presste.

»Es gibt wohl nicht zufällig eine Kuh mit dem Namen Madeleine auf eurem Hof, hm, Kleine?« Idella drehte sich von ihm weg. Sie hatte Angst. »Du bist aber ein schweigsames kleines Täubchen.«

»Komm jetzt, Idella, such die Süßigkeiten aus. Wir lassen sie abwiegen und gehen.«

»Hier gehöre ich dem Wind!« Maddie machte den Mund weit auf. Das Haar flatterte ihr ums Gesicht.

Dalton lächelte ihr beim Rudern zu. »Keine Hummerkäfige, die du raufziehen möchtest, Maddie?«

»Keine Hummer.« Maddie schüttelte den Kopf. »Von denen habe ich zu viele gesehen.«

»Was hast du dort gemacht?« Avis riss Seegras aus und warf es den Möwen zu. »Als du in der Hummerfabrik gearbeitet hast?«

»Das Wasser kocht immer, wenn die Hummer ankommen. Sie bringen ständig Meerwasser auf Wagen herbei, das sie dann erhitzen. Hummer über Hummer kochen sie, bis sie knallrot sind, in den großen, großen Töpfen.« Sie breitete die Arme aus, um ihnen die Größe der riesigen Bottiche zu zeigen. »Es ist so heiß in der Fabrik und voller Dampf. Sie kochen die Hummer und säubern sie und füllen sie gleich in Dosen ab, denn sonst verdirbt das Fleisch.«

»Was hast du gemacht?«

»Ich habe die Schwänze abgerissen.« Sie demonstrierte es mit einer raschen Drehung des Handgelenks. »Die Schale ist heiß und scharf. Das Salz, es frisst sich durch die Hände, und sie bluten. Ich habe es gehasst.«

»Dad wirft sie auf die Felder«, sagte Avis. »Sie stinken viel schlimmer als Kuhfladen.«

»Vergesst die Hummer«, sagte Dalton. »Wir fahren einfach ins Blaue, ins Nirgendwo.«

»Für mich ist das schon was. Ich war noch nie auf dem Wasser. Nur auf dem Land. Nur auf fester Erde.«

»Apfel der Erde!«, rief Avis. »*Pomme de terre!* Das ist ›Kartoffel‹ auf Französisch, Dalton.«

Maddie lachte. »*Très bien*, Jeune Avie.«

»Du wirst zu einer Wasserkartoffel, wenn du nicht aufhörst, das Boot zu schaukeln.«

Sie ruderten und trieben vergnügt dahin. Maddie sang ihnen ein Lied auf Französisch vor, sehr leise. Die Mädchen saßen auf dem Boden des Bootes und schlossen die Augen, ließen sich von der Sonne das Gesicht wärmen, während Dalton sie sanft über das Wasser ruderte.

»Es ist so schön«, flüsterte Maddie verträumt, »als wären wir Federn, die übers Wasser gleiten.«

»Ich würde sterben, könnte ich nicht aufs Wasser.« Dalton blickte zum Horizont. »Irgendwann schaff ich's zur anderen Seite. Ich verschwinde von der Farm und von hier.«

»Du möchtest weg von hier?« Maddie öffnete die Augen. »Für mich ist das wunderschön, euer Leben.«

Dalton sah sie an. »Du kommst von weit unten, Maddie, wenn das hier ein gutes Leben für dich ist. Ich bleib nicht mein ganzes Leben in diesem Niemandsland. Ich verschwinde. Deshalb zieh ich die Hummer hoch. Um sie an die Fabrik zu verkaufen. Um von hier abzuhauen.«

»Was ist mit Dad?«, fragte Avis und blinzelte zu ihm hoch. »Wer wird ihm bei der Farmarbeit helfen?«

»Du, Avis. Er wird dich vor den Pflug spannen. Du bist stur wie ein Esel.« Er lachte. »Und siehst wie einer aus.«

»Tu ich nicht!«

Er zog die Ruder ein und ließ das Boot treiben. »Wo kommst du her, Maddie, dass du noch nie auf dem Wasser gewesen bist?«

»Heute bin ich hier. Kein Gestern. Das will ich nicht.« Maddie blickte zurück zum Ufer. »Die Klippen sind so wunderschön. Die Häuser so klein. Wie traurige kleine Schachteln.«

Avis beugte sich über sie und benetzte sich die Finger. »Wie fühlt sich das an?« Sie klatschte in die Hände, und das kalte Meerwasser spitzte auf Maddies Stirn.

»*Ah, c'est froid!*« Maddie lachte. Sie drückte sich Avis' eisige Handfläche aufs Gesicht, dann tauchte sie die eigene Hand ins kalte Meer und schnalzte Wassertropfen in Daltons Gesicht und auf Avis' schmalen gebräunten Hals. »Wir müssen unser Picknick essen, oder die Vögel werden herkommen und es stehlen. Die Möwen, die beobachten uns schon.«

Sie wickelten ihre Brote mit gepökeltem Schweinefleisch aus, aßen und warfen den kreisenden Möwen Brotkrumen zu.

»Ich wünschte für sie, ich hätte Pfannkuchen gemacht«, sagte Maddie, während sie zusah, wie die Vögel herabgeschossen kamen und nach dem Essen schnappten, das sie ihnen zuwarfen, und es verschlangen. »Dann hätten sie einen vollen Bauch!«

Avis lachte. »Aber sie könnten dann nicht mehr fliegen.«

»Nein.« Maddie lachte ebenfalls. »Sie würden wie Steine ins Meer fallen. Ich denke, ich muss mir von Idella das Kochen beibringen lassen.«

»Du musst nur das Kochbuch benutzen, das sie von der Mehlfirma bekommen hat. Lies dir einfach die Rezepte durch. Kochen ist gar nicht so schwer.«

Maddie sah auf ihre Hände herab. »Ich lese aber nicht.«

»Du kannst nicht lesen, Maddie?«

»Nicht so gut.«

»Du hast doch die Anzeige gelesen, die Dad im Laden aufgehängt hat«, sagte Avis.

Maddie schüttelte den Kopf. »Nein. Der Mann im Laden hat Witze darüber gemacht, dass schon wieder ein Hausmädchen gesucht wird, und ich habe die Anzeige runtergerissen, als er nicht hingeschaut hat. Ich habe sie benutzt, um nach dem Weg zu eurem Haus zu fragen.«

»Verdammt, ich kann dir das Lesen beibringen, Maddie.« Dalton lächelte sie an. »Wir brauchen bloß ein paar Bücher, das ist alles.«

»Das wäre schön.« Maddie lächelte zurück. »Ich bin noch nie so glücklich gewesen wie heute, Dalton.« Auf einmal lehnte sie sich vor und küsste Daltons Knie. »Vielen Dank für die Fahrt in dem Boot. Und dafür, dass du so lieb bist.«

»Buh-huu!«, rief Avis. Maddie beugte sich zu ihr und küsste sie auf die Wange. »Du auch, Jeune Avie. Du machst mich glücklich.«

»Zeit, nach Hause zu fahren. Der Wind hat sich gedreht, und ich werde rudern müssen.« Dalton warf einer wartenden Möwe eine letzte Brotkante zu. »Hungriges Mistvieh.«

»Wir sind alle hungrig«, sagte Maddie und beobachtete den Schwarm kreisender Vögel über ihnen.

»Ich nicht«, sagte Avis und klopfte sich auf den vollen Bauch.

»O doch, Avis, du bist vielleicht noch hungriger als wir alle. Wirst schon sehen.«

Dalton schnappte sich die Ruder und drehte das Boot heimwärts.

»Wer ist das auf dem Pferd?« Idella, die noch auf dem Wagen saß, drehte sich zu dem langsamen, stetigen Hufgeklapper um, das immer näher kam. Dad, der Blackie zur Scheune führte, blickte in dieselbe Richtung.

»Dieser gottverdammte Kerl ist mir gefolgt.«

Idella erkannte jetzt, dass es der Mann aus dem Laden war. Allein bei seinem Anblick hatte sie seinen bitteren Atem in der Nase.

»Komm vom Wagen runter, Idella, und geh ins Haus.«

Das Pferd hatte sie nun fast erreicht. Der Mann zügelte es zu einem langsamen Schritt.

Dad, dessen eigenes Pferd angebunden und ruhig dastand, beobachtete, wie der Fremde näher kam. Idella drückte sich vor der Haustür herum, ging jedoch nicht hinein.

Der Mann nahm seinen Hut ab. »Tut mir leid, Sie zu stören. Mir ist nicht entgangen, wohin Sie gefahren sind, und ich dachte, wenn es Ihnen nichts ausmacht, werfe ich mal einen Blick auf Ihre Kuh. Immerhin wurden mir genau solche Stiefel, wie Sie haben, am selben Tag gestohlen, als mein Mädchen verschwunden ist. Das stinkt ein bisschen zu sehr, als dass es Zufall wäre.«

»Ihnen stinkt eine ganze Menge«, sagte Dad und sah direkt zu ihm hoch, ohne zu blinzeln oder sich zu rühren.

Der Mann stieg von seinem Pferd ab und beruhigte es. »Ist es in Ordnung, wenn ich mich umschaue?«

»Nein.«

»Nun, ich werd's wohl trotzdem tun. Ich muss mit Madeleine sprechen. Das ist doch ihr Name, nicht wahr? Von Ihrem Hausmädchen? Sie muss mit mir nach Hause kommen. Da wartet Arbeit auf sie, und die erledigt sich nicht, wenn sie hier ist.«

»Sie hat jetzt hier Arbeit, und die gefällt ihr, und Sie sollten jetzt von meinem Land verschwinden, verdammt noch mal. Es interessiert mich nicht, ob Sie ihr Bruder, Vater oder auch Großvater sind. Mit jemandem wie Ihnen wird sie nirgendwohin gehen.«

»Sie verstehen das nicht. Ich füttere sie schon eine Weile länger durch als Sie. Sie wurde bei mir abgeladen, und ich hab mich um sie gekümmert. Jetzt ist sie in einem Alter, wo sie mir von Nutzen ist. Es ist Hummerzeit, und sie ist eine Spitzenknackerin, mit diesen großen, starken Händen. Ich wette, die Hände sind Ihnen auch nicht fremd.« Der Mann lächelte Dad an, aber es war kein freundliches Lächeln. »Ich brauch das Geld, das sie bekommt, damit kann sie wiedergutmachen, was ich in den drei Jahren für sie ausgegeben habe.«

Vom Rand der Klippen war auf einmal ein Singen zu hören. Es waren Avis und Maddie und sogar Dalton, die beim Hochklettern der Leiter sangen. »*Blow, ye winds, in the morning, and blow, ye winds, high-ho!*« Maddie war die Erste, die in Sicht kam. Sie erstarrte bei ihrem Anblick.

»Nun, schau mal einer an. Ein Vögelchen, das wie ein Seemann singt.«

»Weiter, Maddie!«, rief Avis, die immer noch nicht zu sehen war, von unten. »Mach schon!«

Maddie kletterte über die Leiter, ließ den Korb fallen, den

sie getragen hatte, und rannte schreiend auf den Mann zu. »*Non! Non! Jamais!*«

Avis und dann Dalton zogen sich über die letzte Sprosse. Sie standen neben der Scheune, wie festgefroren bei dem Bild, das sich ihnen bot. Dann begann Avis, Maddie nachzulaufen. Dalton packte sie an den Schultern und hielt sie zurück.

»Ich werde nicht mit dir gehen! Verschwinde! Verschwinde!« Maddies Hände waren zu Fäusten geballt, als sie sich auf den Mann stürzen wollte.

»Halt, Maddie. Halt!« Bill schnitt ihr den Weg ab und umfasste ihre um sich schlagenden Handgelenke.

»Ich geh nicht mit dir! Lieber geh ich in die Hölle!«, schrie Maddie den Mann an, der die Zügel seines Pferdes hielt und lachte, während Bill Maddie zurückdrängte.

»Er bringt dich nirgendwohin, wenn du nicht willst.«

»Ist das nicht süß? Du hast dir ein kleines Nest gesucht, in dem du dich verkriechen kannst, Madeleine. Lassen Sie sich nicht von ihr zum Narren halten, Mister. Sie ist keins von diesen süßen Täubchen, wie Sie sie hier haben, die mit ihren kleinen Flügelchen schlagen. Sie ist eine Lügnerin und Diebin.«

»Nennen Sie sie nicht so, Sie verdammter Mistkerl!« Dalton schob Avis in Idellas Richtung, die immer noch von der Veranda aus zusah. Er schnappte sich die Heugabel, die an der Scheune lehnte. »Verschwinden Sie. Verschwinden Sie von hier!«

»Nun ja. Sie hat sich hier wohl von einem zum nächsten durchgearbeitet.« Der Mann stieg auf sein Pferd. »Sogar bis zu dir, kleiner Mann.«

»Es war mein Geld für die Stiefel! Es war meins!« Maddie befreite sich gewaltsam aus Bills Griff. Sie war wie wild geworden, raste über den Hof, krallte die Finger in den Boden und schaufelte Erde auf, mit der sie den Mann bewarf.

»Du kleine Hure!« Er ließ sein Pferd rückwärtsgehen, als sie auf ihn zugerannt kam und sich an seinem Bein festklammerte. »Lass mich los!« Er riss das Bein hoch und traf sie heftig am Kinn. Avis und Idella schrien auf, als Maddie, die Arme schützend vor dem Gesicht, auf die Knie sank.

»Ich bring Sie um!« Dalton hastete mit der Heugabel auf den Mann zu.

Bill packte ihn am Kragen. »Nur mit der Ruhe, Sohn. Hör auf!«

»Lass mich los!« Dalton mühte sich ab, um freizukommen. »Ich bring ihn um, wenn er ihr wehtut.«

Bill packte Dalton fester am Kragen. »Niemand wird hier irgendjemanden umbringen.«

»Sie beruhigen jetzt mal den Jungen.« Der Mann brachte sein Pferd außer Reichweite von Dalton. »Und hören Sie gut zu, was ich Ihnen zu sagen habe. Ich tue Ihnen einen Gefallen, Mister.« Er blickte auf Maddie hinab. »Du hast in der Hummerfabrik gestohlen, nicht wahr, Mädchen?« Maddie lag schluchzend am Boden. »Bist auf frischer Tat ertappt worden, während du Taschen durchsucht hast.« Er blickte zu Bill. »Sie ist eine gottverdammte Diebin.«

Idella klammerte sich am Verandapfosten fest, zu verängstigt, um sich zu rühren. Avis stand ein Stück von ihr entfernt und beobachtete alles genau.

»Zuerst nur hübsche Taschentücher und Haarnadeln. Ich hab die Sachen gesehen, aber nicht nachgefragt. Dann ist sie mit der Hand in einer Tasche ertappt worden, als sie den Silberdollar eines anderen Mädchens einstecken wollte. Ich habe für sie gebettelt, und sie durfte bleiben. Weil sie eine gute Knackerin ist.« Er lachte. »Gute, starke Hände. Kräftig und stark, hart arbeitend. Das ist meine Erfahrung. Ist es nicht so, Madeleine?«

Maddie sah nicht zu ihm hoch.

»Ich hab sie für all den Ärger bezahlen lassen. Hab immerhin blöd dagestanden. Ich hab ihr gezeigt, wie ich mich wieder besser fühle.« Er lachte erneut. »Hat sie nicht gestört. Sie ist eine Schlampe. Wie ihre Mutter, die verdammte Hure. Diese verdammten Französinnen. Sie ist eines Abends aufgetaucht und hat gesagt: ›Erinnerst du dich an mich? Da, das ist Madeleine, deine kleine Tochter‹, hat sie gesagt. ›Ich wollte, dass sie ihren Vater kennenlernt.‹ Eine Tochter, verflucht noch mal. Fünfzig Männer hätten der Vater dieser fetten Kuh sein können – und dass sie erst nach all den vielen Jahre kommt. Ich hab sie aufgenommen. ›Nur eine Nacht‹, habe ich gesagt. ›Dann verschwindet ihr.‹ – ›Schön‹, hat sie gesagt. ›Eine Nacht ist gut.‹ Die verdammte Hure ist mitten in der Nacht abgehauen. Hat allerdings nicht alles mitgenommen.« Er blickte zu Maddie. »Also hab ich ihr beigebracht, Kaffee für mich zu kochen und Eier zu braten. Und ich hab ihr eine Arbeit in der Hummerfabrik besorgt. Hab wegen ihrem Alter gelogen. Sie schuldet mir was.« Er sah wieder zu ihr runter. »War von Geburt an eine dreckige Schlampe. Nichts weiter.«

»Nennen Sie sie nicht dreckig!« Unvermittelt packte Avis den Mülleimer auf der Veranda und rannte von hinten auf den Mann zu. »Sie nennen Maddie gar nichts! Ich zeig Ihnen, was Dreck ist.« In hohem Bogen landete Müll auf seinen Händen und seinem Hemd. Erschrocken wirbelte das Pferd herum und bäumte sich auf.

»Avis, weg da!« Bill ließ Dalton los und zerrte Avis, die schreiend um sich trat, vom Pferd weg.

»Du kleines Miststück!« Das Hemd des Mannes war mit geronnener Milch, Kartoffelschalen, Hummerresten und Fischköpfen übersät. Er starrte Bill an. »Hier gibt es ja an allen Ecken Schlampen.« Er hielt die Zügel mit einer Hand und wischte sich den Müll von der Kleidung. »Wie es aussieht, bauen Sie sich hier ein Ein-Mann-Hurenhaus auf.« Er blickte auf Dalton hinab, der zurückstarrte. »Oder vielleicht auch einen Zwei-Mann-Betrieb, hm, Junge?«

»Dreck ist zu gut für ein Schwein wie Sie, Mister!«, schrie Avis, die gegen Bills unnachgiebigen Griff ankämpfte.

»Wenn er mit ihr fertig ist, wird er sie an dich weiterreichen, Junge. Hier gibt es überall hübsche französische Mädchen. Musst nicht bei der einen bleiben, bei der du angefangen hast.« Er wendete sein Pferd und sah zu Idella. »Und dann macht ihr denen da hübsche kleine Schwestern.«

»Verschwinden Sie von hier, bevor ich Sie umbringe!« Bills Stimme dröhnte auf einmal über den ganzen Hof. Er stand hochgewachsen und aufrecht da, hielt Avis mit einem Arm um die Hüfte fest, sodass ihre Füße in der Luft baumelten. »Verdammter Bastard! Wenn Sie jemals wieder in die Nähe eines dieser Mädchen kommen, werde ich Ihnen so den Arsch aufreißen, dass nicht mal der Teufel Sie noch will.«

Das Pferd wich zurück. »Ich verzieh mich, Mister, und lass Sie mit all Ihren kleinen Huren allein.« Er brach in Gelächter aus. »Behalten Sie die Stiefel«, rief er über die Schulter, als er davonritt. »Sie werden sie brauchen. Die da beißt.«

Dalton umklammerte die Heugabel und rannte dem Pferd nach, aber der Mann hatte bereits die Straße erreicht.

Avis jagte ihm hinterher, spuckte Schimpfwörter aus. »Schwein! Drecksau! Verdammtes Arschloch!« Als das Pferd längst den Hof der Doncasters hinter sich gelassen hatte, drehte sie um und rannte zum Haus zurück, hüpfend und springend. »Wir haben's ihm gezeigt, jawohl. Wir haben ihn für dich verjagt, Maddie!«

»Avis!« Bill stand mit der Hand auf Daltons Schulter da. »Sei still.«

Maddie, den Kopf unter den Armen vergraben, war ein Haufen aus zerzausten Haaren und grobem grauem Stoff, der ausgestreckt auf der Erde lag. Niemand sagte ein Wort. Dalton hielt die Heugabel immer noch auf Armeslänge. Idella lehnte still an der Hauswand, im Schatten der Veranda. Das gedämpfte Geräusch von Maddies Schluchzen vermischte sich mit dem Klatschen der Wellen tief unten und dem dumpfen, nun weit entfernten Hufgetrappel auf dem flachen trocken Boden.

Avis ging schweigend zu Maddie und kniete sich neben sie. Sie streckte die kleine Hand aus. »Was ist los?« Auch sie fing an zu weinen. »Jetzt kann Maddie für immer bei uns bleiben. Sie gehört zu uns.«

Idella kam über die Veranda und stieg die Treppe herunter. Sie ging zu Avis, die sich neben Maddie zusammengekauert hatte, und legte ihr zaghaft die Hand auf den Rücken. Maddie erhob sich. Tränen liefen ihr die geschwollenen Wangen hinab. »Ich bin schmutzig. Schrecklich schmutzig.«

»Nein, Maddie. Nein!« Dalton ließ die Heugabel fallen und kniete sich vor sie. »Du bist nicht schmutzig. Was der Mann gesagt hat, ist nicht wahr.«

Maddie schüttelte den Kopf. »Ich bin so schmutzig und so böse. Du weißt nicht, wie böse.«

Dalton streckte den Arm aus und wischte die Erde, die an ihr klebte, mit den Fingern weg. »Siehst du? Es geht ab,

Maddie. Es ist wie der Dreck auf einer Kartoffel. Der geht ganz leicht ab.«

»Du bist eine von uns Hillocks.« Avis sah zu ihrem Vater. »Nicht wahr, Dad? Sie ist eine von uns.«

Bill stand allein da, stocksteif. Eine Weile starrte er zum Wasser, zum flachen Horizont, der sich in der Ferne wie ein grauer Faden erstreckte. Schließlich blickte er zu den zusammengekauerten Gestalten. »Täubchen«, sagte er kopfschüttelnd. »Ein Nest voller Täubchen. Jesus steh mir bei.«

Er hob die umgefallene Mistgabel auf und trug sie zurück zum Heuhaufen. Fester als nötig rammte er sie hinein und stand mit dem Rücken zu ihnen da, während er sich am Griff festhielt.

In dieser Nacht saß Bill lang am Tisch und rauchte seine Pfeife. Avis und Idella, die in ihren Betten lagen, schliefen mit dem vertrauten Geruch seines Tabaks ein, der in ihr Zimmer kroch, sich in ihren Bettdecken und Haaren festkrallte. Maddie, die kaum ein Wort gesprochen hatte, seit ihr Vater auf dem Pferd fortgeritten war, setzte sich in ihrem kleinen Bett auf. Ihr waren der Rauch und das gelegentliche Hin-und-her-Gehen unten nicht entgangen.

Als sie sicher war, dass die Mädchen tief schliefen, stand sie leise auf, griff unter die Matratze und zog vorsichtig ein verstecktes Kleiderbündel heraus. Sie tastete darin herum, bis sie den Bauch eines kleinen Fläschchens fand. Nachdem sie den Verschluss aufgeschraubt hatte, gab sie etwas Parfüm auf ihre Fingerspitze und strich es zwischen ihre Brüste, auf ihre Stirn, die Handgelenke und vorne an ihren Hals. Sie glitt mit den Fingern durch ihr Haar, zog sich dann ein anderes Oberteil an und schob das Bündel zurück unter die Matratze.

Das Parfüm stieg wie Nebel von ihrem Körper auf. Sie zögerte einen Moment, dann nahm sie das Laken vom Bett, wickelte es sich wie einen Schal um die Schultern und schloss die Tür hinter sich. Dalton war in der Scheune, das wusste sie. Sie hatte gesehen, wie sein Licht flackernd ausgegangen war.

Das Laken fest umklammert, stieg sie leise die Treppe hinab. Sie stand in den Schatten, bis Bill aufblickte und sie sah. »Maddie.«

»Ich bin gekommen, um Sie zu sehen«, flüsterte sie. »Um es Ihnen zu erklären.«

»Es gibt nichts zu erklären, Maddie. Das liegt nun hinter dir. Du wirst ihn nie mehr wiedersehen. Das verspreche ich.« Er hielt inne. »Aber Maddie, du darfst nicht mehr stehlen.«

Sie senkte den Kopf. »Ich war so böse. Ich bin böse.«

»Du hast schon alle Herzen gestohlen, die es hier zu holen gibt.« Sie blickte erschrocken auf. Er lächelte. »Du musst damit aufhören.« Ein langer Moment des Schweigens folgte. Beide waren still, beobachteten den anderen. Schließlich sagte Bill: »Ich schick dich fort, Maddie. Ich werde die Familie meiner Emma bitten, dass sie dich auf ihrer Farm aufnimmt. Sie haben einen großen Hof. Grandma Becky weiß alles über Mädchen. Sie hatte fünf. Dort bist du besser aufgehoben.«

»Ich will hierbleiben. Bei Ihnen.«

»Es wird nicht einfach. Es gibt überall Mistkerle. Aber ich will keiner von ihnen sein. Manchmal bin ich ein guter Mann. Aber ich bin nicht die ganze Zeit über ein guter Mann. Das weiß ich. Ich bin schwach, und meine Bedürfnisse sind stark.« Er machte eine Pause, beobachtete, wie sie stocksteif am unteren Treppenabsatz stand.

»Ich kann nicht hier bei Ihnen bleiben?«

»Oh, nein. Nein, Maddie.«

»Sie sind es, den ich sehen wollte, darum bin ich runter-gekommen.«

»Du hast mich gesehen.«

»Sie wissen jetzt, dass ich kein Mädchen mehr bin. Und ich weiß ... ich weiß, wie man einen Mann glücklich macht. Mit meinem Körper. Meinen Händen. Ich will Sie glücklich ma-chen. Ich habe Sie so traurig gemacht.« Während sie sprach, kam sie auf ihn zu.

»Komm nicht so nah, Maddie. Ich hab getrunken. Und ich bin einsam. Frag nicht nach etwas, das du nicht haben solltest.« Er sah sie an. »Im Vergleich zu dir bin ich ein alter Mann, Maddie. Du bist mehr Mädchen als Frau. Du hast nur einen falschen Weg eingeschlagen.«

»Bei Ihnen fühle ich mich wie eine Frau.«

»Aber so ... so sollte es nicht sein. Verdammt, du gehörst eher zu Dalton als zu einem grauhaarigen alten Sack wie mir.«

Lächelnd trat sie näher, öffnete das Laken, das sie sich um den Körper gewickelt hatte.

»Herrgott noch mal, was hast du da? Das ist Emmas Ge-ruch. Maddie, du willst mich umbringen.«

Auf einmal streckte sie die Hände aus und umarmte ihn, vergrub ihr Gesicht an seiner Brust. Er beugte den Kopf und roch das schwere, süße Parfüm in ihrem Haar. Er nahm eine Strähne und drückte sie sich ans Gesicht.

Maddie versuchte, ihn zu küssen. Er war so weit über ihr, dass sie seinen Mund nicht erreichte. Sie packte sein Hemd und zog ihn zu sich. »Küss mich«, flüsterte sie. »Gib mir deinen Mund. Ich kann so gut küssen.«

Er ließ ihr Haar los. »Nein. Tu das nicht, Maddie.« Er be-deckte ihren Mund mit der Hand. »Wir sind schon viel zu weit gegangen.« Ihre Zunge war an seinen Fingern.

Die Tür öffnete sich. Dalton stand im Türrahmen. »Du gottverdammter Scheißkerl!« Maddie wich zurück und wickelte sich das Laken um den Körper. Bill stemmte die Arme in die Hüften und starrte Dalton an.

Dalton kam ins Zimmer gerannt und hämmerte mit geballten Fäusten auf Bills Arme und Schultern ein. »Du dreckiger Bastard! Hände weg von ihr! Kannst du nichts in Ruhe lassen, was gut ist? Kannst du nichts in diesem gottverdammten Haus in Ruhe lassen? Alles stinkt und wird beschmutzt, weil du es mit deinen dreckigen Händen anfassen musst! Du bist keinen Deut besser als dieser Scheißkerl, der sie getreten hat!«

Maddie versuchte, ihn von Bill wegzuziehen. »Ich will es auch, verstehst du? Ich will das sein, was er braucht.«

»Der Gott der Verdammnis will mich zu sich runterziehen!«, knurrte Bill auf einmal, während er Dalton wegschob und Maddie grob an den Schultern packte und zu sich drehte. »Maddie!« Er schüttelte sie wutentbrannt. »Nein, Maddie! Nein! Du willst mich umbringen! Du bist gekommen, um mich in die Hölle zu zerren!«

»Lass sie los!« Dalton krallte sich an seinem Vater fest und trat nach ihm. »Lass deine dreckigen Finger von ihr. Du kannst dich von nichts Gutem fernhalten. Wie bei Mutter! Du hast sie umgebracht! Du hast sie mit deinem verdammten stinkenden Samen getötet. Du brauchtest keine weiteren Gören! Du konntest dich nur nicht zurückhalten. Du konntest sie nicht in Frieden lassen. Du hast sie umgebracht!«

Bill hob die Hand und schlug Dalton fest ins Gesicht. »Halt deinen gottverdammten Mund! Wenn du das noch ein einziges verfluchtes Mal zu mir sagst, fliegt dein Arsch über die Klippen, noch bevor du einmal Luft holen kannst.«

Der Schlag ließ Dalton taumeln. Maddie rannte zu ihm.

»Nein, Dalton. Nein!« Er lag ausgestreckt auf dem Tisch, schluchzend, und hämmerte mit den Fäusten darauf.

»Maddie, du verschwindest morgen früh. Gleich als Erstes. Ich fahr dich. Und es wird zu weit sein, um zurückzukommen. Das ist es schon längst.«

»Nein! Maddie darf nicht gehen!« Avis wimmerte plötzlich oben an der Treppe.

»Sie verschwindet, das war's!«, schrie Bill die Treppe hinauf. »Und jetzt zurück ins Bett, ihr beiden. Ihr werdet schon alle bald verschwinden, ihr alle! Ich kann das nicht mehr. Das hier ist kein Ort für kleine Mädchen.« Er blickte zu Maddie. »Egal, für wie erwachsen sie sich halten. Ich kann das nicht mehr!«

Avis weinte jämmerlich in ihr Kissen, bis sie schließlich wieder einschlief. Idella lag stundenlang in der Dunkelheit wach. Maddie war draußen, spazierte am Rand der Klippen auf und ab. Idella konnte Fetzen ihres Gesangs hören, die französischen Wörter wurden wie ein leises Seufzen vom Wind davongetragen. Der Mond war in dieser Nacht von Wolken umhüllt, nur ein Klecks fahlen Lichts. Idella lehnte sich aufs Fensterbrett und starrte in die leere Dunkelheit. Der Himmel hatte sich so verändert, dachte sie, alles hatte sich so verändert, von einem Schlag auf den anderen.

Als ein hauchzartes blassgraues Licht hereinsickerte und sich wie sanfter Rauch über ihre Betten legte, kroch Maddie ins Zimmer. Idella, immer noch wach, drehte sich gerade genug, um sie beobachten zu können, ohne selbst gesehen zu werden. Maddie blickte zum Bett der Mädchen. Avis' Fuß schaute aus der Steppdecke heraus, und Maddie schob ihn sanft zurück. Idella schloss die Augen, stellte sich schlafend, dann schlug sie sie wieder auf, als sie hörte, wie Maddie die unterste Kommodenschublade öffnete und den Inhalt in die Decke legte, die Decke, mit der sie gekommen war. Sie packt, dachte Idella. Sie macht sich fertig, um fortzugehen.

Sie beobachtete ruhig, wie Maddie in die Knie ging und unter ihrem Bett ein zweites Bündel hervorzog, bei dem es sich um Kleidungsstücke zu handeln schien. Sie strich behutsam darüber, ohne sie auseinanderzufalten, und drückte sie sich ins Gesicht. Dann, zögerlich, legte sie sie in die unterste Schublade, die sie gerade geleert hatte. Idella konnte nicht genau sehen, was sich nun in der Kommode befand, aber mit einem Mal kroch ein grässliches Gefühl aus ihrem Magen empor, und ihr wurde übel, als ihr klar wurde, worum es sich handeln musste – Mutters Kleidung.

Sie lag wie erstarrt da, beobachtete Maddie, die langsam im Zimmer umherschlich, die Schublade schloss und die Ecken des Lakens hochschlug, um den Inhalt verschnüren zu können. Beklommen blickte Maddie zum Bett, und Idella kniff die Augen zu. Sie öffnete sie erst wieder, als sie spürte, dass Maddie sich rührte, und beobachtete, wie Maddie vorsichtig unter ihren Kissenbezug griff und die kleine Stoffpuppe hervorholte, die Idella gefunden hatte. Aber sie sah sonderbar aus. Maddie drückte sich die Puppe ans Gesicht, schloss die Augen und strich sich damit über die Wangen. Da fiel Idella der Unterschied auf. Sie keuchte. Die Puppe hatte Haare. Ein Stück von Mutters Zopf war auf ihren Kopf genäht. Idella setzte sich auf. »Maddie!«, flüsterte sie entsetzt.

»Oh!« Maddie versteckte die Puppe hinter dem Rücken.

»Das sind Mutters Haare!« Idella starrte sie eindringlich an. »Gib sie mir!«

»Nein! Nein! Sie ist alles, was ich habe. Bitte.« Maddie war jetzt vor Idella auf die Knie gefallen, flüsterte, damit Avis nicht erwachte. »Sie ist von meiner Mutter. Aber sie hatte keine Haare. Ich wollte, dass sie wunderschön ist wie deine Mutter.« Maddie schluchzte und streckte die Arme nach Idella aus. Ihre Hände waren wie Klauen, die sich wild in die Luft krallten.

Als Idella erkannte, wie verzweifelt und verängstigt Maddie war, begann sie zu weinen. »O Maddie«, sagte sie leise, und zum ersten Mal seit Maddies Ankunft beugte sich Idella vor, um sie zu umarmen. Sie konnte nichts weiter sagen, da Maddie sie mit einer solchen Inbrunst an sich presste, dass sie nicht einmal den Kopf heben konnte. Tiefe Traurigkeit stieg in ihr empor. Wegen Maddie und auch wegen sich selbst, wegen ihnen allen. Sie umarmte Maddie fester und drückte sie mit aller Kraft an sich.

Als es ihnen endlich gelang, einander loszulassen, flüsterte Idella: »Darf ich sie sehen?«

Maddie nickte, bot ihr dann langsam die Puppe dar. Idella nahm sie behutsam an sich. Im Zimmer war es heller geworden, und sie bemerkte, dass Mutters Zopf unbeholfen an den Scheitel und den Hinterkopf der weichen Puppe genäht worden war. Sie strich zärtlich darüber und musste weinen. Da waren der traurige kleine Mund, die schwarze Knopfnase. »Sie hat keine Augen«, flüsterte sie. »Sie kann nicht sehen.«

»Ich habe sie verloren«, flüsterte Maddie. »Sie sind abgefallen.«

Idella gab ihr die Puppe zurück. »Geh ins Bett, Maddie. Du musst jetzt schlafen.«

Maddie nickte und kroch in das kleine Bett, die Puppe fest an sich gepresst. Kurz darauf war sie eingeschlafen.

Idella lag lange, lange Zeit da und beobachtete sie, bis das

Licht die Umrisse des Zimmers erhellte und es Morgen war und Dad zu ihnen heraufrief, sie sollten Herrgott noch mal aufstehen, er müsse aufbrechen.

Maddie kochte ein letztes Mal Kaffee. »Für mich heißt es zurück zu der verwässerten Pisse«, sagte Bill, als er den Kaffeesatz ausgoss. »Es ist Zeit loszufahren, Maddie. Blackie ist gezäumt.«

Dalton und die Mädchen stellten sich zum Abschied in einer Reihe auf. Maddie kletterte auf den Platz neben Bill. Avis heulte, und Dalton stand mit dem Hut in den Händen da.

»Zum Teufel, hätte ich fast vergessen.« Bill griff unter den Kutschbock und zog ein eingewickeltes Päckchen hervor. Er reichte es Maddie. »Zum Geburtstag.« Maddie presste das Geschenk an sich. Sie konnte die Tränen nicht länger zurückhalten, da kletterte Avis zu ihr hoch, und sie weinten gemeinsam. »Verdammt noch mal, Maddie«, sagte Bill. »Mach es auf, und erlös mich von meinen Qualen.«

Sie wickelte das steife Papier auf und fand die Bürste und den kleinen Spiegel aus Ahorn vor. »Schau jetzt nicht rein, wir sehen alle schrecklich aus«, sagte Bill.

»Vielen Dank. Sie sind wunderschön.«

»Idella, sie hat es ausgesucht.«

»Vielen Dank, Idella.« Maddie glitt mit den Fingern über die weichen Borsten.

Idella beschlich das Gefühl, dass irgendetwas nicht stimmte. Plötzlich wusste sie, was. »Wartet!«, rief sie. »Wartet!«

Sie stürzte ins Haus und die Treppe hinauf. Sie fiel auf die Knie und zog unter ihrem Bett die Schachtel mit den besonderen Kostbarkeiten hervor. Nachdem sie die Schatulle mit zitternden Fingern geöffnet hatte, suchte sie darin, bis sie gefunden hatte, was sie brauchte. Ohne sie wieder zu schließen, rannte Idella die Stufen hinab und in den Hof.

»Was zum Teufel ist in dich gefahren?«, fragte Dad.

Idella hastete zu Maddie und streckte ihr die geöffnete Hand entgegen. Zwei glänzende blaue Knöpfe, abgetrennt von dem Kleid, das ihre Mutter getragen hatte, lagen in ihrer Handfläche.

»Da, Maddie. Damit sie sehen kann.«

Bill kam in dieser Nacht spät zurück. Er hatte Maddie auf der Smythe-Farm abgegeben und Grandma Becky alles über das Mädchen erzählt, was er wusste, jedoch ein paar Einzelheiten ausgelassen und betont, was für eine gute Arbeiterin sie war. Er spürte, wie Beckys Augen ihn eindringlich musterten und sein Inneres während seiner Erzählung mehrmals durchleuchtet wurde, und er war erleichtert, dass es dort nichts für sie zu sehen gab. Und zum Teufel, da hätte es genauso gut was geben können.

Eine Woche später, nachdem Telegramme geschrieben und beantwortet worden waren, fuhr er Avis und Idella zum Zug nach Bathurst und schickte sie runter nach Maine, damit sie mit John und Martha auf deren Farm wohnten. Er blickte zu den zwei kleinen Mädchen, die aneinandergekauert im Waggon saßen, kein Wort mit ihm oder miteinander wechselten. Er wusste, es wurde erwartet, dass sie eine Menge im Haushalt halfen. Sie wussten es ebenfalls. Aber sie würden unten in Maine eine richtige Schulausbildung bekommen. Martha war Emmas große Schwester. Sie würde sich darum kümmern. Und sie hätten jemanden, der mehr wie eine Mutter war – auch wenn Martha beide Hände voll zu tun hatte mit den Jungen und einem weiteren Baby, das unterwegs war. »Allmächtiger«, flüsterte er, als er Avis und Idella betrachtete, die ihm mit ihren kleinen weißen Händen vom Zugfenster zuwinkten. »Die Armen. Aber sie werden es dort besser haben. Bei Gott, sie werden es dort besser haben.«

An diesem Abend briet Bill Kartoffeln und verteilte sie sparsam auf seinen und Daltons Teller. Dalton blickte auf das fettige Geschirr und dann zurück zu seinem Vater. Sie aßen schweigend.

»Es ist hier schrecklich still«, sagte Bill schließlich und schob den Teller weg. Er stand auf und goss sich ein Glas Whiskey ein. Dalton saß da und beobachtete ihn. Ohne ein Wort zu sagen, holte Bill ein zweites Glas, gab einen Spritzer hinein und reichte es Dalton. »Wir sind jetzt Junggesellen, mein Sohn. Du und ich. Irgendwie kommen wir schon über die Runden.«

Dalton nahm das Glas und sah hinein. »Das war doch schon immer so.« Er hob es und trank einen Schluck. Bill goss ihm nach und gesellte sich zu ihm an den Tisch. Lange Zeit saßen sie schweigend da und tranken Whiskey, bis Bill zu reden ansetzte.

»Vor zwei Jahren hatte ich die beste Frau auf Erden, und das vierte Kind war auf dem Weg.« Er starrte in die flackernde Öllampe auf dem Tisch. »Jetzt ist mir nichts geblieben als ein Halbwüchsiger, ein leeres Bett, ein leeres Haus … und ein neues Paar Stiefel.« Er blickte auf sie hinunter. »Neue Stiefel zum Wandern.«

Dalton hatte seinen Dad nie weinen gesehen, nur das eine Mal an Mutters Grab. Dies war das zweite Mal. Er trank seinen Whiskey aus, räumte seinen Teller vom Tisch und ließ seinen Vater allein.

Wieder nach oben

Scarborough, Maine
Juni 1921

Idella saß da, die Wange ans Zugfenster gedrückt. Sie starrte hinaus auf die vorbeifliegende Landschaft Maines. Farmen und Felder und kleine Städte würden bald den erbarmungslosen Bäumen weichen, während der Zug sie und Avis hoch nach Kanada brachte – zurück nach Hause zu Dad und der Farm.

Avis, die Idella gegenübersaß, zappelte unruhig hin und her. Da sie ständig nervös an ihren Zöpfen herumzupfte, lösten sich einzelne Strähnen. Es hätte keinen Sinn gehabt, etwas zu sagen, dachte Idella. Ihr war auch so schon erbärmlich genug zumute.

Tante Martha hatte sie an den Küchentisch gesetzt, als es noch dunkel gewesen war, und ihnen die Haare geflochten. »Damit ihr wie kleine Damen ausseht«, hatte sie gesagt und Idella die widerspenstigen Strähnen aus der Stirn gestrichen, die sich gegen jeglichen Bändigungsversuch sträubten. Dann hatte sie auf die kläglich auf ihren Stühlen zusammengesunkenen Gestalten herabgeschaut. »Ihr armen, mutterlosen Mädchen«, hatte sie schließlich gesagt. Idella hatte versucht, sich Tante Marthas Gesicht im weichen Licht der grauen Morgendämmerung einzuprägen. Tante Marthas Gesicht musste dem ihrer Mutter ähnlicher sein als jedes andere.

»Tante Martha hat uns Brötchen mit Huhn eingepackt«, sagte Idella. »Schon hungrig?« Avis schüttelte den Kopf. »Ich auch nicht.«

Sie blickte auf ihren Schoß, zu ihrer gebundenen roten Ausgabe von *Robinson Crusoe*, die sie so fest umklammert hielt, dass der Schweiß ihrer Hände ein wenig der roten Farbe aufgenommen hatte. Als sie es bemerkte, wischte sie die Finger am Sitz neben sich ab. Sie wollte das Buch auf ihrem Schoß spüren – sein Gewicht, die Vorfreude auf seine dicken, dicht bedruckten Seiten. Sie würde es erst lesen, wenn sie in Kanada war. Es war für schlimme Zeiten bestimmt.

Das Buch war der erste Preis beim Buchstabierwettbewerb der achten Klasse am letzten Schultag gewesen. Es hatte jeden überrascht, dass die ruhige kleine Idella gegen Arthur Davis gewonnen hatte – mit einem so einfachen Wort wie »Treppengeländer«. Und sie war nicht einmal eine richtige Achtklässlerin.

Idella hatte darum gebeten, das Schuljahr beenden zu dürfen, bevor sie zurückgeschickt wurde, um sich um ihren Vater zu kümmern. Die Nachricht von seinem Jagdunfall hatte sie erst vor zwei Wochen erreicht. Er war schwer verletzt worden, als die Männer Jagd auf einen Hirsch gemacht und ihn in die Enge gedrängt hatten, außerhalb der Jagdsaison. Die Kugel hatte ihn im Bein getroffen. Er hatte über einen Monat im Krankenhaus gelegen. Die Ärzte wollten ihn länger dabehalten, aber Dad hatte so geschrien und geflucht und ununterbrochen gesagt, er wolle zurück zu seiner Farm, dass sie schließlich einlenkten, nur um ihn loszuwerden. Das zumindest hatte in Mrs. Doncasters Brief gestanden. Sie hatte Onkel John und Tante Martha geschrieben.

Onkel John hatte gelacht, als Tante Martha den Brief am

Abendbrottisch laut vorgelesen hatte. Wenn das Bill nicht ähnlich sieht, hatte er gesagt, dann stinkt es in der Scheune nicht nach Kuhmist.

Idella und Avis hatten leise dagesessen, hatten weder ihr Essen angerührt noch gewagt, einander anzusehen, hatten einfach den Atem angehalten und gehofft, dass der Brief bald zu Ende wäre. Doch dem war nicht so. Bill Hillock wollte seine Mädchen wieder zu Hause haben. Zu Hause, damit sie nach seiner Pfeife tanzten.

Nach Hause. Zurück zu dem Haus und der Scheune oben auf der Klippe, von der aus man die Chaleur-Bucht überblicken konnte. Zu den gebogenen Bäumen, die in der Nähe des Hauses wuchsen, gekrümmt vom kalten, immerwährenden Wind, der übers Wasser blies. So wurden auch die Menschen, dachte Idella, wenn sie ihr ganzes Leben dort oben verbrachten – krumm und knorrig und hart, an dem Ort verwurzelt. Der Wind hatte dieselbe Wirkung auf Menschen wie auf Bäume. Er heulte und biss, besonders im Winter, und krallte sich an einem fest. Man konnte nichts anderes tun als den Kopf einzuziehen und dorthin zu laufen, wohin man wollte, was nie sehr weit war – zur Scheune oder zum Feld oder zur Kutsche nach New Bandon, zwei Meilen die Straße hinab.

Idella lehnte sich zurück, während der Zug sie nach Norden brachte. Dort oben war es schön, das wusste sie – aber es war eine karge, einsame Schönheit. Die Felder waren flach und endlos, und in der Erde gab es mehr Steine als Dinge, die darin wuchsen. Unten in Maine, während sie Tante Martha bei der Gartenarbeit half, hatte Idella festgestellt, dass die Erde dunkel und üppig war. Sie roch schwer, feucht. Idella grub die Finger hinein, nur um sie zu spüren, drückte sie und machte Klumpen, die wie guter Teig klebten.

Natürlich hatte sich Tante Martha auch gut um diese Erde gekümmert. Sie hatte sie gepflegt und gedüngt. Dad besaß eine andere Auffassung von Pflege. Er hatte nicht die Geduld für ein gut geregeltes System. Er warf einfach Fische auf die Felder, die dann zum Himmel stanken, und ließ sie einfach dort, damit sie sich entweder einen Weg in die Erde bahnten oder von Vögeln und Tieren weggezerrt wurden. Idella wollte ihr ganzes Leben lang keinen dieser Heringe mehr zu Gesicht bekommen – aber sie wusste, dass sie nicht den letzten gesehen oder gegessen oder gesäubert hatte.

Als Mrs. Elmhurst, die Lehrerin in der kleinen Schule in Scarborough, erfahren hatte, dass Idella wieder zurück in den Norden musste, hatte sie sie nach der Schule zu sich gerufen. »Idella, ich habe gehört, dass du zurück nach Kanada musst, und das tut mir leid.« Idella begann zu weinen, direkt vor ihr. Die ganze Zeit über, seit Tante Martha Dads Brief vorgelesen und ihnen das Geld gezeigt hatte, das für ihre Bahnfahrkarten beigelegt war, hatte sie sich nichts anmerken lassen.

Mrs. Elmhurst hatte sie an einen Tisch gesetzt und ihr das Baumwolltaschentuch gegeben, das immer aus ihrer Kleidertasche lugte. Idella hatte sich zu sehr geschämt, um es zu benutzen. Auf keinen Fall konnte sie sich die Nase mit diesem wunderschönen Taschentuch putzen. Es war mit einer Stickerei verziert! Sie hatte dort wie ein Einfaltspinsel gesessen, hielt es fest umklammert, während ihre Augen und die Nase schrecklich trieften. Mrs. Elmhurst war so nett gewesen. Sie hatte Idella das Taschentuch aus der Hand genommen und ihr über die Augen gewischt und es ihr dann genau unter die Nase gehalten und gesagt: »Schnäuzen.« Da hatten beide lächeln müssen.

»Idella«, hatte Mrs. Elmhurst gesagt, »wenn du möchtest, kannst du die Prüfung der achten Klasse ablegen, und falls du bestehst, könntest du mit allen anderen den Schulabschluss feiern.« Idella hatte mit dem Kopf genickt, zu schüchtern, um etwas zu erwidern, und die Lehrerin hatte das Taschentuch genommen und es Idella in die Hand gedrückt. Jetzt griff Idella in ihre Rocktasche und ertastete den weichen Stoff des Tuchs. Sie würde es nie mehr hergeben.

Sie hatte die Prüfung mühelos bestanden. Was auch immer an die Tafel geschrieben worden war, sie hatte bei allem aufgepasst. Nichts war ihr entgangen.

Mrs. Elmhurst gab ihr ein Gedicht von Henry Wadsworth Longfellow, das sie bei der Abschlussfeier vortragen sollte. Idella arbeitete ununterbrochen an dem Gedicht. Sie sagte es still vor sich hin, bewegte die Lippen, nachdem sie das Licht ausgeblasen hatte und zu Bett gegangen war.

Sie schloss die Augen, und die Worte des Gedichts rollten in ihrem Kopf herum, nahmen den Rhythmus der Eisenbahnräder an.

Sag mir nicht mit herbem Kummer:
»Leben sei ein eitler Traum!«
Todt sind Seelen nur im Schlummer,
Und die Welt kein leerer Schaum!

»Ein Lebenspsalm« hatte Longfellow es genannt.

Bei der Abschlussfeier – als alle Kinder in Reih und Glied standen und gesungen und sich dann wieder gesetzt hatten – ging alles ganz bedächtig vonstatten. Währenddessen zog sich der Himmel zu. Die Feier fand draußen auf dem Rasen hinter der Schule statt, damit alle Verwandten kommen konnten.

Avis hatte sich in die erste Reihe gezwängt, wo sie Grimassen schneiden konnte. Als Idella an der Reihe war, fielen bereits winzige Tropfen, und die Leute wurden unruhig. Mrs. Elmhurst hatte den ersten Akkord auf dem Klavier angeschlagen – Idellas Stichwort. Idella war zitternd aufgestanden. Sie hatte Mrs. Elmhurst direkt angesehen und den Kopf geschüttelt, fast unmerklich. Mrs. Elmhurst hatte gelächelt und genickt zum Zeichen, dass sie verstand. Idella setzte sich, schrecklich erleichtert, und Raymond Tripp stand auf und begann mit seinem Gedicht von Shakespeare. Er hatte kaum etwas herausgebracht, da fing es auch schon in Strömen an zu regnen. Die Leute flatterten umher wie aufgescheuchte Hühner. Die Männer hasteten zum Klavier, stießen Mrs. Elmhurst regelrecht beiseite, um es rasch nach drinnen zu bringen. Der arme Raymond brach ab und sagte die erste Strophe von vorne auf. Er kam nicht bis zum Ende. Idella war heilfroh, dass der Kelch noch einmal an ihr vorübergegangen war.

Sie seufzte und sah zu Avis, die zusammengesunken auf ihrem Platz saß, das Kinn auf den Knien, und auf die Felder hinausstarrte. Ihre Augen waren rot, ihre Wangen salzig und wund. Sie hatte so lange an ihrer Unterlippe herumgebissen, bis sie ganz fleckig aussah. Sie würde bluten, wenn Avis nicht aufhörte. Aber Idella sagte nichts. Sie ließ es gut sein.

»Della«, fragte Avis zögerlich, die Stimme ein dünner Faden, »Della, denkst du, wir kommen zurück? Werden wir Tante Martha und Onkel John und alle anderen jemals wiedersehen?«

»Oh, natürlich«, beruhigte Idella sie. Aber sie hatte sich das Gleiche gefragt, während sie Meile um Meile hinter sich ließen und der Zug sie immer weiter ins Nirgendwo brachte, zurück zu Dad und der Farm.

Chaleur-Bucht, New Brunswick
April 1921

»Geh schon! Geh ihm nach! Jag ihn raus!«, rief Bill Hillock über das Feld hinweg Dick Pettigrew zu und scheuchte ihn ins Wäldchen.

»Ich hab gesehen, wie er von der Weide in die Bäume rein ist, Bill.« Fred Doncaster trottete über den Acker, das Gewehr in der Hand. »Wenn wir ihn zum Sumpf treiben, wird er nicht mehr wissen, wohin er soll, und wir kriegen ihn auf jeden Fall.« Er blieb stehen und kippte den Lauf herunter. »Weiß nicht, ob ich schon mal so einen großen Hirsch gesehen hab.«

Bill schob eine Kugel in sein Gewehr. »Hier kommt der Rest. Die riechen wohl, dass er immer noch lebt.«

Die zwei Doncaster-Jungen, Will und Donnelly, kamen über die Weide gesprungen. Ihnen auf den Fersen folgten Sam Hillock – Bills Bruder – und Stu Wharton, der in der Hoffnung gekommen war, den Hillock-Brüdern Hummerfallen verkaufen zu können.

»Ein Zehnender!« Stu war außer Atem, lief hinter den jüngeren Männern her. »Muss dreihundert Pfund wiegen.«

»Er ist in der Baumgruppe dort«, sagte Bill. »Wir sollten uns drum herum aufstellen. Ich geh auf die andere Seite.«

Die Männer verteilten sich auf den matschigen Feldern, Gewehre in den Händen. Jeder bezog Stellung am Rand des Wäldchens. Sie warteten und beobachteten, starrten an den nackten grauen Baumstämmen vorbei, durch die noch fast kahlen Äste, an denen gerade die ersten festen, kleinen Knospen sprossen. Sie warteten eine gefühlte Ewigkeit – hoben die Gewehre ans Gesicht und stützten sie bedächtig an den Schultern ab, spannten sie schweigend und suchten nach einer Bewegung im Wald.

»Ich geh rein und treib ihn raus!«, rief Bill. »Der Mistkerl ist dort drinnen, und ich hol ihn raus. Macht euch bereit.« Alle Männer lauschten auf das Knacken eines Zweiges und warteten auf das plötzliche Herausstürzen eines Geweihs aus dem Unterholz.

Die Explosion und der Schrei kamen gleichzeitig. »Herrgott, ich bin angeschossen!«, schrie Bill. »Heilige Mutter Gottes, die haben mich angeschossen!«

Niemand wusste, wem die Kugel gehört hatte. Niemand wollte es wissen. Sie alle fühlten sich, als wären sie ein Teil davon. Der Hirsch war ebenfalls verwundet, aber sie achteten nicht auf das Tier, als es aus dem Wäldchen stürmte, eine Blutspur hinter sich herziehend.

»Bill! Bill!« Sam ließ seine Waffe fallen und lief zu seinem Bruder. »Holt die Frauen! Rennt, als wäre der Teufel hinter euch her!«, rief er den Männern zu, die aus allen Richtungen auftauchten. Bill lag gekrümmt auf dem Rücken zwischen den Bäumen. »Wo bist du getroffen, Bill?«

»Die verdammten Idioten haben mich angeschossen! Mitten ins Bein!«, schrie Bill am Boden. »Herrgott, all das Blut!«

»Bewegt ihn nicht, bis wir ihn auf was drauflegen können.« Stu Wharton brachte seine gesamte Kraft auf, um loszulaufen und nach Hilfe zu rufen. »Ich hab vorhin McPhees Postwagen gesehen. Holt ein Pferd!« Die Doncaster-Jungen rannten zur Scheune.

Elsie Doncaster stürzte ebenso schnell über das Feld, wie ihre Jungen es hinter sich ließen. Sie hatte die Schüsse und Schreie gehört und war losgelaufen, um die Laken von der Wäscheleine zu reißen. Sie rannte ohne Rücksicht auf ihre massige Gestalt, schoss wie ein Zug eine Ackerfurche entlang. Die Röcke hatte sie über den Knien zusammengerafft, die Arme umklammerten das Lakenbündel. Eine Flasche Whiskey befand sich in einer Faust, in der anderen ein Holzlöffel.

Sie erreichte den Waldrand und blieb stehen. »Führ mich direkt zu ihm. Bring mich zu ihm!« Ihr Mann zog sie durch die Bäume. »Hol die Tür, Fred«, sagte sie, als sie Bills langen Körper sah, der wie eine zusammengerollte Schlange dalag, während sein Blut auf die Blätter des Vorjahrs sickerte. »Gib die Tür her!« Ohne ein Wort reichte sie Sam die Whiskeyflasche.

»Wir brauchen die Haustür!« Fred Doncaster lief los und schrie Stu Wharton hinterher.

»Und ein Seil, um ihn festzubinden!«, rief Elsie ihm nach. »Decken von den Betten!« Sie biss in den Rand eines Lakens und riss mit einer schnellen Handbewegung einen Streifen ab. »Ihr verdammten Dummköpfe«, sagte sie, während sie sich neben Bill kauerte. »Ihr verdammten dummen Männer!« Sie begann den Streifen um Bills Oberschenkel zu wickeln. »Reiß weiter, Sam.«

Bill schrie auf. »Herrgott, Elsie, ich blute!«

»Halt still, damit ich dich verbinden kann.« Elsie wickelte die Stoffstreifen so schnell um sein Bein, wie Sam sie ihr reichte.

Von der anderen Seite kam Cora Pettigrew herbei. Auch sie hatte die Schreie gehört. Sie hatte die Vorhänge von ihren Fenstern gerissen und ihre gute Schere gepackt. Von Bills Wehklagen geleitet, hastete sie geradewegs ins Wäldchen.

»Der Herr steh uns bei, Bill, was haben wir dir nur angetan?« Cora kniete sich in den Schlamm und begann auf der Stelle, die Vorhänge zu zerschneiden.

»Diese gottverdammten Scheißkerle haben mich ange-schossen! Mein ganzer Rücken brennt wie die Hölle!«

Beide Frauen verbanden nun Bills Bein und Oberschenkel. Das herausgesickerte Blut schwärzte alles, was es berührte, verschmierte den Frauen Hände und Arme.

»Sam, gib mir den Whiskey. Ah, verflucht noch mal, Elsie! Bring mich nicht um!«

»Lieg still. Hör auf zu heulen!« Mit unerschütterlicher Ent-schlossenheit kümmerte sich Elsie um ihn, band Lage um Lage zerrissenen Stoffs um sein Bein und seine Leiste.

»Warte. Warte, Bill«, sagte Sam. Er hob Bills Kopf an, um ihm etwas zu trinken einzuflößen. »Nur mit der Ruhe. Nur mit der Ruhe.«

McPhees Postwagen kam hupend übers Feld geschossen. Sam rannte zum Rand des Wäldchens und rief: »Holt die Tür! Wo ist die verdammte Tür?« Der Wagen hüpfte über die Ackerfurchen.

»Wir haben sie!« Die drei Doncaster-Männer stürzten mit der Tür übers Feld. »Wir kommen!« Als sie das Wäldchen erreichten, führte Sam sie zu Bill, trat Dickicht nieder und brach Äste mit der bloßen Hand ab. Er half Cora, eine freie Fläche für die Männer vorzubereiten, damit sie die Tür ab-setzen und Bill darauf legen konnten. McPhee wendete den Wagen, fuhr rückwärts näher heran, öffnete die Türen und ließ den Motor laufen.

»Bringt mich verdammt noch mal von hier weg!« Bills Wutgeschrei war längst nicht mehr so eindringlich. Er warf den Kopf hektisch von einer Seite auf die andere, als wollte er seine Augen vor der grellen Sonne schützen, die nur er allein sehen konnte. »Es brennt. Es brennt ein Loch direkt durch mich hindurch.«

Sam nahm das eine Ende der Tür, die achtlos aus den Angeln gerissen worden war, und half, sie so flach wie möglich neben Bill zu legen. Die Männer hielten sich mit den Seilen bereit.

»Wir werden dich jetzt hochheben, Bill«, warnte Sam ihn. »Mach dich auf die Fahrt gefasst.«

Elsie schob Bill ihren Holzlöffel zwischen die Zähne. »Beiß hier drauf.« Aber er hatte bereits zugeschnappt, fauchte durch zusammengepresste Zähne. Sie nahm Bills Hand und drückte sie, während die Männer ihn vorsichtig auf die Tür hievten.

Dann knieten sich vier Männer jeweils an eine Ecke der Tür und hoben sie vom Boden an. Bills Schmerzensschreie wurden von dem eingeklemmten Löffel gedämpft. Zwei weitere Männer und Cora Pettigrew machten sich daran, seine Arme und Beine mit dem Seil festzubinden, wobei sie es über und um seinen gesamten Körper schlangen und an den Türgriffen auf beiden Seiten verknoteten. Bills Beine zuckten schmerzgepeinigt. Elsie hielt weiterhin seine Hand gedrückt, und er biss auf den Löffel. Ihre Stimme war leise, entschlossen, ruhig. »Halt durch, Bill. Wir bringen dich fort.«

Sam sah auf seinen sich windenden Bruder. »Jetzt wirst du die schnelle Fahrt in McPhees Postauto kriegen, die du dir schon seit Jahren wünschst, Bill. Aber du wirst sie nicht genießen.«

Bill hörte die Stimme seines Bruders durch einen weißglühenden Schleier. Durch zusammengepresste Zähne sagte er: »Und ich werd ganz sicher nicht am Lenkrad sitzen.«

Idella lehnte sich im Zug in ihrem Sitz zurück und schloss die Augen. Während sie in der Schule so glücklich war, setzten diese Männer, Männer, die sie schon ihr ganzes Leben kannte, einem Hirsch nach, und das außerhalb der Jagdsaison. Jetzt musste sie dafür bezahlen. Ihr Leben war auf den Kopf gestellt worden. Es ging zurück zum gleichen verdammten Trott, nur diesmal schlimmer.

Sie hatte erfahren, wie sie Dad auf eine Tür gelegt und ihn aus dem Wald und auf Mr. McPhees Rücksitz getragen hatten. Nachbarn und Onkel Sam hatten Onkel John und Tante Martha Briefe geschrieben. Sie bekamen fast jeden Tag einen von jemandem, der dabei gewesen war oder etwas gesehen oder davon gehört hatte. Dad wäre beinahe an einem Holzlöffel erstickt, den er auf dem Weg mitten entzweigebissen hatte. Es waren mehr als fünfzehn Meilen bis nach Salmon Beach, wo Dr. Putnam wohnte. Sie hatten Glück, dass sie den Arzt zu Hause antrafen. Er war eben erst zurückgekommen, nachdem er sich draußen auf dem Land um eine alte Frau gekümmert hatte, und wollte gerade sein »Frühstück, Mittag- und Abendessen« – wie er es nannte – zu sich nehmen, als er ein ununterbrochenes Hupen hörte, da musste es noch drei Meilen entfernt gewesen sein. Er war direkt vom Tisch aufgesprungen und zu seiner Praxis hinübergegangen und hatte seine Sachen vorbereitet für was auch immer durch die Tür käme. Er konnte nicht wissen, dass es *auf* einer Tür käme.

Noch bevor das Auto überhaupt in Sicht kam – der Arzt stand in der Tür seiner Praxis und wartete, während die Leute aus ihren Häusern kamen –, noch bevor er das Auto überhaupt erblickte, hörte er Dad, der auf dem Rücksitz schrie.

Dad war schwer verletzt, aber er kam durch. Selbst heute konnte er immer noch nicht richtig gehen. Und er wollte sie bei sich zu Hause haben, Avis und Idella.

Sie wusste, was das bedeutete – seine Mädchen, die sich um ihn kümmerten. Emma, die bei Tante Beth und Onkel

Paul lebte, war viel zu klein. Idella seufzte und drehte sich zum Fenster. Die Wolken bewegten sich. Der ganze Himmel schien tiefer zu hängen. Es gab jetzt sowieso nicht viel zu sehen, nur Bäume. Davon hatte sie schon genug gesehen. Gott steh uns bei, dachte Idella. Schon bald wären sie zu Hause.

Die Dämmerung brach gerade herein, als der Zug endlich in der Nähe ihrer Farm hielt – es war nicht einmal ein Bahnhof, nur ein Ort, an dem Wasser aufgeladen wurde. Dalton wartete dort, hochgewachsen und schmal wie ein Pfosten, mit finsterem Gesichtsausdruck an den Wagen gelehnt. Mit zusammengekniffenen Augen sah er auf die Gleise hinab, die Hände in den Taschen. Selbst an einem belebten Ort wirkte Dalton einsam.

Idella und Avis warfen ihre Taschen aus dem Zug und zerrten sie von den Gleisen. Avis starrte zu Dalton hoch. Ihre Arme wurden vom Gewicht des Koffers heruntergezogen. »Willst du nicht mal Hallo sagen?«

Dalton blickte auf sie herab und lächelte so wie früher, dieses sonderbare, verhaltene Lächeln. Idella hatte immer das Gefühl, als verbärge er ein Geheimnis vor ihnen, als gäbe es da etwas, das er sagen wollte, aber sie wagte nie, ihn danach zu fragen. Ihr Bruder redete mit niemandem viel, und wenn er doch etwas sagte, war es nichts Bewegendes.

»Na, wenn das nicht Avis-Mavis ist.« Er streckte die Hand nach ihr aus, zerwühlte ihr das Haar und nickte Idella zu. »Gebt mir eure Taschen.« Er hob das Gepäck auf den Wagen. »Ich hoffe, ihr habt das mit dem Lernen gut hinbekommen. Denn damit ist jetzt Schluss, würd ich mal sagen.«

Idella presste die Lippen aufeinander und starrte auf den nickenden Hals von Blackie, der sie nach Hause zog. Sie fuhren schweigend los. Dad hatte Dalton auf der Farm gebraucht, damit er ihm mit den Fischen und den Hummern half. Dalton hatte nur ab und an die kleine Schule hier am Ort besucht, und er konnte ganz passabel lesen und rechnen. Idella wusste nicht, was er davon hielt, dass es seinen Schwestern erlaubt worden war, auf die Schule unten in Maine zu gehen, er hatte sich nie dazu geäußert. Sie klammerte sich an dem Buch fest, das sie immer noch in Händen hielt.

»Er ist aufbrausend. Macht euch auf was gefasst.« Dalton wandte sich ihnen nicht zu, um sie anzusehen. »Er kann sich noch nicht länger als ein paar Minuten auf den Beinen halten. Hasst es, dort rumzuliegen.« Er schnalzte mit den Zügeln, und das Pferd trabte langsam über eine matschige Stelle auf der Straße. »Ist seit vier Tagen zu Hause. Kommt mir länger vor.«

Idella erkannte die Häuser der wenigen Nachbarn, als sie an ihnen vorbeirollten – Onkel Sams Haus, das der Doncasters, das der Pettigrews in der Ferne. Alle Häuser waren schief und grau und bescheiden, ragten wie verfaulte Zähne aus dem flachen Land heraus.

Als sie von der Straße zu ihrem Haus abbogen, roch Idella das Meer. Ein tiefer Atemzug genügte. Ihr war nicht bewusst gewesen, dass sie es vermisst hatte. Tippie, der Hund der Doncasters, tauchte auf und bellte die Hinterräder an.

Mit seinen zwei Schlafzimmern oben und dem Küchenanbau am Haupthaus glich das Farmgebäude allen anderen Häusern an der Straße. Die meisten waren von denselben Männern gebaut worden. Dad hatte ihres selbst errichtet, mit Onkel Sams Hilfe, kurz vor Daltons Geburt. Er hatte es auf die hohe Klippe gesetzt, mit Blick auf die Bucht, die unter ihnen tobte und wütete. Mutter hatte es so gewollt.

Idella konnte das aufgewühlte Meer hören, wenn sie im Bett lag oder wenn sie das Abendessen kochte. So nah an den Klippen war das Haus dem Wetter schutzlos ausgesetzt. Im Winter fuhr der schneidende Wind um alle Ecken und drückte gegen die Wände. Ein ununterbrochener Strom kalter Luft pfiff unter den Fensterbrettern hindurch, krallte sich an den losen Dachschindeln fest, die Dad nie zu reparieren geschafft hatte.

Mutter hatte das Geräusch des Wassers geliebt, wie es tief unten gegen die Felsen krachte. Eine von Idellas eindringlichsten Erinnerungen war, wie sie während eines heftigen Sturms mitten in der Küche stand, zusammen mit ihrer Mutter, die sich neben sie gekauert hatte. Idella hatte Angst gehabt. »Hör einfach zu, Idella, hör zu. Ist das nicht wunderbar – dem Ozean zu lauschen? Kannst du hören, wie er sich an der Klippe bricht? Und der Wind, der heult und heult. Doch hier sind wir, sicher in unserem eigenen Zuhause. Haben wir nicht großes Glück?« Idella war sich da nicht so sicher gewesen, selbst damals nicht, aber sie hatte versucht zu lächeln, wie ihre Mutter. Den ganzen Nachmittag war sie ihr hinterhergelaufen, eine Faust in den Falten ihres Rocks vergraben. Ihrer Mutter schien es nichts ausgemacht zu haben. Gelegentlich hatte sie geseufzt und Idellas Kopf getätschelt, ihr jedoch nicht gesagt, dass sie sie loslassen solle.

Dad hasste und liebte den Wind zugleich. Er drohte ihm mit der Faust und wetterte, und dann begann er, über seine tote Frau zu reden, sagte, es sei ihre verdammte Schuld, dass sie alle an diesem gottverdammten Abgrund hockten, und dann wäre sie einfach gestorben. Als er einmal, spät an einem kalten Winterabend, betrunken gewesen war, hatte Idella Dad reden gehört, während der Wind unbarmherzig gegen

die Fenster hämmerte. Er redete, als wäre ihre Mutter zurückgekommen, um sie heimzusuchen. Es hatte ihr Angst eingejagt. Anfangs war er laut gewesen, wie ein Wahnsinniger.
Idella hatte sich an den oberen Treppenabsatz geschlichen,
um zuzuhören, und zuerst geglaubt, dass wirklich jemand
unten war, der mit ihm sprach. Aber Dad hatte leise geendet,
stand vor einem Fenster, den Kopf gegen das Glas gedrückt.
Idella war zu Bett gegangen und hatte geweint. Auch sie vermisste ihre Mutter. Alles hatte sich mit ihrem Tod verändert,
einfach alles.

»Ihr geht jetzt besser rein. Er wird auf euch warten. Erst tobt
er, dann ruht er sich aus. Ihr werdet schon seh'n.« Dalton fuhr
den Wagen bis zur Tür, und seine zwei Schwestern sprangen
ab und holten ihre Taschen. Dann schnalzte er Blackie zu und
führte ihn zur Scheune. »Ich bin zum Abendessen zurück.«

»Na komm«, sagte Idella zu Avis, die sehnsüchtig zu den
weiten Feldern blickte, die im späten Junilicht noch auszumachen waren. »Wir sollten lieber reingehen.«

»Ich komm ja schon.« Avis stieß den Fuß in die Erde, ließ
einen staubigen Schauer herabregnen. »Ich will bloß kein Blut
sehen.«

»Da ist kein Blut. Es ist alles verbunden. Du wirst nichts
sehen. Jetzt komm schon.« Idella hoffte, dass sie recht behalten würde. Sie streifte sich die dünne Jacke von den Schultern
und wickelte sie um das rote Buch, das sie so vorsichtig in den
Händen hielt. Sie hatte das Bedürfnis, das Buch zu verstecken,
es ganz für sich allein zu haben.

Sie öffnete die Haustür und rief zaghaft: »Dad? Bist du da?«

»Wo soll ich denn sonst sein?« Dads Stimme dröhnte aus
seinem Schlafzimmer. »Kommt her, ihr zwei. Ich will sehen,

was Tante Martha euch angetan hat. Wie sehr ihr gewachsen seid.«

Sie stellten die Taschen ab und Idella legte ihr eingewickeltes Buch auf die Bank unter dem Fensterbrett. Dann gingen sie verhalten durch die Küche und schoben die angelehnte Tür zum Zimmer ihres Vaters auf. Es roch schlimm. Der Nachttopf stand auf dem Boden neben dem Bett. Niemand hatte ihn geleert. Mitten auf dem Flechtteppich, und ein bisschen war übergeschwappt. Dreckige Kleidung und leere Gläser lagen überall auf dem Boden verteilt. Und benutzte Verbände.

In der Mitte des Zimmers, auf einem Durcheinander aus Bettzeug, lag Dad, wobei ein Bein, das gute Bein, über die Bettkante ragte, haarig und nackt. Das Leintuch bedeckte seinen Bauch und war bis zu den Achseln hochgezogen. Eine der Baumwolldecken war zusammengeknüllt auf den Boden geschleudert worden. Die Waschschüssel stand daneben, war mit altem Wasser gefüllt. Eine rostige Schicht, wie feiner Sand, hatte sich auf dem Boden gesammelt. Geronnenes Blut.

Anfangs fiel es ihnen schwer, sich auf ihren Vater zu konzentrieren. Die abendlichen Schatten waren wie eine graue Decke, die über das gesamte Zimmer geworfen worden war. Schließlich blieb Idellas Blick an Dads Gesicht hängen. Er war ausgemergelt und blass. Jegliche Farbe schien aus ihm gewichen zu sein – bis auf seine Augen. Sie waren rot unterlaufen und schienen zu glühen. Das erkannte sie, selbst in diesem trüben Licht. Sein Haar war seltsam geschnitten, sehr kurz, wahrscheinlich von jemandem im Krankenhaus. Er war unrasiert und hatte Bartstoppeln.

»Bin verdammt froh, dass ihr zurück seid. Ich bin in diesem gottverdammten Haus gefangen wie eine Hornisse in einem verdammten Glas.« Sie standen vor ihm. Avis, ungewohnt schüchtern, versteckte sich hinter ihrer größeren Schwester. Er begann, sich mühsam aufzusetzen, wurde jedoch wie von einer unsichtbaren Hand zurückgerissen. »Verflixt und zugenäht!« Sein Gesicht erstarrte, seine Augen waren fest zusammengekniffen, sein Atem wurde langsam und hörbar.

Idella und Avis standen mit gesenktem Blick und geballten Fäusten vor ihm. Nie zuvor hatte Idella gesehen, dass ihr Vater Schwäche oder Schmerz offen zeigte. Es machte sie verlegen.

Schließlich stieß er einen langen, schwerfälligen Atemzug aus und öffnete die Augen. »Es packt mich immer noch, wie eine Klaue.« Idella und Avis nickten. Seine Stimme klang müde, die Schärfe war verschwunden. »Es heilt, keine Sorge. Ich werd wieder auf zwei Beinen stehen. Aber eins wird steif sein, und bei jeder Bewegung fühlt es sich an, als würde mich ein verdammter Blitz treffen.« Er zeigte mit der Hand auf den bandagierten Berg unterhalb seines Rumpfes. Erneut nickten die Mädchen. »Der Arzt hat gesagt, es hat sich so weit, wie es überhaupt nur geht, zum Oberkörper hochgearbeitet, ohne wirklich einzudringen.« Er schloss erneut die Augen. Als er sie wieder aufschlug, flüsterte er: »Ich wollte meine Mädchen zurück. Ich wollte euch bei mir haben.« Er lag still da, matt, und betrachtete schweigend die dürren Geschöpfe vor sich. Er nickte lächelnd. »Ich wollte meine Mädchen …« Seine Stimme verlor sich, und er machte die Augen zu.

Idella und Avis standen gemeinsam am Fußende des Bettes. Als sich seine Atemzüge wie sanfte Wellen bis hinab zu seinem Bauch kräuselten, merkten sie, dass er eingeschlafen war. »Er sieht nicht gut aus«, flüsterte Avis.

Idella sagte nichts. So hatte sie sein Gesicht noch nie gesehen. Sein Mund stand etwas zu weit offen. Ihr war unbehaglich zumute. »Komm jetzt«, flüsterte sie. »Lassen wir ihn in Ruhe.« Auf Zehenspitzen schlichen sie und Avis aus dem düsteren Schlafzimmer. Idella würde den ganzen nächsten Tag brauchen, um das Haus aufzuräumen. Selbst vor dem Unfall musste es schlimm ausgesehen haben. Jetzt war es unbeschreiblich. Aber das konnte bis morgen warten.

Mrs. Doncaster hatte einen Topf Bohnen gebacken und ihn für sie auf dem Herd zurückgelassen. Eine willkommene Hilfe. Avis hätte die Bohnen kalt gegessen, doch Idella bestand darauf, ein Feuer zu entfachen und sie aufzuwärmen. Es gab keine Beilagen, aber die Mädchen kümmerte es nicht. Sie mussten von überall Geschirr aufsammeln und es mit kaltem Wasser abwaschen, bevor sie überhaupt essen konnten. Als die Bohnen fertig waren, schickte Idella Avis zur Scheune, damit sie Dalton holte. Alle drei saßen um den Tisch, ohne viel zu sagen, bis das einzige Geräusch von Dalton stammte, der mit dem Löffel über seinen Teller schabte. Idella spürte nichts weiter als eine Schwere in sich. Wieder zurück zu sein, war wie ein Gewicht, das auf ihr lastete und ihr das Atmen erschwerte.

Auf einmal drang ein Schrei aus Dads Zimmer. »Wo zum Teufel ist mein Abendessen? Verdammt noch mal, ich hab euch den ganzen Weg mit dem Zug nach Hause geholt, und ihr sitzt dort drüben und lasst mich hier auf dem Rücken verrotten? Ich rieche Bohnen.«

Dalton schob hastig seinen Stuhl zurück und stand auf. »Ich hatte ihn jetzt schon vier Tage am Hals. Mir reicht's. Ich hab mich dran gewöhnt, allein zu sein, während er im Krankenhaus gewesen ist, und ich mach keinen Schritt zurück. Er kann mich nicht mehr schlagen. Heute schlaf ich in der

Scheune. Tiere sind eine bessere Gesellschaft als er, und riechen tun sie auch besser.«

Tränen rannen Idella über das Gesicht. Sie fühlte sich mutterseelenallein an diesem gottverlassenen Ort. Sie beobachtete, wie Dalton zur Tür ging, sie öffnete und ohne einen einzigen Blick hinaus in die Nacht trat. Avis saß zusammengekauert auf ihrem Platz. Aus dem Schlafzimmer wurde Dads Stimme lauter. »Wo zum Teufel steckt ihr? Della, bring mir was zu essen!«

Schweigend erhob sich Idella und häufte Bohnen aus dem warmen Topf auf einen Teller. Sie wischte sich die Augen mit dem Ärmel und blieb einen Moment vor dem Ofen stehen, bis sie sich ausgeweint hatte. Dann ging sie leise mit dem Teller Bohnen ins Schlafzimmer.

»Hilf mir, verdammt noch mal! Hilf mir, mich aufzusetzen!«

Sie stopfte ihm das Kissen, so gut es mit einer Hand ging, in den Rücken und reichte ihm mit der anderen den warmen Teller.

»Räum die Sauerei auf, ja, Della?« Dad machte eine ausladende Handbewegung, wobei er einen Löffel Bohnen auf die Decke kleckerte. »Dich wieder hierzuhaben, macht die Sache viel leichter. Dein Essen ist verdammt noch mal besser als meins oder Daltons oder der verfluchte Krankenhausfraß, den sie mir vorgesetzt haben.«

Idellas Fuß berührte die kalte Porzellanschüssel auf dem Boden. Sie bückte sich, um sie aufzuheben und hinauszutragen. Sie war so voll und schwer, dass ein Schwall auf ihre nackten Füße schwappte, kalt und feucht. Sie starrte auf den dunklen Fleck, den das Wasser auf dem Boden machte. Sie hatte so viel verschüttet, dass es sich einen Weg die schrägen

Holzdielen entlang bahnte, bis zur Küche. Ihre Augen glitten zur Schüssel. Das braune und blutige Wasser klatschte immer noch gegen den Rand. Bei dem Anblick wurde ihr schwindlig und übel. Sie wollte diese stickige Luft nicht einatmen, die vom Geruch der Krankheit durchdrungen war.

»Was stehst du da noch rum?«

Idella hob den Kopf und ging taumelnd in die Küche, an Avis vorbei, die sich so tief wie möglich in die Schatten gedrückt hatte.

»Lass mich raus, Avis«, sagte Idella, »oder ich übergebe mich hier und jetzt.«

Avis kam angerannt und öffnete die Küchentür. »Wohin willst du, Della?« Idella ging schweigend an ihr vorbei, hinaus auf die Straße, die zwischen dem Haus und der Scheune hindurchführte. Sie blieb stehen, die Waschschüssel mit schmutzigem Wasser immer noch in den Händen, und atmete tief ein. Sie musste ihre Lunge mit Luft füllen. Sauberer Luft. Sie hörte, wie tief unten das Wasser zwischen den Steinen hindurchschoss, am Fuß der Klippen. Die Flut kam.

Ein plötzlicher Drang überkam sie – zum steinigen Abgrund zu gehen und hinunter in die Finsternis zu blicken, wo das Wasser war, und fortzulaufen, wie ein Reh zu fliehen, über die Felder und in den Wald.

Sie schleifte ihre nackten Füße über die Erde, spürte kleine Steinchen zwischen den Zehen, rieb die feuchtkalte Nässe von ihren Fußrücken. Sie fing an sich zu drehen, langsam, in kleinen Kreisen, den Kopf im Nacken, dem Himmel entgegengewandt. Sterne und Wolken jagten wie Rauch über den Mond. Sie drehte sich schneller. Die Sterne verschwammen zu winzigen Streifen. Idella hielt die Waschschüssel von sich weg, die Arme weit ausgestreckt, und wirbelte und wirbelte herum. Wasser spritzte in hohem Bogen vom Rand der Schüssel. Kalte Tropfen besprenkelten ihren Arm. Der Boden fühlte sich sandig und wunderbar an. Schemenhaft sah sie die kleine Avis im Türrahmen der Küche stehen, von innen angeleuchtet, sie beobachtend.

Idella öffnete den Mund. Er füllte sich mit Wind. Ein Ton strömte aus ihr heraus, eine leise, gleichbleibende Böe. Das Gewicht der Waschschüssel zerrte nun an ihr, rund und rund und rund herum mit dem Ton. Auf einmal platzten die Worte des Gedichts aus ihr heraus und ergossen sich in die frische, wunderbare Luft. »>Leben ist wahr und ernst ist das Leben, und sein Grenzpfahl nicht der Tod.‹« Beinahe wäre sie über den Rand der Klippen gefallen, da ließ sie die Schüssel los und streckte die Hände in die schwarze Luft. Die Waschschüssel flog fort, ein weißes Gefäß, das in die Dunkelheit schoss. Auf Zehenspitzen, leichtfüßig, wirbelte Idella im Kreis. Irgendwo weit unten zerschmetterte das Porzellan. Dalton kam zur Scheunentür und schaute hinaus. Idella machte seine schmale Silhouette aus, als er eine Hand oben an den Türrahmen legte und ihr beim Drehen zusah.

Sie wirbelte langsamer herum und starrte in den Nachthimmel. Die Laute, die aus ihr herauskamen, wurden zu einem Säuseln und schließlich einem leisen Atmen. Sie stellte sich breitbeinig in das borstige Gras. Die Sterne hoch oben drehten sich, hingen verschwommen am hellen, hellen Himmelszelt. Idella ging in die Knie. Plump ließ sie sich nach hinten sinken, bis sie die langen, kühlen Grashalme am ganzen Körper spürte.

Sie lag flach auf dem Rücken und sah zu dem taumelnden Himmel hoch, dann schloss sie die Augen. Die Fläche hinter ihren Lidern drehte sich weiter. Sie strich mit der Hand übers Gras und riss ein stacheliges Büschel aus. Da war ein Stein unter ihrem Schulterblatt, kalt und hart. Wahrscheinlich lag er schon immer hier, seit sie am Leben war, vergraben in der festgetretenen Erde. Er hatte hier gelegen, als ihre Mutter noch lebte, und die ganze Zeit, als Idella unten in Maine war. Er würde noch hier sein, wenn sie längst tot war.

Idella lauschte gebannt. Sie hörte das Wasser tief unten am Fuß der dunklen Klippe, das gemächlich über die Felsen klatschte. Eine Kuh muhte in der Scheune. Der Hund der Doncasters bellte irgendwo im Wald. Sie war wieder in Kanada. Es hatte sich nicht viel verändert, jedenfalls nichts, was das Auge sah.

»Della?« Avis' Stimme, kaum mehr als ein Flüstern, schwebte vorsichtig in ihre Richtung. »Della, bist du fertig?«

Idella seufzte in die Dunkelheit und rief dann: »Ich komme, Avis! Ich komme gleich rein.«

Avis wartete im Türrahmen. Als Idella in den trüben Lichtschein vor der Küchentür trat, streckte Avis die Hand nach ihr aus. »Können wir jetzt nach oben ins Bett?«

Idella umarmte sie. »Du gehst hoch und legst dich ins Bett.«

»Kommst du denn nicht mit?«

»Ich komme gleich nach. Du schaffst das. Geh jetzt. Ich sehe noch schnell nach Dad und komm dann hoch. Hier, nimm die Lampe mit, und stell sie auf die Kommode. Ich hole eine Kerze.« Sie ging zur Anrichte und nahm eine Kerze aus dem Ständer. Vorsichtig hob sie den Glaszylinder von der Öllampe auf dem Tisch, entzündete die Kerze und steckte sie zurück in ihren Ständer. »Hier, nimm die.« Sie reichte Avis die Lampe. »Geh langsam und vorsichtig. Ich blas sie aus, wenn ich hochkomme. Gute Nacht, Avis. Wir haben einen langen Tag hinter uns.«

»Gute Nacht, Della.« Avis war so müde, dass sie kaum sprechen konnte. Behutsam hielt sie die Öllampe mit beiden Händen. Idella stand in der Küche und beobachtete ihre unsicheren Schritte bis hinauf zum oberen Treppenabsatz.

Idella blieb in der Mitte der Küche stehen. Die Kerzenflamme war die einzige Lichtquelle. Sie starrte in das warme zitternde Gelb, in dessen Kern dunkelblaue Venen flackerten. Sie fühlte sich friedvoll, erschöpft. Hier war sie nun, zurück auf der Farm, zurück in der Küche, in der sie den ganzen folgenden Tag und noch viele Tage danach mit Waschen und Schrubben und den Arbeiten für Dad verbringen würde. So spät am Abend war sie noch nie allein hier unten gewesen. Dad hatte immer hier gesessen, war immer bis tief in die Nacht wach geblieben. Schon jetzt schienen das kleine Schulhaus in Maine, die Lehrerin, die Tafel, die Bücher weit weg zu sein, viel weiter entfernt als eine Zugfahrt.

Da musste sie an ihr Buch denken. Es war immer noch auf der Bank neben der Tür, wo sie es hingelegt hatte. Sie ging hinüber, hob es auf und wandte sich zur Treppe um. Aus Dads Schlafzimmer drang kein Ton. Idella schlich zur angelehnten Tür und spähte hinein. Dort lag er, wach, und starrte zur Decke des dunklen Zimmers.

»Was war das? Was war das für ein Lärm?«

»Ich bin's.«

»Idella?«

»Ja.«

»Was hast du da draußen gemacht?«

»Nichts.«

»Komm her. Komm rein. Bring das Licht mit.« Seine Stimme war anders, irgendwie weich.

Schüchtern öffnete Idella die Schlafzimmertür. Sie war

noch nie nachts bei ihm gewesen, war nie wegen ihrer Alb-
träume oder Ängste oder einer Krankheit zu ihm gekommen.
Sie hatte sich gefürchtet. Fürchtete sich, ihn zu stören – er
arbeitete so schwer und stand so früh auf. Fürchtete sich, ihn
zu verärgern – er war so aufbrausend. Fürchtete sich.

Er sah hilflos aus, wie er unter der Bettdecke lag, lang und
dünn. Sein Bart war gewachsen und ganz zerzaust. Er hatte
sich nicht rasieren können, und das machte sein Gesicht dunkel und zeichnete Schatten, als sie die Kerze hochhielt.

»Erzähl mal, hat dir die Schule gefallen? Hat es dir gefallen,
bei deiner Tante Martha zu wohnen?«

Idella blickte auf den schwarzen Boden. Sie schämte sich
irgendwie. »Ja, Sir, ich habe es geliebt.«

»Hast es geliebt, was?« Er lag in der Dunkelheit, aber sie
spürte seine Augen auf sich. »Hast es geliebt.«

»Mehr als alles andere.« Eine lange Pause folgte. Sie hörte
seinen Atem. »Ich hab die Prüfungen der achten Klasse bestanden, obwohl ich noch nicht mal in der Klasse war.«

»Wirklich? Hm, Della, das ist gut. Ich denke, das ist gut.
Deiner Mutter hätte es gefallen. Sie war eine Büchernärrin.
Wahrscheinlich erinnerst du dich nicht. Sie hat mir stunden-
lang vorgelesen.«

»Nein. Das wusste ich nicht.«

»Das ist das Bett, in dem sie gestorben ist, weißt du? Genau
hier an dieser Stelle. Ich hätte das Bett wegschieben sollen. Sie
muss dort zur Decke gestarrt haben, so wie ich jetzt.«

Idella hob die Kerze, bis sie die Decke erleuchtete. Manchmal war es schwierig, sich vorzustellen, dass sie wirklich eine
Mutter gehabt hatte. Ihre Erinnerungen schienen nicht real
zu sein.

Eine weitere lange Pause folgte. »Idella, ich muss pinkeln,

und das kann nicht bis zum Morgen warten, und ich kann den verdammten Topf nicht selbst holen. Von Dalton ist weit und breit nichts zu sehen oder zu hören. Ich brauch dich, damit du mir hochhilfst und den Topf bringst.«

»Ja, Sir.« Behutsam platzierte sie das Buch und die Kerze auf dem kleinen Tisch neben seinem Bett und ging zum Nachttopf, der auf dem Boden stand. Sie hob ihn auf und trug ihn zum Bett ihres Vaters.

»Nimm meinen Arm und zieh mich hoch … AHHH, verdammt noch mal.« Er machte einen langen, tiefen Atemzug. Idella lehnte sich vor und packte den angebotenen Arm, fürchtete sich jedoch vor dem, was sie als Nächstes tun sollte.

»Mach schon, zieh! Er reißt nicht ab, es wird da unten nur verdammt weh tun. Jetzt komm schon, Della. Zieh!« Sie zog, bis er aufrecht dasaß, das Gesicht schmerzverzerrt.

»Schieb jetzt meine Beine über die Bettkante. Mach langsam, besonders beim linken.« Idella bückte sich und führte seine Beine, eines nach dem anderen, über den Bettrand. »Jesus, Maria und der kleine Scheißer! Della, du bist ein gutes Mädchen. Hol den verdammten Topf. Du musst ihn mir da oben hinhalten, denn ich kann nicht stehen. Halt ihn genau dorthin. Den Rest übernehm ich.«

Idella hielt den Topf mit beiden Händen dorthin, wohin er gezeigt hatte. Sie schloss die Augen und drehte den Kopf zum Fenster. Als er laut nach Luft japste, erkannte sie, wie schmerzhaft es für ihn sein musste. Sie ließ die Augen geschlossen und wartete, bis das Geräusch von Pipi, das in den Metalltopf spritzte, aufhörte.

»Heilige Mutter Gottes, das war nötig. Hilf mir jetzt wieder zurück.«

Idella stellte den warmen, mit Urin gefüllten Nachttopf auf

den Boden und half ihm zurück ins Bett. »Möchtest du was trinken, Dad?«, fragte sie ihn.

»Nein, das würde alles wohl wieder zum Fließen bringen. Ich warte bis zum Morgen, bevor ich das ganze Theater noch mal durchmache.« Ein schwaches Lächeln huschte über sein fahles Gesicht. »Du solltest jetzt hoch ins Bett gehen. Du hast einen großen Tag hinter dir. Lässt du mir ein Licht da? Wahrscheinlich krieg ich bis morgen früh sowieso kein Auge zu. Mein Bein brennt so fürchterlich, dass ich nicht schlafen kann.«

Idella entzündete mit ihrer Kerze die Lampe neben seinem Bett und wandte sich zum Gehen. Dann sah sie ihr Buch auf dem Tisch, wo sie es abgelegt hatte. Sie ging hinüber, hob es auf und hielt es einen Moment an sich gedrückt. Dann drehte sie sich um und sah zu ihrem Vater, der sie schweigend beobachtete.

»Möchtest du, dass ich dir etwas vorlese, Dad? Wie Mutter es getan hat? Möchtest du, dass ich dir aus meinem Buch vorlese?« Sie bemerkte seinen überraschten Gesichtsausdruck. Ohne auf eine Antwort zu warten, holte sie einen kleinen, mit Rohrgeflecht bespannten Stuhl aus der Zimmerecke und zog ihn neben die Öllampe.

Sie setzte sich und schlug ihr Buch auf. »»*Robinson Crusoe*. Erstes Kapitel.‹« Idellas Stimme zitterte schüchtern. »›Ich bin geboren zu York im Jahre 1632, als Kind angesehener Leute …‹« Idella blickte auf. »Kannst du mich hören, Dad?«

Er nickte. Tränen standen ihm in den Augen.

Idella fuhr langsam und bedächtig fort: »… die ursprünglich nicht aus jener Gegend stammten. Mein Vater, ein Ausländer, aus Bremen gebürtig, hatte sich zuerst in Hull niedergelassen …‹«

Sie las über eine Stunde lang, bis er schließlich in einen gnädigen Schlaf glitt. Eine Weile saß sie da und betrachtete ihn, dann holte sie aus ihrer Rocktasche das Taschentuch, das Mrs. Elmhurst ihr geschenkt hatte. Sie legte es als Markierung in das aufgeschlagene Buch und schob es auf den Nachttisch, wo er es mit Sicherheit sehen würde. Dann schlich sie auf Zehenspitzen in ihr Zimmer.

Avis' Kuh

»Bossy! Boooossy!«, rief Avis in den sich verfinsternden Himmel und die bereits dunklen Schatten des Waldes. Sie hatte jeden Zentimeter des Feldes nach ihrer Kuh abgesucht. Da rutschte ihr Fuß zur Seite, als sie am Waldrand mitten in einen großen Kuhfladen trat. »Ein ganz frischer«, sagte sie laut, packte einen Stock und kratzte sich damit die Schuhsohle ab. »Wenn Bossy mich nicht hören kann, kann sie mich jetzt todsicher riechen. Läuft einfach weg, obwohl sie da nichts zu suchen hat.«

Dad hatte Avis das Kalb vor vier Monaten geschenkt. Er hatte es unter den Arm geklemmt ins Haus gebracht, da war es gerade einmal einen Tag alt. Das Kalb brüllte die ganze Zeit über. Dad hatte es vor Avis abgesetzt, als sie am Tisch gesessen und mit Idella Erbsen enthülst hatte. »Sieh mal, was ich heute Morgen im Heu gefunden hab«, hatte er zu ihr gesagt, »ein kleiner Gauner, wie du. Deshalb kriegst du's. Es gehört dir.«

Er hatte das Kalb auf den großen Häkelteppich gestellt und war lachend wieder gegangen, wobei er sich die langen Finger an den Gesäßtaschen abgewischt hatte. Das Kalb stand dort, ganz wackelig, hatte den Schwanz gehoben und gepinkelt, mitten auf den Teppich. Idella hatte einen Schrei ausgestoßen, der Tote zum Leben hätte erwecken können, und war losgerannt: »Hol einen Eimer! Hol einen Eimer! Um Him-mels willen, hol einen Eimer!«

»Keine Sorge, Della«, hatte Avis gerufen, »ich kümmere mich um den Dreck. Und die Scheiße. Und die Pisse. Ich kümmere mich einfach um alles.« Dann nahm sie den Kopf des Kalbes in die Hände, küsste den weißen Fleck auf seiner Schnauze und führte es aus dem Haus. »Nun komm schon«, flüsterte sie und stützte das Kälbchen. »Wir sollten besser rausgehen, ansonsten geht es uns noch an den Kragen.«

Avis wusste, das Kalb gehörte ihr. Knolle war die Kuh-mutter, aber Avis war seine richtige Mutter. Sie hatte den restlichen Tag damit verbracht, Wasser zu kochen und den Teppich zu schrubben, während Idella ihr zusah und uner-wünschte Anweisungen gab. Aber Avis scherte sich nicht da-rum. Sie hatte entschieden, die Kuh Bossy zu nennen, denn das war ein richtiger Name für eine Kuh, und sie war eine perfekte kleine Kuh.

Jetzt stand Avis am Rand des Feldes. Sie hatte bereits den Wald abgesucht. Sie war alle Kuhpfade abgegangen. Nur der schilfige, mit Jauche bedeckte Sumpf blieb übrig. Avis hatte über eine Stunde auf Bossys Glocke gelauscht. Die anderen Kühe waren schon in der Scheune gewesen, bevor sie auf-gebrochen war, um sie von der Weide zu holen. Im Septem-ber wurde es früher dunkel, und die Kühe reagierten darauf. Knolle war die Leitkuh. Sie war früh zurückgekommen, hatte mit der Glocke geläutet und gemuht, um gemolken zu wer-den. Molly und Queenie waren nach ihr eingetrudelt.

Es war Avis' Aufgabe, die Kühe am Abend zusammen-zutreiben. Sie konnte Knolles Glocke sogar scheppern hören, wenn sie schlief. Aber es war Bossys leises Bimmeln – Dad hatte ihr ein eigenes Glöckchen gekauft –, das sich in Avis'

Träume stahl und sie manchmal weckte. Sie träumte oft, dass Bossy von Hunden gejagt wurde. Sie wachte dann schweiß-gebadet auf und schlich hinaus zur Scheune, vorbei an ihrer schlafenden Schwester, vorbei an Dads Schnarchen. Er schlief häufig am Tisch ein, den Kopf auf den verschränkten Armen, zu müde oder betrunken, um ins Bett zu gehen. Sie nahm die Öllampe mit, die vor ihm stand – gelegentlich brannte sie immer noch –, und schlüpfte hinaus zur Scheune.

Dann fand sie Bossy, an ihre Hufe geschmiegt, im Stall, wo sie diese warmen muffigen Atemwolken ausstieß. Avis ließ sich im Heu nieder und legte den Kopf auf Bossys Bauch und atmete ihre Luft ein. »Braves Mädchen«, flüsterte sie dann. »Gesund und munter.«

Bossy war das Erste in Avis' Leben, was sie neu bekam. Al-les andere wurde ihr von Idella weitervererbt oder in Pake-ten zur Weihnachtszeit von Tante Martha und Onkel John ge-schickt. Idella pickte sich immer die schönsten Stücke raus. Sie nahm die Päckchen vom Postboten entgegen und suchte sich das Beste aus. Sie leugnete es, aber Avis wusste, dass sie einiges unter ihre Matratze gestopft hatte. Da waren ein paar Mädchensachen, Kleider, die Idella hortete. Avis hatte einmal einen flüchtigen Blick darauf erhascht.

Sie wusste, dass andere Mitleid mit ihnen hatten und die Nachbarn ihnen deshalb gelegentlich Kleidung schenkten. Mrs. Doncaster und Mrs. Pettigrew beobachteten sie häufig, wie sie übers Feld spazierten. Sie tuschelten dann und schüt-telten die Köpfe. Avis wusste, dass sie über sie redeten, und sie hasste es, wenn sie sie zu sich riefen und fragten, wie groß sie jetzt wäre und wie viel sie wohl wiegen mochte – selbst wie alt sie sei, fragten sie. Sie log. »Ich werd bald sieben«, sagte sie manchmal. »Nächsten Monat werde ich sechzehn«, rief sie ihnen ein paar Tage später zu. Beide Nachbarinnen kannten sie seit ihrer Geburt. Sie konnten sich doch zusammenreimen, dass sie zwölf war, wenn sie sich so sehr dafür interessierten.

Sie hatten auch ihre Mutter gekannt, und zwar viel länger als Avis. Sie wussten, wie sich das Lachen ihrer Mutter angehört und wie ihr Lächeln ausgesehen hatte. Avis hatte bisher erst zwei Fotos von ihrer Mutter gesehen, und sie hatte auf keinem von beiden gelächelt. Avis erinnerte sich an kleine Geräuschfetzen, vielleicht war es ihr Lachen. Aber was ihr Lächeln anging, ihre Zähne, da war sie sich nicht sicher. Dass Frauen, die zufälligerweise nebenan wohnten, diese Dinge wussten und nicht Avis, ihre eigene Tochter, machte sie wütend.

Avis wollte Geheimnisse haben. Sie wollte Ungestörtheit. Sie wollte diesen Wichtigtuerinnen nicht sagen, wie alt sie war, weil sie sich dann fragen würden, warum sie immer noch flach wie ein Brett war, ohne einen Ansatz von Busen in Sicht. Nicht dass sie Brüste haben wollte. Das nicht. Sie hatte dafür keine Verwendung. Sie wären eine Plage. Aber Idella bekam welche. Da gab es nicht viel zu sehen, und gezeigt hätte sie sie sowieso niemandem. Idella badete seit Kurzem nur dann, wenn sie sicher war, dass niemand zu Hause war, aber Avis war gestern zufällig hineingerannt und hatte Idella überrascht, die gerade aus der großen Zinnwanne in der Küche stieg. Schockiert hatte Avis die rosafarbenen Knospen auf ihren Wölbungen gesehen, bevor Idella sich rasch mit den Armen bedeckte. Avis hatte sich betrogen gefühlt.

Nach einer Weile wussten es die Nachbarinnen besser und hörten auf, Avis Fragen zu stellen. Stattdessen riefen sie Idella zu sich. Idella war immer höflich. Sie baten sie zu sich herein. Sie kam dann lächelnd nach Hause und versteckte eine Bürste oder eine Haarnadel in ihrer Kleidung. Idella hortete diese Sachen auf ihrer Seite des Zimmers. Als wenn Avis das interessiert hätte.

Dellas Haar war in keinem besseren Zustand als Avis', aber es war blond. Sie wusch es ständig und zupfte daran herum und band es mit selbstgemachten Schleifen aus Stoffresten zusammen. Avis würde sich keine Stoffreste ins Haar stecken. Lieber trug sie nichts, als dass sie Lumpen anstelle von Schleifen trug.

Dad sagte immer, ihre Mutter hätte die wunderschönsten Haare gehabt. Manchmal nahm Avis den Zopf ihrer Mutter aus dem Briefumschlag und sah ihn sich an. Sie befühlte ihn und roch daran und hielt ihn ins Sonnenlicht, um die rotgoldenen Strähnen zu entdecken. Im Vergleich dazu war Avis' Haar unscheinbar. Sie tat alles Menschenmögliche, um es aus dem Gesicht zu haben und es nicht anschauen zu müssen.

Tante Francie hatte wie Mutter wunderbares Haar. Sie und Mutter waren auf einer schönen großen Farm aufgewachsen, auf der Francie und Avis' Großeltern noch immer wohnten – und wo Maddie war. Sie lag etwa dreißig Meilen entfernt. Manchmal, aus heiterem Himmel, sagte Dad: »Beladet den Wagen. Füttert die Hühner. Lasst uns eure Tante Francie besuchen.« Einer der Doncaster-Jungen melkte dann die Kühe. Auch Dad liebte Tante Francie. Er machte sich nicht besonders viel aus Grandma und Grandpa, aber er liebte Tante Francie. Sie war unglaublich elegant. Sie musste ihn an Mutter erinnern. Alles an ihr war wunderschön und weiblich.

Avis setzte einen Fuß in den weichen Sumpf. Hier war es dunkler. Schilfrohr überragte sie bedrohlich, die braunen Spitzen glichen Speeren. Einige waren umgeknickt. Ihre Samen waren geplatzt, und ein weicher Flaum krallte sich an Avis' Kleidung fest, als sie die Stängel auseinanderschob. Sie zerquetschte zwei Mücken mit einem einzigen Schlag direkt auf ihrer Wange.

Ohne einen weiteren Gedanken zu verschwenden, marschierte sie durch das Schilf und das dichte Gestrüpp. Es war glitschig, und mehrmals wäre sie fast ausgerutscht. An den schlammigen Stellen sanken ihre Füße mit einem Schmatzen ein, als stiege sie in Sirup. »Della bringt mich um, wenn sie mich sieht«, flüsterte sie.

In ihrem Kopf spielten die Gedanken verrückt. Wo war Bossy? Warum konnte Avis die Glocke nicht hören? Überall schien die Kuh herumgetrampelt zu sein. Schilfrohre waren abgeknickt und standen zu verschiedensten Seiten ab, aber dafür hätte auch Avis selbst verantwortlich sein können. Sie wusste nicht, wo genau sie war. Sie blieb stehen und sah zum Himmel. Ein einziger Stern funkelte von ganz weit oben herab. Sie rief ein letztes, langes Mal: »Boooossy!«

Avis rührte sich nicht. Sie stand da, mit geschlossenen Augen, und lauschte verbissen. Das Schilfgras kratzte und schabte aneinander, die Mücken schwirrten ihr um den Kopf. Sie blendete alles aus. Sie biss die Zähne zusammen und verlangsamte den Atem und konzentrierte sich. Da hörte sie ein kaum vernehmbares Bimmeln. Ihre Hände ballten sich so fest zu Fäusten, dass sie ihre Nägel auf den Knochen spürte. Da, noch einmal. Es kam von weiter hinten, irgendwo links. Avis verharrte ruhig und lauschte. Da war es.

Sie zwang sich, sich ganz langsam in Richtung der Glocke zu bewegen. Es war dunkel, schwer zu erkennen, wohin sie den nächsten Schritt setzen sollte. Manchmal sank sie bis zum Knie ein. Das hier war ein schlimmer Teil des Sumpfes. Und dann sah Avis etwas, das Bossy sein musste. Sie konnte lediglich das vertraute Wackeln ihres Kopfes ausmachen.

»Bossy, Bossy, mein Mädchen«, flüsterte Avis ihr zu, als sie näher kam. Sie wollte die erschöpfte Kuh nicht erschrecken. Bossy konnte nicht aufstehen. Sie war im Morast eingesunken. »Oh, du steckst aber ganz schön tief in der Patsche.« Avis kniete sich hin und küsste das Tier an der Stelle, wo sie den weißen Stern vermutete. »Du arme Kleine. Und du wirst lebendig aufgefressen.« Verzweifelt wedelte sie mit den Armen in die schwirrende Dunkelheit. Sie beugte sich herab und flüsterte Bossy ins zuckende Ohr: »Ich lass dich nicht allein. Ich gehe nirgendwohin. Ich bin hier.«

Avis' Hände zitterten, als sie Bossy liebevoll streichelte. Sie drückte ihr Gesicht fester und fester in das raue nasse Fell des matschbedeckten Tieres. Sie liebte den starken vertrauten Geruch der Kuh und des Moores. »O Bossy!«, rief sie. »Bossy, bleib bei mir!«

Es war stockdunkel, als Avis schließlich hörte, dass Dad und Dalton nach ihr riefen. »Verdammt noch mal«, sagte Dad, schwenkte die Laterne über seinem Kopf und ließ den Lichtstrahl auf die zusammengekauerten Gestalten fallen. »Ein traurigeres Bild hab ich mein Lebtag nicht gesehen.« Avis hatte sich fest an die Kuh gedrängt. Die untere Hälfte von beiden war im Schlamm versunken.

Es benötigte beide Männer, um Avis herauszuziehen, und alle drei zusammen, um Bossy auf die Beine zu stellen. Dalton führte die Kuh zu einer höher gelegenen Stelle und dann aus dem Sumpf. Schweigend hob Dad Avis hoch und trug sie heim. Ihre nassen Beine baumelten von seinem Ellbogen. Sie lehnte den Kopf an seine Schulter und sah zu den Sternen. Sie waren alle da. Die Hände hatte sie ihm um den Hals gelegt. Die Wärme seiner Brust und seiner Arme durchdrang ihr Hemd. Selbst in der Dunkelheit wusste Avis, dass Dad sich rasieren müsste. Weiter vorne sah sie die Silhouette von Dalton und Bossy, deren kleines Glöckchen immer noch klingelte. Sie hatte Angst, in Dads Gesicht zu schauen. Er hielt sie fest an sich gepresst, und sie spürte seine harten Muskeln, aber er war nicht sauer. Das glaubte sie zumindest. Sie hoffte, dass er nicht sauer war.

»Am besten ziehst du einfach alles aus«, sagte er, als er sie vor der Haustür absetzte. »Wirf einfach die ganze Kleidung auf einen Haufen. Della wird sie morgen früh waschen oder verbrennen, was auch immer sie für richtig hält. Ich schick sie mit einer Decke raus. Wir schaben dir heute den Schlamm ab und kochen dich morgen.«

»Wie eine Kartoffel.« Avis lächelte hoffnungsvoll zu ihm hoch.

Dad lachte. »Wie eine Kartoffel.« Er wollte schon ins Haus gehen, da blieb er stehen, eine Hand an der Tür. »Das hast du gut gemacht, Avis, die Kühe heimzutreiben. Du hast Bossy das Leben gerettet.« Das war alles. Dann ging er hinein zu seinem kalten Abendessen, und um sich ein Glas Whiskey einzuschenken.

Avis starrte ihm nach. Schließlich sah sie auf das hinab, was von ihrem Rock und ihrer Bluse und ihren Schuhen übrig war. Sie war so schmutzig wie nie zuvor in ihrem Leben. Und das sollte etwas heißen. Gütiger Himmel, sie war so schmutzig, wie ein Mensch auf Erden nur sein konnte.

Idella kam mit einer Lampe an der Wange zur Tür. Sie sah zu Avis, die wie ein räudiger Hund in der Dunkelheit stand, und reichte ihr einen Lappen und eine Decke. »Hier, wisch so viel wie möglich ab, wickel das um dich und komm rein. Es ist spät.« Dann lächelte sie und schüttelte den Kopf über ihre Schwester. »Komm mir bloß nicht zu nahe!«

Avis schälte sich die stinkende Kleidung vom Körper, kratzte den Schlamm und den Dreck ab und schlang sich die Decke um die dünnen Schultern. Der Stoff fühlte sich gut an. Idella hielt ihrer Schwester die Tür auf.

»Schmutziger als der Teufel am Samstagabend«, flüsterte Idella und musste lachen, als Avis an ihr vorbeiging.

»Ich?«, erwiderte Avis kichernd. »Du spinnst wohl.«

Sie mussten beide lachen, als Avis den Fuß hob und drohte, ihn an Idellas Rock abzustreifen. »Genau an deinem Hintern – hm, würde das nicht hübsch aussehen?«

»Schlag dir das aus dem Kopf, Avis«, warnte Idella sie. »Wage ja nicht, mit deinen stinkenden Dreckfüßen in meine Nähe zu kommen.« Kichernd stiegen sie gemeinsam die Treppe hinauf. Idellas langer, dünner Arm hielt die Lampe hoch und führte sie bis hin zu ihrem Schlafzimmer.

Idellas Kleid

Juli 1924

Idella war allein im Haus. Dalton war in der Scheune, Dad irgendwo – wahrscheinlich wieder auf dem Feld –, und Avis pflückte Heidelbeeren. Die Beeren am Rand der Viehweide waren während der vergangenen paar Tage in der Julihitze herangereift, und sie wollte sie an diesem Morgen sammeln, bevor die Doncaster-Jungen sie fanden.

Idella wäre auch gerne mitgegangen. Einfach nur, um rauszukommen. Aber sie musste zu Hause bleiben und Dads und Daltons Arbeitskleidung schrubben. Sie war voll von diesem »gottverdammten Klettenzeug«, wie Dad es nannte. »Selbst einem Stier würde das die Haut vom Arsch wegkratzen«, hatte er gesagt und ihr die Kleidung vor die Füße geworfen. »Hier, Della, mach das Zeug wieder sauber.« Nie ein »bitte«. Nie ein »danke«.

Nun stand Idella am Herd und kochte Wasser auf. Es war zu heiß, um irgendetwas zu kochen, ganz zu schweigen von so etwas. Die Kleidungsstücke stanken nach Stallmist und Dreck. Sie hatte sie mit der Hand absuchen und die borstigen Stacheln und Dornen herausziehen müssen. Ihre Finger waren wund von den scharfen Spitzen. Sie hatte sich einen Stock vom Waldrand hinterm Haus geholt und tauchte den stinkenden Kleiderhaufen damit in die große Zinnwanne, in der er nun schwamm. Als der Kessel mit Wasser kochte, hob sie ihn vom Herd, wickelte ihren Rock um den heißen Griff aus Drahtgeflecht und hielt ihn mit beiden Händen so hoch wie möglich. Mit abgewandtem Gesicht goss sie das Wasser auf die Kleidung und rührte mit dem Stock um. Dampf stieg auf und machte ihr Haar ganz strähnig. Immer wieder versuchte sie sich das Haar mit der Schulter zurückzustreichen. Ihre Nase kitzelte, und der Gestank des dampfenden Dungs ließ sie würgen.

Es war kein Ende in Sicht, dachte sie, bei all den Dingen, die es zu erledigen galt. Nächste Woche wurde sie sechzehn, und sie hatte nie ein Kind sein dürfen, nicht seit dem Tag, als Mutter gestorben war. Idella trug den leeren Kessel zur Wasserpumpe und füllte ihn ein weiteres Mal. »Das wird mich den halben Tag kosten«, murmelte sie. »Und sie werden sie anziehen und einfach wieder dreckig machen.«

In diesem Moment hörte sie den Wagen des Postboten die Straße zu ihrem Haus entlangknattern. Meistens fuhr er an der Farm vorbei, aber heute war er eingebogen. Das verriet ihr der näher kommende Lärm. Vielleicht hatte er etwas für sie. Vielleicht hatte ihr Dad etwas zum Geburtstag gekauft. Vor zwei Jahren hatte er Avis Bossy geschenkt. Zwölf Jahre, und sie bekam zum Geburtstag eine Kuh. Avis war andauernd dort draußen in der Scheune und belästigte das arme Ding. Eine Kuh. Das war das Letzte auf Erden, was Idella brauchte – noch etwas, worum sie sich kümmern müsste.

Der Sears-Katalog könnte jederzeit kommen – vielleicht war es das. Idella konnte sich nichts Besseres vorstellen, als einen Nachmittag damit zu verbringen, ihn durchzublättern und im Kopf Bestellungen aufzugeben.

Das Postauto hatte das Haus jetzt fast erreicht. Sie stellte den schweren Kessel ab und lief los, um die Tür zu öffnen.

Mr. McPhee, der einzige Postbote, den sie kannte, wirbelte mit seinem alten Roadster eine Staubwolke bis genau zu ihrer Haustür auf. Es war eines der wenigen Autos hier in der Gegend, und jeder kannte sein Motorengeräusch.

»Hallo, junge Dame!«, rief er, als er den Wagen jäh anhielt, den Motor jedoch laufen ließ. »Ihr Hillock-Mädchen werdet jedes Mal, wenn ich euch sehe, größer und dünner. Ich hab hier ein Paket. Da steht ›Idella Hillock‹ drauf. Soll ich es zurückschicken?«

Er machte diesen Witz jedes Mal, wenn er etwas Besonderes brachte. Vielleicht war es Kleidung von Tante Francie. Er lächelte durch sein offenes Fenster, ließ sie absichtlich ein wenig warten. Männer fanden so etwas lustig.

»Nun«, sagte er schließlich, »wenn du dir sicher bist, dass du's willst.« Er drehte sich zum Rücksitz um und hob eine große braune Schachtel hoch. »Etwas für die Dame des Hauses. Ich muss die Tür hier aufmachen, damit ich es überhaupt rauskriege.«

Idella ging zur Wagentür, wischte sich die Hände an ihrem Rock ab. Am liebsten wollte sie hineingreifen und die Schachtel einfach packen. »Hier, junge Dame.«

Das war Tante Francies wunderschöne Schrift auf dem Paket, keine Frage. Idella hielt die Schachtel so fest, dass sich die Ecken in die Innenseiten ihrer Ellbogen drückten.

»Vielen Dank, Mr. McPhee.«

»Wie geht's deinem Dad? Was führt Bill Hillock heute wieder im Schilde? Wahrscheinlich nichts Gutes, was?«

»Er arbeitet heute draußen auf dem Feld.«

»Sag ihm, dass ich heute Abend komme.« Die Männer spielten samstagabends Karten, saßen um den Tisch und tranken. Sie spielten in Dads Haus, weil es dort keine Frau gab, die ihnen sagte, dass sie leiser sein oder nach Hause gehen sollten. »Ich werd ihn bis auf die Hosen ausziehen. Sag ihm, er soll zwei Paar tragen.«

»Das sag ich ihm. Auf Wiedersehen, Mr. McPhee.«

Idella ging geradewegs an der stinkenden Wanne mit Arbeitskleidung vorbei, an dem mit kaltem Wasser gefüllten Kessel, den sie einfach auf dem Boden stehen gelassen hatte. Sie würdigte den Ofen, der die stickige Juliluft noch heißer machte, keines Blickes. Sie eilte die Treppe hinauf in das Schlafzimmer, das sie sich mit Avis teilte, und schloss die Tür mit dem Fuß hinter sich. Eine Fliege, eingeschlossen in den Vorhangfalten, summte als Antwort auf den lauten Knall. Tippie, der Hund der Doncasters, bellte. Idella ging zum offenen Fenster und schaute hinaus. Niemand kam vom Feld oder vom Wald her. Dalton hämmerte in der Scheune auf etwas ein. Er betrat sowieso nie das Haus, außer wenn es Abendessen gab.

Sie setzte sich auf ihr Bett und starrte auf die Schrift. Selbst ihr Name, »Idella«, sah hübsch aus, wenn Tante Francie ihn schrieb. Ihre Finger fanden den Rand des braunen Papiers und rissen es auf.

Die Klappen des Kartons fielen zurück. Mit den Fingerspitzen schob Idella das Seidenpapier beiseite. Da war etwas Blaues, etwas Dunkelgraublaues. Da waren ein Kragen und winzige schwarze Knöpfe. Idella stand auf und entfaltete ein Kleid aus dem wunderbarsten Material, mit dem wunderbarsten Schnitt, in der wunderbarsten Farbe. Sie hielt es mit ausgestreckten Armen vor sich. Der Kragen und die Bündchen waren aus Samt. Schwarzem Samt! Und die Taille war tief angesetzt, unter der Hüfte, wie es Idella bisher nur in Katalogen gesehen hatte. Und es war kurz! Es endete über den Knöcheln, das sah sie sofort. Es war unglaublich schön.

Sie hielt das Kleid mit den Fingerspitzen, ging ganz nah zu dem Toilettentisch, der einst ihrer Mutter gehört hatte, und stellte sich vor dem Spiegel auf. Sie konnte sich nur von der Taille aufwärts sehen. Ein Sprung im Spiegel verzerrte den Umriss ihrer Schultern. Avis war dafür verantwortlich, hatte diesen Riss gemacht, als sie an einem Abend ihren Schuh achtlos weggeschleudert hatte. Immer musste sie herumalbern. Da war ein Steinchen in ihrem Schuh gewesen, und das war herausgeflogen und hatte den Spiegel getroffen. Man konnte nie etwas Schönes haben.

»Juu-huu! Della!« Avis. Sie kam vom Pflücken heim. »Della, komm her und hilf mir, diese verfluchten Eimer zu tragen.« Sie kam übers Feld, und ihr Mund kündigte sie an, lange bevor sie zu sehen war.

»Hör auf, so zu schreien!«, rief Idella durchs offene Fenster. Dann legte sie das Kleid auf ihr Bett, faltete es behutsam zusammen und bedeckte es mit dem Seidenpapier. Da lag ein Zettel in der Schachtel, ein Brief von Tante Francie, den sie nicht gesehen hatte. Idella steckte ihn sich in die Schürzentasche.

»Della! Wo bist du?« Avis war in der Küche. »Ich hab einen Eimer auf dem Feld stehen gelassen. Mein Arm ist fast abgefallen.«

»Immer mit der Ruhe!« Idella öffnete die Tür weit genug, um zu ihr hinunterzurufen, und schloss sie dann wieder. Sie schob die Schachtel so tief wie möglich unters Bett. Avis trampelte die Treppe herauf.

Sie riss die Tür auf. »Was zum Teufel hast du hier gemacht?« Avis ließ den Blick prüfend durchs Zimmer gleiten. Sie war immer so argwöhnisch, besorgt, von irgendetwas ausgeschlossen zu werden. Aber Idella würde ihr das

Paket von Tante Francie erst zeigen, wenn es ihr in den Kram passte.

»Nun komm schon«, sagte Idella und schob Avis mit sich aus dem Zimmer, »lass uns doch mal sehen, was das arme Vögelchen gepflückt hat.«

Idella kochte die Kleidung zu Ende aus und wusch sie dann, bevor sie die Wanne schrubbte. Als sie endlich fertig war, ging sie hinüber zum Tisch, an dem Avis saß und die Heidelbeeren sortierte. Es gab mehr Blätter und Stiele und schlechte Früchte, als wenn Idella die Beeren gepflückt hätte.

»Die verdammten Doncasters hätten die hier nur zu gern gefunden!«, brüstete sich Avis. »Die hätten wie Bären auf den Hinterbeinen gestanden und sie von den Zweigen gefressen.« Avis hatte den Kopf über den Eimer gebeugt. Sie sah zu Idella hoch, wobei sich nur ihre Augen bewegten. »Ich dachte, wir könnten mit den Beeren vielleicht ein paar Kuchen machen. Heute ist Pokerabend, und ich könnte sie den Männern vorsetzen. Als Überraschung.« Idella beobachtete, wie Avis die Lippen schürzte und mit ihrer Babystimme redete. Nur so konnte Avis jemanden um Hilfe bitten, indem sie es ins Lächerliche zog. »Ich könnte einen Beerenkuchen machen, wenn der Mamavogel seiner armen kleinen Baby-Schwester helfen würde.«

»Na schön.« Idella seufzte. Sie setzte sich neben Avis und machte sich daran, die Blätter herauszuklauben. »Ich helfe dir beim Teig. Und ich helfe dir beim Abmessen. Wenn ich das nicht mache, verbrauchst du mir noch meinen ganzen Zucker.«

»Ich bin brav, Della. Versprochen.« Avis streckte den Arm aus und steckte Idella eine Heidelbeere ins Ohr. »Vielen Dank, Mamavogel.«

»Nenn mich nicht so. Avis, wenn du dich nicht zusammen-reißt, werde ich keinen Finger krümmen, um dir zu helfen.«

Avis nahm eine Handvoll Beeren, stand auf, und sie kuller-ten ihr am Kleid herunter.

»Großer Gott, Avis«, sagte Idella, »du bist nicht imstande, in einem Haus zu leben. Wir sollten dich in der Scheune bei deiner Kuh anbinden.«

Avis krabbelte unter den Tisch und sammelte die verstreu-ten Beeren auf. Idella wusste, dass sie aufgeregt war. Avis liebte Pokerabende. Sie war der Liebling der Männer. Sie saß dann selbstzufrieden auf Dads Schoß und sah ihnen stunden-lang beim Spielen zu. Sie neckten sie und versuchten, Dads Blatt aus ihr herauszukitzeln, aber sie hatte ein Gesicht, das nichts verriet, wenn sie es nicht wollte, und einen Mund, der schweigen konnte. Die Männer piesackten sie fürchterlich, und Avis war immer darauf aus, einen Schluck Whiskey zu ergattern.

Idella machte sich an diesen Abenden rar. So bald wie möglich verdrückte sie sich in ihr Schlafzimmer. Die Gegen-wart der Männer machte sie verlegen. Am Anfang waren sie nett. Die meisten kannte sie schon fast ihr ganzes Leben. Aber je später es wurde, desto rüpelhafter wurden sie.

Dad brachte sie jedes Mal in Verlegenheit. »Wann kriegst du endlich was Fleisch auf die Knochen?«, fragte er sie dann, vor allen anderen. »Ich hab zwei spindeldürre Gerippe als Töchter.« Dann beugte er sich zu ihr und gab ihr einen Klaps auf den Hintern. Er lachte zwar, doch es war sein gemeines Lachen, sein Whiskeylachen. Idella schämte sich in Grund und Boden.

Den ganzen Nachmittag arbeiteten die zwei Schwestern an den Kuchen. Idella wusste, dass sie erst am Abend alleine wäre. Dad und Dalton waren draußen auf den Feldern. Die Nudelhölzer wurden emsig gerollt, und die Küchenschürzen raschelten unentwegt, und am Ende kamen drei große Kuchen und ein Obsttörtchen heraus, die nun auf dem Fensterbrett in der Sommerhitze vor sich hin dampften.

Bei Dads Eintreten hatte Idella das Abendessen wie üblich schon auf den Tisch gestellt. Er hatte gute Laune – wie immer an Pokerabenden. »Heute keine Nachspeise«, verkündete Avis, bevor er sich auch nur auf seinem Stuhl niedergelassen hatte. »Wir haben keine Zeit gehabt.« Es war unmöglich, den süßen Duft nach Heidelbeeren und Zimt nicht zu riechen, der in der stickigen Abendluft hing.

Avis hatte darauf bestanden, die Kuchen auf der Holzbank hinter dem Herd zu verstecken. Sie wollte die Pokerspieler überraschen, sobald sie alle um den Tisch saßen. Sie wollte nicht einmal Idella dabeihaben, sagte sie, sie wollte alles alleine machen. Das kam Idella gelegen. Sie musste niemandem beweisen, dass sie Kuchen backen konnte.

»Verdammt«, sagte Dad und besah sich Avis' mehlbestäubte Gestalt von oben bis unten, »ich hätte schwören können, dass du heute Beeren pflücken wolltest. Ich hatte auf einen Kuchen gehofft.«

»Nee«, sagte Avis. »Diese verdammten Doncaster-Jungs müssen sie gefunden haben. Da gab es nichts weiter als große Fußabdrücke. Keine einzige gottverdammte Beere am ganzen Strauch.«

»Hm, das ist wirklich schade. Wir werden heute Abend mit Fred reden müssen, wenn er da ist. Werd ihm sagen, dass er die Jungs erschießen soll.« Er zwinkerte Idella zu.

Avis lachte. »Das wäre gut. Dann werde *ich* sie nächstes Jahr pflücken.«

»Was ist das nur für ein Gestank hier? Es riecht nach Pferdemist. Riechst du das auch, Idella?«

»Nein.«

»Und du, Dalton? Riechst du's?«

Dalton aß ungerührt weiter, hob kaum den Kopf von seinem Teller. Er war fest entschlossen zu verschwinden, sobald das Abendessen vorbei war. Er gesellte sich nie zu Dads Pokerrunden. »Nein«, sagte er. »Nichts.«

»Avis-Mavis, Sahnetörtchen, riechst du denn auch nichts?«

»Nein.« Sie begann zu kichern und sah auf ihre Hände hinab. »Nur Dellas Füße.« Unter dem ganzen Gelächter brachte sie die Worte kaum heraus – es war ein einziges Prusten.

»Himmel noch mal, Avis«, sagte Idella, stand auf und räumte den Tisch ab. »Es ist nicht nötig, dass du dich immer über mich lustig machst.«

»Du bist ein Frechdachs, Avis-Mavis, Sahnetörtchen.« Dad gefällt ihr albernes Verhalten, dachte Idella. Sie würde selbst mit einem Mord durchkommen. »Ich will bloß nicht, dass du dich von den Jungs vernaschen lässt.«

Idella hatte das Gefühl, als wartete sie schon seit Tagen darauf, endlich allein zu sein. »Komm jetzt, Avis, hilf mir beim Abwasch. Sie werden bald hier sein, und ich will nach oben und lesen.«

Idella war allein in ihrem Zimmer. Sie hatte über eine Stunde in ihrem wunderschönen blauen Kleid dagestanden und sich wieder hingesetzt, hatte die Umrisse ihres Schattens betrachtet, der sich lautlos über die geblümte Tapete und bis zur Decke erstreckte. Unten war die Pokerpartie lautstark im

Gange. Sie hatte sich die Haare gekämmt und einen Scheitel gezogen und die verschiedensten Hochsteckfrisuren ausprobiert. Sie hatte sich im Spiegel und im erleuchteten Schlafzimmerfenster betrachtet.

Die Männer waren alle gekommen. Sie hatten es sich mit ihren Flaschen und Gläsern um den Küchentisch bequem gemacht. Avis hatte unter großem Applaus die Kuchen hervorgeholt. Die Männer hatten sie erbarmungslos geärgert und ununterbrochen gelobt. Avis war ganz in ihrem Element. Der Lärm drang explosionsartig zum Schlafzimmer hoch und verebbte dann wieder zum ruhigen Mischen und Austeilen von Karten, unterbrochen vom Klang der Gläser, die auf den Tisch geknallt wurden. Idella hörte, wie Avis' Lachen im Laufe des Abends immer lauter und dreckiger wurde, so wie das der anderen.

Idella ging zu ihrem Wandschrank und tastete am Boden nach ihren Sonntagsschuhen. Sie steckte die Hand hinein, bis sie in der Spitze den Lippenstift fand, den sie dort versteckte, seit sie ihn beim Durchwühlen des Schrankkoffers ihrer Mutter entdeckt hatte.

Im gelben Lichtschein stellte sie sich vor den Spiegel und nahm den Deckel des Lippenstifts ab. Ein wunderbarer Duft entströmte ihm. Die angeschrägte Spitze war von den Lippen ihrer Mutter abgeflacht worden. Idella lehnte sich zum Spiegel vor und trug mit zitternden Fingern den Lippenstift auf. Es sah dunkel und uneben aus, aber sie hatte Angst, daran herumzuwischen. Sie gab einen Tupfer Farbe auf jede Wange, wie sie es bei Mrs. Doncaster gesehen hatte, und verrieb ihn mit der Handfläche.

Ihr Spiegelbild erschreckte sie. Sie war nicht sicher, ob sie hübsch war – das konnte sie nicht sagen –, aber sie sah auf

jeden Fall anders aus. Der gerade Schnitt ihres locker fallen-
den Oberteils wurde von den kleinen Hügeln ihrer Brüste
unterbrochen. Nie zuvor hatte sie etwas getragen, das ihren
Busen betonte.

»Della!« Dads Stimme durchbrach ihre stillen Tagträume.
»Della, komm verdammt noch mal runter!« Idellas Brust zog
sich schmerzhaft zusammen, als wäre sie ihr plötzlich einge-
drückt worden. »Della! Komm runter, und schneid uns noch
'nen Kuchen auf. Wir haben so einen sitzen, wir können nicht
aufstehen!« Die Männer lachten. Sie hörte Avis gackern.
»Komm runter, Della!«, brüllte Dad. »Wir brauchen dich, damit du Königin Avis bedienst. Sie kann ihren eigenen Kuchen
nicht mehr schneiden. Beweg deinen dürren Arsch her.«

»Bin gleich da!«, rief Idella durch die geschlossene Tür. Es
machte sie so wütend – dieses laute Geschrei und Gebrüll.
Dafür gab es keinen Grund. Am Ende der Pokerabende
wurde er immer gemein. Er behandelte sie dann, als wäre sie
sein Eigentum, wie ein Pferd oder eine Kuh.

»Della, schwing deinen Arsch runter!« Das war Avis. Das
war Avis! Ihre Stimme hatte einen scharfen Ton angenommen. Whiskey.

»Dieses kleine Miststück«, flüsterte Idella. »Und ich hab
ihr gezeigt, wie man diese gottverdammten Kuchen macht.«
Sie ging zum Spiegel, bürstete sich das Haar aus dem Gesicht
und befestigte die Spange, die Mrs. Doncaster ihr geschenkt
hatte. »Von euch lass ich mich nicht unterkriegen«, sagte sie
zu ihrem Spiegelbild.

»Della! Schwing deinen Arsch runter!« Das war nicht einmal mehr Dad. Das war einer der anderen Männer, der da so
mit ihr redete.

Je lauter sie wurden, desto verbissener machte sie sich zurecht. »Ich komme!«, rief sie, um ihr Geschrei zu unterbinden. Sie saßen dort unten und knallten ihre Gläser auf den Tisch, diese Mistkerle. Idella öffnete die Tür und trat hinaus auf den Flur. »Hört mit dem Geschrei auf. Ich komme!«

Sie blieb oben am Treppenabsatz stehen. Der Zigarettenrauch trieb ihr Tränen in die Augen. Der Raum unten war völlig verqualmt. Sie ging ganz langsam hinunter, mit geradem Rücken, war sich jedoch nicht sicher, wohin mit den Händen. Ein Mann nach dem anderen bemerkte sie. Ein Mann nach dem anderen verstummte.

»Aber hallo!«, rief eine laute Stimme, als sie die unterste Stufe erreicht hatte. »Schaut euch mal an, was da die Treppe runterkommt!«, pfiff jemand. »Bill Hillock. Da hast du uns aber was vorenthalten. Schau mal einer an, was du vor uns versteckt hast.« Einen Augenblick lang herrschte völlige Stille.

»Mich tritt ein Pferd«, flüsterte Dad. Er legte seine Karten mit dem Gesicht nach unten auf den Tisch und schob Avis von seinem Schoß. Er stand auf, das Gesicht gerötet vom Alkohol, und betrachtete Idella. Seine Stimme nahm einen weicheren Ton an. »Siehst hübsch aus, Idella. Siehst hübsch aus. Avis, schau dir deine hübsche Schwester an.«

»Sie ist zur Frau geworden, Bill, während du nicht hingeguckt hast.«

Idella glaubte, Mr. McPhees Stimme zu hören. Sie stand wie festgefroren da. Der Lippenstift fühlte sich seltsam und wächsern an. Sie zwang sich, den Blick durch den Raum schweifen zu lassen, in die Gesichter der Männer zu schauen. Als Letztes sah sie zu Avis.

»Wo hast du das Kleid her?« Avis starrte sie eindringlich an. Ihre Stimme war tief und eigenartig. »Wo hast du das

Kleid her?« Idella wich ihrem Blick aus. Sie wandte sich Dads gerötetem Gesicht zu.

»Ich hab da eine Prinzessin großgezogen«, sagte er. »Sie hat sogar 'nen Busen. Seht euch das mal an.« Idella spürte, wie ihre Wangen heiß wurden.

Einer der Männer stand auf. »Lasst uns auf die Dame des Hauses anstoßen«, sagte er. »Lasst uns auf Bills Idella anstoßen.«

Die Männer standen auf, schoben ihre Stühle mit einem Schaben zurück. Sie erhoben ihre Gläser. »Auf Idella.«

Dann krachte etwas laut. »Was zum Teufel?« Dad wandte sich um. Avis stand vor dem Herd. Dunkle Klumpen der Kuchenfüllung hatten sich über den Holzboden ergossen. Avis packte eine glänzende Handvoll, rannte auf Idella zu und schmierte sie auf die Vorderseite des blauen Kleids. »Woher hast du das? Woher hast du dieses Kleid?« Sie krallte sich an Idella fest. »Woher hast du es?«

»Zum Teufel mit dir!«, schrie Idella, während sie die klammernden Fäuste aufstemmte. »Zum Teufel mit dir, Avis. Lass mich los!« Sie packte Avis' Handgelenke und drückte fest zu.

»Du Hure!«, brüllte Avis. »Du bist nichts weiter als eine verdammte Hure!« Idella stieß die sich windende Gestalt von sich. Dad kam von hinten und zog Avis fort, die wild um sich trat. »Hure!«, kreischte Avis.

Idella zitterte. Sie stand auf und blickte in den Raum voller Männer. Mit den Armen bedeckte sie das verschmierte Kleid. Ihre Augen bohrten sich durch den Rauch in die fassungslosen Gesichter. »Zum Teufel mit euch«, sagte sie leise. »Zum Teufel mit euch allen in diesem gottverlassenen Ort.« Sie drehte sich um und rannte die Stufen hinauf in ihr Zimmer. Sie kauerte sich hinter der geschlossenen Tür zusammen

und presste sich die Faust auf den verzweifelten Mund. Avis'
Wehklagen, das nun in regelmäßigen Abständen kam, drang
durch die Dielenbretter. Es klang wie Idellas eigenes hoff-
nungsloses Schluchzen.

Eine Woche später kam Avis' Kleid an. Tante Francies Brief
hatte es angekündigt. Sie hatte auf die bestellte Spitze warten
müssen. Der Postbote fuhr mit dem Päckchen auf dem Sitz
neben ihm vor. Tante Francies Schrift war unverwechselbar.
Mr. McPhee neckte Idella nicht, als sie kam, um es zu holen.
Er reichte es ihr mit einem bekümmerten Lächeln und sagte,
dass er hoffe, es gehe ihr schon wieder besser.

Teilnahmslos ging sie zurück ins Haus und die Treppe zu
ihrem Zimmer hoch. Sie ließ das Päckchen auf Avis' Bett
fallen und drehte sich um. Sie knallte die Tür hinter sich zu,
obwohl es noch immer heiß war und eine geöffnete Tür die
Luft im Haus ein wenig hätte zirkulieren lassen.

Avis' Kleid war moosgrün mit braunen Schildpattknöp-
fen und aufwändigen Nähten. Der Kragen und die Bündchen
waren mit Spitze besetzt. Es war wunderschön. Aber es wurde
nie getragen, kein einziges Mal.

Idella blickt zurück: Das Postauto

Es war einfach kein Leben dort oben mit Dad. Ich meine, der arme Mann, Gott hab ihn selig, aber was für ein Leben war das für ein Mädchen? Nur für ihn zu kochen und zu wissen, dass es draußen eine Welt gibt, in die man könnte und in der man nicht gefangen wäre.

Egal was ich getan habe, Dad hat immer jemanden gebraucht, an dem er seine Wut auslassen konnte. Und er hat mir die Schuld für Dinge gegeben, die ich nicht getan hatte oder gar nicht tun konnte. Eines Morgens also ist er arbeiten gegangen, raus zum Fischen, und ich habe genau in dem Moment die Entscheidung getroffen, dass ich hier nicht länger bleiben würde. Ich konnte so nicht länger leben. Warum sollte ich all die Wut abbekommen? Für nichts und wieder nichts! Ich hatte mich entschieden. Die Post würde auf dem Weg von Bathurst die Straße entlangkommen. Es war ein Automobil. Viele Menschen sind im Postauto nach Bathurst mitgefahren. Ich habe also Mr. McPhee auf dem Hinweg gesehen. Er musste eine ganz schöne Strecke fahren, bis er wieder umdrehte.

Und so hab ich nach ihm Ausschau gehalten. Ich habe zu ihm gesagt: »Wenn Sie auf dem Rückweg wieder hier vorbeikommen, fahre ich mit Ihnen.« Und das habe ich getan! Ich hatte einen Koffer. Ich weiß nicht, woher ich ihn hatte, aber ich hatte ihn. Ich habe alles hineingepackt, was mir gehörte, und er fuhr mich nach Salmon Beach. Ich nahm eine Stelle an und kümmerte mich um das kleine Baby einer Frau, während sie im Bett lag und Tee trank!

Ich war neunzehn. Ich musste von dort weg. Man kann so nicht leben! Warum? Warum? Weil ich wusste, dass es dort draußen eine bessere Welt gibt. Mit besseren Menschen.

Und als die Zeit kam, dass ich rüber in die Staaten wollte, um dort zu arbeiten, als Köchin oder Haushälterin, hatte ich nicht genug Geld, um mir eine Zugfahrkarte zu kaufen. Und bei Gott, Dad ist losgezogen und hat sich Geld von einem Freund geliehen und es mir gegeben, damit ich fahren konnte. Er hatte verstanden.

Nachdem ich mein Bahnticket gekauft hatte, blieben mir noch zwanzig Dollar. Aber als ich zur Grenze kam und sie mich fragten, wie viel Geld ich hätte, sagte ich, zweihundert. Sie schauten weder in meinem Gepäck noch sonst wo nach. Das war schon alles. Und so bin ich in die Staaten gekommen.

Teil zwei

Die Oper

Boston
April 1929

Idella hatte den beiden alten Damen gerade ihr Frühstück serviert und war beinahe schon wieder in die Küche entschlüpft, um sich ihr eigenes zuzubereiten. Mit dem Po drückte sie die Schwingtür auf, ihre Hände umklammerten das leere Silbertablett.

»Oh, Idella!« Die flötende Stimme ließ sie mitten in der Bewegung erstarren.

»Ja, Miss Lawrence?«

»Ich hätte da noch eine Frage an dich, meine Liebe.« Miss Lawrence, deren Stuhl nahe an Mrs. Brumleys geschoben war, schenkte gerade zwei Tassen Tee ein.

Idella wartete.

Miss Lawrence, Mrs. Brumleys Gesellschafterin, erinnerte Idella an eine Möwe – so wie sie einen mit ihrem eindringlichen Blick anstarrte. Ihre geröteten Augen schienen nie zu blinzeln. Ihr gesamter Oberkörper sah aus wie die ausgestopfte Brust eines Vogels, die Nähte ihrer weißen Bluse waren zum Zerreißen gespannt. Im Vergleich zu ihr wirkte Mrs. Brumley wie eine liebe, kleine Meise. Ihr Verstand war morgens etwas umnebelt, und sie musste essen, sobald das Frühstück auf dem Tisch landete.

Selbst leer war das Silbertablett schwer. Ganz langsam ließ

Idella es an ihrem Oberkörper herabgleiten, wie ein sinkendes Schiff, während Miss Lawrence Brombeermarmelade auf Mrs. Brumleys Toast gab. Es roch so gut. Idella sehnte sich danach, in die Küche zu kommen und ihren eigenen mit Butter bestreichen zu können.

»Also, Idella.« Miss Lawrence sah endlich zu ihr hoch. »Weißt du, welcher Tag heute ist?«

»Es ist Dienstag, Miss Lawrence.« Es war der Tag vor ihrem freien Tag, und sie hatte ihn nötig. Sie und Avis wollten ins Kino.

»Ja, und morgen ist es genau ein Jahr her, meine Liebe, dass du diese Stelle angetreten hast!« Miss Lawrence lächelte breit.

»Na so was.« Gütiger Himmel. Ein ganzes Jahr!

Mrs. Brumley, die geschäftig an ihrem Toast knabberte, sah plötzlich auf. »Sag's ihr, sag's ihr!« Mit zwei butterbeschmierten Fingern zupfte sie an Miss Lawrences Bündchen.

»Ganz ruhig, Abigail.« Sanft schüttelte Miss Lawrence ihr Handgelenk frei und wandte sich wieder an Idella. »Mrs. Brumley findet, dass du uns nächste Woche in die Oper begleiten solltest, meine Liebe, um dein erstes Jahr bei uns zu feiern. Sie ist ganz erpicht darauf.«

Idella umklammerte das leere Tablett. Die Oper!

»Wie du weißt, hat Mrs. Brumley die beiden Plätze in der Loge ihres verstorbenen Gatten, und ich habe zwei zusätzliche Karten gekauft.«

»Zwei Karten?«, fragte Idella.

»Wir möchten nicht, dass du alleine sitzt.«

»Ich könnte Avis fragen. Sie würde wohl mitkommen.«

»Um ehrlich zu sein, meine Liebe…« Miss Lawrence machte eine Pause. »Ich dachte… Ich meine, Mrs. Brumley und ich dachten… dass du die Gelegenheit nutzen könntest, um eine neue, nette Bekannte einzuladen.« Miss Lawrence rutschte auf ihrem Stuhl hin und her. »Vielleicht gibt es da eine andere junge Dame, die du gerne als deine Begleitung hättest?« Idella sah sie verständnislos an. »Natürlich verstehen wir, dass Avis deine *Schwester* ist, meine Liebe.« Miss Lawrence machte erneut eine Pause. »Nicht dass deine Schwester nicht *nett* wäre, meine Liebe.« Sie tätschelte Mrs. Brumley das Handgelenk. »Wir dachten nur, da du jeden freien Tag mit Avis verbringst … täte dir eine Abwechslung vielleicht gut. Du hast doch Freundinnen hier in Boston, nicht wahr? Vielleicht jemand aus deinem Kochkurs?«

Idella schüttelte den Kopf.

»Oder vielleicht eine andere Hausangestellte aus der Nachbarschaft?«

»Nicht wirklich, nein.«

Auf einmal hörte Mrs. Brumley zu kauen auf und sah von ihrem Toast hoch. »Ich denke, Avis würde die Oper gefallen!« Ihre Worte waren klar. »Ich mag diese Avis! Die ist ein Original!«

»Trink deinen Tee, Abigail.«

»Das habe ich schon.«

Miss Lawrence seufzte. »Du kannst gehen, Idella.«

Idella eilte in die Küche, um sich ihren eigenen Toast zu machen – und vor allem, um über die Oper nachzudenken.

»Was ist denn nun mit der Oper?« Avis hockte zappelig auf Idellas schmalem Bett. Sie konnte einfach nicht stillsitzen. Idella wusste, dass es ihr in den Fingern juckte, eine Zigarette zu rauchen. Sie waren in Idellas Zimmer auf dem Dachboden, im obersten Stock des alten Sandsteinhauses, und machten sich fürs Kino fertig.

»Sie gehen jede Saison. Sie haben eine Loge, wie sie es nennen, in der sie hoch oben sitzen, irgendwo an der Wand. Da werden sie sitzen. Wir werden weiter unten sein.« Idella blinzelte in den kleinen, runden Spiegel über ihrer Kommode und versuchte, Lippenstift aufzutragen. »Nach Mr. Brumleys tragischem Tod wäre es Mrs. Brumley nie in den Sinn gekommen, ihre Loge aufzugeben. Sie geht zu seinem Andenken hin.«

»Was zum Teufel ist ihm zugestoßen?«

»Es ist schon über zwanzig Jahre her, denn so lange lebt Miss Lawrence bereits hier …« Idella drehte sich um. Ihre Lippen waren ganz verschmiert.

»Hast du etwa vor, jemanden zu küssen, während ich den Film anschaue?«

»Vielleicht.« Idella spitzte die Lippen und machte einen Kussmund.

»Gütiger Himmel, Idella. Seit wann bist du so blind?«

»Das Licht hier oben ist nicht besonders gut.«

»Setz dich. Dieses Mal zielen wir besser.« Avis nahm ein Taschentuch und begann, Idellas Lippenstift abzureiben. »Und wann kommt der tragische Teil?«

»Nun, er ist *gestorben*, Herrgott noch mal!«

»Mach den Mund zu.« Idella gehorchte. »Jetzt wieder auf.«

»Also, es war Sommer, und Mrs. Brumley ist raus aufs Feld gegangen, um ihn zu suchen. Er wollte dort draußen irgendeine Arbeit mit einer Schaufel erledigen.«

Avis holte einen Konturenstift aus ihrer Tasche. »Erzähl weiter.«

»Sie hat ihn gefunden – ausgestreckt im Gras, eines natürlichen Todes gestorben.«

»Wahrscheinlich hat er sich sein eigenes Grab geschaufelt und wollte reinspringen. Halt still!« Gekonnt zog sie eine dünne rubinrote Linie um Idellas Mund.

»Mr. und Mrs. Brumley haben sich geliebt, Avis. Sein Tod hat sie fast selbst umgebracht. Es hat ihren Verstand angegriffen. Deshalb …«

»Hör auf zu reden. Lächle. Bleib so.« Avis malte mit Idellas cremerosa Lippenstift den roten Rand aus. »Jetzt einen Kussmund.« Idella machte einen Kussmund. »Deshalb was?«

»Deshalb …«

»Kannst wieder aufhören, du Dummkopf.« Avis lachte.

»… braucht sie Miss Lawrence als Gesellschafterin.«

»Jetzt tupfen.« Avis gab Idella ein Taschentuch. »Diese Lawrence weiß genau, was sie will. Und zu diesem Behufe ist es ihr ganz recht, dass die alte Dame nicht mehr alle Tassen im Schrank hat.«

»Was meinst du damit, Hufe wie bei Pferden?« Idella wusste nicht, wie Avis auf Wörter wie »Behufe« kam. Manchmal wollte sie so vornehm klingen. Seit sie in dem Schönheitssalon arbeitete, legte sie allerlei Allüren an den Tag.

»Na, du solltest dich mit dem Ende von Pferden auskennen.« Avis lachte wieder. »Und ich meine nicht ihre Beine.«

»Ich weiß wirklich nicht, wovon du redest.« Idella stand auf und wackelte mit dem Hintern.

»Ich würde nie im Leben für diese alten Schachteln arbeiten und zulassen, dass sie mich herumscheuchen und ich ihnen jede Kleinigkeit recht machen muss. Die haben nichts Besseres zu tun, als dich die ganze Zeit im Auge zu behalten.«

»Es ist ja nicht so, als würdest du im Laden keine Befehle entgegennehmen und herumkommandiert werden. Du musst ständig ›Ja, Ma'am‹ sagen.«

»Ja, Ma'am.« Avis öffnete ihre Handtasche und zog ihre Zigaretten heraus.

»Du sollst hier oben nicht rauchen.«

»Ja, Ma'am.« Avis klappte ihre Tasche zu. »Aber wenn die Arbeit vorbei ist, ist Schluss. Ich stehe niemandem Rede und Antwort, sobald ich aus dem Laden draußen bin.«

»Dafür haben sie mich gestern ja auch gefragt, ob ich mit in die Oper möchte, als kleines Geschenk, weil ich nun seit einem Jahr für sie arbeite, und ich darf eine besondere Freundin mitbringen.«

»Eine besondere Freundin, wie?«

»Sie wollen bloß freundlich sein, das ist alles.« Idella versuchte sich einen geraden Scheitel zu ziehen. Sie vermutete, dass Miss Lawrence Avis nicht mochte. »Sie ist deine richtige Schwester? Nicht eine Verwandte, die bei dir aufgewachsen ist?«, hatte Miss Lawrence nach Avis' erstem Besuch gefragt. »Ich weiß, dass das manchmal oben in Kanada passiert. Leute nehmen Kinder bei sich auf – die Cousins und Cousinen vom Land. Es ist schwer vorstellbar, dass ihr zwei dieselbe Mutter hattet.« Idella hatte die Sache mit ihrer Mutter nicht näher erklärt.

»Sie wollen dich bloß für den Rest deines Lebens in diesem muffigen Alte-Schachteln-Gefängnis einsperren, das ist alles«, sagte Avis. »Idella, lass mich mal machen. Das sieht aus wie die Karte zum Plumpsklo und zurück.« Sie nahm den Kamm.

»Herrgott noch mal, Avis, bring mich nicht um! Lass mir noch ein paar Haare auf dem Kopf.«

Avis war eine Expertin mit dem Kamm. Idella liebte es, wenn sie sich so entschlossen vor einem Haarschopf aufbaute. »Sie wissen, wie gut sie es hier mit dir haben. Du kochst, du räumst auf, du tanzt nach ihrer Pfeife und bist naiv wie ein Baby. Ich bin das einzige Hindernis, und sie versuchen, mich loszuwerden. ›Eine besondere Freundin‹ – wen zum Teufel solltest du ihrer Meinung nach hier irgendwo versteckt haben für Tee und die Oper, die Königin von England? Gib mir ein paar Haarnadeln.«

Idella deutete zu einer Schüssel auf der Kommode. »Es wird lustig werden, die anderen Leute anzuschauen, was sie anhaben, weißt du. Und zu sehen, wie sich die zwei in Schale werfen. Miss Lawrence hat einen Fuchspelz, den sie sich um den Hals legt, mit einem Kopf und allem Drum und Dran.«

»Wahrscheinlich hat sie ihn eigenhändig erlegt. Ich bin überrascht, dass sie den Kopf ganz gelassen hat.«

»Sie tragen lange weiße Handschuhe, wie wir sie damals in Mutters Schrankkoffer gefunden haben, nur schicker, mit kleinen aufgestickten Perlen. Die sehen schon toll aus.«

»Denkst du, unsere Mutter ist je in die Oper gegangen? Kinn runter.«

»Das bezweifle ich. Es gibt keine Oper oben in Kanada. Sie hat sie in der Kirche getragen.«

»Müssen wir Umhänge und Hüte und Handschuhe und das ganze Zeug tragen?« Avis hatte sich Haarnadeln in den Mundwinkel gesteckt und redete nun durch sie hindurch.

»Wir tragen einfach ganz normale Kleider, nehme ich an.«

»Schau in den Spiegel. Was meinst du?«

Idella stand auf und besah sich von allen Seiten im Spiegel. Dann blickte sie geradeaus und runzelte die Stirn. »Sieht das nicht ein bisschen streng aus? Du hast es mir ganz aus dem Gesicht gekämmt.«

»Es ist so viel kultivierter. Eleganter.«

»Es sieht irgendwie hart aus.«

»Lass es so, Idella. Es sieht gut aus.« Avis setzte sich wieder aufs Bett, nahm eine Zigarette aus ihrer Tasche und zündete sie an. »Schuhe an und nichts wie raus, bevor sie die Zugbrücke hochziehen.«

»Die musst du ausmachen. Konntest du nicht warten, bis wir draußen sind?« Avis wedelte wild mit der Zigarette. »Hör damit auf, Avis!«

»Ich dachte, dann setzt du deinen Arsch schneller in Bewegung. Um was geht es überhaupt in der Oper?«

»Oh, keine Ahnung. Menschen singen und tanzen. Mrs. Brumley meinte, dass es bei dieser einen Stierkampf gibt. Natürlich keinen echten. Das könnte ich nicht ertragen.« Idella hob den Blick von ihren Schnürsenkeln. »Da gibt es jedoch eine Sache, die ich mitbekommen habe, und die klingt ein wenig beunruhigend.«

»Und die wäre?«

»Sie sprechen nicht Englisch.«

»Und was zum Teufel sprechen sie?«

»Irgendeine Fremdsprache.« Idella stand auf. »Na also. Ich bin fertig. Mach das Ding aus.«

»Herrgott noch mal, was soll das?«

»Keine Ahnung, Avis. Ich hab sie nur darüber reden hören. Mrs. Brumley ist nämlich sehr gebildet. Sie spricht andere Sprachen.«

»Und wie zum Teufel sollen wir dann wissen, was passiert?«

»Das ist unwichtig. Man hört der Musik zu.«

»O Mann! Wenn ich eine Fremdsprache hören wollte, hätte ich oben in Kanada bei den Franzosen rumhängen können.«

»Sie werden nicht Französisch sprechen, das glaub ich

nicht. Deutsch oder Italienisch, wenn ich das richtig verstanden habe. Das kommt darauf an, wer es geschrieben hat. Es gibt sogar Opern auf Griechisch oder Japanisch. Aber Genaueres weiß ich nicht. Wir müssen es auf uns zukommen lassen. Jetzt sollten wir gehen.«

»Idella! Idella, meine Liebe, rieche ich da Rauch?« Miss Lawrences Stimme kam das Treppenhaus hochgekrochen. »Du rauchst doch nicht dort oben, oder?«

Avis lachte und blies Idella eine Rauchwolke ins Gesicht.

»Nein, Miss Lawrence«, rief Idella süßlich hinunter und trat nach Avis. »Es muss vom Fenster reinziehen.«

Am Tag der Oper gab Miss Lawrence Idella am Nachmittag zwei Stunden frei, damit sie sich ausruhen und fertig machen konnte. Die alten Damen gönnten sich ein besonders langes Nickerchen, sodass es für sie kein großes Opfer darstellte, Idella etwas Zeit allein auf ihrem Zimmer zuzubilligen.

Sie stand missmutig vor dem Spiegel und versuchte, die Welle genau richtig über ihre Stirn zu legen. Sie wünschte, Avis wäre hier, um ihr zu helfen. Avis würde später noch mit ihrer Reisetasche kommen, aber erst ganz kurz bevor sie schon wieder losmussten. Sie wollte sich in ihrem eigenen Zimmer fertig machen, sagte sie, wo das Licht stark genug war, um im Spiegel das Hinter- vom Vorderteil unterscheiden zu können.

Verzweifelt starrte Idella in ihr trübes Spiegelbild. Sie würde ihr Haar nass machen und wieder von vorne anfangen müssen. Sie holte die Lockenklemme heraus und tauchte ihren Kamm in das Glas Wasser. Sie würde keine Zeit haben, sich die Augenbrauen zu zupfen. Wahrscheinlich war das sowie das Beste. Denn anschließend waren immer noch viel zu lange rote Punkte zu sehen.

Idella sorgte sich, dass Avis zu spät kommen und sie alle warten lassen würde. Und wer konnte sagen, was sie anziehen würde? Angeblich hatte sich Avis königlich amüsiert, als sie den anderen Friseurinnen erzählt hatte, dass sie in die Oper gehen würde. Sie war im Laden herumstolziert und hatte alle zum Lachen gebracht, sodass eine Kundin Shampoo ins Auge bekommen hatte und mehrere Köpfe unter den Haartrocknern hervorgeschnellt waren, um zu hören, was so lustig war.

Avis sagte, sie würde eine Art Hut mit Stierhörnern tragen. Idella wusste nicht, wo um Himmels willen sie nur ihre Ideen herhatte. Es sei allseits bekannt, sagte Avis, dass in der Oper fette Frauen auftraten und sangen, wobei sie einen Helm mit Hörnern trugen, die auf beiden Seiten herausragten. Vielleicht hatte das etwas mit dem Stierkampf zu tun, von dem sie ihr erzählt hatte. Idella konnte sich das einfach nicht vorstellen. Selbst wenn alles in einer Fremdsprache vorgetragen wurde, ging es um Menschen, nicht um Tiere.

Fertig. Das war alles, was sie tun konnte. Es würde einfach so trocknen müssen. Idella trat vorsichtig an ihr Bett, wobei sie versuchte, den Kopf nicht zu bewegen, und legte sich flach hin, um sich auszuruhen. Sie grübelte nach, was sie tragen würde. Ihr bestes Kleid war gut genug fürs Kino, aber sie wusste nicht, ob das auch für die Oper galt. Sie fragte sich, ob Avis sauer wäre, wenn sie die langen weißen Handschuhe anziehen würde, die ihrer Mutter gehört hatten. In ihnen würde sie viel eleganter aussehen. Sie war nicht einmal sicher, ob Avis wusste, dass sie sie besaß. Sie hatte sie oben in Kanada aus der Truhe genommen und mit in die Staaten gebracht, als sie ihr Elternhaus verlassen hatte. Idella hatte die Erinnerung bewahrt, wie ihre Mutter sie zur Kirche angezogen, die Finger hineingeschoben und die Handschuhe behutsam bis zu den

Fingerspitzen gezogen hatte. Sie erinnerte sich an die weiche, pudrige Berührung der behandschuhten Finger, wenn sie die Hand ihrer Mutter gehalten hatte. Avis hätte keinerlei Erinnerung. Sie war damals noch zu klein.

Man wusste nie, wie Avis reagieren würde. Sie hegte immer noch einen Groll gegen ihre Schwester Emma, weil sie ihnen, so behauptete sie, die Mutter weggenommen hatte – und das, seit die arme Emma ein Baby war, Herrgott noch mal! Und Avis war so aufbrausend. Dad nannte sie seine geladene Pistole. Avis hatte sogleich gekontert, dass *er* derjenige war, der ordentlich einen geladen hatte. Sie fanden das so unglaublich witzig.

Idella schüttelte den Kopf. Sie wollte nicht über die Farm nachdenken oder Dad und sein Trinken oder selbst über Avis. Sie wollte sich nicht sorgen oder schämen oder peinlich berührt sein. Das alles machte sie nervös. Sie hätte den alten Damen sagen sollen, dass sie nicht mitgehen wollte.

Sie nahm einen Waschlappen und tauchte ihn in die Schale mit kaltem Wasser, die in ihrem Zimmer stand. Sie wrang ihn aus und legte ihn vorsichtig über ihre geschlossenen Augen, ohne die Haarlocke zu berühren, die am Trocknen war. Es fühlte sich so angenehm und beruhigend und dunkel an. Sie würde einfach ein wenig hier liegen und an nichts denken.

»*Goosey, goosey, gander, whither shall I wander?*«, flüsterte Avis den Anfang eines Kinderreims, wobei ihr Kopf von einer Seite zur anderen schnellte, während sie den Gang hinab zu ihren Plätzen geführt wurden.

Idella hatte noch nie zuvor so etwas gesehen. Schon in das Theater zu kommen war wie eine Bühne zu betreten. Das aufgeregte Durcheinander all der Stimmen, die gleichzeitig miteinander tuschelten, war unglaublich. Überall duftete es nach Parfüm. Nie zuvor hatte sie so viele Frauen mit langen Kleidern und Juwelen und Handschuhen bis zu den Ellbogen gesehen. Idella hatte ihre eigenen Handschuhe ausgezogen, bevor sie aus ihrem Zimmer gegangen war. Sie hatte gedacht, sie seien zu gewagt, und hatte sie in ihre braune Tasche gestopft, ihre einzige Tasche, die sie sich jetzt auf den Schoß legte. Die kam ihr nun wie ein Schiffskoffer vor im Vergleich zu all den hübschen kleinen Abendhandtäschchen, die den Frauen im Publikum, Avis eingeschlossen, von den Handgelenken baumelten oder die sie in den Händen hielten.

Avis legte ihr die behandschuhte Hand ans Ohr und flüsterte: »Kannst du das Ding nicht unter den Sitz schieben? Es sieht aus, als hättest du einen verdammten Truthahn zum Essen dabei.«

»Sie ist zu groß. Ich hab sonst keinen Platz für die Füße.« Idella spürte, wie ihr das Blut in die Wangen schoss. Und für wen hielt sich Avis überhaupt, die Königin von Siam? Sie saß in einem perlenbestickten Kleid da, mit einem funkelnden Armband und Ohrringen und einem kleinen Handtäschchen, die Augenbrauen perfekt gezupft und mit einer eleganten Welle im Haar – es musste sie den ganzen Nachmittag gekostet haben, bis sie genau richtig lag –, so als gehörte ihr die Oper. Sie sah wunderschön aus, und Idella fühlte sich elend – so schlaksig und unscheinbar und braun.

Avis war wie aus dem Ei gepellt vor ihrer Haustür erschienen. Es hatte ihnen allen den Atem verschlagen. Eine ihrer Stammkundinnen hatte entschieden, dass Avis die Ballkönigin sein müsste, hatte ihr die ganze Kleidung geliehen, und natürlich hatte sie sofort eingewilligt und alles gierig an sich gerissen, um jetzt bei Idella die große Dame von Welt zu spielen.

Es war, als säße man neben einem Wirbelwind. Avis schnellte vor und zurück und ließ den Blick über das Publikum schweifen. »Es gibt mehr Nerze in dieser Menschenmenge als in ganz Kanada.« Sie stand auf, um sich die Musiker genau anzuschauen. Man konnte gerade einmal die Spitzen einiger Instrumente sehen – die Dinger, die die Geigenspieler benutzten, kratzten über die Saiten, machten sonderbare Geräusche. »Sie stimmen die Instrumente«, sagte Avis altklug, als Idella sie wieder auf ihren Platz zog. Avis sah zur Decke und lachte. »Schau dir nur die nackten Babys an, die sie dort oben drangemalt haben. Mit ihren kleinen Dingern pinkeln die auf uns runter.«

»Avis!« Idella presste ihre Tasche fester an sich.

Avis setzte sich mit geradem Rücken hin und las das Programm. Sie hatten beide eines bekommen, das ihnen verriet, wer wer war und sonst noch eine ganze Menge. Idella konnte sich nicht konzentrieren. Avis hüpfte in ihrem Sitz auf und ab und prüfte das Polster. »Bequem.« Sie strich mit den Fingern über die samtene Stuhllehne. »Schick.« Auf einmal drehte sie sich in ihrem Sitz um und sah zu den eleganten Logen hoch, die die Balkone säumten. »Lass uns die alten Schachteln suchen.«

»Avis, dreh dich um, und sitz still!«

»Da sind sie. Wie zwei Hühner auf der Stange. Wahrscheinlich haben sie ein paar Eier gelegt, noch bevor die Vorstellung vorbei ist.«

»Könntest du jetzt stillsitzen?«, zischte Idella.

»Schsch!« Avis drehte sich wieder um. »Ruhe, Idella! Es geht gleich los.« Die Lichter flackerten und erloschen. Die Musik setzte ein.

Wie unverschämt! Ihr zu sagen, sie solle still sein. Idella

kauerte sich in ihren Sitz und beobachtete, wie der helle Lichtkegel über den großen roten Vorhang glitt, der wahrscheinlich aus Samt war. Die Musik kam ihr schon jetzt laut vor. Sie schloss die Augen und atmete tief ein.

Idella wurde allmählich unruhig. Es gab zu viel zu sehen. Die Lieder hörten einfach nicht auf. Menschen liefen auf die Bühne und gingen wieder ab und sangen allein und in großen Gruppen, und dann schrien sie, und Idella hatte nicht den blassesten Schimmer, warum.

Zigeunerinnen kamen auf die Bühne gestürzt. Eine von ihnen war Carmen. Sie tanzte, hob ihre Röcke in die Höhe und kreiste wie verrückt mit den Hüften. Irgendwie nuttig. Dann sangen sie auch noch über Zigaretten. »Zigarette« war das einzige englische Wort, das Idella ausmachen konnte. Das war eine Szene ganz nach Avis' Geschmack. Sie wippte und schaukelte in ihrem Sitz wie eine Boje im Sturm. Jemand würde sie gleich bitten stillzusitzen.

Die Zigeunerinnen erinnerten Idella an die französischen Mädchen in der Hummerfabrik oben in Kanada. Maddie hatte ihnen erzählt, wie sie die Scheren und Schwänze säubern mussten, eine schreckliche Arbeit. Idella und Avis hatten sich in den Büschen versteckt und beobachtet, wie die Mädchen während ihrer Mittagspause auf und ab gingen. Dad hatte ihnen verboten, sich den Französinnen zu nähern oder mit ihnen zu sprechen. Er sagte, sie stammten von unten aus dem Süden und wären zu ungehobelt. Idella und Avis fanden sie sehr geheimnisvoll, immerhin sprachen sie Französisch. Maddie war die Einzige, die sie je richtig kennengelernt hatten.

Idella blickte zu den Leuten, die neben ihnen saßen, und

fragte sich, wie wohl deren Leben aussah. Die Frau zu ihrer Linken trug einen Ring mit einem Stein, so groß wie eine Traube. Er blitzte und funkelte wie eine Straßenlaterne. Der Mann vor Avis hatte eine kahle Stelle, einem Sanddollar gleich, genau oben auf dem Kopf. Idella war überrascht, dass Avis sie nicht mit einer frechen Bemerkung darauf aufmerksam gemacht hatte. Idella seufzte und rutschte auf ihrem Platz hin und her. Ihr Hintern bohrte langsam ein Loch in das Polster. Die Oper konnte nicht mehr allzu lange dauern.

Auf einmal klatschten alle wie verrückt. Die Lichter gingen überall um sie herum an. »Ist es vorbei?«, flüsterte sie Avis zu, die wie eine Robbe klatschte.

»Nein, du Dummkopf, es ist Pause.«

»Ich bleibe sitzen.« Sie musste pinkeln, fühlte sich aber unwohl inmitten dieser Menschen. Sie würde es sich verkneifen. Andernfalls müsste sie ihre Tasche tragen. Sie wünschte, sie hätte sie zu Hause gelassen. Eigentlich war überhaupt nichts darin, außer den Handschuhen und einem Taschentuch.

»Komm schon, mischen wir uns unters gemeine Volk.« Avis war aufgesprungen und zupfte das enge Kleid an ihrem Hintern zurecht.

»Ich will hierbleiben, Avis. Ich fühl mich hier sehr wohl.«

»Aber ich muss eine rauchen. Die Szene in der Zigarettenfabrik hat mir Appetit gemacht. Schnapp dir deine Pony-Express-Tasche und dann los.«

Leute standen in der Sitzreihe und warteten darauf, an Idella vorbeizuschlüpfen. Sie stand auf, klammerte sich an ihrer Tasche fest und schlich Avis hinterher, die sich nicht einmal die Mühe gemacht hatte, auf sie zu warten, sondern sich gleich in die Menge gestürzt hatte, die in den Mittelgang strömte.

»Also, die Oper ist ganz in Ordnung«, flüsterte Avis, nachdem sich Idella schließlich zu ihr hinausgezwängt hatte. »Diese Carmen ist ein Knaller.«

»Irgendwie ist sie vulgär.«

Avis lächelte. »Sie weiß, wie man Spaß hat, so viel steht fest. Na klar, ich hätte auch nichts dagegen, diesem Stierkämpfer mal in einer dunklen Nacht zu begegnen.«

Avis sah sie nicht einmal an. Sie beobachtete das Durcheinander an Menschen, die das Foyer mit ihrem Rauch füllten, ihrem Glitzern, ihrem leisen Lachen. Idella fühlte sich eingeengt.

»Sie ziehen die Worte in den Liedern so derart in die Länge. Ich würde sie wohl nicht mal verstehen, wenn es Englisch wäre.«

»Wahrscheinlich nicht.« Avis holte sich elegant eine Zigarette heraus, hielt sie zwischen zwei Fingerspitzen.

»Was war das Zeug auf Carmens Bein, als der Soldat zu der Zigarettenfabrik gekommen ist?«

»Sie hat ein Tabakblatt gerollt.«

»Das ist nicht dein Ernst. Wer würde das rauchen?«

»Viele Menschen.«

»Darf ich Ihnen Feuer geben, Miss?« Ein sehr gepflegter Mann – vielleicht um die vierzig – in einem wunderschönen grauen Anzug suchte Avis' Blick und bot ihr ein Streichholz an. Er war groß, und Avis sah ihm geradewegs ins Gesicht und lächelte.

»Ja. Aber ja. Natürlich. Danke.« Avis hielt ihm das unangezündete Ende ihrer Zigarette hin, als wäre sie in einem Film. »Wie nett von Ihnen.« Sie klimperte derart mit den Wimpern, es kam einem Wunder gleich, dass sie das Streichholz damit nicht ausblies.

»Gern geschehen.« Der Mann sagte nichts weiter, nickte jedoch und gesellte sich wieder zu seiner Gruppe. Idella beobachtete, wie er über den Teppich glitt. Er stand mit zwei anderen Männern und zwei Frauen zusammen, konnte also alleine hier sein oder auch nicht. Sie bildeten einen lockeren Kreis, plauderten und lachten.

Avis wackelte mit ihrer Zigarette. »Juu-huu!«

Idella seufzte und sah weg. Sie fühlte sich wie ein Besenstiel neben Avis, die so elegant rauchte – den Rauch in langen, langsamen, leise zischenden Wolken ausstieß.

»Komm schon«, sagte Avis und drückte die Zigarette unvermittelt in einer Topfpflanze aus. »Wir stellen uns beim Klo an. Ich muss mal *oui-oui*, wenn du mein Französisch verstehst.« Die Schlange vor den Damentoiletten war gewaltig, reichte bis zu den Spiegeln des Vorzimmers, wo sich die Frauen den Lippenstift nachzogen.

»Zu viele Kühe, nicht genügend Ställe«, flüsterte Avis. »Lass uns hochgehen. Vielleicht ist die Schlange dort kürzer.« Bevor Idella protestieren konnte, eilte Avis bereits die ausladende Treppe hinauf, leichtfüßig wie immer, nickte und lächelte, als gehörte ihr die Oper. Idella gelang es kaum, sie einzuholen, während ihr beim Hochsteigen die Tasche gegen die Knie stieß.

»Avis, wir dürfen eigentlich nicht dort hoch.«

»Pah! Ein Klo ist ein Klo. Sieh mal, die Schlange ist kürzer.«

Sie *war* kürzer, und Idella war auf einmal so froh, pinkeln zu können, dass es sie nicht kümmerte, ob sie die Toiletten in diesem Stockwerk benutzen durften oder nicht. Als sie fertig war, trat sie zu der Waschbeckenreihe und wusch sich die Hände. Ein junges Mädchen reichte ihr ein Handtuch. »Äh, vielen Dank.« Das Mädchen nickte. Da hörte Idella das Klimpern von Münzen. Sie bemerkte die kleinen Glastabletts an jedem Waschbecken. Gütiger Himmel, sie hatte kein Kleingeld dabei. Sie stand dort wie angefroren, wollte das Handtuch zurückgeben, aber sie hatte es bereits benutzt.

»Hier. Das ist für uns beide.« Avis war aus ihrer Kabine getreten und legte einen ganzen Dollar in die Schale des Mädchens.

»Vielen Dank, Ma'am.«

»Keine Ursache.« Lächelnd nahm Avis ein Handtuch von ihr entgegen. Sie wandte sich an Idella. »Ich pudere mir auf dem Weg nach draußen nur rasch die Nase.«

»Avis«, flehte Idella sie leise an, »lass uns zurück zu unseren Plätzen gehen.«

Sie schritten an der Schlange vorbei, größtenteils alte Damen, die lange gebraucht hatten, um zur Toilette zu kommen. Am Ende stand Miss Lawrence, die sie mit weit aufgerissenen Augen anstarrte, Mrs. Brumley war neben ihr. Idella zwang sich, stehen zu bleiben und zu lächeln.

»Na so was, meine Lieben, welch nette Überraschung, euch hier oben zu treffen!« Mrs. Brumley hatte sie erkannt. »Gefällt euch die Vorstellung? Ist es nicht aufregend? Wie hübsch du aussiehst, Idella.« Sie sprach zu laut. »Und Avis, meine Liebe, du bist wunderschön. Wirklich. Amüsierst du dich?«

»Sehr, Mrs. Brumley, vielen Dank.« Avis genoss zweifellos jeden Augenblick hier oben.

»Ich hatte so eine Ahnung, dass die Oper etwas für dich wäre.« Mrs. Brumley nickte lächelnd. »Sie berührt dein inneres Feuer, meine Liebe. Warte nur auf den Höhepunkt! Er ist herzzerreißend.«

Eine Glocke ertönte, und die Lichter flackerten.

»Ihr zwei solltet wohl besser auf eure Plätze zurückkehren.«

Miss Lawrence legte schützend die Hand auf Mrs. Brumleys Schulter. »Es ist ein recht langer Weg nach unten.«

Den ganzen Weg die Treppe hinab und bis zu ihren Plätzen ahmte Avis Miss Lawrence nach. »›Ihr solltet wohl besser *runter* zu euren Plätzen gehen.‹ Die alte Hexe.«

»Schsch!«

»Ich hoffe, sie pinkelt sich in die Hose, bevor eine Kabine frei wird.«

»Avis!«

Der Vorhang hob sich gerade in dem Moment, als ihre Hintern das Polster berührten.

Idella seufzte, lehnte sich zurück und wartete geduldig, bis der Vorhang wieder fiel.

Idella wäre vor Schreck fast von ihrem Sitz gefallen, als der Soldat ein Messer zog und Carmen tötete, *wirklich* tötete. Sie schaffte es jedoch bis zum Ende ihres Liedes, bevor sie zusammenbrach. Dann begann der Soldat zu singen, direkt über ihrem Leichnam. Schließlich ertönte lautes Rufen und Klatschen.

Jetzt wurden Rosen für die Sänger auf die Bühne geworfen. Idella genoss den Anblick, wie alle lächelnd in einer Reihe standen und sich tief verbeugten, während sie die Sträuße aufhoben. Carmen war wieder auf den Beinen, lächelte und nickte. Die Menschen um Idella riefen »Bravo!« und erhoben sich.

»Komm schon, Della«, Avis zerrte sie am Arm hoch, bis sie ebenfalls stand. »Bravo! Bravo!«

Idella versuchte zu klatschen, aber ihre Tasche war zu groß. Sie umklammerte sie, während um sie herum die Zuschauer tobten. Den ganzen letzten Teil seit der Pause war

Avis schrecklich still gewesen, hatte die Hände im Schoß gefaltet. Jetzt fuhr sie geradezu aus der Haut, so wild klatschte und schrie sie.

Sie standen da, bis die letzte Rose geworfen war und der letzte Sänger die Bühne verlassen hatte.

»Pack deine Sachen, Avis. Sie werden schon auf uns warten.« Idella hatte ihren Mantel schon vor zehn Minuten angezogen.

Avis legte sich ihren Mantel um die Schultern, der wie alles, was sie trug, geliehen und elegant war, und ging vor Idella den Gang hinauf.

»Himmel noch mal«, murmelte Idella, als sie Avis erreichte, die auf dem Bürgersteig wartete. »Zuerst lässt du dir so viel Zeit, und dann stürmst du voraus.«

»Oh, das war großartig, einfach wundervoll!« Mrs. Brumley kam auf sie zugestürzt. Sie strahlte wie ein hell erleuchteter Kronleuchter und hatte Tränen in den Augen. Sie packte Avis' Hände und sah ihr direkt ins Gesicht. »Jetzt verstehst du, nicht wahr, meine Liebe? Du verstehst, warum ich jede Spielzeit herkomme. Das nächste Mal musst du uns wieder begleiten.«

Miss Lawrence ragte aus der Menschenmenge heraus und umfasste Mrs. Brumleys Ellbogen. »Lasst mich euch Mädchen noch rasch das Geld für den Bus geben. Die Oper ist immer zu viel für Mrs. Brumley. Sie braucht auf der Fahrt nach Hause Ruhe.« Miss Lawrence reichte Idella den abgezählten Betrag für zwei Busfahrkarten. Sie hatte das Geld bereits in der Hand gehalten. »Seid leise, wenn ihr reinkommt und ins Bad geht.« Sie schob Mrs. Brumley zu einem wartenden Taxi.

»Was zum Teufel ist mit dir los?« Sie waren endlich im Bus. Zuerst war Avis völlig aufgekratzt gewesen, dann auf einmal totenstill. Und jetzt saß sie im Bus und weinte. Herrgott, Tränen rollten ihr über die Wangen! Idella hatte Avis seit Jahren nicht mehr weinen gesehen. »Was ist nur in dich gefahren?«

»Nichts, wirklich nichts.«

»Geht's dir nicht gut oder so?«, flüsterte Idella.

»Nein, mir geht's gut!«

»Na schön!« Idella sah aus dem Fenster. Avis saß die ganze Zeit schluchzend da, während der Bus dahinrollte, Fahrgäste einsammelte und wieder aussteigen ließ. »Noch zwei Haltestellen«, flüsterte Idella.

»Das weiß ich, verdammt noch mal, ich bin doch nicht blind!«

»Du musst mir nicht gleich den Kopf abreißen!« Idella hatte genug. Sie wollte ins Bett und alles hinter sich haben.

Sie stiegen aus und gingen schweigend die Straße entlang, wobei Avis wie immer ein paar Schritte vor ihr ging. Es ärgerte Idella so. Auf einmal blieb Avis wie angewurzelt unter einer Straßenlaterne stehen und drehte sich zu ihr um.

»Ja, mir geht's nicht gut! Ich hab's satt, Idella!« Sie schrie jetzt.

»Aber Avis!«

»Ich hab's satt, hier gefangen zu sein. Ich hab's satt, dass man mir vorschreibt, was ich zu tun und wohin ich zu gehen und wo ich zu sitzen habe. Dass ich fehl am Platz bin und zu laut und nicht gut genug. Ich will Dinge haben wie andere Menschen auch – wie die Leute, die in die Oper gehen, wenn sie Lust haben, und Taxis nehmen und wunderschöne Kleider wie das hier tragen. Ich sehe in diesem Kleid gut aus, verdammt noch mal! Ich sehe wunderbar aus!« Sie drehte sich in dem gelben Lichtschein. »Ich will mich so fühlen wie die Sänger auf der Bühne. Carmen, die war so groß und laut, wie sie wollte. Sie hatte keine Angst zu leben, Idella.«

»Aber genau das hat sie in Schwierigkeiten gebracht, Avis. Sie ist umgebracht worden.«

»Ich will meinen Mund genauso weit aufreißen können und niemanden haben – nicht einmal dich –, der mir sagt, dass ich leiser sein soll, dass ich Herrgott noch mal die Klappe halten soll! Ich will nicht den Rest meines Lebens auf Händen und Füßen herumkriechen und für alle anderen in der gottverdammten Welt den Buckel krumm machen. Nur weil wir arm wie Kirchenmäuse aus Kanada heruntergekommen sind, heißt das nicht, dass wir nicht so gut wie alle anderen sind. Deine Miss Lawrence ist auch nur ein besseres Dienstmädchen. Nichts weiter! Sie wischt sich ihren Arsch wie alle anderen ab. Das tun sie alle!« Avis schrie gen Himmel, die Arme zu beiden Seiten ausgestreckt. Die Menschen überquerten die Straße, machten einen Bogen um sie. »Sie alle scheißen und wischen sich den Arsch ab!«

»Avis, bitte!«

»Bitte was, Idella? Bitte, bitte, bitte, bitte, bitte! Ich hab's satt, um Dinge zu bitten!« Unvermittelt kauerte sie sich auf dem Bordstein zusammen und blieb dort sitzen, die Knie unterm Kinn. Die Luft schien völlig aus ihr entwichen zu sein.

Idella öffnete ihre Tasche und holte das Taschentuch heraus. »Hier, nimm das. Es ist den ganzen Abend in der Tasche rumgepurzelt. Dann hast wenigstens *du* was davon.«

Avis streckte den Arm aus. »Danke.« Sie begann zu lachen. »Das ist so typisch für dich.«

»Was?«

»Ein spießiges Taschentuch in einer großen braunen Tasche.«

»Das ist wieder einmal ganz besonders nett.« Idella nahm Avis' Hand und half ihr hoch. »Wärst du nicht meine Schwester, würde ich dir eine verpassen.«

»Ich dachte, gerade *weil* ich deine Schwester bin, würdest du mir eine verpassen.« Avis schnäuzte sich. Der Sturm hatte sich gelegt.

»Du hast recht.« Idella gab Avis mit der Tasche einen Klaps auf den Hintern. »Olé!«

Avis lachte, zog sich den Mantel von den Schultern und hielt ihn wie den Umhang eines Stierkämpfers vor sich. Idella stürmte mit gesenktem Kopf hindurch, die Tasche wie ein Schild vor sich ausgestreckt.

»Olé! Olé! Olé!« Sie riefen nun beide und stürmten wie Stiere von einer Straßenlaterne zu nächsten.

»›*Toria-dorie, bum da bum-bum bum!*‹ Sing, Idella, sing! Wir sind in der Oper gewesen! Lass uns singen! ›*Bum dum ba bum dum, lalala!*‹«

»›*To market, to market, to buy a fat hoooog*‹«, begann Idella das Kinderlied zu singen. »›*Home again, home again, jiggity-joooog!*‹«

»O mein Gott.«

»›*To market, to market, to buy a fat piiiig!*‹« Idella war nicht mehr zu bremsen. »›*Home again, home again, now we are dooooone!*‹«

»Nein, nein, nein, Idella.« Avis lachte. »Das ist die Strophe mit dem *plum bun*.«

»Oh.«

»Himmel, wenn du Mutter Gans nicht mal richtig hinbekommst, wirst du keinen Erfolg in der Oper haben.«

»Nein.« Idella kicherte. »Wahrscheinlich nicht.«

Sie hüpften und sprangen ausgelassen umher, bis sie das alte Sandsteinhaus erreicht hatten, stahlen sich leise hinein und schlüpften kichernd an den schlafenden Damen vorbei, hinauf in das Mansardenzimmer.

»*Home again, home again*«, sang Idella und zog sich genüsslich die Decke bis zum Kinn.

»*Now we are done.*« Avis seufzte. »Jetzt ist Schluss.«

Sie lagen Seite an Seite auf Idellas schmalem Bett. Ihre Körper fühlten sich vertraut an, als sie sich aneinanderschmiegten.

»Was ist überhaupt ein *plum bun*?«, flüsterte Idella.

»Woher zum Teufel soll ich das wissen?« Avis begann zu kichern. »Wahrscheinlich ein *bun* mit einer *plum*.«

»War ja nur eine Frage.«

»Schlaf schön, Della.«

»Okay.«

»Olé.«

In der Pfanne gebraten

Idella und Edward rollten über den heißen Strand, bis Idella ganz schwindlig, bis ihr Haar sandig und zerzaust war. Lachend und von Flöhen zerbissen, rollten sie weiter über zerbrochene Muschelschalen und schleimige Meeresalgen bis zum Wasser. Sand war in Idellas Badeanzug und unter ihren Nägeln und zwischen ihren Zehen. Er klebte an ihren nassen Beinen. Die langen Finger einer Welle leckten nach ihr. »Kalt! O Gott, es ist kalt!«, schrie Idella. Sie war so glücklich wie nie zuvor in ihrem Leben. Sie wand sich unter Edward hindurch, lief zurück zu ihrer Decke und warf sich der Länge nach hin. Er folgte ihr. »Oh Eddie, wie werde ich nur jemals wieder sauber? Was soll ich Mrs. Gray sagen? Ich bin über und über voll mit Sand. Er ist sogar in meinen Ohren.«

Er beugte sich über sie und fuhr mit der Zungenspitze in ihr Ohr. »Hast du auch Sand unterm Badeanzug?«

Idella stützte sich auf die Ellbogen. »Ich muss mit dem Abendessen der Grays anfangen. Ich habe nur den Nachmittag frei, nicht den ganzen Tag, so wie du.«

»Ich hab mir den ganzen Tag freigenommen. Ich hatte ihn nicht einfach. Ich hab ihn mir genommen.« Sein Mund war auf ihrem, seine Lippen weich und geöffnet und warm. »Hmmm«, sagte er. »So gefällt es mir, Sand zu essen.«

»Wir sollten aufhören.« Sie befreite sich aus seiner Umarmung, dann sammelte sie ihre Handtücher auf und schüttelte sie aus. Idella liebte es, mit ihm zusammen zu sein. Dass er stolze fünfzehn Zentimeter kleiner war, spielte keine Rolle. Sie fand, dass er trotzdem sehr gut aussah. Bei Eddie hatte sie das Gefühl, eine begehrenswerte Frau zu sein. Immerhin war sie fast zweiundzwanzig. Und… na ja, sie waren in Eddies Auto ziemlich weit gegangen – weiter als sie sich je hätte träumen lassen, freiwillig zu gehen.

Sie hatte ihn bei einer Tanzveranstaltung im Grange kennengelernt. Sie hatte mit Raymond Tripp getanzt, und da war Eddie aufgetaucht und hatte ihm auf die Schulter geklopft und ihn abgelöst. Es hatte sie überrascht – und gefreut. Dann hatte er ihr erzählt, dass er Whiskey am Pier in Old Orchard Beach verkaufte. Sie hielt ihn für geschäftstüchtig und mutig. Dad hätte jeglichen Gewinn versoffen.

Eine Woche später war Avis aus Boston gekommen und wollte nach Old Orchard fahren. Es kostete Idella einige Mühe, ihre Schwester dorthin zu lotsen, aber schließlich landeten sie auf dem Pier. Und da war Eddie, kam direkt auf sie zu und nahm ihre Hand. Avis war sauer wie ein eingelegter Hering gewesen und einfach wegstolziert. Aber das hatte Idella nicht gestört. Sie waren am Pier entlangspaziert und dann darunter. Sie hatten Salzwasser-Toffee gekauft und sich geküsst, während sie die Süßigkeiten aßen, mit ganz sandigen und klebrigen Mündern. Sie hatten unter dem Pier gelegen, den Wellen und der Musik und dem Geräusch von Schritten über ihnen gelauscht und zugesehen, wie das Mondlicht zwischen den Holzbohlen herabsickerte.

Idella faltete ihr Kleid und ihre Strümpfe und rollte sie in ihr Handtuch. »Die Ebbe ist da. Lass uns auf dem Rückweg Sanddollars suchen. Die bringen Glück.«

Sie ging ein Stück voraus, suchte nach den flachen weißen Schalen. »Sie lieben die Gezeitentümpel. Früher, als Kinder, haben wir sie oben in Kanada gesucht und so getan, als wären es echte Dollars. Meine Schwester Avis hat ihre hergenommen, um mit Dad Poker zu spielen. Ich habe meine in einer Zigarrenschachtel aufgehoben. Mehr Dollars habe ich mein Lebtag nicht gehabt.«

»Was hast du mit ihnen gemacht?« Eddie spazierte hinter ihr her und sah zu, wie sie die Ränder von Gezeitentümpeln absuchte.

»Sie sind wahrscheinlich weggeworfen worden.«

Eddie blieb stehen und stieß mit dem Zeh gegen etwas Weißes. Er beugte sich herab und kratzte es sauber. »Nun, das hier ist kein ganzer Dollar.« Er zog zerbrochene Teile aus dem Sand. »Wahrscheinlich nur etwas Wechselgeld.«

Idella nahm das größte Stück. Ein Sternmuster war darauf zu erkennen, als wäre es mit hauchdünnen Nadeln eingraviert worden. Sie lächelte und schloss die Finger darum. »Mit irgendwas muss man beginnen. Habe Geld gefunden. Ich nehme, was ich kriegen kann.«

Sie spazierten zu der Stelle, an der die Felsen bis weit ins Wasser hinausragten. Muscheln und Strandschnecken, die bei Ebbe offen dalagen, bohrten sich in ihre Füße. Büschel von Seetang machten die Steine rutschig. Eddie nahm ihre Hand.

»Sieh dir nur den Mann dort an.« Idella zeigte zu den ruhigen, gleichmäßigen Bewegungen eines Schwimmers in der Nähe des Ufers. »Für mich ist das ein Wunder. Kannst du so schwimmen, Eddie?«

»Ich hab nie schwimmen gelernt. Auf der Farm der Knights gab es einen Teich, zu dem alle Kinder gegangen sind, aber meine Mutter hat mich nicht gelassen. Sie meinte, ich würde ertrinken. Meinte, er wäre voller Kuhmist und ich würde krank werden und sterben.«

»Konntest du nicht trotzdem hingehen?«

Eddie lachte. »Du kennst meine Mutter nicht. Die wäre zum Teich gestürzt, und ich wäre freiwillig reingesprungen und hätte gehofft, dass ich ertrinke.«

»Du meine Güte!«

»Das kann man laut sagen.«

»Ich kann auch nicht richtig schwimmen. Das Wasser oben in Kanada ist zu kalt. Keines von uns Mädchen durfte hinein. Die Männer gingen an den Klippen fischen. Und sonntags kletterten wir alle die Leiter runter und haben ein Picknick auf dem schmalen Streifen Strand gemacht. Aber fast überall war er voller Steine.«

Sie hatten die Stelle bis zur Bucht umrundet. Hier war das Wasser flach und ruhig. Hier waren auch viel mehr Menschen. Mütter säumten den bogenförmigen Strand, hielten fallen gelassene Plastikschaufeln in Händen, die Augen wachsam auf ihre Kinder geheftet.

»Eines Tages sind zwei Jungs am Ufer bei unserer Klippe ertrunken. Da war ich sieben. Mutter war etwa im achten Monat schwanger mit meiner Schwester Emma. Ich erinnere mich, als wäre es gestern, wie sie übers Feld gelaufen ist. Sie hat ihre Röcke gehoben, trotz dieses großen Bauchs, und ist zur Leiter gerannt. Dann ist sie über den Rand geklettert, runter zum Strand, um die Jungen zu retten. Aber sie waren schon fort.« Idella und Eddie gingen weiter, umrundeten Decken und Schuhe, in die Socken gestopft waren. »Wer konnte ahnen, dass sie einen Monat später sterben würde? So gesund, wie sie war. Wer konnte das ahnen? Und ich war erst sieben.«

Als Eddie plötzlich stehen blieb, erschrak Idella. Er wandte sich ihr zu. Die Sonne stand in seinem Rücken, aber Idella konnte immer noch das wunderbar helle Blau seiner Augen ausmachen, schöner als Wasser.

»Ich möchte, dass du diesen Samstag hoch zum Haus kommst und meine Mutter kennenlernst«, sagte er. »Sie hat nach dir gefragt. Da kannst du sie ebenso gut gleich kennenlernen.«

»Denkst du, sie wird mich mögen, Eddie?«

»Das lässt sich so nicht sagen.« Eddie lächelte und zuckte mit den Schultern. »Bei meiner Mutter lässt sich das nie sagen, Idella. Manchmal ist sie nicht ganz klar im Kopf.«

Keine besonders beruhigende Vorstellung, dachte Idella.

Prescott Mills, Maine
Juli 1930

Zum Glück war Eddie den Fletcher's Hill herabgekommen, um Idella vom Bus abzuholen. Sie war auch so schon nervös genug.

»Sie sitzt seit dem Mittagessen dort, schaut und wartet.« Eddie half ihr die Stufen hinunter und zeigte zu dem Haus oben auf dem Hügel, wo er mit seinen Eltern wohnte. »Es ist das große graue Haus. Sie sitzt auf der Veranda. Die ist verglast, deshalb kannst du Mutter nicht sehen, aber sie beobachtet uns.«

»Gütiger Himmel! Sie sitzt seit dem Mittagessen dort? Jetzt ist fast Abend.«

»Sie hat die ganze Woche geputzt. Die Vorhänge gestärkt. Hatte die Dinger auf Gestellen überall im Haus ausgebreitet.«

»Oh, das ist aber viel Arbeit. Die Vorhänge zu machen.« Idella fragte sich, ob sie Mrs. Jensen später sagen sollte, wie hübsch die Vorhänge aussahen. »Du meinst die Übergardinen, oder, Eddie? Hat sie die Übergardinen gemacht?«

»Gütiger Himmel, keine Ahnung, wie man die nennt. Die Vorhänge halt. Sie hat sich diese Gestelle mit den Nägeln überall an den Rändern von Milly Masterson ausgeliehen. Ich schneid mich jedes verdammte Mal an diesen Dingern, wenn ich sie rüberbringe. Schau her.« Eddie zeigte ihr die Verletzung, die aussah, als hätte ihn unten am Daumen eine Katze gekratzt.

Idella drückte die Finger an ihre Lippen und strich dann über Eddies Daumen. »So.«

Eddie lächelte, nahm ihren Arm und begann, den Hügel hinaufzugehen, während Idella in ihren neuen Schuhen unsicher neben ihm herlief.

»Deine Mutter kommt wohl nicht viel raus?«

»Die doch nicht, nein! Sie sitzt auf der Veranda, das ist alles. Meinen Vater wirst du mögen und er dich.«

»Und deine Mutter wird mich nicht mögen?«

»Das lässt sich so nicht sagen, Idella. Hat nichts mit dir zu tun.«

»Oh. Ich verstehe«, sagte Idella, ohne recht zu wissen, ob sie es tatsächlich tat. Sie hatte das Gefühl, als würde man sie auf den Markt führen.

Eddie öffnete ihr das Gatter. Es hing an den Angeln herab und schleifte über den Boden, als er es aufschob. »Noch so ein verfluchtes Teil, das ich reparieren soll«, murmelte er.

Jetzt konnte Idella Mrs. Jensen sehen, die sie von der verglasten Veranda aus durch ihre Brille beobachtete. Sie blieb reglos sitzen, winkte nicht oder tat sonst irgendetwas. Während sie den Weg zum Haus hinaufgingen, wünschte Idella, sie könnte sich ein letztes Mal im Spiegel anschauen und mit dem Kamm durchs Haar fahren.

Eddie öffnete die Tür zur Veranda und bedeutete ihr, vor ihm einzutreten. Mrs. Jensen war gerade dabei, aus ihrem Schaukelstuhl aufzustehen. Sehr viel Masse war daran beteiligt. Sie hatte einen Gehstock zwischen den Füßen und stützte ihr gesamtes Gewicht darauf. Schließlich stand sie über den kleinen Holzstock gebückt und hatte sich in die Höhe gestemmt.

Sie sieht aus wie eine Kartoffel, dachte Idella. Und ihre Nase sieht aus wie einer dieser Knubbel, die man auf Kartoffeln findet, wenn sie ausschlagen.

Aber sie hatte sich mit ihrem Äußeren viel Mühe gegeben. Sie trug eine hübsche weiße Bluse mit Spitzenkragen, die frisch gestärkt war. Und sie hatte sich eine große, ovale Kameebrosche genau in die Mitte ihres Kragens gesteckt, mit einem Porträt aus Elfenbein, einem Porträt, das offensichtlich nicht sie darstellte.

»Mutter, das hier ist Idella Hillock. Ich hab dir schon von ihr erzählt. Hab sie hier hochgebracht, damit du sie kennenlernst.« Eddie hatte seinen Hut in der Hand und redete seltsam steif.

»Na so was, welch eine nette Überraschung.« Mrs. Jensen legte den Kopf schief und lächelte. »Irgendwie groß, nicht wahr?«

»Oh, nur ein bisschen.« Idella bereute den kleinen Absatz an ihren neuen Schuhen.

»Eddie, bring sie jetzt in den Salon.«

Eddie ging voran in die Küche und durchs Esszimmer – der Tisch war bereits gedeckt – hinein in den Salon. Mrs. Jensen humpelte mit ihrem Stock hinterher, der ein langsames *Klack-klack, Klack-klack* machte.

»Wo ist Dad?«, fragte Eddie.

»Er ist wieder zum Laden runter. Wir brauchen ein neues Stück Fleisch.«

»Stimmt, Ma, ein altes Stück brauchen wir bestimmt nicht.« Eddie zwinkerte Idella zu.

»Du hörst auf, so frech zu sein, Eddie. Ich hab ihn wieder zurück zu Foley's geschickt. Das Fleisch war ganz grau. Ich hab ihm gesagt, dass er es zurückbringen soll. Ich würde es nicht mal an einen Hund verfüttern. Überall ganz grau. Ich weiß nicht, von welcher Art Kuh dieses Stück gekommen ist, aber es war kein sauberes Tier. Es war kein qualitativ hochwertiges Tier.« Mrs. Jensens Atem kam stoßweise. »Da unten im Foley's hauen sie dich übers Ohr. Jedes Mal.« Sie blieb stehen und lehnte sich auf ihren Stock. Eddie und Idella blieben ebenfalls stehen und warteten, bis sie sich wieder in Bewegung setzte. »Er wird jeden Augenblick hier sein, und dann fang ich mit Kochen an. Jens ist viel zu leichtgläubig, jawohl. Er nimmt alles, was sie ihm geben, und merkt nicht mal, dass sie ihn übers Ohr hauen.«

»Du meine Güte, was für ein hübsches Zimmer«, sagte Idella, als sie den Salon betraten. »Was für hübsche weiße Übergardinen. Frisch gewaschen und gestärkt.«

Mrs. Jensen, die die Tür zum Salon erreicht hatte, lächelte breit. »Oh, nun ja. Ja. Frisch gewaschene Gardinen. Das macht tatsächlich einen Unterschied, in jedem Zimmer.«

»Das kann man wohl sagen.« Idella lächelte Eddie an.

»Und nun, Eddie, hilf Idella, damit sie es sich dort auf dem

Sofa bequem macht. Idella, setzen Sie sich, und ruhen Sie sich ein paar Minuten aus. Eddie hat noch ein paar Dinge im Garten und bei den Hühnern zu erledigen.« Eddie verdrehte die Augen. »Eddie, du kommst jetzt und hilfst mir.«

Sie drehte sich um und watschelte zurück in Richtung Küche.

»Eddie, und was soll ich tun?«, flüsterte Idella, als er sich anschickte, seiner Mutter zu folgen.

»Nur mit der Ruhe, ich geh nur rasch Erdbeeren pflücken und die verdammten Hühner füttern.« Er beugte sich vor und gab ihr einen Kuss. »Denk doch *darüber* nach, während du wartest.« Er strich mit der Hand über ihre Brust. »Und darüber.« Er benahm sich schon, als hätte er einen Anspruch auf ihre Brüste, aber Idella störte es nicht. Ihr kam es ganz natürlich vor. Und aufregend.

»Eddie! Ich brauch dich!«, rief Mrs. Jensen aus der Küche. »Eddie!«

»Herrgott noch mal!«, murmelte er.

Idella saß eine schrecklich lange Zeit allein im Salon. Der Raum war so stickig und steif, es fühlte sich an, als würde er nie benutzt. Für Mrs. Jensen musste er etwas ganz Besonderes darstellen, etwas nur für Gäste, wie ein Korb voller Früchte, die alle in Cellophan eingewickelt waren.

Alle Oberflächen waren mit Nippes übersät, die auf Zierdeckchen standen. Idella mochte keine Nippes. Sie waren so nutzlos – Glashunde und Figürchen in Regalen, die die ganze Zeit abgestaubt werden mussten. Wofür waren die nur gut?

Doch es war ein hübsches, altes Haus, viel hübscher als das, in dem sie aufgewachsen war. Eddie hatte nicht den blassesten Schimmer, wie arm sie oben in Kanada waren. Karg war es dort. Maine schien im Vergleich so freundlich und höflich. Mit großen, alten, schattenspendenden Bäumen und Rasen und Blumen, die in den Gärten neben dem Gemüse wuchsen.

In ihrer Kindheit hatte es nur Wildblumen gegeben. Niemand pflanzte extra Blumen an. Die Wildblumen blühten im Haus nie lange, aber sie und Avis pflückten sie trotzdem und stellten sie in das Einweckglas, das sie als Vase benutzten. Die Blumen welkten, noch bevor sie sich zum Abendessen setzten. Sie waren so wild, dass sie nicht dafür bestimmt waren, nach drinnen gebracht zu werden.

Und genauso waren auch die Männer, grobe Männer, die nicht richtig erzogen waren. Nicht die Farmer, die dort lebten und Familien hatten und all das. Die waren nett. Es waren die Streuner, die Dad einstellte, die plötzlich auftauchten und genauso schnell wieder verschwanden. Sie gehörten nicht in ein Haus.

Eddie war viel vornehmer. Manchmal war er frech – aber dabei lustig, nicht angsteinflößend. Er hatte diese unglaublich blauen Augen und sattes dunkles Haar. Idellas Augen und Haare waren braun wie ein gepflügtes Feld. Sie waren nicht das Schönste an ihr.

Die Haustür öffnete und schloss sich. Jemand kam über die Veranda. »Jessie, hier ist dein neues Stück Fleisch.« Das musste Mr. Jensen sein. Er hatte eine weiche Stimme mit einem ausländischen Akzent. Eddie hatte erzählt, dass sein Vater aus Dänemark stammte.

»Das ist zu klein! Das reicht nicht! Das reicht auf keinen Fall!« Mrs. Jensens Stimme sprudelte aus ihr heraus. »Warum ist das so klein? Wo hast du deinen Kopf gelassen?«

»Aber, aber, meine Liebe, das Stück ist größer als das, das

ich zurückgebracht habe. Ich hab für die fünf Unzen extra zahlen müssen.«

»Du hast zu viel gezahlt!«

»Aber Jessie. Lass es gut sein.«

Idella war überrascht. Nie im Leben hätte Dad dort gestanden und sich von jemandem wie Eddies Mutter befehlen lassen, zurück zum Laden zu gehen und ein besseres Stück Fleisch zu holen. Herrgott noch mal!

»Das Mädchen wird noch über uns tratschen. Es wird sagen, dass ich kein anständiges Essen kochen kann.«

Idella war wie am Sofa festgeklebt und lauschte eindringlich.

»Es bekommt dir nicht gut, wenn du dich so aufregst.« Dann wurde seine Stimme zu leise, als dass sie die Worte noch hätte verstehen können. Sie konnte nur ein Gemurmel und ein leises Quietschen als Antwort ausmachen, wie von einem ... ja, wie von einem Schwein.

Die Hintertür ging mit einem Scheppern auf und ließ die Stimmen verstummen, als wäre ein Radio ausgeschaltet worden.

»Tritt dir die Schuhe ab, Eddie. Bring mir ja keinen Dreck ins Haus!«

Eddies Schritte hielten nicht inne, bis er Idella erreicht hatte. Mit einem Mal stand er im Türrahmen. »Wie hältst du dich?«

»Werde irgendwie ein bisschen kribbelig.«

»Kribbelig, hm? Wo denn überall?« Er lächelte sein Lächeln, das von einem Ohr zum anderen ging. »Ich hab dir was mitgebracht.« Er nahm ihre Hand und legte eine große rote Erdbeere hinein. »Ich hab dir die hübscheste gepflückt. Beiß ab.«

»Oh, Eddie. Die ist so schwer wie eine Pflaume.« Idella hielt die dunkelrote Beere behutsam am Stiel und benutzte die andere Hand wie einen Unterteller. Sie beugte sich vor und biss vorsichtig hinein. Der süße Saft quoll heraus und tropfte, sobald ihre Zähne die Oberfläche durchbrachen.

»Und jetzt ich.« Eddie beugte sich über sie, nahm die Erdbeere in den Mund und biss hinein. Idella hielt nur noch den kleinen grünen Strunk in der Hand. Ein Beben durchfuhr sie, als er so nah kam – sein Mund, die blauen Augen.

»Die ist reif, nicht wahr? Und süß.« Er lehnte sich vor, beugte sich herab und küsste sie. Mit dem Daumen unter ihrem Kinn schob er ihren Kopf zu ihm hoch. Sein Mund schmeckte nach Erdbeeren. Es war ein langsamer, köstlicher Kuss.

Dann zog Eddie sie auf die Beine. Dabei fielen der Stiel und das letzte Stück Beere von ihren Fingerspitzen auf die Couch. Ein dunkelroter, unverkennbarer Fleck blieb zurück.

»O Eddie, sieh nur!« Sie versuchte, den Fleck mit dem Saum ihres Kleids abzutupfen.

»Lass nur«, sagte Eddie. »Sie wird es nicht bemerken.«

Sie wird es natürlich sehen, dachte Idella, während Eddie sie in die Küche führte. Sie wird es sehen, und sie wird es riechen.

»Oh, da sind sie ja, da sind sie.« Mr. und Mrs. Jensen standen gemeinsam am Herd. »Jens, das ist Eddies Freundin, Miss Hillock.«

»Wie geht es Ihnen, Miss Hillock? Wie schön, Ihre Bekanntschaft zu machen.« Eddies Vater schritt auf Idella zu und streckte die Hand aus. Er hatte ein süßes, schüchternes Lächeln. Er war groß und dünn, mit einer Kappe auf dem Kopf, wie Arbeiter sie trugen, und Hosen mit Hosenträgern.

Er hatte einen dunklen Schnurrbart, der hübsch gekämmt war, und hellblaue Augen. Selbst in seiner Arbeitskleidung hatte er etwas Elegantes an sich. Wie ein Gentleman.

»Jens, setz den Hut ab.« Mrs. Jensen hatte sich eine Schürze um die Taille gebunden. Sie strahlte übers ganze Gesicht. »Und nun, Idella, kann ich Ihnen ein Glas Limonade anbieten, als Erfrischung?«

»Aber ja, vielen Dank.«

Mrs. Jensen hatte ihre Hände bereits auf einer Saftpresse aus Glas. »Das sind wirklich schöne Zitronen. Wir haben sie extra gekauft.« Ihr Lächeln ließ ihre Nase noch weiter herausstechen. In einer Schüssel auf der Arbeitsplatte lagen vier oder fünf große gelbe Zitronen. Sie machte sich daran, sie zu halbieren. »Und wo kommt ein Name wie der Ihre her? Nicht von hier, oder?«

»Hillock?«

»Nein. Idella.«

»Es ist ein etwas altmodischer Name, glaube ich.« Idella beobachtete, wie Mrs. Jensen drei Zitronen in der Mitte auseinanderschnitt und auf der Saftpresse aus geschliffenem Glas ausdrückte. »Mein Vater hat mir erzählt, er ist aus einem Buch, das meine Mutter gelesen hat. Sie hat es geliebt zu lesen. Soweit ich das verstanden habe, hatte mein Vater kein großes Mitspracherecht, was unsere Namen betraf. Ich habe oben in Kanada nur von wenigen Idellas gehört. Einmal habe ich den Namen auf einem Grab auf dem kleinen Friedhof gesehen, auf dem meine Mutter begraben ist.«

»Sie kommen aus Kanada?« Idella bemerkte, dass die großen Kerne auf dem ausgepressten gelben Saft schwammen. Die Saftpresse war schon ziemlich voll.

»Ja. New Brunswick.«

»Lebt Ihr Vater immer noch dort oben?«

»O ja. Und wie. Er ist immer noch auf der Farm.«

»Aber Ihre Mutter ist verstorben?«

»Als ich sieben war.«

»War es ein plötzlicher Tod?« Mrs. Jensen hörte mit dem Pressen auf.

»Ja. Bei der Geburt.«

»Das waren nicht Sie, oder?«

»Entschuldigung?«

»Die sie bekommen hat. Als sie starb?«

»Nein. Ich war sieben.«

»Ah ja.«

»Es war meine Schwester Emma. Es war ein großer Schock für uns alle.«

»O Gott, o Gott. Nein, so etwas.« Mrs. Jensen schüttelte abwesend den Kopf und goss jeden Tropfen von dem Saft aus drei Zitronen, wenn Idella richtig gezählt hatte, in ein hohes Glas. Dann nahm sie einen Löffel, jedoch ohne Zucker, und rührte und rührte, während sie wie in Trance in das Glas starrte. »Es gibt nichts Schlimmeres, als wenn ein Kind einen Elternteil verliert«, sagte sie schließlich. »Außer wenn das Kind stirbt und die armen Eltern allein zurückbleiben.« Sie sah zu Idella hoch, unsäglich traurig, und reichte ihr das Glas mit dem unverdünnten Saft.

Zwei große Kerne schwammen oben. Idella nippte. Ihre Augen tränten sofort. »Köstlich.«

»Mein Albert!« Erschrocken blickte Idella auf. Mrs. Jensen weinte. Einfach so. »Ich hatte ihn nur einen Monat, Idella. Einen Monat.«

»Himmel. Nicht schon wieder«, murmelte Eddie hinter ihnen. Er lehnte an der Verandatür.

»Na, na, Jessie.« Mr. Jensen ging zu ihr und legte ihr den Arm um die Schultern.

»Der kleine Albert! Sein Bauchnabel ist nie richtig verheilt. Er ist daran gestorben.« Mrs. Jensen war in sich zusammengesunken und schluchzte. Mr. Jensen bot ihr ein Taschentuch an. »Es war nichts, was ich getan habe. Das hat jeder bestätigt.«

»Oh, da bin ich ganz sicher, Mrs. Jensen.« Idella drehte sich zu Eddie um. Er blickte nicht hoch.

Die gesamte Küche war von Mrs. Jensens Wimmern erfüllt. Idella stand stumm da und beobachtete die Zitronenkerne, die auf ihrem Getränk schwammen.

Schließlich löste sich Mrs. Jensen von ihrem Mann und putzte sich die Nase. Sie setzte ihre Brille ab, die vom Weinen ganz beschlagen war, und wischte sie an ihrer Schürze ab. Als sie sie wieder aufsetzte, sah sie Idella an und lächelte ein herzergreifendes Lächeln. »Ist Ihre Limonade in Ordnung?«

Idella strahlte. »Was für eine hübsche, große Küche!«

»Sie ist alt. Zu alt.« Als hätte der Themenwechsel sie wachgerüttelt, machte sich Mrs. Jensen nun daran, Kartoffeln in die Spüle zu schälen. »Sehen Sie sich nur den Ofen an«, sagte sie und zeigte mit einer Kartoffel auf den großen schwarzen Ofen in der Mitte der Küche. »Jedes Mal verbrenne ich mich, wenn ich die Platten aufmache. Ich kann sie kaum heben.«

»Ja, die sehen schwer aus.« Idella nickte.

»Sehen Sie sich nur an, wie sich der Küchenboden durchbiegt. Ich hab versucht, Jens dazu zu bringen, dass er ihn repariert. Er hat gesagt, er würde es tun, hat es dann aber nicht. Das hab ich schon so oft gehört. Es ist, als würde man den Fletcher's Hill hinabgehen, wenn man von einer Seite der Küche zur anderen will. Eines Tages werde ich stürzen und einfach runterrollen.« Sie hörte nicht auf zu schälen.

»Nun, manche Leute sind sehr beschäftigt.« Idella nickte Mr. Jensen zu.

»Oh, er ist schon beschäftigt. Werkelt immer draußen rum. Er kümmert sich mehr um die Kühe und Pferde als um mich. Hegt und pflegt die Tiere, als wären sie Babys.«

»Soll ich irgendwas pflücken, Ma? Fürs Abendessen? Im Garten?« Eddie war unruhig.

»Wir brauchen Erbsen. Ich hab gewartet, dass Jens sie pflückt, damit sie frisch aus dem Garten kommen, aber er hat so lang mit dem Fleisch gebraucht. Dauert immer doppelt so lang, wenn er etwas tut, als wenn ich es tun würde, wenn ich könnte. Mögen Sie Erdbeerkuchen, Idella?«

»O ja. Sehr gerne.«

»Das ist Eddies Lieblingskuchen. Er isst und isst, wenn es meinen Kuchen gibt. Ich mach immer einen extra für ihn. Eddies Extrakuchen. Du liebst meinen Kuchen, nicht wahr, Eddie?« Mrs. Jensen hörte auf, die Kartoffeln zu schneiden, und sah ihn über den Rand ihrer Brillengläser an.

»Ich gehe und pflück die Erbsen.« Eddie warf Idella einen raschen Blick zu und wollte zum Hinterzimmer gehen, das hinaus in den Garten führte.

»Nimm etwas mit, um sie reinzutun!«, rief ihm Mrs. Jensen nach. Als Antwort knallte die Fliegengittertür.

»Eddie hat mir erzählt, was für eine gute Köchin Sie sind, Mrs. Jensen. Ich freu mich schon aufs Abendessen.« Das entsprach nicht ganz der Wahrheit. Eddie hatte ihr gesagt, dass die Kochkünste seiner Mutter eher bescheiden waren. Worauf sich Idella freute, war das Ende des Essens.

»Wenn ich Gäste habe, versuche ich, ein hübsches Essen vorzubereiten.«

»Ich würde Ihnen gerne irgendwie behilflich sein.«

»Das kommt gar nicht in Frage. Sie sind unser Gast. Großer Gott, Sie verdienen sich Ihren Lebensunterhalt mit Kochen. Sie genießen jetzt Ihre Limonade. Oh! Ich muss mit den Brötchen anfangen! Ich bin viel zu spät dran, was die Brötchen angeht! Jens! Wo ist meine Butter?«

In hektischer Betriebsamkeit machte sich Mrs. Jensen daran, die Brötchen zu backen. Sie holte schwerfällig ein großes Brotschneidebrett heraus und nahm eine Schüssel oben aus dem Küchenschrank und ein Sieb von unten. Mr. Jensen legte die Butter neben sie und trat dann wieder aus ihrem Arbeitsbereich. Idella kam nicht umhin zu bemerken, dass Mrs. Jensen mit den Kartoffeln nur halb fertig geworden war. Einige lagen unberührt auf der Arbeitsplatte neben der Spüle. Andere, bei denen die dunklen Stellen bereits herausgeschnitten waren, lagen unbeachtet in einem Topf mit Wasser. Sie sahen mehr abgeschabt als geschält aus. Für den Bruchteil einer Sekunde trafen sich Idellas und Mr. Jensens Augen. Und in diesem Moment wusste sie, dass sie beide entschieden hatten, das Wort »Kartoffel« nicht zu erwähnen.

»Wenn Sie wollen, können Sie Chocolate Milk kennenlernen, Miss Hillock.« Mr. Jensen sprach ganz ruhig. Seine Stimme war wie ein leises Lied. »Mein Pferd, das mir hilft, die Milch auszuliefern.«

»Oh, sie wird nicht loswollen, um ein Pferd anzuschauen, Jens. Sie wird schon mal Pferde gesehen haben. Stimmt doch, Idella?«

»Wir hatten natürlich eins auf der Farm. Vor allem für die Feldarbeit, aber es hat uns auch im Wagen zur Stadt gebracht. Ich würde Chocolate Milk gerne sehen. Was für ein reizender Name.«

»O ja, die Kinder. Die haben sie so genannt. Eigentlich hieß sie Brownie.«

»Ich hab sie so genannt. Brownie. Das war der Name, den ich ihr gegeben hab. Weil sie braun ist.« Mrs. Jensen wog Mehl und Backnatron in ihr Sieb.

»Aber die Kinder, die sich um den Wagen versammeln, wenn ich die Milch ausfahre, haben ihn in Chocolate Milk geändert.«

»Dummer Name für ein Pferd«, murmelte Mrs. Jensen. Sie siebte Mehl auf das Schneidebrett. »Du liebst das Pferd mehr als mich, so wie du drüber sprichst.« Als sie sich zu Mr. Jensen umdrehte, stäubte das Mehl auf den Boden. »Oh, oh, oh, sieh nur, wozu du mich gebracht hast! Ich muss noch mal von vorne anfangen, sonst werden die Brötchen nichts.«

Idella stand da, die Limonade fest an sich gepresst. Nach einer gefühlten Ewigkeit kam Eddie mit einem Körbchen voller Erbsen herein. Mrs. Jensen sah stirnrunzelnd auf. »Die müssen enthülst werden.«

»Ich kann sie enthülsen«, meldete sich Idella zu Wort.

»Lass uns auf die Veranda gehen. Ich werde es tun.« Eddie trug den Korb aus der Küche und setzte sich ans Ende eines Rattansofas. Idella folgte ihm und ließ sich am anderen Ende nieder.

»Die Erbsen«, rief Mrs. Jensen. »Mach sie gleich in den Topf.«

»Ich soll hier draußen in den Topf machen, Ma?« Eddie grinste Idella an.

»Eddie!«, flüsterte Idella. Sie war froh, dass er zurück war.

»Ich komme auch«, rief Mrs. Jensen. »Ich hätte selbst nichts dagegen, mich eine Weile hinzusetzen.«

Mr. Jensen nahm den Topf in eine Hand und stützte mit

der anderen seine Frau. Er half ihr auf die Veranda und hinüber zum Schaukelstuhl. Sie schwankte gefährlich, dann landete sie mit einem Plumps auf dem dunkelgrünen Cordkissen. Der Schaukelstuhl wurde durch ihr Gewicht mit einer solchen Wucht nach hinten gerissen, als würde er umkippen.

»Sitzt du bequem, meine Liebe?«, fragte Mr. Jensen, als das Schaukeln nachließ.

»Ja.« Ihre Beine waren so kurz, dass nur die Spitzen ihrer schwarzen Schnürschuhe den Boden berührten.

»Oh, eine Veranda ist so friedvoll«, sagte Idella.

»Ja«, sagte Mrs. Jensen. »Ich sitze jeden Tag ein kleines bisschen hier, um meine Beine auszuruhen. Krampfadern, wissen Sie.« Sie sah zu Idella.

»Oh, nein. Das wusste ich nicht.«

»Bei mir ist es ganz schlimm. Sie pulsieren. Meine Beine sind von oben bis unten violett. Früher bin ich spindeldürr gewesen, wie Sie. Natürlich nicht so groß. Bei Ihrer Größe wird einfach alles in die Länge gezogen. Bei so kurzen Beinen wie meinen wird man zusammengedrückt, wenn die Zeit kommt, dass man Gewicht zulegt. Und die Krampfadern. Eine echte Plage. Sind ganz geschwollen, meine Beine. Ich hätte heute nicht so lang auf den Beinen sein sollen. Aber ich wollte ein besonderes Abendessen vorbereiten.«

»Ich hoffe nur, Sie haben sich meinetwegen nicht zu viel Mühe gemacht, Mrs. Jensen!«

»Wäre ich jünger, wäre es natürlich überhaupt keine Mühe. Nicht dass es überhaupt eine Mühe ist.«

Mr. Jensen setzte sich in einen Schaukelstuhl neben seine Frau. »Wie schmeckt die Limonade, Miss Hillock?«

»Oh, gut, danke. Gut.« Idella lächelte und nahm einen Schluck. Ihr ganzer Mund zog sich zusammen.

»Wir bleiben einfach eine Weile auf der Veranda sitzen und lernen uns näher kennen, während Eddie die Erbsen enthülst.« Mrs. Jensen nahm einen Fächer vom Tisch. Sie öffnete ihn und wedelte sich bedächtig Luft zu.

Sie saßen schweigend da, blickten aus den Verandafenstern. Nur das *tapp, tapp, tapp* der Erbsen war zu hören, die auf den Boden des Topfs fielen. Mrs. Jensens Fächer zischte vor und zurück. Idella hielt das hohe glatte Glas fest umklammert und nippte nur zur Schau daran. Mrs. Jensen nickte jedes Mal, wenn sie es tat, und dann hielt Idella das Glas hoch und lächelte.

Der Fächer stockte. »Da geht Mrs. Rudolf.« Mrs. Jensen lehnte sich in ihrem Stuhl vor. »Ich meine die, die den Hügel runterkommt. Sie lebt oben die Straße rauf. Sie hat niemanden, der sich um sie kümmert. Die Arme. Keine Kinder, müssen Sie wissen, die für sie sorgen. Ist ganz allein.«

Mrs. Rudolf, eine hochgewachsene dünne Frau, ihrem Aussehen nach um die sechzig, marschierte entschlossen den Gehweg hinab, ohne zur einen oder anderen Seite zu blicken. Sie trug einen dünnen weißen Pullover um die Schultern, die nackten Arme baumelten neben ihr herab.

Sie sahen ihr nach, bis sie am steilen Abhang von Fletcher's Hill aus ihrem Blickfeld verschwand.

»Ist sie verwitwet?«, fragte Idella.

»Wer?«

»Mrs. Rudolf.«

»Er hat sie sitzen gelassen. Wegen Lucy DuBois – einer Französin, müssen Sie wissen –, das ist jetzt fünfzehn Jahre her oder noch länger. Haben zusammen in der Fabrik gearbeitet, haben Papier sortiert. Normalerweise ist das Sortieren Frauensache, aber er hatte irgendwelche körperlichen

Beschwerden und konnte deshalb nicht an den großen Maschinen arbeiten, die sie dort unten haben. Sie sind nach Biddeford durchgebrannt. Und wenig später hat diese Lucy einen kleinen Jungen geboren. Nur etwa vier Monate später – allerhöchstens fünf.«

»Ich verstehe«, sagte Idella schließlich. »Das ist traurig.«

»Hmmmmm. Sie hat das Haus bekommen. Ein kleines grünes Haus. Sie trägt immer noch den Namen Mrs. Rudolf. Aber es gibt keinen Mister mehr.«

»Die körperlichen Beschwerden können wohl nicht so schlimm gewesen sein.« Eddie schälte eine Schote Erbsen direkt in seinen Mund.

»Wie wäre es mit etwas Eis in der Limonade?«, fragte Mr. Jensen unvermittelt.

»Ich hole Idella Eis.« Eddie schoss aus seinem Stuhl. Endlich, dachte Idella, ist er ein wenig aufmerksam. »Ich mach's für dich ein bisschen kühler.« Er nahm ihr Glas und ging in die Küche. Sie lauschten, als er den Kühlschrank öffnete, den Eispickel aus einer Schublade holte und mit dem Hacken begann. Ein Hund bellte auf der anderen Straßenseite.

»Die Mastersons sollten den Hund loswerden. Er bellt den lieben langen Tag. Ich höre ihn auch nachts – bellt ohne jeden Grund. Eine ganz schöne Belästigung.« Mrs. Jensen wedelte mit schnellen kleinen Handbewegungen mit dem Fächer. »Der Hund sollte weg.«

»Na, na, Jessie. Er stört dich doch gar nicht so sehr. Die Mädels drüben lieben ihn.«

»Es stört mich schon, dass der Hund andauernd bellt.«

Eddie kam wieder herein. »Hier, Idella. Das sollte jetzt noch erfrischender sein.«

»Vielen Dank, Eddie.« Idella nahm das Glas, das jetzt kalt

von den Eisstücken war, und nippte. Sie warf Eddie einen raschen Blick zu, der wieder Erbsen schälte. Er lächelte und nickte gerade genug mit dem Kopf, damit Idella wusste, dass sie recht hatte. Er hatte auch einen Schuss Whiskey hineingegeben.

»Hat das Eis geholfen?« Mrs. Jensen lächelte sie an.

»O ja«, sagte Idella. »Sogar sehr.«

Mrs. Jensen beugte sich vor. »Ist das das Masterson-Mädchen, das dort drüben den Rasen recht? Aus der Entfernung kann ich es nicht sagen. Ist es Susan, die ältere?«

»Susan, ja.« Mr. Jensen streckte die langen Beine vor sich aus. In diesem kleinen Korbstuhl konnte es für ihn nicht besonders bequem sein, dachte Idella.

»Nun, sie hat ganz schön an Gewicht zugelegt. Seht ihr, wie dick sie geworden ist? Man sieht es von hier. Kennen Sie die Masterson-Mädchen, Idella? Die wohnen in dem blauen Haus genau auf der anderen Straßenseite.«

»Nein, ich bin ihnen noch nie begegnet.«

»Wie soll sie sie denn kennen, Ma?« Eddie griff in seinen Korb und holte eine weitere Handvoll Erbsen heraus, um sie zu schälen. Idella wünschte, sie könnte helfen und wüsste ihre Hände beschäftigt.

»Nun, die älteste wird dick, und zwar genau am Bauch. Letzte Woche hat sie auch dort draußen den Rasen gerecht. Und sie war barfuß, trug nur eine kurze Hose, die ihre nackten Schenkel bedeckt hat. Die Larsen-Jungen, die sind einer nach dem anderen vorbeigekommen, alle vier. Sie sind stehen geblieben und haben mit ihr geredet. Und zwar jeder von ihnen.«

»Menschen reden miteinander, Ma. Die Larsens wohnen nebenan. Sie müssen dort vorbei, wenn sie irgendwohin wollen.«

»Eddie, werd nicht frech.« Mrs. Jensen wandte sich an Idella. »Besitzen Sie eine kurze Hose, Idella?«

»Nein, nein. Meine Beine waren schon immer so dürr. Storchenbeine. Nicht dass ich sonst welche hätte. Sie stehen mir nicht.«

Mrs. Jensen lehnte sich zurück und fächelte sich nun langsamer zu. »Eddie hat mir erzählt, Sie arbeiten als Haushaltshilfe.«

»Das stimmt, ja. Ich bin Köchin. Ich koche für eine Familie, die Grays.«

»Stell sich das einmal einer vor, jemanden zu haben, den man nur dafür bezahlt, dass er einem das Essen kocht. Kochen Sie ausgefallene Sachen?«

»O nein. Nur ganz einfache Sachen. Einfaches Essen wie jeder andere.«

»Haben Sie dafür eine Schule besucht?«

»Ich hatte ein paar Stunden Unterricht, das war alles. Als ich unten in Boston gearbeitet habe, haben mich die zwei Damen, bei denen ich beschäftigt war, zu einem Kochkurs geschickt. Es war nichts Ausgefallenes, eher Hausmannskost, wirklich. Aber ich habe gelernt… ja, zum Beispiel wie man eine bestimmte Soße für eine bestimmte Sorte Fleisch macht. Oder wie man ein Hühnchen brät oder Kuchen backt. Hauptsächlich ganz normale Dinge.«

»Ich bin im Kochen nie unterrichtet worden. Ich mache die Dinge, wie sie meine Mutter gemacht hat.« Mrs. Jensen sah Idella streng über den Rand ihrer Brille an. »Das war gut genug für meine Familie.«

»O ja, natürlich. Auf jeden Fall. Mehr als genug.« In ihrer Nervosität nahm Idella einen großen Schluck von ihrem Glas. Gütiger Himmel, der Whiskey brannte ihr in der Kehle.

»Nun, ich sollte lieber zurück in die Küche und mich beeilen.« Mrs. Jensen klappte ihren Fächer zu. »Bring die Erbsen in die Küche, Eddie. Hilf mir aus dem Stuhl hoch, Jens.
Nichts Ausgefallenes, ja? Ich kenn mich nicht mit Soßen aus.
Nur in der Pfanne gebratenes Steak, das ist alles. Kartoffeln
und Erbsen.«

»Die einfachen Dinge sind am besten, finde ich«, sagte
Idella. »Steak, das in einer guten schwarzen Pfanne gebraten
wird. Das schmeckt am besten.« Idella war die Pfanne nicht
entgangen.

Mrs. Jensen lächelte. »Ihr zwei bleibt einfach noch ein bisschen hier sitzen. Sie trinken Ihre Limonade aus, Idella. Ich
habe zu tun. Jens, komm und hilf mir. Sie mögen Kartoffel-
brei ohne jeden Schnickschnack, Idella?«

»Ich liebe jede Art von Kartoffeln. Ich wäre auch mit bloßen Kartoffeln glücklich!«

Es dauerte eine Weile, Mrs. Jensen auf die Beine und von
der Veranda zu bringen. Idella konzentrierte sich darauf, die
Veilchen zu bewundern, die den Gartenzaun innen säumten.
»So hübsch«, sagte sie laut, als wäre sie mitten in einem Gespräch gewesen.

»Was?« Edward kehrte ohne Erbsen zurück und glitt neben
sie, sobald seine Mutter ins Haus gewatschelt war.

»Die Veilchen. So hübsch.«

»Nicht so hübsch wie du.« Er berührte ihr Knie.

»Du hättest das nicht in mein Getränk geben dürfen«, flüsterte Idella. »Was soll ich jetzt damit machen?«

»Austrinken. Das zumindest würde ich tun.« Seine Augen
waren so blau, wenn er sie direkt anschaute.

»Eddie, ich darf keinen Schwips bekommen.«

»Wen kümmert's?«

»Du hattest ein Schlückchen, als du draußen die Erdbeeren gepflückt hast, nicht wahr?«

»Und wenn schon?« Ganz langsam schob er ihr Kleid an ihrem Bein hoch.

»Eddie, du musst mir hier durchhelfen.«

»Sie beißt nicht. Sie bellt bloß lauter als der Hund auf der anderen Straßenseite.« Eddies Stimme war direkt an ihrem Ohr. Sein Mund war nur einen Zentimeter entfernt. Bei seinem warmen, gehauchten Atem lief ihr ein Kribbeln den Rücken hinunter.

Sie stand auf und ging zur Fliegengittertür. »Lass uns die Veilchen anschauen. Ich liebe Veilchen.«

Eddie folgte ihr hinaus auf den Rasen vor dem Haus. Idella atmete tief ein. »Dort drinnen wurde es mir ein bisschen zu eng.«

»Mir gefällt's, wenn es eng ist.« Er trat hinter sie.

»Zeig mir die Veilchen, Eddie.«

»Da gibt's nichts zu sehen. Nur Blumen.«

Sie spazierten über den Rasen, der erst kürzlich gemäht worden war und süßlich roch, bis zu einer Ecke des Zauns. Idella kauerte sich nieder und strich mit den Händen sanft über die kühlen, dunklen, herzförmigen Blätter. »Sie sind so wunderschön.«

Eddie streckte den Arm aus und riss ein Veilchen aus der Erde.

»Reiß die Wurzel nicht mit raus, Eddie!«

»Da sind so viele.« Er reichte ihr die Blume, deren verzweigte weiße Wurzel schlaff herabhing.

»Deine Mutter will sicher nicht, dass ihre Blumen rausgerissen werden!« Idella zupfte die herabhängende Wurzel ab.

»Man weiß nie, was sie aus der Fassung bringt. Wird wegen jeder Kleinigkeit sauer. Ist so nachtragend. Wenn Leute vorbeigehen, ruft sie sie zu sich rüber und erzählt ihnen Dinge. Klatschgeschichten. Manchmal denkt sie sich Sachen aus, über irgendwelche Menschen, und dann glaubt sie sie selbst. Sie sagen, das kommt vom Scharlachfieber, das sie hatte.«

»Du meinst, das Fieber hat ihren Verstand angegriffen?«

»Keine Ahnung, das war vor meiner Geburt.« Er zuckte mit den Schultern. »Sie hat ständig versucht, sich zu erhängen, direkt vor mir und Ethel.«

»Nein!«

»Sie hat sich einen Stuhl geholt und den Strick um den Hals gelegt und ihn zugezogen und gesagt, sie wird sich an der Lampe erhängen. Ethel und ich waren Kinder. Hat uns einen Mordsschrecken eingejagt.«

»Warum hat sie das getan?«

»Weiß der Kuckuck. Ethel hat ihre Kleidung nicht gefaltet. Ich hab nicht genügend Bohnen gepflückt. Die Hennen haben keine Eier gelegt. Einfach alles. Ich verschwinde von hier.« Er blickte durch den Zaun und den Hügel hinab, den sie zusammen heraufspaziert waren.

»Wohin willst du denn?« Idella rollte den Stiel des Veilchens zwischen den Fingern.

»Vielleicht nach Portland. Ich würde gerne Autos verkaufen. Irgendwas, womit man Geld machen kann. Ich bleib nicht bei der American Can Company.«

»Ich bin froh, dass du nicht weit weg willst.«

»Und warum das?« Er lächelte.

»Ich würde gerne mehr von dir sehen.«

»Das würdest du, hm? Welchen Teil von mir?« Eddie hob die Augenbrauen.

»Eddie! Ich meine, du weißt schon, ich will mehr Zeit mit dir verbringen.«

»So, so. Ich weiß.« Eddie nahm ihre Hand, wobei er die Veilchen zerdrückte, und zog sie an sich. »Komm da rüber hinter die Ulme und küss mich.«

»Eddie, hör auf! Nicht hier auf dem Rasen vor dem Haus! Sie sieht uns noch.« Nervös hielt Idella ihr Glas hoch. »Eddie, was soll ich mit der Limonade machen?«

»Trinken.«

»Das ist purer Zitronensaft. Und Whiskey. Ich werde mich übergeben müssen.«

»Herrgott, kein Zucker?« Eddie lachte. »Ich hasse es, einen guten Drink zu vergeuden.«

»Ich kippe es aus. Ich kann nicht anders.« Idella ließ seine Hand los. Das gepflückte Veilchen fiel ins Gras. Sie kauerte sich hin und goss langsam den Inhalt ihres Glases auf den Boden. »Es kommt mir vor, als würde ich in aller Öffentlichkeit pinkeln«, flüsterte sie kichernd.

Sie stand auf. Eddie nahm ihren Ellbogen und sie gab ihm einen raschen Kuss, erleichtert, die Sache mit dem Getränk hinter sich gebracht zu haben. Sie wandten sich wieder zum Haus um. Eddies Mutter stand im Türrahmen der Veranda. Sie hielt ein zweites Glas Limonade in der Hand und beobachtete die beiden.

»Ich nehme an, Sie wollen das dann auch nicht mehr«, sagte sie zu Idella, dann drehte sie sich um und ging zurück in die Küche.

»Verdammt«, flüsterte Eddie. »Verdammt noch mal.«

Idella und Edward standen stumm im Esszimmer und starrten sich über den Tisch hinweg an, schuldbewusst wie Kinder, die auf eine Tracht Prügel warteten, und lauschten ungeniert dem Gespräch, das in der Küche stattfand.

»Die ist hochnäsig, dieses Hillock-Mädchen. Hat die Limonade einfach über die Veilchen gegossen. Den Saft von drei Zitronen. War ihr wohl nicht gut genug. War ihr nicht gut genug.«

»Drei Zitronen?«

»Sie wird über mich lachen. Wird sich in dem Haus der reichen Frau, wo sie arbeitet, lustig über mich machen. Und das Steak, das voller Knorpel ist. Jetzt kann ich meine Brötchen nicht mehr backen. Sie ist zur Schule gegangen. Sie hat gelernt, wie man Brötchen macht.«

»Na, na, Jessie, du machst das Essen, wie du es geplant hast. Wir werden es alle genießen.«

Idella wusste nicht, was sie tun sollte. Sie blickte auf den Tisch hinab. Die Gabeln lagen falsch. Das stach ihr sofort ins Auge, nach all der Zeit als Dienstmädchen. Es war ihr in Fleisch und Blut übergegangen. Die Kuchengabeln und die Gabeln für den Hauptgang waren vertauscht.

»Sollen wir uns setzen?« Sie blickte zu Edward, der jetzt aus dem Esszimmerfenster starrte.

»Setz dich, wenn du willst.« Idella wusste nicht, ob er auf sie oder seine Mutter wütend war.

Aus der Küche drang Mr. Jensens Stimme wie die leise Musik aus einem Radio. Das Lärmen und Kratzen von Pfannen auf dem gusseisernen Herd zeigte Betriebsamkeit an. Ein plötzliches lautes Brutzeln war zu hören, als das Fleisch die Pfanne traf. Am Geräusch erkannte Idella, dass die Pfanne zu heiß war. Viel zu heiß.

Ihr war übel. Der ganze Zitronensaft fraß sich dort unten durch sie hindurch und zog ihren Magen zusammen.

Mr. Jensen stand im Türrahmen. »Setzen Sie sich, Miss Hillock. Setzen Sie sich. Es gibt gleich Essen.« Er stellte eine Schüssel Erbsen und eine Platte mit süßsaurem Relish in die Mitte des Tisches.

Aus der Küche zog nun Rauch herein. Und Mrs. Jensen rief Mr. Jensen, damit er ihr beim Umdrehen von irgendetwas half. Das Fleisch musste an der Pfanne angebrannt sein.

Eddie hatte sich bereits Idella gegenüber hingesetzt. Er war still, sah sie nicht einmal an, war in sich zusammengesunken. Idella langte über den Tisch, um seine Hand zu tätscheln. »Eddie«, flüsterte sie, »um Mitternacht wird es vorbei sein.«

Eddie lächelte. Das Lächeln breitete sich langsam auf seinem Gesicht aus, aber schließlich war es da. »Vielleicht beginnt es dann erst«, sagte er.

»Ich meine das Essen, Eddie. Dann muss es vorbei sein.« Sie kicherte. »Spätestens dann muss ich zurück zu den Grays.«

»Ich hatte an die Nachspeise gedacht«, sagte er und drückte ihre ausgestreckte Hand.

»Kuchen?«, fragte sie lächelnd.

»Hmm«, sagte er. »Mit Sahne.«

»Die Kartoffeln! Ich hab die Kartoffeln vergessen!« Ein Wehklagen kam aus der Küche. »Oh, jetzt ist keine Zeit mehr. Keine Zeit. Alles ist ruiniert.«

Mr. Jensen kam herein und trug eine Servierplatte mit den Steaks. Sie sahen wie getrocknete Kuhfladen aus, dachte Idella. Es gab keinerlei Saft unter, über oder zwischen ihnen – nur trockene Scheiben Fleisch.

Mrs. Jensen kam im allerletzten Moment herein, gefasster als Idella erwartet hätte, und nahm ihren Platz am Kopfende des Tisches ein. Sie trug einen Korb, der mit einem Leintuch bedeckt war, und stellte ihn genau neben ihren eigenen Teller, als wollte sie ihn beschützen. Das mussten die Brötchen sein. Idella lobte jedes Gericht überschwänglich, das ihr gereicht wurde. Als ihr Teller bis oben voll war, machte sie sich daran, eines der Steaks zu schneiden. Was eine Herausforderung war. In der Pfanne gebraten, dachte Idella – es gleicht wohl eher gegerbtem Leder. Sie nahm einen kleinen Bissen. Ein wenig Knorpel hätte dem Ganzen etwas Süße verliehen.

»Oh, dieses Steak ist köstlich.«

»Es tut mir leid wegen den Kartoffeln, Idella. Ganz frische, kleine Kartoffeln waren es. Direkt vom Feld.«

»Diese Dinge passieren«, versicherte Idella ihr. »Wir haben hier doch bereits so viel gutes Essen.«

»Mit frischer Butter und Pfeffer. So hätten wir sie gehabt. Butter, die wir gerade selbst gemacht haben. Jens hat sie für die Kartoffeln geschlagen.«

»Ma, ich denke, wir sollten aufhören, über Kartoffeln zu reden, immerhin bekommen wir keine.«

»Sei nicht unverschämt zu mir, Edward.«

»Warum hier sitzen und über etwas reden, das wir doch nicht haben werden?«

»Gib nur nicht mir die Schuld! Ich hab's versucht. Aber es ist zu viel, alles ganz allein zu machen. Es ist zu viel!«

Mr. Jensen hob die Hand. »Eddie, Jessie, bitte. Die Kartoffeln sind doch ganz einerlei.«

»Ja«, sagte Idella. »Ja. Wir brauchen doch die Kartoffeln gar nicht wirklich.«

»Hätte ich mehr Hilfe hier, anstatt alles selbst machen zu müssen, hätte ich die Zeit gehabt, um an die Kartoffeln zu denken.« Mrs. Jensen stand kurz davor, wieder in Tränen auszubrechen. Diese verdammten Kartoffeln. Idella war bereit, sie roh zu essen.

»Sagen Sie, Miss Hillock, sind Sie schon lange in diesem Land?« Mr. Jensen leitete zu einem neuen Thema über.

»Erst seit drei Jahren. Aber es war nur … nur Kanada, müssen Sie wissen. Nicht weit weg. Es war nicht so, als wäre ich in ein fremdes Land gekommen.«

Jens lächelte. »Ja, ich weiß, wie das ist. Als ich herkam, waren meine ganzen Arbeitspapiere auf Dänisch. Sie wissen schon – Berichte, die Leute über mich als Arbeiter geschrieben haben. Niemand hier wusste, was darin stand. Es hätte sein können, dass ich ein fauler Nichtsnutz gewesen war, und niemand hätte es geahnt.«

»Ich bin sicher, dass das nicht darin stand.« Idella mochte ihn sehr. Es war beruhigend, ihn einfach nur anzuschauen. Seine Augen redeten direkt mit einem.

»Nun, das hoffe ich doch mal«, mischte sich Jessie ein. »Ich hoffe, da stand was Besseres drin.«

»Natürlich war dem so, meine liebe Jessie. *Ich* konnte sie lesen.«

»O ja, natürlich. Ich vergaß.« Sie lächelte sogar. »Ich habe vergessen, dass Jens Dänisch lesen kann.«

»Was für eine Art Arbeit haben Sie in Dänemark gehabt, Mr. Jensen?«

»Nun, wir hatten natürlich die Farm, wir haben alle auf der Farm gearbeitet. Aber ich habe außerdem in Kopenhagen in einem Kleidungsgeschäft für Männer gearbeitet. Ich habe es geliebt, die unterschiedlichsten Menschen zu treffen und ihnen behilflich zu sein. Es war eine Abwechslung zu der Einsamkeit auf den Feldern.«

»O ja, ich weiß, was Sie meinen. Dad hat oft davon geredet, wie einsam es ist, den ganzen Tag auf dem Feld zu verbringen. Natürlich gefällt es ihm auch. Da gibt es niemanden, der ihn stört. Das ist die andere Seite der Medaille. Niemand, der ihm sagt, was er zu tun hat.«

»Nun, *ich* sage Jens, was er zu tun hat.« Jessie lächelte. »Ich sage ihm, was getan werden muss und wann. Nicht wahr, Jens?«

»Also, *mir* wird niemand mal sagen, was ich zu tun habe.« Eddie beugte sich vor. »In meinem Hühnerstall hab ich die Hosen an. Und wenn es den verdammten Hennen nicht passt, können sie ja davonflattern.« Er lachte.

»Du brauchst Eier, Eddie«, sagte Mrs. Jensen. »Und du kriegst keine Eier ohne Hühner, die sie legen.«

»Das weiß ich, Ma. Mit dem Zeug kenne ich mich aus.«

»Aber Edward.« Mrs. Jensen lief rot an.

»Ich kann mir unten im Foley's Eier kaufen. Die Hühner von einem anderen können meine Eier legen.«

»Das ist keine Unterhaltung fürs Abendbrot, Edward. Wirklich. Mehr Erbsen, Miss Hillock?«

»Bitte!« Idella hielt ihren Teller unter die volle Schüssel, um die Erbsen aufzufangen.

Es gab viel zu viel Essen. Mrs. Jensen war wie beseelt von Idellas überschwänglichen Lobeshymnen. Sie errötete vor Freude über die anerkennenden Worte für ihre Erbsen und gluckste glücklich, als Idella einen Nachschlag von dem hausgemachten Relish erbat, auch wenn sie nicht fand, dass es zum Essen passte. Je mehr Idella aß, desto gesprächiger und fröhlicher wurde Mrs. Jensen.

»Sehen Sie, Idella! Da ist das Masterson-Mädchen!« Mrs. Jensen deutete mit dem Finger hinaus. »Sehen Sie aus dem Fenster, dort. Zieh den Vorhang zurück, Eddie, damit Idella richtig sehen kann. Sie sitzt dort drüben, auf dem Rasen unterm Baum. Sehen Sie sie? Gleich dort drüben, damit die ganze Welt sie sieht.« Mrs. Jensen senkte die Stimme. »Sie ist in anderen Umständen. Das weiß ich. Scheint auch noch weit oben zu stecken. Könnte falsch rum drinnen sein. Dann sieht der Bauch so aus, wenn das Baby falsch rum liegt. Das ist Ethel bei ihrem ersten passiert. Steißlage, so nennen sie es. Hat sie fast umgebracht.«

»Ma, lass uns jetzt nicht darüber reden.«

»Der Arzt musste sie mitten durchschneiden, um das Baby rauszubekommen. Nur einen Zentimeter von ihrem Rektum entfernt. Das schwöre ich, ein Zentimeter, das war alles. Ich hab's gesehen. Ich hab's gesehen.«

»Ma!«

»Ach was.«

Edward war blass. »Ma, bitte!«

»Meine Liebe, vielleicht sollten wir Idella mit diesen Einzelheiten verschonen.« Mr. Jensen legte seine Hand auf die seiner Frau. Sie schlug sie weg.

»Ich hab noch nie ein Baby gesehen, das so schwer rausgekommen ist. Lag verkehrt rum drinnen. Mit dem Gesicht in die falsche Richtung. Nabelschnur um den Hals. War fest um ihn geschlungen, dick wie ein Seil. Ein dickes Seil. Es ist ein Wunder, dass Ethel nicht einfach zerplatzt ist. So wahr ich hier sitze, ich dachte wirklich, das würde passieren, und wir würden sie und das Baby verlieren. Einen Zentimeter von ihrem Rektum. Keinen Millimeter weniger.«

»Ma, bitte!«

»Meine Babys sind im Vergleich dazu sehr leicht rausgekommen.« Mrs. Jensen lächelte und nickte zu Edward. »Eddie hat die Scoullar-Beine von mir. Ethel auch. Na ja, Ethel ist meine Tochter, und ich liebe sie natürlich, aber ich wusste, als sie geboren wurde, von dem Tag ihrer Geburt an, dass sie nicht besonders helle ist. Oder hübsch. Sie ist ein gutes Mädchen, aber diese zwei Eigenschaften besitzt sie nicht.«

»Ich ... ich hab sie noch nicht kennengelernt. Eddie hat mir von ihrer Situation erzählt.«

»O ja. Schrecklich. Allein mit drei Jungen, die sie großziehen muss. Ihr Mann ist an Thanksgiving in der Fabrik verunglückt. Schrecklicher Schock. Er musste während eines Eissturms draußen arbeiten. Sein eigener Vater hat ihn in der Nacht rausgeschickt. Sein eigener Vater.«

»Das kann ich mir kaum vorstellen«, flüsterte Idella.

»Nun, mein Albert war klug. Ich könnte mir vorstellen, dass er Arzt geworden wäre. Bei Babys weiß man das sofort. Albert war klug.« Sie lächelte Idella an. »Noch etwas Steak? Ich habe Ihnen ein leckeres zweites Stück aufgehoben.«

»Oh, nein danke, Mrs. Jensen. Ich platze. Es ist alles so gut. So köstlich. Ich lass etwas Platz für den Kuchen. Ich freu mich schon so darauf. Warum nehmen Sie nicht das Extrastück?«

»Ja, meine Liebe«, sagte Mr. Jensen. »Du nimmst das letzte Stück.«

Mrs. Jensen schüttelte den Kopf. »Sie müssen wissen, ich koche immer ein kleines bisschen mehr. Als gäbe es noch jemanden. Genug für eine weitere Person. Es ist Alberts Portion, sage ich dann zu mir. Diese Extraportion wäre für meinen Albert gewesen.«

»Ich nehme es, Ma«, sagte Eddie und reichte seiner Mutter den Teller.

»Albert wäre jetzt siebenundzwanzig. Stellen Sie sich das nur vor. Wahrscheinlich wäre er so groß wie Jens.«

»Ma, ich nehme das letzte Stück.« Eddie beugte sich über den Tisch und spießte das letzte Steak auf. Er war rot im Gesicht.

»Eddie!«

»Und, was ist mit mir?« Er brüllte. »Was hast du von mir gehalten? Hast du bei meiner Geburt gewusst, dass ich zum Hühnerfüttern gut bin? Dass ich das gottverdammte Unkraut in deinem Garten jäten werde?«

»Edward!« Mrs. Jensen keuchte auf.

»Ich hab jetzt genug von Albert! Er war ein gottverdammtes Baby, das ist alles!« Edward erhob sich von seinem Stuhl und schlug mit der Faust auf den Tisch. »Ein gottverdammtes *Baby*! Er war nichts. Er ist gestorben, bevor er gelebt hat. ›Hätte Albert gelebt. Hätte Albert gelebt.‹ *Ich* bin hier, verdammt noch mal. *Ich* lebe. Du bist verrückt, weißt du das? Du bist eine verrückte Frau, und hätte Albert gelebt, hätte er dich ebenso gehasst wie ich. Eine gottverdammte verrückte Frau.« Das Tafelsilber klirrte gegen die Teller. »Und dass Ethel nicht hübsch ist! Es reicht. Und dass sie nicht klug ist. Aber sie hat es aus diesem Haus geschafft. Weg von deinen Blicken, dem Ausschauhalten, immer alles beobachten. Immer etwas Gemeines sagen. Verrückte alte Frau, die den ganzen Tag auf der Veranda sitzt und aus dem Fenster schaut.«

Er nahm seinen Teller und umklammerte ihn zitternd. Idella glaubte, das Porzellan würde in der Mitte auseinanderbrechen, so fest hielt er es. Erbsen rollten auf den Boden. Ihr leises Herabpurzeln war alles, was zu hören war. Niemand rührte sich. Dann schleuderte Edward den Teller über den Tisch hinweg seiner Mutter zu. »Hier! Gib das Albert. Gib ihm mein Abendessen!« Der Teller landete mit einem lauten Knall vor ihr und stieß ihr Glas um. Wasser floss heraus, eine dunkler werdende Lache auf dem weißen Leinen.

Edward stürzte aus dem Esszimmer, was das Geschirr auf dem Tisch ein letztes Mal zum Beben brachte, und hinten aus dem Haus. Die Fliegengittertür wurde mit einem Krächzen aufgerissen und wieder zugeschlagen. Idella saß fassungslos da, starrte auf ihren Teller. Ein Riss war dort zu sehen, ein feiner Riss wie eine Ader, die die trockenen Fleischstücke verband, unter den Erbsen verschwand und auf der anderen Seite wieder zum Vorschein kam, direkt am Goldrand.

»Nun ja«, sagte Mrs. Jensen schließlich, deren Stimme einen sonderbaren Ton angenommen hatte. »Nun ja. Nun ja.«

Mr. Jensen richtete das umgestoßene Glas und tupfte das Wasser mit seiner Serviette auf. Er nahm Eddies Teller, bückte sich und sammelte die Erbsen vom Boden auf. Kein Wort fiel. Er arbeitete bedächtig und ruhig. Seine langen Arme glitten behutsam über und vor Mrs. Jensen, kratzten das Essen auf.

Sie schien ihn nicht einmal zu sehen. Die Kameebrosche hob und senkte sich auf ihrer Bluse, als würde auch das Schmuckstück nach Luft ringen. Mrs. Jensen bewegte den Kopf vor und zurück und begann zu wimmern. Sie presste die Lippen aufeinander und löste sie wieder, als wollte sie etwas sagen.

Idella fühlte sich so schwer – ihr Kopf, ihre Arme, ihre Brust, alles war so schwer. Sie konnte sich nicht bewegen, wagte nicht zu sprechen. Sie hob nur zum Dank die Augen, als Mr. Jensen den Teller vor ihr abräumte.

»Der Kuchen. Mein Kuchen«, sagte Mrs. Jensen mit einem einfältigen Lächeln. Mit einem Schlag sank sie in sich zusammen. Sie starrte Idella an, mit einem solch traurigen Ausdruck auf dem Gesicht. In ihren dicken Gläsern spiegelte sich das Licht der Deckenlampe. »Wollen Sie Kuchen, Miss Hillock? Erdbeerkuchen?«

»Nein, vielen Dank, Mrs. Jensen«, erwiderte Idella. Sie stand auf und schob ihren Stuhl unter den Tisch. »Ich sollte besser Eddie suchen. Ich glaube, er ist hinten raus.«

Vorsichtig trat sie aus dem Esszimmer, vorbei an der zusammengesunkenen zitternden Gestalt, die Eddies Mutter nun war. Mr. Jensen beruhigte sie mit einem liebevollen Gurren wie eine trauernde Taube, streichelte ihr zärtlich die Hand.

Idella durchquerte die Küche. So eine hübsche große Küche, dachte sie. Ihr Blick fiel auf die gusseiserne Kasserolle, die schief auf dem Herd stand. Getrocknete Reste und angebrannte Fleischstücke klebten in dicken Klumpen am Pfannenboden. Die Oberfläche muss mit Öl eingerieben werden, dachte Idella. Eine schwarze, gusseiserne Pfanne taugt nicht zum Braten, wenn man sie nicht gut pflegt.

Das Hinterzimmer saugte die kühle Abendluft auf. Die Dunkelheit war beruhigend. Idella ging hindurch, an den Gläsern mit selbstgemachter Marmelade vorbei. Ich frage mich, wie die schmecken, dachte sie. Wahrscheinlich sauer. Oder zu flüssig. Diese arme alte Frau. Sie bemerkte die ordentlichen Regalbretter an den Wänden. Auf einigen von ihnen waren leere Einweckgläser aufgereiht. Dieses Hinterzimmer ist im Sommer bestimmt schön, dachte sie. Sie kam zur Fliegengittertür und drückte sie auf. Das kratzende, stockende Geräusch der rostigen Angeln erfüllte die Luft wie das Krächzen einer alten Krähe. Idella stand einen Moment da, hielt die Tür auf, blickte über den Garten und das Feld. Hühner gackerten leise in dem kleinen Hühnerstall, was das Gefühl der Stille nur verstärkte. Ein Glühwürmchen blitzte auf. Und noch eins, weiter weg.

Und dort war Eddie, drüben bei den Erdbeeren, er hatte sich hingehockt. Auch er sah hinaus aufs Feld – eine hellgraue Gestalt, die sich als Silhouette gegen das dämmrige Licht abzeichnete, verschwommen an den Rändern, als säße sie in einem Nebel, der nur sie umgab. Dunstschleier erhoben sich von den langen Gräsern im Feld und legten sich wie Rauchschwaden über die Furchen und Vertiefungen. Idella schlüpfte dankbar aus ihren neuen Schuhen – sie war es nicht gewohnt, mit so hohen Absätzen zu laufen – und trat in das kühle dunkle Gras. Sie ging auf Eddie zu, ließ bewusst die Fliegengittertür zufallen, damit sie sich krächzend schloss. Nicht zum letzten Mal, dachte sie, als sie lächelnd zu ihm tappte. Nicht zum letzten Mal würde sie diese Tür zuschlagen hören.

In anderen Umständen

Prescott Mills, Maine
September 1931

»Idella?«

Es war ein Ding der Unmöglichkeit, etwas am Telefon deutlich zu verstehen. Idella legte die Hand aufs andere Ohr. »Ethel? Ethel, bist du das?« Sie hasste es, hier draußen auf dem Gang laut zu reden, im Erdgeschoss des Apartmenthauses in der Haskell Street. Sie hatte sich gerade die Haare im Spülbecken gewaschen, als es dreimal lang und zweimal kurz geläutet hatte, ihr Klingelzeichen. Das Handtuch, das sie sich um den Kopf geschlungen hatte, ging immer wieder auf, und sie brauchte beide Hände, um es wieder zurechtzurücken. »Ethel?« Sie war überzeugt, dass es Eddies Schwester war, die ihren Namen gesagt hatte, und dann war nichts gekommen, kein Ton. »Hier ist Idella. Bist du's?«

»Ja. Ich bin's.«

Sie klang schrecklich. »Ist alles in Ordnung? Bist du krank?« Stille. »Ist bei Mr. Jensen alles in Ordnung? Ethel, was ist los?«

»Idella, ich bin … ich bin … O Gott, ich bekomme ein Baby!«

»Ein Baby!« Es platzte aus Idella heraus wie ein Windstoß. Das Handtuch fiel hinter ihr zu Boden, und ihr nasses Haar klatschte ihr ins Gesicht. »Bist du sicher?«

»Ja. Ich war bei Doktor Russo. Ich bin im vierten Monat.«

»Du warst beim Arzt?« Idella verarbeitete die Informationen nicht so schnell, wie sie sie bekam. Sie war immer einen Herzschlag hinterher. Im vierten Monat! Sie hob den Arm und wrang sich das nasse Haar aus. Das Seifenwasser tropfte ihr den Rücken hinab und durchnässte ihr Kleid. Was in Gottes Namen würde Jessie tun? Wer würde es Edward sagen?

»Ich hab Angst, Idella. Ich hab Angst, es ihnen zu erzählen.«

Idella zögerte. Sie musste aufpassen, was sie hier draußen im Gang sagte. Der alte Mr. Bentley kam gerade mit seinem täglichen Liter Milch herein. Er nickte ihr zu, während er an ihr vorbeischlurfte und die Tür zu seinem Apartment öffnete. Er würde sich nicht darum scheren. Aber wenn Mrs. Rice oben im ersten Stock davon Wind bekäme, müsste sich Ethel keine Sorgen machen, wer es herumerzählen würde.

Idella senkte die Stimme. »Wirklich? … War es? Du weißt schon … der es getan hat, der daran Schuld trägt?«

»Ja. Na klar. Er ist der Einzige, mit dem ich aus war, Idella. Er sagte …« Ethel weinte. Das erkannte Idella an den abgehackten Pausen zwischen den Worten. »Er hat gesagt, dass er mich liebt … und …« O nein, sie würde zusammenbrechen. »Er hat gesagt, er könnte keine machen …«

»Keine machen?« Idella dachte, sie hätte sich verhört.

»Keine machen. Du weißt schon. Und ich hab ihm geglaubt, dass nichts passieren würde. Er hat es mir doch gesagt. O Gott, Idella, was soll ich nur tun? Du bist die Einzige, der ich es sagen kann. Ich muss es jemandem sagen. Es ist schon zu sehen!« Ethels Schluchzen dröhnte durch die Leitung.

Das hatte ganz gut funktioniert, dachte Idella. Dieser Mistkerl. Ein Soldat, der unten in New Hampshire stationiert war.

Er hatte nett gewirkt. Zu nett. Schmierig. Und Ethel ... Sie war nicht die Art Frau, die ... nun ja ... gut aussehende Männer anzog. Sie war stolz, mit jemandem in Uniform auszugehen, der ihr das Gefühl gab, etwas Besonderes zu sein. Weiß Gott, sie hatte schon ihr Leben lang so viele Probleme am Hals, dass alle einfach nur zusahen und hofften, sie würde nicht daran zerbrechen, wenn er sie verließ. Niemand hätte gedacht, dass er sie mit *etwas* zurückließ.

»Ich muss mit Eddie reden. Er muss mir helfen, ihn zu finden. Er ist der Einzige mit einem Auto.« Ethel weinte so heftig, dass es schwierig war, die Worte auszumachen. »Ich hab Angst, es Eddie zu sagen. Ich kann es Mutter nicht sagen!«

»Jemand will hier telefonieren, Ethel. Du wartest einfach ab. Ich bringe es Eddie schonend bei, wenn er heimkommt. Er muss es erfahren. Du gehst zurück nach Hause und wartest. Ruh dich aus, in Ordnung?« Foley's Market. Sie hatte über eine Meile zurückgelegt, um sie anzurufen. Den Leuten konnte nicht entgangen sein, dass sie weinend in der Kabine stand. Wenn sie nicht nach Hause ging, würde es Jessie vor Sonnenuntergang herausfinden.

»Geh jetzt nach Hause, Ethel. Nun komm schon. Ich lege jetzt auf. Mrs. Tilden braucht das Telefon.« Das entsprach nicht der Wahrheit, aber sie musste los. Mrs. Tilden klebte wahrscheinlich an der anderen Seite ihrer Wohnungstür und schrieb mit. Idella hatte gehört, wie das Radio auf einmal ausgeschaltet worden war. Und sie roch Zigarettenrauch.

Sie ging zurück in ihr Apartment und sperrte die Tür ab, was sie normalerweise nur nachts taten. Aber sie hatte das Bedürfnis nach Sicherheit. Sie wusch sich nicht einmal das Shampoo aus. Sie setzte sich an den Küchentisch, mit dem nassen Handtuch im Schoß, in ihren Pantoffeln, und machte sich Sorgen.

Arme Ethel. Vom ersten Augenblick an hatte Idella Mitleid mit ihr gehabt. Sie war eine einfache Frau. Nicht wirklich dumm, aber einfach, in jeder Hinsicht einfältig und irgendwie hölzern. Selbst ihr Gesicht bewegte sich kaum, wenn sie redete. Es war eine ausdruckslose Fläche, wie ein Blatt Papier, auf das ein Mund und Augen gemalt worden waren. Auch ihre Freuden waren einfach – sie häkelte Patchworkdecken und kleine Zierdeckchen. Ethel hatte eine Toasterabdeckung aus violettem Garn gehäkelt, von der Idella nicht glaubte, dass dies sicher sein konnte. Aber Ethel war so stolz darauf, dass Idella nichts gesagt hatte. Über ihrer Klopapierrolle gab es eine Puppe mit einem großen gehäkelten Rock. Die trieb Eddie in den Wahnsinn. Einmal hätte er ihr fast den Kopf abgerissen.

Dass sie sich all die Mühe machte, Dinge abzudecken, die gar keine Abdeckung brauchten, bedeutete, dass Ethels Absichten gut waren, der Denkvorgang, der dahintersteckte, jedoch zu wünschen übrig ließ.

Und schlimme Dinge passierten dieser Frau. Es war nicht Ethels Schuld, dass ihr Schwiegervater vor zehn Jahren Vorarbeiter unten in der Papierfabrik gewesen war und seinen eigenen Sohn in dem schweren Sturm an Thanksgiving zum Arbeiten rausgeschickt hatte. Vielleicht war es, weil er sein Sohn war und er nicht den Verdacht aufkommen lassen wollte, er würde jemanden bevorzugen. Was auch immer der Grund war, dieser Mann schickte seinen eigenen Sohn, Ethels Ehemann, auf die Laufplanke, und er rutschte auf dem Eis aus und fiel in die Maschine, und das war's dann.

Jahrelang musste man Ethel über Thanksgiving hinweghelfen. Auch nachdem Idella auf der Bildfläche erschienen war, war der Tag noch immer eine traurige Angelegenheit.

Und dieser Schwiegervater verbannte Ethel aus seinem Leben! Weder unterstützte er sie finanziell, noch bot er ihr Hilfe mit den Kindern an. Und die Fabrik selbst speiste sie mit mickrigen sechshundert Dollar ab. Und schrecklich lange wollten sie sie nicht einstellen. Was spielte es schon für eine Rolle, dass sie nicht ihre beste Arbeiterin wäre? Sie schuldeten es ihr, die verdammten Männer dort drüben. Sie entschieden in dieser Stadt über Leben. Jahrelang ging Ethel jede einzelne Woche zur Fabrik und bat darum, eingestellt zu werden. Die Papierfabrik stellte Hunderte Arbeiter ein. Aber sie nahmen Ethel erst, nachdem vier oder fünf Jahre vergangen waren. Es war ein Verbrechen, dachte Idella, ein echtes Verbrechen. Jetzt endlich war Ethel eine der Bürogehilfinnen. Das war für sie kein Problem, und sie hätte es schon viel früher tun sollen.

Idella seufzte. In eine Familie einzuheiraten, konnte ein solches Kuddelmuddel bedeuten. Sie saß weit über eine Stunde da, bis der Jingle für Camel, Eddies Zigarettenmarke, aus dem Radio trällerte und sie aufscheuchte. Sie sah zur Uhr. Es war fünf. In spätestens zwanzig Minuten wäre er zu Hause.

Rasch spülte sie die Haare aus und schlüpfte aus ihrem nassen Kleid. Das Abendessen war nicht zubereitet. Sie warf einen Blick in den Kühlschrank und sah die Eier. Mit etwas Geschick würde sie auf die Schnelle etwas damit zaubern, sie vor ihm auf den Teller drapieren und es ihm als Abendessen verkaufen.

In Gedanken darüber versunken, wie sie es Eddie sagen sollte, schnitt sie Toastbrot auf, als sie hörte, wie er gegen die Haustür hämmerte. Sie war immer noch abgeschlossen.

»Idella! Was zum Teufel ist los? Bist du da?«

»Ich komme.« Sie rannte zur Tür und sperrte auf.

»Warum hast du die gottverdammte Tür abgeschlossen?« Er blieb stehen und sah sie an. »Warum ist dein Haar nass?« Er legte seinen breitkrempigen Hut und die Autoschlüssel auf den Wohnzimmertisch und blickte sich im Zimmer um. »Ist irgendwas los?«

»Nein. Nein. Nichts.« Idella ging in die Küche, ohne ihm direkt ins Gesicht zu schauen.

»Willst du ein Bier, Eddie?«

»Bier wäre gut.« Sie holte eins aus dem Kühlschrank und brachte es ihm. »Du setzt dich aufs Sofa, während ich das Abendessen fertig mache. Leg die Beine hoch. Ein harter Tag?«

»Himmel Herrgott, ja. Ich hab's so satt, Blechdosen auf einem Förderband zu sehen. Ich mach bald die Fliege. Die Typen glauben, sie wissen alles, aber sie wissen nichts. Franklin hat heute zu Cobb neben mir gesagt, er soll sich mehr anstrengen. Arschloch. Cobb tut seine Arbeit. Zu mir sagt der verfluchte Franklin zum Glück nie was.« Eddie saß da und trank sein Bier. Er sah sich um. »Warum war die Tür abgesperrt?«

»Kein Grund. Gewohnheit.«

»Du wolltest nicht, dass jemand reinkommt und dich ausraubt, während du übers Waschbecken gebeugt bist und dir die Haare wäscht?« Eddie lachte. »Ist es das?«

Er kam in die Küche, stellte sich hinter sie und küsste ihren Hals. »Ich könnte dich belästigen. Ist das in Ordnung?«

»Im Moment ist das keine so gute Idee.« Sie hörte auf, mit der Gabel die Eier zu schlagen, und ging hinüber, um den Herd zu entzünden.

»Was gibt's zum Abendessen?« Eddie sah in die Schüssel. »Was ist das? Rührei?«

»Ja.« Idella schnippte einen Klecks Butter in die Bratpfanne. »Rührei zum Abendessen?«

»Warum nicht?« Sie hatte die Augen auf die Butter geheftet, die in der Pfanne schmolz und Blasen warf.

»Eier sind Frühstück. Was ist hier los, Idella? Hast du jemanden im Schrank versteckt?«

Idella holte tief Atem und drehte sich zu ihm um. »Deine Schwester hat mich heute angerufen.«

»Ich bring den Scheißkerl um! Ich bring ihn um!« Edward stieß Drohungen aus, seit sie aus ihrer Einfahrt auf die Haskell Street gebraust waren. Er hatte das Lenkrad so fest umklammert, dass Idella fürchtete, er könnte es bei der scharfen Kurve zur Elm Street plötzlich in der Hand halten. Er bog in die Auffahrt zu Ethels kleinem schindelgedecktem Haus und war aus seinem Auto und an der Haustür, noch bevor Idella ausgestiegen war.

»Ethel! Lass mich rein! Wo ist er hin?« Eddie hämmerte gleichzeitig an die Tür und klingelte. »Der gottverdammte Scheißkerl wird dafür bezahlen, was er getan hat!«

Ethel öffnete langsam die Tür. Sobald sie ihren Bruder sah, brach sie in Tränen aus.

»Wo ist er? Wo ist der Bastard?« Eddie stürmte ins Haus, als hätte sich Ethels Freund in einem Wandschrank oder hinter der Couch versteckt. Idella eilte die Holztreppe hinauf und schloss die Haustür hinter sich. Dann sperrte sie ab. Die ganze Nachbarschaft würde mithören.

»Er ist abgehauen, Eddie.« Ethels Gesicht war nass vom Weinen. »Er ist verschwunden.«

»Wie kann ein Soldat verschwinden?«

»Ich bin hingegangen. Ich bin runter nach New Hampshire,

zum Stützpunkt. Du musst mir helfen, Eddie. Ich hab den Bus genommen. Ich hab versucht, mit den Offizieren zu reden, aber die wollten mich nicht durchlassen.« Ethel schluchzte. »Sie wollen mir nicht sagen, wohin er versetzt wurde. Er ist irgendwo, und sie wollen es mir nicht sagen.«

»Mein Gott!« Idella ging zu Ethel und führte sie zur Couch, damit sie sich setzte. »Du hast das alles ganz allein durchgestanden. Warum hast du uns nicht früher Bescheid gegeben?«

»Ich hab solche Angst. Ich schäme mich. Er hat gesagt, er liebt mich. Ich dachte, er würde mich heiraten.«

»Na, na.« Idella legte den Arm um Ethels zusammengesackten Körper und versuchte, sie zu beruhigen. Es hatte schon den Anschein, als wäre eine kleine Wölbung zu sehen. Ihr Kleid spannte sich ein wenig über ihrem Bauch.

»Er hat dich geliebt, dieser Scheißkerl, na klar! Samstagabends, nach einem Drink. Sobald der Sonntag kam, war er nüchtern. Dann hat er an andere Dinge gedacht.«

»Edward! Red nicht so mit ihr!«

»Du bist im Arsch, bei Gott. Das sind wir alle! Verdammter Scheißkerl. Und du, du führst dich auf wie 'ne Hure! Bringst einen Soldaten nach Hause, wie eine gottverdammte Hure! Wo deine eigenen Kinder oben schlafen!«

»Edward, hör sofort auf!«

»Ma darf nichts erfahren«, sagte Eddie, ohne Idella zu beachten.

»Ich weiß. Ich weiß. Sie würde mich verstoßen.«

»Aber nein, Ethel.« Idella drückte ihr die schlaffe Hand. Sie war nass wie ein Fisch. »Sie ist deine Mutter. Sie liebt dich. Sie wird dich so gut es geht unterstützen.«

»Nein. Sie würde nicht helfen.« Ethel schluchzte jetzt lautstark. »Sie würde mich hassen.«

»Sie würde nicht helfen, Idella.« Eddie, der in dem Zimmer wie ein eingepferchter Stier auf und ab gelaufen war, blieb stehen und sah sie an. »Ma darf nichts erfahren.«

»Was ist das für ein gottverdammter Haufen, in den ich eingeheiratet habe? Wollt ihr etwa sagen, sie würde ihre eigene Tochter und ihre Enkel aus ihrem Leben verbannen?«

»Das hab ich gesagt, ja, Idella!«, brüllte Eddie. »Und sie wird Dad dazu bringen, dass er es ebenfalls tut. Uns alle!«

»Das kann ich nicht glauben.«

»Ja«, schluchzte Ethel. »Doch.«

»Genau das würde sie tun!«

In dieser Nacht lag Idella hellwach neben Eddie. Sie wusste, er war ebenfalls wach. Sie lagen nebeneinander, ohne dass sich irgendein Teil von ihnen berührte, während die Uhr neben Eddies Kissen endlos tickte. Jede Bewegung und jeder Atemzug war ihnen bewusst. Idella wäre nicht diejenige, die als Erste etwas sagen würde. Sie war zu aufgebracht.

»Ich tu das nicht absichtlich«, murmelte Eddie in die Dunkelheit.

»Tust was?«

»So wütend werden. Es kommt einfach über mich. Ich kann's nicht stoppen.«

»Das weiß ich. Ich denke, dass ich's weiß. Aber das hilft uns nicht weiter.«

»Nein, das tut's nicht. Aber ich weiß nicht, was ich tun soll.«

»Ethel steckt in der Klemme.«

»Was sie getan hat, war verdammt dumm!«

»Oh, hör mir auf. Es war menschlich. Die Frau ist allein mit ihren drei Jungs, seit dem Tag, an dem ich sie kennengelernt habe. Seit dem Unfall sind zehn Jahre vergangen. Großer Gott! Ganz allein mit den Kindern. Ich weiß, wie sich das anfühlt. Sie ist wahrlich keine Schönheit, aber sie hat Gefühle. Und da kommt jemand vorbei, der ihr etwas Aufmerksamkeit schenkt, nach all den Jahren des Nichts. Du hättest genau dasselbe getan, wärst du an ihrer Stelle gewesen. Ich zumindest hätte es.«

»Wirklich?«

»Ja, das hätte ich, bei Gott. Glaub ich jedenfalls.« Idella rollte sich von ihm weg. »Es ist gut möglich, dass ich es getan hätte.« Sie seufzte. »Himmel, ich weiß nicht, was ich getan hätte.«

Es folgte eine lange Stille. Idella rollte sich auf den Rücken und starrte zur Decke. Die Lampe hing schief, und Idella rechnete nicht damit, dass jemals irgendjemand vorbeikäme, um sie zu reparieren. Eher würde sie auf sie herunterfallen.

»Ist sie so hässlich?«

»Sie ist keine Schönheit, lass es uns so formulieren.«

»Sehe ich ihr ähnlich?«

»Nur die Beine.«

»Lass uns mal deine Beine anschauen.«

»Nein.« Idella lächelte zur Decke.

»Dann lass sie mich anfassen.« Eddie streckte die Hand nach ihr aus.

Idella zog die Beine an und drehte sich von ihm weg. »Nein.«

Er legte eine Hand auf ihr Knie. »Du würdest mit einem Soldaten ausgehen? Wenn ich mich aus dem Staub mache?«

Idella lächelte. »Ich würde keine zehn Jahre warten.«

»Wirklich?«

Er drehte sie zu sich. Sie ließ zu, dass er ihre Beine ausstreckte. Jetzt war Idella ganz weich und biegsam. Er nahm sie in die Arme.

»Was werden wir tun?«, flüsterte sie.

»Wir werden nicht mehr daran denken. Jedenfalls nicht jetzt.« Er küsste sie, und sie küsste ihn zurück.

»Nun, meine Damen, die Oktoberversammlung des Townsend Clubs für Damen ist hiermit beendet.« Abigail Wynn schlug mit ihrem Holzhammer leicht auf den Kartentisch. Viele der Frauen, allesamt Mitglieder der Universalist Church in der Main Street, hatten bereits begonnen, sich Kopftücher über ihre Frisuren zu binden und die Handschuhe aus ihren Manteltaschen zu ziehen.

Idella atmete erleichtert auf. Diese Versammlung konnte nicht früh genug enden. Sie hatten es geschafft, sie ohne Zwischenfall zu überstehen. Sie würde Jessie einpacken und rechtzeitig zurückbringen, um Eddies Eltern ein Abendessen zuzubereiten, dann zu Ethel gehen und ihr mit der Wäsche helfen und ihre Kinder bettfertig machen, bevor sie nach Hause fuhr und für sich und Eddie etwas zu Essen zauberte.

»Nun komm schon, Jessie, ich helf dir in den Mantel. Arlene hat angeboten, uns nach Hause zu fahren.« Sie lehnte sich vor und half Jessie, den Mantel über ihre Schultern zu hieven. Dann reichte sie Jessie ihren Hut. Aus den Augenwinkeln sah Idella, wie Agnes Knight näher kam. »Setz den Hut auf, Jessie.«

Agnes ging direkt auf Jessie zu und beugte sich lächelnd vor. »Wie geht's Ethel, Jessie?« Idella atmete scharf ein, als wäre ihr ein Eiswürfel den Rücken hinabgerutscht.

»Ethel?« Jessie sah auf. Der Hut war aufgesetzt, aber noch nicht festgesteckt.

O Gott. Idella spürte, wie sich ihr Magen verkrampfte. Die Versammlung war fast vorüber, sie waren fast aus der Tür, und da stellte diese Agnes Knight mit ihrer großen Klappe die Frage, die jeder während der gesamten Oktoberversammlung vermieden hatte. Agnes' Kopf war sogar noch dicker als Jessies.

»Oh, Ethel geht's gut, nehm ich an. Ich wünschte nur, sie würde mal hochkommen und mir mit dem Garten helfen, das ist alles. Ich bräuchte sie für die Kürbisernte.«

»Sie fühlt sich gut? Keine Komplikationen oder irgendwas?«

»Komplikationen? Ethel? Nein, das Mädchen ist einfach gestrickt.«

»Na, das freut mich.«

»Das freut dich?« Jessie sah Agnes an. »Mir wäre ein schlaueres Mädel lieber gewesen. Aber was kann man tun? Man bekommt, was Gott einem gibt.«

»Es wird Zeit, nach Hause zu fahren, Jessie. Sind wir jetzt fertig?« Idella warf den umherstehenden Frauen einen flehentlichen Blick zu.

»Oh, ja.« Abigail nickte in Idellas Richtung. Sie verstand. »Ich lege meinen Hammer bis nächsten Monat weg. Beim nächsten Treffen sprechen wir über die Stände fürs Frühlingsfest der Kirche. Und über das Thema für die Dekoration. Ich weiß, es scheint verfrüht, wo gerade erst Halloween vor der Tür steht, aber wir wissen alle, wie viel Zeit es kostet, das Frühlingsfest vorzubereiten. Macht euch also Gedanken über die Dekoration.«

Die Frauen folgten ihrem Beispiel und holten ihre Hüte und Taschen. Barb Jackson eilte mit ihrem Lippenstift in der Hand zur Toilette. Jessie redete weiter.

»Natürlich hab ich gemerkt, dass Ethel in letzter Zeit in die Breite gegangen ist.« Mit einem Schlag übertönte Jessies

Stimme alle anderen. »Die Scoullar-Gene kommen allmählich durch. Ich bin eine geborene Scoullar.« Im Zimmer
herrschte Totenstille, abgesehen von Jessies Stimme, die
die Luft durchfurchte. »Eddie hat sie ebenfalls. Beginnt am
Bauch und arbeitet sich dann nach unten vor. Ein Aufgehen,
wie bei einem Hefeteig. Ist unser Los. Hübsche Gesichter,
jeder von uns. Und dicke Körper. Wenigstens ist sie nicht
schwanger.«

Jegliche Bewegung erstarrte. Barb Jackson schaffte es nicht
bis auf die Toilette. Einige Frauen waren gerade im Begriff
gewesen, sich ihre Mäntel anzuziehen. Jetzt baumelten die
Ärmel unbeachtet herunter.

»Zeit, nach Hause zu fahren.« Idella stand kurz davor, in
Panik auszubrechen.

»Nicht wie das Goyette-Mädchen oben die Straße rauf. Ich
bin sicher, ihr wisst alle, dass sie in anderen Umständen ist.
Kein Ehemann in Sicht, nirgendwo von hier bis China. Spaziert den Hügel rauf und runter, direkt vor unserem Haus, als
gäbe es nichts, wofür sie sich schämen müsste. Hat mir vor
Kurzem einen Guten Morgen gewünscht und gewinkt! Stellt
euch das vor!«

»Jessie, es ist Zeit, dass wir alle nach Hause gehen. Arlene
Roberts hat angeboten, uns nach Hause zu fahren.«

»Oh. O ja. Also. Hilf mir hoch, Idella. War eine nette Versammlung.«

Idella half Jessie auf die Beine, damit sie, auf ihre beiden
Stöcke gestützt, das Gleichgewicht halten konnte.

»Reich mir meine Tasche, Idella. Ich bin fertig. Du auch?«

»Und wie«, sagte Idella. »Ich bin fertig.« Sie winkte den
erstarrten Frauen zu, während sie Jessie aus dem Versamm-
lungsraum der Kirche schob. Abigail winkte zurück und

schüttelte kaum merklich den Kopf, als wollte sie Idella so Mut zusprechen.

»Willst du etwa sagen, dass die alte Schachtel immer noch nichts weiß?« Avis saß Idella am Küchentisch gegenüber und rauchte. Sie war am Abend zuvor aus Boston gekommen. Die beiden teilten sich eine von Eddies Bierflaschen.

Ein riesiger Hubbard-Kürbis aus dem Garten der Jensens lag zwischen ihnen, blaugrau und geformt wie ein sitzendes Rebhuhn. Eigentlich hatten sie ihn aufhacken und die Kerne herauskratzen wollen, doch sobald Avis fragte, ob es irgendetwas Neues im Städtchen Prescott Mills gäbe, ohne große Hoffnung auf eine Antwort, hatte Idella gesagt: »Na ja, um genau zu sein, ja«, und anschließend war nichts weiter erledigt worden, obwohl das Bier fast ausgetrunken war.

»Sie weiß es nicht. Ehrlich.«

»Ihr ist aufgefallen, dass Ethel einen dicken Bauch bekommt?«

»Gerade einmal genug um herauszuposaunen, dass sie fett wird.«

»Wie dick ist sie?«

»Allmählich hat sie die Größe dieses Kürbisses hier erreicht. An Weihnachten wird sie noch runder sein.«

»Himmel!« Avis verschluckte sich am Rauch ihrer Zigarette.

»Die Geschichte ist einfach zu gut, um wahr zu sein. Ich bin sicher, jeder im Großraum Portland weiß Bescheid – nur Jessie nicht.« Idella hob die Bierflasche und trank den letzten Schluck. Sie stellte sie mit einem dumpfen Schlag auf den Tisch und seufzte.

»Und der Vater?«

»Oh, Mr. Jensen schaut so oft wie möglich bei ihr vorbei. Er bringt ihr Kleinigkeiten aus dem Garten. Und ich habe gesehen, wie er ihr Geld zusteckt. Aber alles im Geheimen, damit Jessie nichts herausfindet.«

»Ich meinte vom Baby, der Vater vom Baby.«

»Oh. Der. Tja. Er könnte ebenso im Kampf gefallen sein, und die Armee hätte uns nichts gesagt. Er will nicht gefunden werden, und sie zwingen ihn zu nichts. Es ist eine Schande.«

»Wusste er vom Baby?«

»Ethel hat es ihm erzählt. Das war das letzte Mal, dass sie ihn gesehen hat, das allerletzte Mal. Eddie ist runtergefahren. Er ist nach New Hampshire ins Militärlager gestürmt. Er hat ganz schön für Aufruhr gesorgt. Das kannst du dir ja vorstellen.«

Avis nickte. »Ein bisschen.«

»Er war in Höchstform! Aber sie wollten ihm trotzdem nichts sagen.« Idella machte eine Pause. »Ich glaube, er hat mehr Schaden als Nutzen angerichtet.«

Sie legte die Hand auf die festen Rundungen des Hubbard.

Avis rauchte weiter und beobachtete Idellas Finger, die über den Kürbis strichen. »Wo steht er in all dem?«

Idella schüttelte den Kopf. »Es ist ein einziges Durcheinander. Eddie versucht, Ethel zu helfen, wenn auch im Kleinen, denn er will nicht mit reingezogen werden. Er schämt sich. Du weißt schon. Am liebsten würde er mit der Sache nichts zu tun haben.«

Avis verengte die Augen zu Schlitzen und warf Idella einen ihrer Blicke zu, den sie schon so oft gesehen hatte. Idella spürte, wie er sich in sie bohrte. Sie hob die Hand. »Sag nichts. Was auch immer du über Eddie sagen willst, du kannst es für dich behalten.«

»Ich muss gar nichts sagen. Du denkst doch dasselbe. Nicht mit reingezogen werden, verdammt. Es ist ihm peinlich. Himmelherrgott!«

»Schluss jetzt, Avis.« Idella drohte ihr mit erhobenem Zeigefinger. »Und du wirst kein Wort darüber verlieren.«

»Ja, Ma'am.«

Avis drückte ihre Zigarette aus und schlug mit der Hand auf den Kürbis. »Was stellen wir jetzt eigentlich mit dem verdammten Ding an?«

»Wirf ihn auf den Boden, dann platzt er auf.« Idella spürte das Bier, das sie getrunken hatte, in ihren Adern. »Aus dem Weg.« Sie nahm den grauen Kürbis, hob ihn über den Kopf und warf ihn auf den Küchenboden. Er landete mit einem dumpfen Schlag und zerplatzte in drei große gezackte Stücke. Das hellorange Fruchtfleisch kam zum Vorschein. Unzählige blassweiße Kerne wurden auf den Boden gespuckt wie große glitschige Knöpfe.

Idella bückte sich und hob das größte Stück auf. »Lass ihn uns noch weiter zerkleinern.«

»Himmel noch mal, Idella.« Avis lachte. »Ich geh dir lieber aus dem Weg.«

»Das rate ich dir auch.« Idella riss das schartige Kürbisteil hoch und knallte es auf den Boden, wo es zerschellte und barst und weitere Kerne ausspuckte. »Wir haben erst November und sind schon in einem solchen Zustand«, sagte sie. »Stell dir vor, wo wir alle an Weihnachten sein werden.«

»Na ja, ich werde in Massachusetts sein«, sagte Avis. »Ich denke, du solltest nach Dakota verschwinden, Idella. Oder noch besser an den Nordpol.«

»Wo ist mein Glas kalter Cider? Ich hab Ethel gebeten, und nichts ist geschehen.«

Jessie saß in der Mitte auf Ethels Couch. Ihre zwei schwarzen Gehstöcke lehnten auf jeder Seite ihrer kurzen Beine, und sie schmiegte sich in eine der Wolldecken, die Ethel immerzu häkelte. Diese hier war grün-orange kariert. Jessie, deren schwarzes Kleid aus den Nähten zu platzen drohte, saß da wie eine fette Spinne, genau in der Mitte ihres grellen Netzes.

»Sie hat alle Hände voll zu tun mit dem Truthahn, der will nur langsam werden.« Idella ging in die Küche, um den Cider zu holen, froh, aus dem Polstersessel aufstehen zu können. Im Vorbeigehen tätschelte sie Mr. Jensen das Knie. Dass er nicht einmal versucht hatte, Jessies Getränk zu holen, war ein sicheres Zeichen, dass er an seine Grenzen stieß.

Ethels Haus schien so dunkel und vollgestopft. Der kleine Christbaum, den Eddie in einer Ecke aufgestellt hatte, trug zu dem wilden Durcheinander nur noch bei. Papiersterne und selbstgebastelte Ketten aus Tapete baumelten kreuz und quer von den Spitzen der Zweige. Ethels Jungen hatten den Baum ohne ihre Mutter geschmückt. Sie war zu schwer und geschwollen, als dass es sie kümmerte.

Idella ging zwischen dem Esstisch und dem Kartentisch hindurch, der für Ethels drei halbwüchsige Jungen gedeckt war. Sie hatte überhaupt keinen Hunger. Das war das schlimmste Weihnachtsessen, das sie jemals erleben würde – wenn sie es denn überlebte.

Ethel, die nun bereits volle sieben Monate hinter sich hatte, lehnte gegen den Herd, den Griff des Ofens umklammert. Eine Schürze war um ihren Bauch gebunden, über dem weit geschnittenen Hauskleid, das sie trug, um die Schwangerschaft vor ihrer Mutter zu verbergen.

»Deine Schürze ist zu fest.« Idella trat hinter sie und lockerte die Schleife. »Du setzt dich. Setz dich!« Ethel nickte schwach und begann aus der Küche zu schlurfen. »Wie lange wird er noch brauchen?«

»Keine Ahnung, Idella.« Ethel war am Ende ihrer Kräfte, das sah Idella.

Eddie kam in die Küche getrampelt. »Herrgott noch mal, Idella, wirst du ihr jetzt diesen Cider bringen?«

»Du bringst ihn, Eddie. Ich kümmere mich um den Truthahn.« Während sie das sagte, holte Idella das Glas und schenkte den Cider ein. Sie reichte ihn Eddie.

»Für mich auch einen.«

»Also wirklich!« Idella holte ein weiteres Glas und gab es ihm. Schweigend nickte sie zu Ethel, damit er ihr beim Hinsetzen half.

Dann war Idella für einen Moment nur bei sich. Sie hob die Hand an die Stirn und atmete tief ein. Heilige Mutter Gottes. Was für ein Zirkus!

Die Gerüche in der Küche waren schwer, unangenehm. Sie hingen wie Gewichte in der Luft und pressten sich auf Idellas Gesicht. Der Truthahn stank. Ethel hatte zu viel Salbei in den Vogel gestopft. Sie musste eine ganze Kinderschaufel voll benutzt haben. Idella öffnete die Ofentür. Der Vogel sah aus wie nackter Stein: kahl und trostlos und trocken. Jeglicher Bratensaft, den er womöglich gehabt hatte, war vor mindestens einer Stunde verdunstet.

Sie hob den Deckel des Rosenkohls. Die Röschen schwammen schlaff in dem Topf, mehr gelb als grün. Sie rochen wie die Papierfabrik. Idella machte den Deckel wieder zu. Die verkochten Kartoffeln, die Ethel in eine Servierschüssel geschüttet hatte, waren längst kalt.

Zumindest die Erbsen waren gut. Idella hatte sie selbst gemacht – mit zwei Äpfeln, etwas Hackfleisch und einem hübschen, kleinen Kürbis. Sie hatte die Füllung aus der Dose benutzt, es jedoch angesichts all der anderen Dinge, die sie zu tun hatte, nicht als Mogelei angesehen.

Sie öffnete den Ofen ein weiteres Mal. Gott – der Truthahn müsste eigentlich schon lange durch sein. Sie griff hinein und zupfte an einem Bein. Es war noch etwas zäh, aber das musste genügen. »Noch fünf Minuten, bis der Truthahn rauskann. Ethel, du bleibst, wo du bist. Eddie und ich bringen alles zum Tisch.«

Ethel nickte. Die Frau war am Boden. In ihrem kleinen Haus überließ sie ihre Gastgeberpflichten sonst nie jemand anderem.

»Eddie, geh und hol die Jungs zum Abendessen rein. Sie sind immer noch draußen im Schnee.«

»Bring mir meinen Teller mit Essen, Eddie.« Jessie schüttelte das Kissen hinter sich aus, lehnte sich vor und bearbeitete es mit der Faust. »Hier zu mir. Ich fühl mich nicht gut genug, um mit am Tisch zu sitzen.«

»Ich kann nicht an drei Orten gleichzeitig sein, verdammt noch mal!«

Jens eilte zur Tür. »Ich ruf die Jungs rein. Ha, die haben draußen Spaß und bewerfen sich mit Schnee.«

»Die Kids bleiben so lange draußen, wie sie nur können«, flüsterte Idella Eddie zu, während sie die Bratpfanne auf die Arbeitsplatte hoben und den Truthahn auf einen Servierteller hievten.

Eddie starrte ihn an. »Warum ist er nicht braun?«

»Deine nächste Aufgabe wird sein, ihn zu zerlegen. Eigentlich müssten wir noch zwanzig Minuten warten.« Idella besah sich den Truthahn. »Damit er den Saft aufsaugt.« Sie schüttelte den Kopf. »Aber es gibt keinen.«

Eddie trug den Truthahn zum Tisch, während Idella die Schüsseln mit Essen schleppte. »Ich dachte, wir machen einfach ein Büfett«, sagte sie fröhlich und sah hinüber zu Jessie.

»Ja, hier ist es grade so gemütlich. Ethel, holst du mir irgendeinen kleinen Hocker, ja? Um meine müden Beine hochzulegen. Und bring mir einen Teller mit einer Extraportion Kartoffeln.«

»Ich mach das, Jessie.« Idella warf Ethel einen eindringlichen Blick zu, der sie in ihren Sessel zurückwarf, von dem sie gerade aufstehen wollte.

Die drei Jungen kamen ins Haus gestürzt, wobei sie einen Schwung kalte Luft mitbrachten. Idella fand die Abkühlung erfrischend.

»Schließt die Tür!«, schrie Jessie, bevor sie sie überhaupt richtig geöffnet hatten.

Idella sah zu Eddie. Er hatte das Messer in der Hand und machte sich über den Truthahn her, als wäre er ein Baum, den es zu fällen galt. Ethels Jungen schlüpften aus ihren Stiefeln und Schneehosen und Jacken. Jens half ihnen, die nassen Fäustlinge über den Heizkörper im Flur zu hängen. Sie setzten sich um den Kartentisch.

»Seid ihr hungrig?« Idella lächelte zu ihnen herab. Es waren gute Kinder. Sie alle nickten und stützten die Ellbogen auf dem Tisch ab. Arnie, der Älteste, beugte sich vor und schnappte sich ein Brötchen. Die anderen beiden protestierten, und er grinste und warf ihnen ebenfalls eins zu. Ihre Wangen waren so rot und voller Leben. Gefrorene Schneeklumpen klebten noch an ihren Pulloverbündchen. Sie hatten sich eine Schneeballschlacht geliefert. Idella wollte den Arm ausstrecken und ihre frische Haut spüren, mit der Hand über ihre unglaublich runden Wangen streichen.

Sie wusste nicht genau, inwieweit sie über die Situation ihrer Mutter im Bilde waren. Auf jeden Fall wussten sie genug, um ihrer Grandma Jensen kein Sterbenswörtchen zu verraten. Sie redeten über nichts anderes als Schneebälle, Schlitten und Hunger.

»Habt ihr Kinder euch auch die Füße abgetreten?« Jessie ließ sie nie in Frieden.

»Ma, sie wollen was essen. Lass sie.« Es sah Ethel nicht ähnlich, ihrer Mutter zu widersprechen. Idella betrachtete sie. Ethel hatte die Augen geschlossen und lehnte den Kopf gegen eines der Zierdeckchen, die sie gehäkelt und überall auf den Armlehnen und Sitzflächen festgesteckt hatte. Ethel versuchte alte Möbel gut aussehen zu lassen, indem sie Deckchen über die abgewetzten Stellen und die von den Katzen zerrissenen Lehnen legte, aber die Stecknadeln fanden immer wieder ihren Weg zum Nacken oder zum Handgelenk.

»Dieses verdammte Teil ist zäh wie Gummi.« Eddie war über den Truthahn gebeugt. Das Messer sah so stumpf aus, dass es nicht einmal Butter schneiden würde. Das Blut schoss ihm in die Ohren.

»Bring mir ein Bein, Eddie«, rief Jessie. »Das muss man nicht schneiden.«

Alle beobachteten, wie Eddie mit dem Bein des Truthahns kämpfte. Er kochte mittlerweile vor Zorn. Jens trat leise vor und hielt den Körper des Tieres mit zwei kräftigen Händen fest. Mit einem wutentbrannten Ruck riss Eddie das Bein aus. Er stand wie angefroren da und hielt das Bein wie eine Auszeichnung hoch.

Idella brachte Jessie einen Teller mit Gemüse und dem Bein.

Jessie blickte auf die Keule hinab. »Das sieht zäh aus. Ich nehme ein Stück Brust.«

Eddie kratzte genug Fleisch für jeden herunter. Jens meldete sich freiwillig für die eine Keule, die andere blieb fest am Tier verankert. Idella schaufelte Gemüse auf die Teller und verteilte sie. Ethel nahm ihren schweigend entgegen, ohne viel zu essen.

»Jeder hat, was er braucht?« Idella begutachtete die Teller.

»Ich hätte gern etwas Soße«, murrte Eddie.

»Es gibt keine.« Idella sah ihm direkt ins Gesicht, damit er wusste, dass er kein weiteres Wort verlieren sollte. Sie beugte sich zu ihm und flüsterte: »Es gibt auch keine Füllung, frag also erst gar nicht.«

»Gibt es Kuchen?«, murmelte er mit rotem Gesicht. »Krieg ich später noch Kuchen?«

Idella nickte, um ihn zum Schweigen zu bringen.

Sie aßen in angespannter Stille. Idella hatte nicht die Kraft anzumerken, wie gut alles schmeckte. »Erschöpft« war nicht das richtige Wort. Zumindest war das Ende in greifbarer Nähe. Kuchen, abwaschen und abtrocknen, und dann nichts wie nach Hause, so sah ihr Plan aus.

»Du weißt, wie ich es hasse, diejenige zu sein, die es ausspricht, Ethel.« Jessies Stimme durchbrach das Schweigen. »Aber du wirst dick. Genau am Bauch. Dein Körper passt jetzt zu deinen schweren Beinen.«

»Ma«, war alles, was Eddie herausbrachte.

»Was denn, dasselbe ist auch mit dir passiert, Edward. Dass ihr zwei vom Körperbau nicht nach eurem Vater kommen konntet, werd ich bis in mein Grab bedauern.«

Solange das irgendwann in nicht allzu ferner Zukunft eintrifft, dachte Idella. »Ich schneide jetzt die Kuchen an.« Sie gab Eddie ein Zeichen, damit er mitkam und ihr half.

»Als junges Mädchen war ich schlank. Nicht wahr, Jens? Ich wurde bewundert. Hier, nimm meinen Teller. Drei junge Männer waren gleichzeitig hinter mir her. Jens war der vierte. Ich mochte seinen Akzent. Jens kam von so weit her. Dänemark. Ich wollte niemanden aus der Gegend.«

Jens sammelte die Teller ein, und Idella machte sich daran, den Kuchen zu schneiden. Sie sah, dass Ethels Wangen knallrot wurden. Aufgedunsen wie ein Hefeteig. Himmel. Sie reichte Eddie einen Teller mit drei verschiedenen Kuchenstücken. »Gib ihr den, sofort.«

»Und wann bekomm ich meinen?«, fragte er.

»Wenn alle anderen ihren bekommen.« Sie reichte ihm weitere Teller.

»Ist das Kürbis aus der Dose, Idella?«

»Ja – ich finde ihn gut.«

Jessie redete mit vollem Mund. »Apropos dick werden. In letzter Zeit ist mir dieses kleine Goyette-Mädchen ins Auge gesprungen … Kennst du sie, Idella?«

»Ich glaube nicht.« Idella häufte drei große Stück Kuchen auf einen Teller und gab ihn Eddie.

Lächelnd nahm er ihn entgegen.

»Also, das kleine Mädchen ist jetzt eine Frau, das kann ich euch sagen. Eddie, bring mir ein zweites Stück von dem Mince Pie.« Eddie, der gerade dabei war, sich hinzusetzen, schnappte sich ihren Teller und schob ihn Idella zu.

»Sie ist schwanger … mit einem Bastard!« Die Gabeln erstarrten. Idella, mit Kuchen im Mund, konnte nicht schlucken. Ethel sah mit zitternden Schultern auf ihren Teller. Idella wusste nicht, wie lange sie sich noch zurückhalten könnte.

»Hast du sie gesehen, Ethel?«

Eddie, der gerade anfangen wollte, seinen Kuchen zu essen,

saß im Polstersessel und lehnte sich in eines von Ethels Spitzendeckchen zurück. Sein Mund stand bereits für den ersten Bissen offen.

»Verfluchte Scheiße!« Er sprang ruckartig auf und schlug sich an den Nacken. »Verflixt und zugenäht!« Der Kuchen flog von seinem Teller. »Ich bin gestochen worden. Da ist eine Biene, verdammt noch mal! Ich bin gestochen worden!« Ein Stück Mince Pie landete auf Jessies Fuß. Kürbisstücke klebten an den üppigen Rosen auf Ethels trauriger dunkler Tapete.

Idella bemerkte das helle Glitzern einer Nadel in dem weißen Zierdeckchen, durch die es auf dem Sessel fixiert werden sollte. Eddies Hals war mit Wucht darauf gelandet.

»Also Eddie, das ist ja wie damals bei Tante Sema, als du deinen ganzen Mageninhalt wieder ausgespuckt hast.« Jessie bückte sich und kratzte sich den Mince Pie mit den Fingern vom Fuß. Sie hielt den Kuchen hoch und besah ihn sich genau. »Sie hatte für den vierten Juli Schokoladen- und Erdbeerkuchen gebacken. Es kam alles wieder raus, weil du zu viel von beiden hattest. Ist wie eine Schlammlawine aus dir raus. Hat schrecklich gerochen. Das war mir so peinlich wie nichts zuvor in meinem Leben. Braun und rot, so sah's aus. Mit ein bisschen Orange.«

Idella tupfte ihre Serviette in ein Wasserglas und gab sie Eddie für seine Wunde. Sie bückte sich und las die Brocken mit Kürbis und Sahne vom Boden und den Kissen auf. Sie leckte sich die Finger. Das Stück mit dem süßen Apfel schmeckte gut.

»Sema war keine gute Köchin. Hätte auch an ihrem Essen liegen können. Stimmt ja, das eine Mal hatte ich eine Lebensmittelvergiftung. Erinnerst du dich, Jens? Es war der Fisch, den du heimgebracht hast. Da kam es bei mir auf beiden Seiten raus.«

Idella holte tief Luft. Das Gespräch würde sich nicht länger um das Goyette-Mädchen drehen. Oder um Ethels Gewichtszunahme. Nicht heute. Ihr war die Geschichte schon so oft in aller Ausführlichkeit erzählt worden, aber heute gefiel sie ihr zum ersten Mal.

Idella war oben im alten Haus allein in der Küche. Sie stand am Tisch und schnitt Kohl für einen Eintopf. Rote Beete und Karotten und Kartoffeln aus dem letzten Jahr lagen aufgetürmt vor ihr und warteten darauf, geschält zu werden. Auf dem Herd köchelte das Pökelfleisch. Jens hatte es ihr heute Morgen aus dem Keller hochgebracht. Es war zwei Tage im Tontopf mit Salzlake eingelegt gewesen.

Sie hatten drei tote Mäuse auf dem Fußboden des Kellers gefunden und bei den Kartoffeln Anzeichen für ein geschäftiges Treiben, weshalb Jens und Eddie nach Löchern suchten und sie mit Blech zunagelten oder mit Gips verputzten. Ab und an hörte sie unten Hämmern. Diese alten Häuser waren schrecklich, und natürlich gab es ein ganzes Feld voller Mäuse, die liebend gerne aus der Kälte hereinkamen. Wahrscheinlich hatten sie sich schon hübsch eingelebt und machten mehr und mehr Babys, dachte Idella. Bei dem Gedanken musste sie seufzen. Arme Ethel, der auch eins gemacht worden war.

Gott sei Dank war Februar der kürzeste Monat, und sie hatten ihn fast schon hinter sich. Draußen lag immer noch schmutziger Schnee. Tagsüber brachte die Sonne ihn zum Schmelzen, dann wurde es wieder kalt und alles gefror. Das Gehen war gefährlich, weshalb sie den kurzen Weg von ihrem

Apartment in der Haskell Street bis hierher mit dem Auto gefahren waren.

In letzter Zeit kamen sie jeden Samstag, um zu helfen, immerhin war Ethel nun im neunten Monat und zu fast nichts mehr fähig. Sie erzählten Jessie, dass sie oder eines der Kinder eine schlimme Erkältung hätten, und sie hinterfragte es nie, denn sie wollte sich nicht anstecken. Idella wusste nicht, wie lange sie noch mit Ausreden davonkämen. Es war zu einer tagtäglichen Belastungsprobe geworden.

Es fühlte sich gut an, das Messer fest ins Schneidbrett zu rammen und zuzusehen, wie die krummen Scheiben herabfielen. Selbst ein Kohlkopf war wunderschön, wenn man ihn genau betrachtete – blassgrün und voller Muster, die im Innern verborgen waren.

Es war herrlich, allein in der großen Küche zu sein. Das Haus und der Garten und das große Feld dahinter waren so angenehm in der nachmittäglichen Stille. Man konnte draußen sogar Vögel hören. Viele kleine Lieder hallten übers Feld und von den Bäumen wider. Meisen. Wintervögel.

Jessie nahm unten in der Kirche an einem Willkommensessen für Clara White teil, die im vergangenen Jahr mit ihrem Mann in Florida gewohnt hatte. Der arme Mann war innerhalb von sechs Monaten nach zwei Herzinfarkten gestorben, und Clara hasste das heiße Wetter und war so schnell wie möglich zurück nach Prescott Mills gezogen, nämlich letzten Dienstag. Idella hatte alle Einzelheiten von Jessie erfahren, bevor ihre Mitfahrgelegenheit sie abgeholt hatte, und sie war sicher, es würden noch zahlreiche weitere Einzelheiten folgen, sobald sie zurück war.

Idella nahm eine Rote Beete. Die Erde hing noch in Klumpen daran, und Idella hob sie ans Gesicht und atmete den natürlichen, beruhigenden Geruch ein, bevor sie sie zu schälen begann. Es war gut für Jessie, aus dem Haus zu kommen. Sie verließ es nur sehr selten und würde jeglichen Tratsch in sich aufsaugen. Wenn überhaupt etwas sie glücklich machte, dann das.

Idella hörte ein Auto auf den Hof fahren und vor dem Tor halten. O nein! Sie hatte gehofft, zumindest noch eine Stunde für sich zu haben. Sie wischte sich die Hände an der Schürze ab und ging hinaus auf die Veranda. Jessie bräuchte eine helfende Hand, um über den Innenhof zu kommen und die Stufen hinauf.

Vorsichtig schritt Idella über vereiste Stellen und feuchten Schnee, und erreichte genau in dem Augenblick den Wagen, als Jessie mit Hilfe von Abigail Wynn vom Rücksitz auftauchte. Sie umklammerte ihre zwei Gehstöcke, brachte kein Wort der Begrüßung oder der Verabschiedung über die Lippen, und marschierte beherzt zum Haus.

»Es tut mir leid, Idella«, sagte Abigail und setzte sich wieder hinters Steuer. Der Motor lief noch. »Süße, du kümmerst dich lieber darum, dass sie nicht fällt.« Dann winkte Abigail und fuhr zurück die Straße hinab. Idella, für den Moment zwischen Ankunft und Abfahrt wie erstarrt, eilte Jessie hinterher. »War es ein nettes Mittagessen?«, rief sie mit aufgesetzter Fröhlichkeit.

Jessie sagte nichts. Sie setzte erst den einen Stock, dann den anderen vor sich und ging mit kleinen, entschlossenen Schritten über den nassen Boden. Idella streckte den Arm aus, um sie zu stützen, aber Jessie zuckte zusammen und wich zurück.

O mein Gott, dachte Idella. Die Katze ist aus dem Sack.

Sie überholte Jessie und hielt ihr die Tür auf. Jessie pflügte an ihr vorbei und trampelte unaufhaltsam die Vordertreppe hinauf, über die Veranda und in die Küche. Eddie und Jens kamen gerade aus dem Keller. Eddie hatte einen Hammer und Jens einen mit Gips verdreckten Spachtel in der Hand. Beide Männer blieben wie angewurzelt im Türrahmen zum Keller stehen, als sie Jessies hochroten Kopf sahen, der jeden Augenblick zu platzen drohte.

Sie stampfte zum Tisch und setzte sich. »Ich habe keine Tochter.« Sie hob einen ihrer Gehstöcke und ließ ihn auf den Boden knallen. »Ich habe einen Sohn, der lebt, und einen Sohn, der gestorben ist, als er einen Monat alt war. Meinen Albert. Aber ich habe keine Tochter.«

Ihre Stimme hallte von den Küchenwänden wider. »Es ist ein Wunder, dass ich dort beim Mittagessen nicht gleich auf der Stelle umgekippt und gestorben bin. ›Wann kommt das Baby?‹ Clara White ist auf mich zugekommen, die Freundlich- und Bösartigkeit in Person. ›Welches Baby?‹, habe ich sie gefragt, ich hab geglaubt, sie meint das Goyette-Mädchen oben am Berg, das einzige Baby, von dem ich weiß, dass es bald geboren wird.« Jessie umklammerte das obere Ende ihrer Spazierstöcke, als wären ihre Finger Klauen. Ihre Knöchel sahen gelb aus. »›Wieso, natürlich Ethels Baby! Ich hab sie auf der Straße getroffen.‹ Sie lachte, als hätte ich einen Witz gemacht. ›Es ist doch spätestens in einem Monat so weit.‹ Ich hab ein Nicken zustande gebracht, mehr nicht. Damit war alles gesagt, was ich sagen wollte, bis ich nach Hause gekommen bin.«

Niemand rührte sich. Alle drei standen sprachlos da und starrten Jessie in ihrem Zorn an. Idellas Herz versuchte auszubrechen und fortzufliegen.

»Das hat es also auf sich mit dem Dickwerden am Bauch.« Jessie drehte sich zu ihnen um und schleuderte ihnen vorwurfsvoll entgegen: »Und ich hab geglaubt, Ethel würde einfach fett werden wie ihre Mutter. Ich werde mein Gesicht nie wieder außerhalb dieser vier Wände zeigen können.«

Sie lehnte sich auf ihre Stöcke und stemmte sich hoch. »Ich habe heute meinen letzten Ausflug gemacht. Und eine Tochter verloren.« Sie begann aus der Küche zu gehen. »Ich muss mich hinlegen.« Im Türrahmen blieb sie stehen und sah zu Jens. »Diese Frau wird unser Haus nie mehr betreten. Sie ist hier nicht willkommen. Ebenso wie ihr Bastard.«

Idella blickte zu Eddie, der den Kopf des Hammers in seine Handfläche drückte, als wollte er ein Loch hindurchbohren. Er starrte zu Boden. »Eddie, lass uns heimfahren.« Er nickte.

Sie ließen den Eintopf, wie er war. Idella drehte die Flamme unter dem Pökelfleisch ab. Jens saß zusammengesunken am Küchentisch, die Hände mit getrocknetem Gips verschmiert. »Sie ist so stur«, sagte er leise, als ihm Idella die Hand auf die Schulter legte. »Stur wie ein Maulesel.«

Eddie und Idella verließen das Haus, stiegen ins Auto und bogen in die Longfellow Street ein.

»Du hättest was sagen können.« Idella sah aus ihrem Seitenfenster. Draußen war es klar und kalt. Das grelle Licht des Nachmittags zeichnete sich schroff gegen die Schneehaufen ab. »Hättest für deine Schwester und das arme Baby eintreten können.«

»Und was hätte ich sagen sollen, Idella?«

»Hättest irgendwas sagen können. Um deine Mutter zum Schweigen zu bringen.«

»Die könnte nichts und niemand zum Schweigen bringen, Idella.«

Idella seufzte. »Wahrscheinlich nicht. Trotzdem hättest du's versuchen können.«

Eddie hatte die Augen auf die aufgefächerten Karten vor ihm gerichtet. »Della, bring mir die Nüsse aus dem Schrank. Die Nussmischung, die ich mitgebracht habe.« Er sah sie nicht einmal an, während er seinen Befehl erteilte. »Ich gehe mit und erhöhe um drei.« Er warf weitere Pokerchips auf den Haufen in der Mitte des Tisches. Idella gab ihr Bestes, um so zu tun, als wäre dies ein ganz normales samstägliches Kartenspiel mit den Martins von unten.

Sie ging in die Küche, um Eddies verdammte Nüsse zu suchen. Innerlich war sie so unruhig, dass sie im Grunde froh war, aufstehen und umherlaufen zu können. Wie konnte er Karten spielen und Nüsse essen und Bier trinken und sich verhalten, als wäre nichts los, überhaupt nichts, wo er doch sehr wohl wusste, dass Ethel allein war, unten in ihrem kleinen Haus, und versuchte, ein Baby zur Welt zu bringen? Seine eigene Schwester! Er schämte sich. Er hatte Angst davor, was die Leute denken oder sagen könnten – genau wie seine verfluchte Mutter. Idella wollte am liebsten so laut schreien, dass Tote davon aufwachen würden.

»Bring mir noch ein Bier, wenn du schon dabei bist, Della. Und eins für Harold.« Sie wollte ihm das Bier über den Kopf gießen und ihm die Nüsse in den Kragen schütten, dass sie bis zu seinem fetten Arsch runterrollen würden.

»Möchtest du noch was trinken, Cora?«, fragte Idella.

»Nein, nein danke, Idella. Außer du hast Ginger Ale. Zu Ginger Ale würde ich nicht Nein sagen.«

Idella seufzte und öffnete wieder den Kühlschrank. »Wir haben noch etwas Malzbier übrig, das ist alles, Cora. Und ein Orange Crush. Möchtest du was davon?«

»Oh, Orange Crush klingt gut.«

Idella amüsierte sich nie besonders bei diesen Kartenabenden. Cora war ein bisschen empfindlich. Pedantisch. Und Harold nahm das Gewinnen genauso ernst wie Eddie, weshalb es jedes Mal zumindest einen eingeschnappten Verlierer gab. Idella schüttete die Nüsse in eine Schüssel. Eddie hatte die Finger schon in der Tüte gehabt. Ein Großteil der Cashewkerne war weg.

Sie wollte nicht hier stehen und kalte Getränke eingießen. Sie wollte zu dem Haus fahren und tun, was in ihrer Macht stand, um der armen Frau beizustehen, das Baby zu bekommen. Sie wollte sehen, wie das Baby geboren wurde. Es konnte immer etwas passieren, wenn man ein Baby zu Hause zur Welt brachte. Schließlich war ihre eigene Mutter dabei gestorben. Der Arzt war immerhin schon da. Ethel hatte Arnie zum Telefonieren zum Laden geschickt. Das arme Kind.

Idella senkte die Flasche Limonade, die sie zur Hälfte in Coras Glas geleert hatte. Sie stand im Durchgang zur Küche, immer noch die kalte Flasche in Händen, und sah so schwach und krank aus, wie sie nur konnte. Sie lehnte sich gegen den Türrahmen. »Ihr wisst, das sieht mir gar nicht ähnlich, aber ich hab plötzlich schreckliche Kopfschmerzen.«

»Aber Idella, komm und setz dich.« Cora war aufgesprungen, kam zu ihr und nahm ihr das Getränk aus der Hand.

»Du hast deine Karten mit dem Blatt nach oben hingelegt, Cora. Wir wissen jetzt, was du hast.« Eddie drehte ihren Kartenfächer um.

»Macht nichts, wir brechen ja auch gleich auf.« Cora führte Idella an der Hand zu ihrem Sessel und drückte sie in den Sitz. »Willst du einen kühlen Waschlappen, Idella?«

»Ich hab gehört, Eis im Nacken hilft.« Harold lächelte Idella an.

»Eddie.« Idella starrte ihn an, bis er ihr in die Augen sah.

»Eddie, es tut mir leid, aber ich muss mich hinlegen. Ich breche den Abend nur ungern ab.«

»Aber nicht doch, Idella. Wir haben schon genug gespielt. Außerdem haben wir fünf Dollar verloren, Harold und ich. Ich denke, wir haben eine Pechsträhne. Hol deinen Hut, Harold. Es ist Zeit zu gehen.«

»Wie wär's, wenn wir noch das letzte Blatt fertig spielen? Ich hab hier was.« Eddie drückte seine Karten fest an sich und lächelte Harold und Cora an. »Vielleicht ist es nicht so gut, wie ich denke, und ihr gewinnt eure fünf Dollar zurück.«

»Nächste Woche, Eddie. Lass uns gehen, Harold. Idella muss sich ausruhen.« Cora küsste Idella flüchtig auf die Wange, und Idella öffnete die Augen und nickte schwach. Sie rang sich ein mattes Lächeln ab und fuhr sich mit der Hand über die Stirn.

»Du bringst sie ins Bett, Eddie. Harold, lass uns gehen. Jetzt.«

Harold beugte sich vor und tätschelte Idella das Knie. »Ich hoffe, dir geht's bald besser, Idella. Die Chefin ruft. Ich muss los. Gute Nacht, Eddie.«

»Gute Nacht.«

Sie gingen und zogen die Tür leise hinter sich zu, als würden sie ein Krankenzimmer verlassen.

Eddie sortierte die Pokerchips nach Farben und stapelte sie zurück in den Holzkoffer. Er sagte nichts. Idella saß mit geschlossenen Augen in ihrem Sessel und wartete, bis die Martins in ihrem Apartment waren.

Sie hörte Eddie zu, der die Karten mischte, sie immer wieder ineinanderschob. Unvermittelt stand sie auf. »Nimm deinen Hut und deine Schlüssel. Wir fahren zu Ethel, und zwar sofort. Ich werde sie nicht im Stich lassen, damit sie ganz allein, ohne jemanden aus der Familie, ihr Baby zur Welt bringt.«

»Ich geh nicht, Idella.« Eddie mischte weiter die Karten. »Sie hat sich das selbst eingebrockt.« Er hielt inne und blickte zu ihr hoch. »Sie bekommt einen Bastard.«

»Ich bin außer mir vor Wut! Außer mir!«

»Wenn ich Ethel helfe, wird Mutter nichts mehr mit mir zu tun haben wollen.«

»Oh, wäre das nicht schrecklich! Wäre das nicht wirklich, wirklich traurig! Wenn diese bösartige alte Frau aus unserem Leben verschwindet!«

»Aber es ist wegen meinem Vater! Wie soll ich mich von meinem Vater fernhalten? Wenn ich den Rasen nicht mähe oder das Feld pflüge, wenn du ihr das Unkraut nicht aus dem Garten jätest, dann wird er es tun. Und sie wird ihm die ganze Zeit in den Ohren liegen, dass er es schneller erledigen soll.«

»Du kannst nicht zulassen, dass sie über euer Leben bestimmt. Diese Frau ist nicht ganz richtig im Kopf. Sie ist unfähig, auch nur einen klaren Gedanken zu fassen. Und ihr alle lasst zu, dass sie euer Leben bestimmt. Ich habe den Mund gehalten, seit ich in diese Familie eingeheiratet habe. Aber ich will verdammt sein, wenn ich Ethel nicht helfe. Mein Gott, ich würde jeder Frau in ihrer Situation helfen. Und ein Baby ist ein Baby. Ein armes, unschuldiges Wesen, das es verdient, in dieser Welt willkommen geheißen zu werden.«

»Dad wird dafür bezahlen.«

»Warum kann er sich nicht behaupten?«

»Keine Ahnung.« Edward schüttelte den Kopf. »Das konnte er noch nie. Er sagt, sie ist krank und kann nichts dafür.«

»Stell dir nur mal vor, sie verbietet ihm, seine eigene schwangere Tochter zu sehen! Und er gehorcht! Stiehlt sich davon und macht sich Sorgen und versucht, sie heimlich zu besuchen! Was ist nur los mit euch Männern? Wo ist euer Rückgrat?«

»Ich kann es nicht tun, Idella. Ich will damit nichts zu tun haben.«

»Du *hast* aber was damit zu tun! Verdammt noch mal, Edward, du hast was damit zu tun!« Idella beugte sich über den Tisch und riss Eddie den Satz Karten aus der Hand. »Und lass mich dir eins sagen.« Sie starrten sich an. »Wenn du Ethel weiterhin so behandelst, wie du sie bisher behandelt hast, und so tust, als hätte sie die größte und schlimmste Sünde seit Anbeginn der Zeit begangen – wenn du dieses Kind nicht mit offenen Armen in der Familie willkommen heißt... dann werde ich nicht bei dir bleiben.«

Eddie sah aus, als hätte sie ihm eine feste Ohrfeige verpasst.

»Du und ich, wir wissen, dass mir dasselbe wie Ethel hätte passieren können.« Sie stand über ihm und lehnte sich weit vor, die Hände auf den Tisch gespreizt. »Wir haben uns mehr als einmal hinreißen lassen, bevor wir verheiratet waren. Beim Weihnachtsessen, das hätte *ich* sein können, im siebten Monat mit *deinem* Baby. Herrgott noch mal, jetzt holst du deine Schlüssel und bringst mich zu deiner Schwester!«

Edward saß eine lange Weile da, ballte die Hände zu verkrampften Fäusten und löste sie wieder. Auf einmal brach er zusammen, sein Kopf fiel ihm auf die Brust, seine Arme lagen wie schwere Taue vor ihm auf dem Tisch. Er begann zu schluchzen. Idella hatte ihn noch nie solche Geräusche machen gehört. Sie stand vor ihm, reglos.

»Es tut mir leid, Idella.« Eddie keuchte. »Ich schäme mich.« Er hob eine schwere Hand und schlug sich gegen die Brust. Idella beugte sich vor und nahm seine Hand in ihre. Er drückte den Kopf an ihren Bauch, wie ein Kind, und schluchzte.

»Nun komm schon, Eddie«, flüsterte Idella. »Wir fahren jetzt und bringen ein Baby auf die Welt und in diese Familie.«

Als sie bei Ethel ankamen, war der Arzt noch da. Mrs. Olsen von gegenüber war gekommen, um zu helfen. Ethels drei Kinder waren oben in ihren Zimmern.

Sobald Idella eintrat, wusste sie, dass sie es verpasst hatte. Neben Ethels Bett stand die Wiege, und Idella sah augenblicklich, dass sie belegt war. Ein Bündel, nicht größer als ein Laib Brot, lag ruhig unter einem Baumwolldeckchen. Ethel schlief, blass und ausgezehrt, eine Hand auf dem Baby.

»Sie hat schwer gearbeitet«, sagte der Arzt. »Sie ist erschöpft. Hat einen prächtigen kleinen Jungen bekommen. Alles am richtigen Platz. Lassen Sie sie schlafen. Sehen Sie nach den Kindern oben. Ich vermute, die sind neugierig und hungrig. Mrs. Olsen hier war eine große Hilfe. Vielleicht kann sie jetzt nach Hause.«

»Ja«, sagte Idella. »Sie gehen nach Hause. Wir sind aufgehalten worden. Aber jetzt sind wir da.«

Eddie ging hinüber und sah auf die schlafenden Gestalten. Ein Lächeln schlich sich in seine Züge. »Himmel noch mal! Sieh dir nur die kleinen Finger an. Er kann schon eine Faust ballen.«

Idella kam und stellte sich neben ihn. Sie beugte sich hinab und berührte den Kopf des Babys. Er war immer noch feucht. »Oh«, sagte sie. »O mein Gott!«

Ethel rührte sich und schlug die Augen auf. »Eddie?«

»Ich bin hier.«

»Hast du ihn gesehen, Eddie?«

»Der ist dir prima gelungen, Ethel.«

»Ich werde mich bis an mein Lebensende schämen!« Idella hörte Jessie dieselbe Leier wie immer vortragen, während sie und Eddie das Tor öffneten und den Vorgarten durchquerten. Sie warf ihm einen kläglichen Blick zu, als er ihr die Fliegengittertür aufhielt. Seit mehr als vier Monaten weigerte sich Jessie, etwas mit Ethel oder dem Baby zu tun zu haben. Aber sie war es nie leid, über sie zu reden. Sie gönnte ihnen allen keine Ruhe.

Jessie hatte das Kindheitsfoto von Ethel und Eddie vom Wohnzimmerregal geholt und es entzweigeschnitten. Es widerte Idella an. »Schau«, hatte Jessie gesagt und stolz mit dem Finger darauf gezeigt, »schau, was ich getan hab.« Sie hatte aufgehört, ihren Frauenclub zu besuchen. Sie weigerte sich, das Haus zu verlassen. Jeden Tag saß sie draußen auf der Veranda und beobachtete die Menschen, die vorbeikamen. Kalt wie es war für Ende Juni, hatte sie sich in die Häkeldecken eingepackt, die Ethel für sie gemacht hatte.

»Bringen wir's hinter uns«, flüsterte Eddie Idella zu, als sie die Küche betraten. Sie und Eddie kamen auch weiterhin jeden Samstagvormittag zum Haus, um auszuhelfen. Dann gingen sie hinunter zu Ethel und versuchten ihr bei den Einkäufen zu helfen oder sie zum Arzt zu bringen oder was sonst anlag. Es war für alle eine Belastung. Jens schlüpfte so häufig wie möglich davon, um das Baby zu sehen. Er musste es heimlich tun und durfte nie länger als dreißig Minuten fortbleiben, denn andernfalls hätte ihn Jessie mit Fragen bombardiert.

Als sie das Esszimmer betraten, stützte sich Jessie vor dem

großen Tisch auf ihre zwei Gehstöcke. Ihr besonderes Geschirr und die wenigen Teile Tafelsilber waren vor ihr ausgebreitet.

»Was soll das?«, fragte Eddie.

»Das gehört jetzt dir, Idella. Ich hab außer dir keine Tochter mehr. Ich will, dass du alles bekommst. Ich wollte dir zeigen, was dir gehört.«

»Ich will diese Dinge nicht«, sagte Idella.

»Sieh her, diese blauen Tassen und Unterteller waren mein Hochzeitsgeschenk. Und die winzigen Silberlöffel, die dazu passen? Ich bewahre sie einzeln eingewickelt auf, und sie sind stets poliert. Die sind aus echtem Silber.«

Eddie schüttelte den Kopf. »Die Sachen sind für Ethel bestimmt, Ma. Das hast du ihr immer gesagt. Ich will die Löffel nicht – ich würde doch bloß einen verschlucken.«

Jessie schien nicht zu hören, was sie sagten. Sie sprang aufgeregt von einer Kostbarkeit zur nächsten. »Hier, die rosafarbene Glaskaraffe, die ist von meiner Mutter. Sie hat an ihrer eigenen Hochzeit Eierlikör daraus eingeschenkt. Und ich habe sie bekommen, nicht meine Schwestern, weil ich Eierlikör mehr als alle anderen liebte. Meine Mutter hat ihn früher nur für mich gemacht. Halt die Karaffe ins Licht, Jens, damit Idella sie genau sehen kann. Sie hat mir die Karaffe geschenkt, bevor sie gestorben ist. Ich will, dass du sie mit nach Hause nimmst, Idella.«

»Wir wollen das Zeug nicht, Ma. Wir wollen weder die Karaffe noch die Löffel noch die kleinen Teetassen. Ich mach mir nichts draus!«

Jessie stellte die Karaffe auf den Tisch. »Du machst dir nichts draus, sagst du? Ich schenk dir meine kostbarsten Sachen, und du machst dir nichts draus? Dann machst du dir auch nichts aus mir. Das willst du damit sagen. Du machst dir nichts aus mir. Das tut niemand. Niemand.« Sie nahm ihre zwei Gehstöcke, trampelte auf die Veranda und warf sich die Decken über. »Bist dir wohl zu gut dafür?«, rief sie, ohne den Kopf zu drehen. Idella bemerkte, dass sie weinte.

Jens, der die rosafarbene Glaskaraffe noch in Händen hielt, stellte sie zurück auf den Tisch. Sein gesamter Körper war geknickt und krumm und kummervoll. Idella blickte zu Edward, der den Kopf schüttelte.

Sie sagte leise: »Schau dir nur an, wie traurig und trübsinnig diese Frau alle gemacht hat. Wir sind allesamt unglücklich.« Eddie sah sie hilflos an. »Du gehst und holst sie.«

»Wen?«

»Du gehst jetzt sofort runter, und du holst Ethel und bringst sie mit dem Baby hier hoch.«

»Bist du verrückt?«

»Das kann so nicht weitergehen. Jeder ist traurig. Schau doch raus und sieh selbst, wie einsam sie ist. Warum das alles?«

»Was, wenn Ethel nicht kommen will?«

»Du musst sie dazu bringen. Geh und hol sie.«

»Was, wenn es nicht funktioniert?«

»Wie soll es denn noch schlimmer werden, als es jetzt schon ist? Sag's mir?«

»Okay. Ich gehe.«

Idella schritt in der Küche auf und ab und redete unablässig, wartete. Die beiden mussten Fletcher's Hill heraufspazieren, und Jessie würde sie kommen sehen, lange bevor sie den Gipfel erreichten und beim Tor einbogen.

Idella spähte auf die Veranda. Dort saß Jessie, wollene

Überwürfe bis zu ihren Schultern gezogen wie ein Truthahn, der wärmesuchend in seinen eigenen Federn versank. Sie wischte sich über die Augen, putzte sich die Nase und bemitleidete sich selbst. Vorsichtig blickte Idella zum Fuß des Hügels. Dort kamen sie. Sie konnte die zwei Gestalten, Bruder und Schwester, gerade so erahnen. Ethel schob einen Kinderwagen. Sie gingen langsam, aber stetig. Jessie sah zum Haus von Mr. Graveline auf der anderen Straßenseite.

»Das Haus dort braucht neue Farbe.«

Jens blickte von seiner Zeitung auf, die er vorgegeben hatte zu lesen. »Dieses Haus hier könnte auch einen neuen Anstrich vertragen, und was tun wir?« Er gähnte und reckte sich und sah den Hügel hinab. Seine Arme versteiften mitten in der Bewegung. Er hatte sie gesehen. Er beobachtete die zwei näher kommenden Gestalten, dann blickte er zu Idella. Sie legte den Finger an die Lippen und zuckte mit den Achseln. Jens nickte, erhob sich und trat von der Veranda herein, um sich schweigend neben sie in die Küche zu stellen.

»Wohin gehst du? Bring mir ein Glas …« Ihre Stimme brach mitten im Satz ab. Eddie und Ethel hatten jetzt die Hälfte des Weges hinter sich gebracht und waren deutlich zu sehen.

Jessie war völlig erstarrt. Niemand rührte sich oder sagte ein Wort. Alle drei beobachteten die Geschwister, die mit dem Kinderwagen den Berg heraufstapften.

Als sie das Tor erreichten, bemerkte Idella, wie verängstigt Ethel aussah. Mit glasigen Augen spähte sie unter ihrer wollenen Häkelmütze hervor. Jessie starrte geradewegs aus der Fliegengittertür und beobachtete, wie sie den Weg entlanggingen. Der Wagen ließ sich nur schwer über den matschigen

Pfad schieben. Eddie übernahm ihn von Ethel und musste sich fest dagegenstemmen.

Ihnen allen schien minutenlang der Atem zu stocken. Idella beobachtete, wie Jessie ihre beiden Kinder ansah. Ihre Gesichtszüge wurden weicher, und es war, als ob ein Schimmer Licht sich auf sie stahl. Idella spürte, dass es Jens ebenfalls aufgefallen war.

Für einen Moment bewegte sich niemand. Dann zog Jessie ihren Schal enger, knallte ihre Gehstöcke vor sich auf den Boden und hievte sich aus ihrem Stuhl.

»Jens!«, rief sie. »Jens, geh und hilf Eddie mit den Rädern. Sie werden das Baby noch ganz durchrütteln.«

»Ja, meine Liebe.«

»Und lass die Tür beim Rausgehen nicht zuschlagen. Der Kleine schläft vielleicht.«

Jens hielt die Verandatür auf. Idella stürzte hinaus und half Eddie, den Kinderwagen auf die Veranda zu tragen. Ethel kam schweigend die Stufen herauf. Idella bedeutete ihr, zu ihrer Mutter zu gehen, dann nahm sie Eddie am Ellbogen und zog ihn in die Küche.

Jessie stützte sich auf ihre Gehstöcke und sah zu dem schlafenden Baby hinunter. »Er ist in so viele Kleidungsstücke eingewickelt, dass ich ihn gar nicht richtig sehen kann. Lass mich wieder sitzen, und du packst ihn aus, und dann halte ich ihn. Er wird von seiner Grandma gehalten.«

Ethel griff in den Wagen und zog dem Baby mit unbeholfenen Fingern die Mütze und den Pullover aus. Beides war gestrickt, bemerkte Idella lächelnd.

»Lass ihn in der Decke, damit seine Beine nicht kalt werden.« Jessie streckte die hungrigen Finger nach dem Baby aus. »Du gibst ihn mir jetzt. Lass ihn mich genau anschauen.«

Von all den Berührungen erwacht, wand sich das Baby und rieb sich mit winzigen Fäusten die Augen. Ethel reichte Jessie ihren kleinen Sohn, die ihn lange Zeit betrachtete, schweigend. Niemand rührte sich. »Tja«, flüsterte sie. Das Baby begann zu wimmern. »Na, na«, gurrte sie. Idella hatte sie noch nie mit einer solch sanften Stimme reden hören. »Na, na. Er hat Alberts Augen.« Sie nickte. »Ja. Alberts Augen.« Sie sah auf. »Und deinen Mund, Ethel.«

Ethel lächelte. Jens kam herüber und legte ihr die Hand auf die Schulter.

»Was ist mit mir?«, sagte Eddie lächelnd. »Steckt nichts von mir irgendwo in ihm?«

»Bring mir meine Karaffe, Idella – die mit dem rosafarbenen Glas –, und bereit uns allen etwas Eierlikör zu. Wir werden meine Silberlöffel zum Umrühren nehmen.«

Idella seufzte. Eine Krise war bewältigt. Sie vermutete, dass weitere folgen würden. Sie drückte Eddie die Hand, dann nahm sie die rosafarbene Glaskaraffe und machte sich daran, Eierlikör zuzubereiten. Ihr hatte die Karaffe schon immer gefallen. Und die kleinen Löffel hätte sie auch gerne gehabt.

Teil drei

Idella blickt zurück: Eheleben in der Longfellow Street

Und so kam es, dass wir zu Jessie zogen. Wir hatten unsere eigene Wohnung, drüben in der Haskell Street, als Jens einen Herzinfarkt erlitt. Er war draußen und mähte gerade um den Abhang herum, und dann ist er einfach zusammengebrochen, und ein paar Leute haben ihn nach Hause gebracht. Der Arzt meinte, es wäre ein leichter Herzanfall und er sollte Vitamintabletten nehmen und sich schonen. Aber er durfte nicht mehr mähen und all das Zeug. Also sollte Ethel dort oben wohnen und sich um ihn kümmern. Sie hat sich ihre Kinder geschnappt und ist hochgezogen, und wir haben ihr die Daumen gedrückt, weil wir wussten, dass auf die lange Sicht wir diejenigen wären, die dorthin müssten. Sie blieb drei Wochen, dann hat sie gepackt und ist zurück nach Hause. Sie hielt es nicht mehr aus. »Die ganze Zeit, die ich dort oben war, hatte ich ein Bauchkribbeln. Jede Minute in diesem Haus. Bauchkribbeln.« Sie hatte ein paar Kleinigkeiten mitgebracht, und die nahm sie jetzt alle wieder mit. Also waren wir dran.

Das war im Juni. Und im November ist er gestorben, an einem Herzinfarkt. Und wir haben acht Jahre bei Jessie gewohnt – oder vielmehr sie bei uns. Sie hatte ihre guten Seiten, aber es war so schwer, mit ihr zusammenzuleben. Sie war unmöglich. Man konnte den ganzen Tag damit verbringen, ihr Lieblingsgericht zu kochen, sagen wir mal, etwas, worüber sie seit Wochen geredet hat – Erdbeerkuchen vielleicht, von den ersten reifen Früchten. Man konnte warten und danach Ausschau halten – ich weiß das, denn ich hab's getan, ich wollte ihr eine Freude machen. Ich hab gewartet und nach den Beeren Ausschau gehalten, bis sie genau richtig waren. Richtig süß. Ich hab gerade genug gepflückt, um ihr einen Erdbeerkuchen zu machen, und ich hab den Boden gebacken und die Sahne geschlagen, und er ist mir richtig gut gelungen, und dann habe ich sie eines Abends zum Nachtisch damit überrascht, nachdem sie sich eine Weile kränklich gefühlt hatte – ich habe ihn ihr auf einem Tablett mit Blumen und allem Drum und Dran ins Schlafzimmer gebracht – und, mein Gott, sie hat dort gesessen, hatte die Frechheit, dort zu sitzen, in dem Bett, dessen Kissen ich ihr gekauft hatte, verdammt noch mal, in den Laken, die ich gewaschen hatte –, und sie sieht mich an und sagt: »Der Boden sieht trocken aus, Idella. Du hast die guten Beeren auf einen solchen Boden verschwendet.«

Ich hätte sie am liebsten umgebracht. Es war ein perfekter Kuchen. Perfekt! Aber das ertrug sie nicht. Sie war eifersüchtig auf meinen Kuchen. Man konnte in diesem Haus, bei dieser Frau nicht gewinnen. Das konnte niemand.

Also habe ich den Kuchen wieder abgeräumt. Ich habe kein Wort gesagt. Ich wollte mich nicht streiten. Ich habe ihn genommen und bin zur Hintertreppe raus, die zum Garten hinausführt, und ich habe mich gesetzt und ihn gegessen. Ich habe jeden Krümel gegessen. Ich war nicht mal hungrig. Ich konnte ihn nicht wirklich genießen, auch wenn der Kuchen perfekt war. Aber ich wollte auf gar keinen Fall zulassen, dass sie es sich anders überlegt. Und ich wollte ihr nicht die Genugtuung geben, wütend zu werden. Obwohl ich es natürlich war. Stinkwütend. Eine Frechheit! Nachdem ich mich so angestrengt hatte, nett zu ihr zu sein und ihr das zu kochen, was sie wollte.

In der Nacht vor Barbaras Geburt kam Ethel hoch, um zu helfen, und hat bei uns übernachtet. Sie hatte ihre Kinder dabei. Und als ich um sieben aufgewacht bin, ist meine Fruchtblase geplatzt. Ich habe es also Ethel gesagt, und sie ist sofort aufgesprungen. Dann sind ihre Kinder runtergekommen, eins nach dem anderen. Sie waren noch kleine Jungs, neun, zehn Jahre alt. Wir saßen um den Frühstückstisch, und sie wussten, dass irgendetwas geschehen würde. Eddie fuhr uns nach Portland. Ethel hat uns begleitet, und den ganzen Tag über haben sich Eddie und Ethel im Krankenhaus abgewechselt, haben gewartet, dass das Baby kommt. Vierzehn Stunden lang.

Sie haben mir eine Narkose verpasst. Das Letzte, woran ich mich erinnere, war die Krankenschwester, die sagte: »Und wenn der Schmerz wieder schlimmer wird, dann sagen Sie's mir.« Also habe ich es ihr gesagt, und dann erinnere ich mich an nichts mehr. Ethel meinte zu Eddie, ich wäre schrecklich zimperlich, doch ich hab nur das getan, was die Krankenschwester gesagt hat. Und dann, irgendwann später, sagte ich es wieder.

Ich bin erst um zwei Uhr morgens richtig zu mir gekommen, ich war allein im Bett, und ich stand auf. Ich wollte zur Toilette – und glücklicherweise gab es eine Toilette auf dem Zimmer. Ich musste nämlich pinkeln. Und als ich auf der Schüssel saß, dachte ich: Hab ich das Baby schon bekommen? Wahrscheinlich. Schließlich bin ich zurück ins Bett, und kurz darauf kam eine Krankenschwester herein, und ich sagte zu ihr: »Ich bin über den kalten Fußboden gegangen.« Dass ich

»kalter Fußboden« gesagt habe, lag daran, dass Jessie immer wieder die Geschichte erzählt hatte, dass eine Frau nach einer Geburt über den kalten Fußboden gegangen war, Schwindsucht bekommen hatte und gestorben war. Ich dachte also: O mein Gott, ich bin über den kalten Fußboden gegangen. Es war Linoleum. Was geschieht jetzt mit mir? Das habe ich mich gefragt. Ich musste es einfach wissen.

Doch die Krankenschwester sagte: »Das macht nichts.« Sie hat mir erklärt, dass ich ein kleines Mädchen hatte und zu welcher Uhrzeit sie geboren worden war und alles andere.

Dann brachten sie mir das Baby. Sie hatte eine kleine Narbe auf der einen Gesichtsseite. Eine Zangengeburt. Ihre Stirn war irgendwie rot, aber das ist mit der Zeit verblasst. Sie wog über acht Pfund. Ein zuckersüßes Baby.

Na, Donna und Paulette und Beverly kamen viel schneller, die brauchten nur ein paar Stunden. Für mich war es nur mit wenig Leid verbunden. Wenn die Schmerzen ein bisschen schlimmer wurden, gaben sie mir etwas. Und ich hatte starke, gesunde Babys. Vier Mädchen, jeweils im Abstand von sieben Jahren.

Als Paulette geboren wurde, hat Eddie natürlich auf einen Jungen gehofft. Nachdem er erfahren hatte, dass es ein Mädchen war, ging er zu Mrs. Graham in der Haskell Street, die genau gegenüber vom Krankenhaus wohnte, und hat es ihr erzählt. Er war so enttäuscht. Sie sagte: »Er hat geklingelt, und ich bin an die Tür, und er machte ein so langes Gesicht, dass ich dachte: Herrje, Idella oder dem Baby ist was passiert. Was Schreckliches ist passiert.« Und sie sagte: »Mr. Jensen, was ist los?« – »Tja«, sagte er, »ich hab schon wieder ein gottverdammtes Mädchen.« Sie hat es ihm ausgeredet. Sie war ein mütterlicher Mensch. Sie sagte: »Nun, es ist ein gesundes Baby, nicht wahr? Das Baby ist gesund?«, und er sagte: »Ja, es wiegt zehn Pfund«, und sie sagte: »Das ist doch schön. Vielleicht wird das nächste ein Junge.« Und als er das Baby gesehen hat, hat er sich auf der Stelle in das kleine Mädchen verliebt.

Es war nach der Geburt von Paulette, dass wir den Laden eröffnet haben. Um uns herum wurden überall neue Häuser gebaut und wir dachten, du meine Güte, wenn es hier einen Lebensmittelladen gäbe, das wäre eine feine Sache. Also sagte ich: »Warum nimmst du nicht den alten Hühnerstall und baust ihn um und machst daraus einen Laden?«

Eddies Eltern hatten Hühner. Eddie hasste es, die Tiere sauber zu machen und zu füttern und all das zu tun, was getan werden musste. Wer könnte es ihm verdenken? Den ganzen Tag arbeiten und dann nach Hause zu dieser Mutter und diesen Hühnern zu kommen. Und natürlich zu mir. Also habe ich das meiste gemacht.

Schließlich sind wir die verdammten Hühner losgeworden. Es war einfach zu viel. Und dann haben wir den Laden eröffnet – im ehemaligen Hühnerstall. Das war meine Idee. Eddie heimste die Lorbeeren ein, aber es war meine Idee. Wir haben den Hühnerstall quer übers Feld versetzt und ihn natürlich sauber geschrubbt und eine Menge um- und angebaut, und wir haben ihn in der Gorham Road errichtet und ihm den Namen »Jensen's Drive-In« verpasst. Und ich stand in dem, was früher einmal der Hühnerstall gewesen war, jahrelang hinter dem Ladentisch. Eddie hat gesagt, ich würde immer gackern. Er fand es schrecklich witzig, wenn er sagte: »Idella ist im alten Hühnerstall und gackert.« Wenn ihm mal ein Witz gelungen ist, hat er den Bogen immer überspannt. »Das macht dich dann wohl zum Hahn«, sagte ich immer. Denn ihm gefiel das.

Jensen's Drive-In. Eddie war mächtig stolz auf den Namen. Er meinte, das würde die Leute anlocken, denn Drive-In-Restaurants waren zu jener Zeit groß angesagt, als wir unseren Laden eröffneten. Tag um Tag und Jahr um Jahr habe ich so viele Menschen gesehen. Und ein paar von ihnen habe ich natürlich besser kennengelernt, wusste, was bei ihnen los war. Wenn jemand ein Baby bekam oder sich eine Katze zulegte, dann erzählten sie es mir. Jeder kannte mich! Ich war »Mrs. Jensen«.

Ich war jeden Morgen dort, um den Laden zu öffnen, und jeden Abend, um ihn zu schließen. Da war es dann schon nach zehn. Und auch an vielen, vielen Nachmittagen stand ich im Laden hinter der Kasse. Natürlich hatte ich George als Aushilfe. Er hat auf der anderen Straßenseite gewohnt und er übernahm nachmittags meine Schicht. George... er war, na ja, wie sagt man gleich noch mal? Es ist jetzt in Mode – es gibt einen Ausdruck dafür. Er mochte Männer, wenn Sie verstehen, was ich meine. Eddie wusste natürlich nichts davon. Es wäre ihm auch nie in den Sinn gekommen. Zum Glück für uns alle.

George wohnte jahrelang mit Randall zusammen. Er war mein bester Arbeiter. Er schrubbte unaufgefordert die Böden. Oh, das wusste ich so zu schätzen! Wir haben oft über Kleinigkeiten gelacht und uns gemeinsam über die Kunden amüsiert, ihre Schrullen – all die kleinen Dinge.

Einmal war ich morgens drüben im Laden – ich war ganz allein und mit irgendetwas beschäftigt, als ich zufällig aus dem Fenster schaute. Der Blitz soll mich treffen, aber ich habe dort draußen einen Elch vorbeirennen sehen! Einen ausgewachsenen Elch. So wahr mir Gott helfe. Außer mir war niemand da. Ich hatte keinen Zeugen. Und genau in dem Moment kommt Jerry Masterson herein, um sein tägliches Päckchen Zigaretten zu kaufen – man hätte die Uhr nach ihm stellen können –, und ich sagte: »Jerry, Jerry, ein Elch! Ich habe einen Elch vor dem Fenster vorbeilaufen gesehen!« Und er blickt mich an und sagt: »Hast du getrunken, Idella?« Dachte wohl, ich wollte ihn auf den Arm nehmen. Also sind wir rüber zu George auf die andere Straßenseite, um ihn zu fragen, ob er den Elch auch gesehen hätte, und er sagte: »Nein, nein, Idella, heute Morgen keinen Elch. Ein paar Eichhörnchen, aber keinen Elch.« Ha, sie haben beide geglaubt, ich hätte getrunken. Aber ich ließ mich nicht abbringen. Ich war standhaft! Und sie haben mich zurück zum Laden begleitet und die Umgebung abgesucht – und bei Gott, George fand einen Elchabdruck, genau hinter dem Laden. Was bewies, dass ich diesen Elch wirklich gesehen hatte. Oh, wir lachten noch Jahre später darüber. »Heute schon einen Elch gesehen, Idella?«, fragte Jerry manchmal. »Keinen einzigen«, sagte ich dann, und wir brachen beide in Gelächter aus. Und ab und an, einfach nur zum Spaß, sagte ich: »Drei.«

Wir haben nie mehr etwas über Elche in unserer Gegend gehört. Aber George hatte den Abdruck des Hufs gefunden – den untrüglichen Beweis.

Guter alter George. Mir kamen Geschichten über Partys mit jungen Männern drüben bei Randall und George zu Ohren. Ich wusste nie, was ich glauben sollte. Er war ein guter Arbeiter, das wusste ich. Auch wenn Barbara behauptet hat, sie hätte ihn einmal abends in Old Orchard Beach gesehen, und er hätte mit einem Mann Händchen gehalten. Ich weiß nicht, ob es Randall war. Das Leben ist schon komisch. Es passiert so viel, was man sich in seinen kühnsten Träumen nicht vorstellen kann.

Da wir keine Hühner mehr hatten, holten wir uns die Eier, die wir im Laden verkauften, von der Eierfrau oben auf dem Hügel. Wie war noch mal gleich ihr Name? Ich kannte sie schon als Kind. Wir waren zusammen in der kleinen Schule gewesen, damals in Scarborough, in dem Jahr, als Avis und ich dort zur Schule gegangen sind. Sie war das hübscheste, kleine Ding. Langes goldenes Haar. Sie trug eine große Schleife auf dem Kopf. Große Schleifen waren damals in Mode. Mein Haar war zu dünn, als dass es eine solche Schleife gehalten hätte. Ihres war dick und prächtig, und ihre Schleife saß den ganzen Tag stolz auf ihrem Kopf. Meine verrutschte und hing schlaff herab.

Aus irgendeinem unerfindlichen Grund hat die Eierfrau Jimmy Forrest geheiratet! Sie haben weiter oben am Berg gewohnt. Die Forrests waren ein sonderbarer Haufen – von irgendwo aus dem Süden. Einmal habe ich gehört, dass sie und Jimmy in einem Auto gewohnt haben sollen! Kann man sich das vorstellen? Für ein oder zwei Monate. Die Leute, die in den Laden kamen, redeten darüber. Wenn ich sie sah, sind sie in dem Wagen gefahren und haben ihre Eier ausgeliefert, und es sah ganz normal aus. Aber ich hatte von mehr als einer Quelle gehört, dass sie auch darin schliefen statt in Betten. Mit ihrem Hund! Sie tat mir leid. Sie selbst war immer so damenhaft und sanftmütig gewesen.

Na ja, als Eddie und ich, als wir also unser neues Sofa geliefert bekommen haben, habe ich ihr unser altes angeboten. Ich erinnere mich beim besten Willen nicht mehr an ihren Namen, und das müsste ich doch. Ich habe mich schlecht gefühlt, das alte Sofa herzugeben. Dieses Sofa hatte eine Geschichte. Es gehörte Eddies Eltern. Es stand im Salon oben im Haus, als wir uns kennengelernt haben, und es war noch

Jahre später dort, als wir einzogen, um uns um alles zu kümmern, und ich kann mir nicht vorstellen, dass in der Zwischenzeit oft jemand darauf gesessen hatte. Es war für Gäste, was ich nach diesem ersten Besuch ja nicht mehr war.

Ich hatte ein ungutes Gefühl, wenn ich in der Nähe dieses bescheuerten Sofas war. Jessie überwachte ihre Sachen, als wäre sie eine fleischgewordene Vogelscheuche. Nichts in diesem Salon durfte angefasst werden, aus Angst, es könnte schmutzig werden und die Leute könnten etwas Schlechtes über sie erzählen – dass sie keine gute Hausfrau wäre. Sie machte sich wirklich Sorgen um so sinnlose Dinge.

Deshalb war ich froh, das alte Sofa aus dem Haus zu haben.

Man hätte glauben können, ich hätte ihr einen Sack Gold geschenkt. Derart glücklich war sie, das Sofa zu bekommen. Das alte, abgenutzte Ding. Und so wurden wir es los.

Eine Weile, nachdem wir ihnen die Couch geschenkt hatten, fuhren wir hoch, Eddie und ich, um die Eier abzuholen. Ihr Auto war kaputt, und sie konnte sie nicht ausliefern. Also habe ich gesagt: »Oh, keine Sorge, Lilly« – Lilly! So war ihr Name! Kam mir jetzt wie aus heiterem Himmel! Ich sagte: »Keine Sorge, Lilly, wir kommen zu euch und holen die Eier.« Und Edward war einverstanden. Herrgott noch mal, es war nur den Berg hoch. Was für ein heruntergekommener Hof! Überall natürlich alte Autos. Und jegliche Art von Schrott und altem Krempel. »Himmelherrgott«, sagte Eddie, als wir einbogen. Dann begannen ein paar Hunde zu bellen. Verlotterte schwarze Tiere. Wir haben nicht gewagt auszusteigen. Wir saßen also im Auto und haben die Unordnung von drinnen betrachtet – und herrjemine! Da habe ich unsere alte Couch entdeckt, die wir ihnen geschenkt hatten, draußen vor dem Hühnerstall, und überall saßen Hühner drauf!

Ich war nicht sicher, ob Eddie sie bemerkt hatte. Ich sagte kein Wort. Aber er hat sie gesehen. Es dauerte eine Weile, aber dann hat er sie gesehen. Die Erkenntnis hat sich wie ein Buschfeuer auf seinem Gesicht ausgebreitet. Er hat dieses zischende Geräusch ausgestoßen, das er macht, wenn er wütend ist. Dann beißt er die Zähne aufeinander und saugt scharf die Luft ein – *ssssss* –, und ich wusste, das Spiel war aus. »Das ist das Sofa meiner Mutter«, zischte er. »Ich fass es nicht, das ist das Sofa meiner Mutter!« Ich weiß, wir hatten unser neues Sofa, und das alte war ihm nie lieb und teuer gewesen – nicht mal, bevor es sich die Hühner darauf bequem gemacht hatten. Und trotzdem. Was für ein Anblick!

Aber Edward schwieg, obwohl er vor Wut kochte – dass jemand es wagte, so schlecht mit etwas umzugehen, das ihm gehört hat, das seiner Mutter gehört hat. Lilly kam aus dem Haus und rief die Hunde zurück, und wir bekamen die Eier. Sie war so süß und dankbar. Ich bin sicher, es war Jimmy Forrest, der die Couch dort hingestellt hat. Wahrscheinlich hat er es nicht geschafft, sie ins Haus zu tragen oder war zu betrunken gewesen und hat sie einfach abgestellt, und dort stand sie nun.

Lilly legte die Eierschachteln in einer Reihe auf den Rücksitz des Wagens. Und Eddie, der befürchtete, er könnte hereingelegt werden, öffnete jede Schachtel und inspizierte jedes einzelne Ei. Er war sauer, und er zeigte es deutlich.

Nachdem alle Eier überprüft waren, bezahlte ich sie, und schon waren wir weg. Dann begann Edward, sich so richtig aufzuregen. Wenn er hinterm Steuer saß und ihn irgendetwas ärgerte, machte er sich dort Luft. Deshalb schoss er aus ihrem Hof, und ich sagte: »Fahr langsam, Edward! Beruhige dich!« Das machte ihn nur noch wütender, was wiederum mich wütend machte, und dann fing er mit dem Sofa an, dem Sofa seiner Mutter, wie konnte sie nur die verdammten Hühner überall auf das gottverdammte Sofa scheißen lassen. Man hätte fast glauben können, die Tiere säßen auf dem Thron von England!

Dabei hat er die Couch nie gemocht. Seine Mutter hatte immer derart auf das Sofa achtgegeben, dass wir Angst hatten, uns draufzusetzen. Also war es geradezu ironisch, welches Ende es fand – jedenfalls war es kein tragisches. Eigentlich hat mich der Anblick amüsiert. Jessie hätte sich im Grab umgedreht.

Währenddessen drehten Edward und ich uns ebenfalls. Er nahm die Kurve zu scharf, die auf die Longfellow Street führte. Und da war George, der die Straße heraufgeschlendert kam, und Eddie steuerte genau auf ihn zu. George sprang wie ein Hirsch über den Graben, und Eddie riss den Wagen in die entgegengesetzte Richtung. Aber die Räder auf meiner Seite schlitterten den Abhang hinab. Wir polterten also in den Graben, Edward fluchte, ich kreischte. George lachte. Als das Auto schließlich zum Stehen kam, steckten wir fest. Und die Eier auf der Rückbank… Die Kartons waren von demjenigen, der sie als Letzter in Händen hatte, nicht richtig geschlossen worden, wenn Sie verstehen, was ich meine.

Ich habe den Kopf in den Schoß gelegt und die Augen geschlossen, bevor ich die Kraft aufbrachte, mich umzudrehen. Alles, was ich sah, war gelb. Dottergelb. Ei tropfte von jedem nur erdenklichen Ort – oben vom Dach, vom Aschenbecher und in die Spalten hinter den Sitzen. In den Teppich. Einige der Eidotter waren noch nicht aufgeplatzt. Ich versuchte, sie mit den Eierschalen unbeschadet aufzulesen.

Eddie trug im Sommer immer einen Strohhut mit Krempe –

er achtete sehr auf sein Äußeres –, und er hatte ihn abgesetzt und weggelegt, als er oben mit den Eiern herumhantiert und sie überprüft hatte. Als der Wagen endlich stehen blieb, war er so wütend, dass er hinausstürmte, die hintere Tür aufriss und seinen Hut packte und aufsetzte, als er ihn dort sah. Dann polterte er weiter und öffnete Türen und machte alles noch zehnmal schlimmer. Ich tat, was ich konnte, um die Eier aufzuwischen, aber ich hatte nur ein paar Taschentücher bei mir. Wir hatten panische Angst, denn Eddie verkaufte Autos. Das hier war eines davon!

Und deshalb hockten George und ich im Graben, die hintere Wagentür so weit wie möglich geöffnet, und kratzten die Eier ab, so gut es ging, und Eddie tobte und Autos blieben stehen oder fuhren langsam vorbei – es war mir so peinlich, dass mir übel wurde. Eddie kam zu uns nach hinten, und George und ich haben zu ihm hochgeschaut – und da stand Edward, vor Wut schäumend, und die ganze Zeit über hatte er geplatztes Eigelb auf seiner Hutkrone. Leuchtend gelb. Es tropfte und rann herab. Und er hatte nicht den blassesten Schimmer. Merkte es nicht. Er sah aus wie ein Paradiesvogel. Es war so leuchtend gelb. Herr im Himmel!

Und George, der normalerweise nicht viel sagte, sah zu Eddie hoch und sagte ganz sanft: »Du hast da etwas Eigelb, Eddie.«

Er gab das Auto so schnell wie möglich für ein anderes in Zahlung.

Und es war natürlich meine Schuld, weil ich ihnen überhaupt die Couch geschenkt hatte. Es war immer meine Schuld.

Ich hatte geglaubt, es würde keine Umstände machen, die Eier den Hügel hinunter und in den Laden zu bringen. Es war eine Fahrt von zwei Minuten. Ich hatte nicht damit gerechnet, dass sich Edward so edwardmäßig aufführen würde, was er natürlich wie immer tat.

Avis blickt zurück: Das Hotel

Die erste Kuh, die wir hatten, war wohl die, die Dad Tante Beth und Onkel Paul gab, als er Emma zu ihnen geschickt hat. Emma behauptet immer noch, dass sie sich schlecht fühlt, uns die Kuh weggenommen zu haben. Ich weiß, es ist nicht fair, aber eine ganze Weile hab ich Emma gehasst – ich war gemein zu ihr. Ich dachte, wäre sie nie geboren worden, hätte ich immer noch meine Mutter. Ich hab es ihr nie an den Kopf geworfen, aber ich hab oft darüber nachgedacht. Erst viele Jahre später, als sie Tuberkulose hatte und ich sie im Sanatorium besucht habe, bevor sie geheilt wurde, habe ich angefangen, sie zu mögen.

Wie dem auch sei, das war die erste Kuh, an die ich mich erinnern kann, und nach ihr hatten wir Knolle und noch andere und dann Bossy. Aber ich wusste nicht, woher Kälber kamen. Das war die Art Erziehung, die wir genossen haben. Ich meine, da gab es niemanden, der uns aufgeklärt hätte. Immer wenn ein Kälbchen oder ein Lamm oder sonst was geboren wurde, sagte Dad, er hätte etwas draußen im Stroh gefunden. Dann sind wir rausgegangen und haben in der Scheune nachgeschaut, und dort war es dann, mitten in einem Strohhaufen. Das hat er jedes Mal so gemacht.

Also, ich hatte dieses kleine Kälbchen, Bossy. Es war ein süßes Ding – schlanke Beine, genau wie bei einem Reh. Nachdem ich sie ungefähr ein Jahr hatte, sagte Dad, dass sie ein Junges bekäme. An diesem einen Morgen, bevor Dad aus dem Haus ging, meinte er, ich soll auf Bossy aufpassen – und wenn sie sich von den anderen Kühen entfernt, dann soll ich sie nach Hause bringen und ihn holen.

Ich hab also die Kühe auf die Weide getrieben und ihnen den Rücken zugewandt, um das Gitter zu schließen, damit sie nicht in fremde Gärten trampelten. Als ich mich wieder umgedreht habe, war die Kuh fort. Wie vom Erdboden verschluckt. Ich hab mich umgeschaut, und da war ein Gebüsch mit jungen Erlen, und die zitterten. Bossy hatte sich zwischen den Bäumen versteckt. Also hab ich das Tier dort rausgeholt und nach Hause gebracht.

Ich habe mir die Kuh dann von allen Seiten angeschaut, weil ich wissen wollte, wo das Kalb rauskommen würde. Denn ich wusste, dass das Kalb in der Kuh war. Ich habe sie ganz genau betrachtet, um die Öffnung zu finden. Aber ich hab sie nicht gefunden. Ich war dreizehn! Und hatte von nichts eine Ahnung.

Und dann sah ich es. Zwei kleine Hufe kamen aus ihrem Hintern raus. Zwei Hufe. Die beiden Vorderhufe. Ich bin wie der Teufel die Straße hochgerannt und habe Dad geholt. Anschließend bin ich natürlich nicht mehr zur Scheune gegangen. Das durften wir nicht. Wir sollten einfach gar nichts über all das wissen. Aber ich hab diese Hufe gesehen! Das war etwas, worüber ich mir lange den Kopf zerbrochen habe.

Keine von uns hat viel über Blümchen und Bienchen erzählt bekommen. Niemand hat uns irgendetwas erklärt. Wir hatten keine Mutter. Wir lagen dort im Bett, ich und Idella, und haben versucht, die Puzzlestücke zusammenzusetzen. Wir haben uns die abenteuerlichsten Theorien einfallen lassen, wie Babys gemacht werden. Eine Weile hielten wir nachts Abstand voneinander, rollten jeweils auf die andere Seite, weil wir wussten, dass was auch immer geschah, normalerweise in einem Bett geschah. Was für kleine Dummerchen wir waren.

Teufel, als ich zum ersten Mal meine Periode bekam, wusste ich nicht, was los war. Ich bin mit roten Flecken überall auf meinem Nachthemd aufgewacht, und ich bin die Treppe hinuntergeschlichen und habe eine Schere geholt und die Flecken rausgeschnitten, damit Idella nichts bemerkt. Ich dachte, ich hätte etwas falsch gemacht.

Die Männer haben immer jede Gelegenheit schamlos ausgenutzt, die sich ihnen bot. Wir haben später gelernt, dass es überall passieren konnte. In der Scheune. Im Wald. Die verdammten Männer, die Dad zum Arbeiten auf der Farm einstellte. Einer versuchte, Idella im Plumpsklo zu überfallen. Sie waren der Abschaum vom Abschaum.

Der armen Tante May ist es auf dem Melktisch passiert. Tante May war die Schwester meiner Mutter. Sie brachte keinen Ton heraus. War das süßeste Ding, das man sich nur vorstellen konnte, aber auch etwas einfältig.

Ich war vielleicht sieben. Ich hab mich auf der Farm umgeschaut und bin in die Scheune geschlendert. Und dort, genau auf dem Melktisch, rutschte dieser große Saufbold von einem Landarbeiter hin und her – und unter ihm, ich konnte nur ihre Schuhe sehen, war Tante May! Ich wusste nicht, was dort vor sich ging.

Ich rannte raus und schrie wie am Spieß. Grandpa Smythe lief hinein. Tante May lag immer noch auf dem Tisch – und der arme Trottel rannte raus, als würde seine Hose brennen. Er sieht ein Fahrrad, und das hat kleine Reifen, und er strampelt und strampelt und strampelt. Und Grandpa Smythe, der ihm nachsetzt, und Onkel John – er kommt aus dem Holzschuppen gelaufen – sie schnappen sich welche mit großen

Reifen und langen Speichen. Und sie sausen wie der Wind. Ich erinnere mich, wie sie die Straße runtergefahren sind, und Grandpa und Onkel John haben allmählich Boden gutgemacht. Tja, schließlich haben sie ihn eingeholt, ihn vom Rad gerissen und ihn windelweich geprügelt.

Am Ende hatte Tante May zwei Kinder. Niemand wusste, wer die Väter waren oder ob es derselbe war. Ich denke, ihre Jungs waren gut für sie – eine Art Segen. Egal, wie sie entstanden sind.

Idella hat sich Eddie geschnappt und mit ihm eine Familie gegründet. Ich hingegen hatte jede Menge Männer. Und ich bin in mehr Scheißhaufen getreten, als ich erwartet hätte. Ich hatte einen Riecher dafür. Einer der ersten war Jamie. Das war während meiner Zeit in Boston. Armer Kerl. James O'Hagan. Er wohnte bei seiner Mutter – eine meiner angejahrten Stammkundinnen –, und sie fragte mich, ob ich ihn nicht kennenlernen wollte. Ich hatte so meine Zweifel, aber er hatte ein hübsches Auto und zumindest auf den ersten Blick keine Flöhe.

Wir waren ein paar Monate zusammen, dann hat er begonnen, mich zu nerven. Er hat sich nach jedem Essen jeden einzelnen Zahn mit einem Zahnstocher gesäubert, selbst in Restaurants. Und er war eifersüchtig. Ich wurde immer gereizter, wenn ich bei ihm war. Ich habe es gehasst, so überwacht zu werden. Als wäre ich sein Besitz. Einmal sind wir hoch nach Maine gefahren, er wollte meine Familie kennenlernen, und dann sind wir alle weiter nach Old Orchard Beach. Und Eddie hatte diesen gottverdammten Plastikhummer, den er mir immer wieder unter den Rock geschoben hat. Natürlich ist das Jamie aufgefallen, und er war sofort eingeschnappt. Also hab ich noch Öl ins Feuer gegossen. Je mehr er schmollte, desto mehr ließ ich Eddie seinen Spaß.

Die ganze Fahrt zurück nach Boston musste ich mir sein Gemeckere über Eddie und den Plastikhummer anhören: wie er mit seinen Flossen überall auf mir war und wo er noch seine Flossen hatte und wie ich das meiner eigenen Schwester antun könnte und so weiter und so fort. Schließlich hab ich gesagt, wenn er Eddie Jensen noch ein einziges Mal erwähnen würde, würde ich ihn nie mehr wiedersehen – was meiner Ansicht nach sowieso das Beste gewesen wäre.

Daraufhin sagte er nichts mehr. War mucksmäuschenstill. Ungefähr eine Woche später hat er mich zu einem Picknick eingeladen, um meinen Geburtstag zu feiern. Ich hab geglaubt, er hätte eine Überraschung für mich, ein Geschenk, weshalb ich zusagte. Herrgott, ich hab sogar meinen ganz besonderen Pfirsichkuchen gebacken. Wir sind an einem Sonntagmorgen aufgebrochen. Überall waren Kirchenglocken auf dem Land zu hören, ich hatte meinen Flachmann dabei, aus dem ich heimlich trank, und dann ist er auf einen Waldweg eingebogen. Ich dachte, er hätte einen See oder ein hübsches Plätzchen für unser Picknick gefunden. Doch da war nichts Besonderes. Kein See in Sicht. Nur kümmerliche Bäume zu beiden Seiten. Dann hielt er an. Sagte, er müsse etwas im Kofferraum nachschauen. Ich nahm natürlich an, er würde mein Geschenk holen. Er hat mir andauernd schöne Sachen gekauft, und ich ließ mich gerne beschenken. Ich saß also da und zog mir die Lippen nach, als ich ihn aus den Augenwinkeln um das Auto herumkommen sah. Ich hab den Kopf gehoben und wollte schon fragen, wo meine große Überraschung war, da sah ich gerade noch, wie er sich eine Flinte in den Mund schob und sich das Hirn wegpustete.

Ich hab ihn mir nicht angeschaut. Keine Frage, er war tot. Ich saß da und starrte in meinen kleinen Spiegel. Heilige Scheiße, hatte ich Angst. Mein Verstand ging schneller als mein Herz, und das raste schon. Ich bin aus dem Wagen gestiegen und nach hinten gegangen, der Kofferraum war geschlossen, aber der Picknickkorb stand am Boden. Er musste ihn wohl rausgeholt haben, um an die Flinte zu kommen. Und da war mein Kuchen. Ich hab das Messer genommen, mir zitternd ein Stück rausgeschnitten und zu essen begonnen. Ich hab mir vor Angst fast in die Hosen gemacht, weil mein Atem an einem Sonntagmorgen nach Whiskey roch. Ich hab meine Zähne mit Pfirsich eingerieben, das Messer fortgeworfen und bin losgelaufen, um Hilfe zu holen. Hab den Kuchen im Dreck liegen lassen. Ich folgte dem Läuten der Kirchturmglocken. Kurz darauf bin ich neben dem Weg in die Hocke gegangen und hab den Kuchen erbrochen. Jetzt roch mein Atem zwar nicht besser, aber immerhin nicht mehr nach Whiskey.

Ich musste wohl zwei Meilen gelaufen sein, bevor ich bei der Kirche ankam. Autos fuhren gerade an, während ich hineintaumelte. Zu diesem Zeitpunkt war ich längst barfuß und hatte überall Pfirsichkuchenkotze an mir kleben. Oh, ich muss einen hübschen Anblick abgegeben haben.

Die Polizei fand alles so vor, wie ich es gesagt hatte. Sie haben mir geglaubt. Weil Jamie eine Vorgeschichte hatte, als sie ihn überprüften. Er war schon in mehr als einer Einrichtung gewesen. Er war verrückt, der arme Mistkerl.

Also habe ich weiter nach dem gesucht, das ich bei Männern nie fand. Ich weiß nicht einmal, was – Aufregung? Liebe? Geld? Ein paar von ihnen waren ziemlich schräge Vögel. Mein erster Ehemann Tommy brachte mich von Tag eins an in Scheißschwierigkeiten. Gut aussehendes Schwein. Schick gekleidet und glatt wie ein Babypopo. So jemanden wie ihn hatte es auf der Farm nicht gegeben. Wir sind uns bei einem Regenschauer in Boston begegnet. Wir suchten beide in einem Eingang Zuflucht, und ich hatte eine Zeitung über dem Kopf, damit mein Haar trocken blieb – ich war ja Friseurin. Er hat versucht, die Sportergebnisse zu lesen, die ich dort oben auf dem Kopf hatte, und wir kamen ins Gespräch – über statistische Wahrscheinlichkeiten.

Nachdem der Regen aufgehört hatte, begleitete er mich zur Arbeit und lungerte im Laden herum. Er stand neben meinem Friseurstuhl, unterhielt sich mit mir, und wenn ich einen Kunden hatte, trollte er sich und setzte sich in den Wartebereich. Ich hab gespürt, wie er mich die ganze Zeit über beobachtete. Ich hab seine Augen gespürt, als würde mir jemand einen heißen Lappen aufs Gesicht drücken. Auf meine Beine. Meinen Nacken. Meinen Schritt. Ich weiß nicht, welche Haarschnitte ich den Leuten an dem Tag verpasst habe.

Schließlich ging meine Chefin Shirley zu ihm und erkundigte sich nach seinen Absichten. Ich wusste, dass sie ihn alle beäugten, aber mir war das schnuppe. Er sagte, er habe sehr viele Absichten, und eine sei, mich zum Abendessen auszuführen. Und Shirley sagte, dass diese Stühle für Kunden reserviert seien, und Tommy sagte, er sei ein Kunde. Er würde gerne von Miss Hillock die Haare geschnitten bekommen. Sie starrten sich zornig an, dann sagte sie: »In Ordnung. Wenn Miss Hillocks Stuhl frei ist, kann sie Ihnen die Haare schneiden.« An dem Tag war die Hölle los.

Er setzt sich also auf meinen Stuhl, während ich noch auffege – und alle Scheren hören mit einem Schlag auf zu klappern. Der Laden ist wie erstarrt. Jeder beobachtet uns durch all die Spiegel. Und er bittet mich um einmal Spitzen schneiden. Nur Spitzen schneiden. Er brauchte überhaupt nichts. Jedes Haar auf seinem Kopf war perfekt. Doch ich sagte: »Aber ja, Sir«, und ich nahm meine Schere und stellte mich hinter ihn, vor seinen Nacken, schnippelte den Hauch eines Nichts weg und stutzte die Spitzen um seine Ohren. Sein Haar war hellbraun, gerade und dick. Es sah wie Sägemehl um meine Füße aus, als ich fertig war, so wenig hatte ich abgeschnitten.

Ich konnte kaum atmen, derart hingerissen war ich. Hätte er mich noch eine Sekunde länger angestarrt, hätte ich den Stuhl einfach herumgerissen und wäre gleich dort im Laden über ihn hergefallen. Als ich fertig war, steckte er einen Fünfzigdollarschein in mein Trinkgeldglas, sodass es jeder sehen konnte. Dann fragte er mich, wann ich Feierabend habe. Um sechs hat er draußen mit einem Auto gewartet. Er hat mir die Tür geöffnet, und ich bin eingestiegen. Die Mädchen standen wie Bowlingkugeln in einer Reihe am Fenster und haben sich die Nasen plattgedrückt, und ich hab ihnen kurz zugewinkt, während er sich in den Verkehr einfädelte.

Ich dachte, ich hätte gefunden, wonach ich gesucht habe, dass es mir einfach so vom Himmel in den Schoß gefallen wäre. Bis ich feststellte, dass es nur Regen war. Tommy hatte immer Geld. Er schien nie zu arbeiten. Er sprach von seinen Geschäften, aber er schien nie etwas zu tun. Ich stellte keine Fragen. Ich hatte viel zu viel Spaß mit ihm. Er führte mich zum Tanzen aus und in schicke Restaurants. Zu Pferderennen. Alles Mögliche. Und wir tranken. Alles war besser mit einem Drink im Bauch. Das hatte ich schon mein ganzes Leben lang gehört.

Dann eines Abends – vielleicht nach drei Wochen – hat er

mich gefragt, ob ich Interesse hätte, mir etwas dazuzuverdienen. Dann wären wir Partner.

»Was für Partner?«, habe ich mich erkundigt. »Lukrative«, sagte er. Tja, ich war zu allem bereit. Und das war mein Fehler.

Bis zum heutigen Tag glaube ich nicht, dass Idella das ganze Ausmaß kannte. Ich habe Männer hoch in mein Zimmer gelockt. Das war der Plan. Ich war der sexy Lockvogel. Wenn die Männer die Hosen unten hatten, war Tommy zur Stelle, um sie auszunehmen.

Und wir haben geheiratet. Gingen ins Rathaus. Mein Bruder Dalton war unser Trauzeuge. Wir waren alle drei besoffen, aber geübt darin, alles auch im betrunkenen Zustand zu meistern.

Eines Abends lockte ich den falschen Typen an. Statt einer fetten Brieftasche hatte er eine dünne Marke. Ich bekam zwei Jahre. Tommy vier. Es war nicht sein erstes Mal. Es ist nichts, worauf man stolz sein kann. Eddie dachte sicherlich, dass ich das bekommen hatte, was ich verdiente. Was wahrscheinlich stimmte.

Idella schrieb mir Briefe. Eines Tages bekam ich einen ganz langen. Unzählige Seiten über absolut nichts. Es war, als wäre sie bei mir. Am Ende fragte sie immer in kleinen Buchstaben, wie der Service in dem »Hotel« wäre. Diese Briefe brachten mich zum Lachen. Sie waren das Einzige, was das schaffte.

Ich hasste es, wie ein verdammtes Huhn eingesperrt zu sein. Es brachte mich fast um. Einmal fast um den Verstand. Ich saß beim Abendessen an einem der Esstische – wir hockten alle in einer Reihe – und blickte hinunter und sah diese gelben und braunen Klumpen Scheiße, die sie uns als Nahrung verkauften, und ich fing an zu würgen. Ich bekam keine Luft.

Ich hab mich umgeschaut und gesehen, wie wir alle aufgereiht dasaßen, genau dieselben Sachen trugen und dieselben Sachen aßen und dieselben Sachen taten und uns befohlen wurde, wann wir pissen und wann wir scheißen und wann wir morgens aufwachen sollten – und ich stand auf und begann zu schreien, dass ich hier rausmuss, an die Luft muss. Sie wussten nicht, ob sie mich einsperren oder festbinden sollten.

Die anderen Frauen haben versucht, mich zu beruhigen. »Sei still, Hillock. Sofort«, zischten sie von allen Seiten. Schließlich kam diese schwarze Frau – Irene – zu mir, legte mir die Hände fest auf die Schultern und drückte mich runter. Sie hat mich mit ihren braunen Augen regelrecht durchbohrt. »Sei still, Hillock. Die stecken dich in Einzelhaft. Sei jetzt still!«

Das habe ich gehört. Und dann konnte ich aufhören. Sie hat mich gerettet, diese Irene. »Wie geht's, Hillock?«, hat sie anschließend immer gefragt, wenn wir uns begegnet sind. »Gut«, sagte ich. »Das ist schön«, sagte sie dann. »Durchhalten. Die Uhr tickt.«

Ich kann euch sagen, dieser Ausbruch hat mich zu Tode erschreckt. Weil ich so zäh sein, mir nichts anhaben lassen wollte. Als könnte mich nichts berühren. Als würde mich alles kaltlassen. Eiskalt.

Ich war also froh, diese Briefe über absolut nichts zu bekommen. Ich hab mir Idella vorgestellt, wie sie bei ihren Sonntagsausflügen mit Edward über die Landstraßen sauste und verzückt über den hübschen Ausblick quietschte. Ich wünschte, ich hätte die Briefe behalten. Idella ist ein Goldschatz.

Es war Dad, der mich aus dem Gefängnis abgeholt hat.

Ich kam auf Bewährung frei. Tommy hab ich nie wiedergesehen. Das war Teil der Abmachung. Er ist jung gestorben – wahrscheinlich immer noch so gut aussehend wie eh und je. Scheißkerl.

In dem »Hotel« habe ich auch die Ausbildung zur Kosmetikerin gemacht. Ich hab alles übers Färben und über Dauerwellen und solches Zeug gelernt, auch, wie man mit Chemikalien arbeitet. Die Sache mit der Kosmetikerin hat mir sehr geholfen, denn ich war gut. Ich war nämlich clever. Obwohl ich mir selbst im Weg stand. Obwohl ich mir immer selbst im Weg stand.

Barbara Hillock Jensen
blickt zurück: Cherry Cider

Boston
August 1941

Ich weiß nicht, ob es an meinem gepunkteten Kleid lag, dass es so lustig wurde und Mama und Tante Avis zum Schluss fast nicht mehr an sich halten konnten. Es war weiß mit roten Punkten von der Größe eines Fünfundzwanzigcentstücks – von der Größe von Kirschen. Ich hatte es erst einmal getragen, und ich ließ es Mama von oben bis unten bügeln und stärken, bevor ich es wieder anzog für den Ausflug aufs Land mit ihr und Tante Avis und Tante Avis' neuem Freund Fred. Aus irgendeinem Grund – wahrscheinlich wegen all dem Cider – landeten Mama und Tante Avis und ich schließlich zusammen auf der Rückbank, ich in der Mitte, und Fred war vorne und fuhr ganz allein. Ich meine, ohne jemanden, der neben ihm saß.

Er hatte ein wunderschönes Auto. Die Sitze waren aus gebürstetem hellbraunem Leder, so hell wie ein Sandstrand an einem heißen, heißen Tag. Er sah, wie ich mit den Händen über den Sitz strich, und lächelte. »Barbara, Schätzchen, so fühlen sich die Nüstern eines Fohlens an. Hast du schon mal die Nüstern eines Fohlens berührt?« Mama und Avis kicherten. Sie hatten ihre Manieren vor vielen Meilen über Bord geworfen. »Nein, Sir«, antwortete ich ernst in den Rückspiegel. »Ich habe noch nie die Nüstern eines Fohlens berührt.«

Eigentlich schon. Zumindest die Nüstern eines Pferdes, die von Chocolate Milk. Grandpa Jensen hatte ihn benutzt, um den Wagen zu ziehen, mit dem er Milch und Eier in der Nachbarschaft auslieferte. Chocolate Milks Nüstern fühlten sich auf keinen Fall so weich an wie diese Ledersitze, aber ich wollte, dass Fred sich vorkam, als hätte er etwas Bedeutsames gesagt.

Es war der Halt an dem Verkaufsstand, der die Dinge aus dem Ruder brachte.

Daddy gefiel der Gedanke nicht, dass Mama und ich nach Boston fuhren, um Tante Avis zu besuchen. Er hatte gewettert und getobt, wie üblich, aber Mama hatte darauf bestanden, dass sie das Recht auf diesen kleinen Ausflug hatte, um ihre Schwester und den neuen Freund ihrer Schwester zu sehen. »Wenn du jedes Mal runter nach Boston fahren würdest, wenn dieses Flittchen jemanden hat, den sie ihren Freund nennt, dann müsstest du bei ihr einziehen. Ich wette, das würde dir gefallen, einfach bei ihr einzuziehen.« – »Ach, sei still, Edward«, sagte Mama. Das war der Kern von dem, was sie die ganze Zeit über sagten, während er Mama und mich zum Bus nach Portland fuhr. Wir erwischten den Neunuhrexpress, sodass wir den Großteil dieses Tages und viel vom nächsten in Boston hätten. Dad gab mir ein Päckchen Wrigley's Juicy Fruit, als ich in den Bus einstieg, und sagte, ich solle auf mich aufpassen.

Am Nachmittag saßen wir auf der Veranda der Pension, in der Avis wohnte, und warteten auf Fred, der mit seinem Auto kommen und uns zu einem Ausflug aufs Land abholen wollte. Tante Avis und Mama saßen nebeneinander auf einer verlotterten, alten Rattanbank, auf der sie sich einen »kleinen Drink« genehmigten. Ich hockte auf der Verandabrüstung vor ihnen, hielt meinen gepunkteten Rock wie einen Fallschirm auf und leckte an den Eiswürfeln aus ihren Gläsern. Sie fischten sie heraus und lutschten den Whiskey ab, bevor sie sie mir gaben. Tante Avis erzählte Mama von Fred.

Sie hatte Fred kennengelernt, als er in seinem neuen Auto vor dem Schönheitssalon vorgefahren war, wo Tante Avis seiner Tante jeden Monat eine Dauerwelle machte und jede Woche genau am selben Tag die Haare legte.

»Halt dich fest, ihr Name ist Hester. Sie ist das, was eine einfältige Farmerstocher aus Kanada eine alte Schachtel nennen würde«, sagte Tante Avis.

»Nun, das wärst dann wohl du, oder?«, kicherte Mama.

»Oder jemand, der mir ganz schön ähnlich wäre.« Avis lachte. »Die alte Schachtel erwartet, dass ich Wunder bewirke. Im Gegensatz zu ihrem Haar sieht ein Ballen Stroh aus wie Seide.« Mama lachte.

»Und sie ist taub wie 'ne Nuss. Ich muss mich so rüberbeugen – hier, Barb, Süße, halt das Glas für mich – und mit den Armen flattern wie ein verfluchtes Huhn, damit sie mich sieht und ich sie vom Haartrockner wegbekomme, bevor ihr das Haar verbrutzelt.« Das brachte beide zum Lachen. Avis verschluckte sich am Rauch ihrer Zigarette.

»Das wär mal ein Anblick!« Mama wischte sich Tränen von der Wange.

Avis stand auf und holte sich ihr Glas von mir zurück. »Danke, Liebling.«

»Und, was macht er? Hattest du das schon gesagt?« Mamas Gedanken wurden schnell wirr, wenn sie Alkohol trank.

»Irgendwas. Irgendwas mit Installieren. Klempnern, Licht, keine Ahnung. Wo braucht man sonst noch jemanden zum Installieren? Alles, was ich weiß, ist, dass es Geld in der *Verdamilie* gibt.« Das war ihre Art, »verdammte Familie« zu sagen.

»Himmel, Avis, das solltest du schnell rausfinden. Vielleicht verbringt er den ganzen Tag damit, stinkende Toiletten zu reparieren.«

»Er ist auf jeden Fall *stink*reich.« Avis hielt die Whiskeyflasche hoch. Sie hatte sie hinter einem Topf Geranien in der Ecke der Veranda versteckt. »Noch einen Schluck?«

»Einen ganz kleinen.«

Avis goss ein wenig in ihre Gläser. »Tut mir leid, Barb, das Eis ist aus.« Sie lächelte mich an und reichte mir die Flasche. »Kannst du die für mich verstecken, bis wir wieder zurück sind? Niemand interessiert sich für diese Pflanze.«

»Ich habe sie gegossen«, sagte Mama kleinlaut.

»Das sieht dir so ähnlich.«

»Also, ist er nett?«

»Es ist ganz passabel.«

»Hat er gute Seiten?«

»Ein paar.« Avis lachte ihr tiefes, heiseres Lachen. Daddy nannte es ihr Flittchenlachen. Mama sagte, sie hätte von Natur aus eine belegte Stimme. Für mich klang sie wie ein Filmstar.

Tante Avis hatte wirklich Stil. Sie war auf der Kosmetikschule gewesen. Sie war hübscher als Mama – wenn man den grellen Typ mochte. Daddy sagte, er mochte ihn nicht, aber ich war fasziniert. Sie war nicht so groß wie Mama oder so dünn. Sie hatte eine richtige Figur, mit auffälligen Kurven in alle Richtungen. Mama war hübsch, aber auf eine dezentere Art. Mama war wie Eistee in einem hohen, dünnen Glas, während Tante Avis mehr wie ein Becher Eiscreme war – große Kugeln, die mit Nüssen und Sahnehäubchen verziert waren und mit einer einzigen Kirsche obendrauf. Ich habe sie beide geliebt.

»Sag mal, wohin genau fahren wir heute?« Es hatte Mama überrascht, dass wir die Stadt schon wieder verlassen würden, nachdem wir so viel Zeit im Bus verbracht hatten, um hierherzukommen. Ich war selbst nicht überzeugt von der Sache.

»Keine Ahnung. Um es kurz zu sagen: Er ist fest entschlossen, mit uns in seinem neuen Auto aufs Land zu fahren. Dann kommen wir zurück in die Stadt und er wird uns groß zum Abendessen ausführen. Ich hab da was im Sinn, so was habt ihr noch nicht gesehen. Alles, was du auf der Speisekarte willst, Barbie.« Sie schüttelte meinen Rock auf. »Du musst dir aber die Hände abwischen, bevor du in Freddies neues Auto steigst. Er ist sehr pingelig, was die Ledersitze angeht. Großer Gott, Della, ich wisch mir sogar selbst die Hände ab, bevor ich einsteige.«

»Tja, ich weiß, dass Edward anfangen würde zu sabbern, wenn er ein Auto mit echten Ledersitzen sehen würde. Du weißt, was für ein Autonarr er ist. Könnte er eines heiraten, würde er es tun.«

»Himmel, Della, Edward sabbert immer. Und er ist nicht bloß ein Autonarr. Er ist einfach ein Narr, Punkt, aus.« Avis leerte ihr Glas und stellte es aufs Geländer.

»Er arbeitet hart, Avis.« Mama trank ihres ebenfalls aus.

Avis seufzte. Sie zündete sich eine weitere Zigarette an. Keine von beiden sagte etwas. Die Erwähnung von Daddy ließ häufig eine angespannte Stille zwischen Mama und Tante Avis aufkommen.

Auf einmal bog ein glänzender roter Ford in die Seitenstraße ein, in der Avis lebte. Die Sonne schien von einem Ende des Wagens bis zum anderen zu gleiten. Mama und ich setzten uns auf und betrachteten das Auto. »Oh, Avis, ist es etwa das da?«

»Das und kein anderes.« Avis blickte auf, dann drückte sie ihre Zigarette aus und stopfte das Päckchen in ihre kleine Handtasche. »Rauchen im Wagen verboten.«

»Aber er hält gar nicht«, sagte Mama.

»Wird er noch.« Avis stand auf. »Barb, Liebling, nimm die zwei Gläser und versteck sie hinter der Pflanze. Ich hol sie später.« Sie rückte ihren Hut zurecht. »Er fährt langsam vorbei, dreht dann um und gleitet zurück. Dann hupt er einmal. Selbst wenn wir hier draußen stehen und er uns sehen kann. Wie süß du aussiehst«, sagte sie zu mir und zog an meinem Rock.

Das rote Auto kreiste zu uns zurück. Wir standen alle auf der obersten Verandastufe und beobachteten es. »Er wird einer von uns sagen, dass wir hübsch wie eine verfluchte Blume aussehen.« Avis flüsterte uns aus dem Mundwinkel zu, während sie lächelnd dem Wagen zuwinkte.

Ein kurzes Hupen ertönte, die Fahrertür wurde aufgestoßen, und ich warf einen ersten Blick auf Fred. Er war von der großen Sorte, viel größer als Daddy. Er trug einen dunkelbraunen Hut mit breiter Krempe und einen hellbraunen Anzug mit deutlichen Bügelfalten von den Schuhen aufwärts. Aus der Anzugtasche holte er ein weißes Taschentuch heraus. Er umklammerte das Taschentuch, als würde er es die ganze Zeit über auswringen, während er den Weg heraufkam.

»Er hat Schweißhände«, flüstere Avis Mama zu. Sie sagte es, ohne die Lippen zu bewegen.

»Guten Tag, meine Damen. Es ist mir eine solche Freude.«

Er steckte das Taschentuch in seine Tasche zurück. »Du musst Barbara sein.« Er reichte mir die Hand, also schüttelte ich sie. Sie fühlte sich recht trocken an. »Du bist so hübsch wie ein Gänseblümchen, aber das hat mir deine Tante Avis schon gesagt.« Das war mir neu, doch ich hörte es gerne.

»Sag danke schön, Barbara.« Mama legte mir die Hand auf den Kopf, was mir nicht gefiel.

»Danke schön.«

Er sah nicht schlecht aus. Avis verabredete sich nicht mit unansehnlichen Männern. Aber seine Zähne waren riesig, insbesondere die zwei Schneidezähne. Das gab einen Minuspunkt für sein Gesicht. Und sie waren irgendwie blassgelb. Vielleicht lag es an seinem schrecklich weißen Hemdkragen, dass sie so belegt aussahen.

»Und du musst Avis' große Schwester sein. Wie schön, dich kennenzulernen, Idella.«

»Älter und weiser«, kicherte Avis.

»Das kann man so nicht sagen, Avis«, sagte Mama. »Immerhin sind es nur zwei Jahre.«

»Ein Mensch kann in zwei Jahren viel lernen«, sagte Fred, was mir irgendwie rätselhaft vorkam.

»Das stimmt«, erwiderte Mama zerstreut. »Da hast du recht, Fred.«

»Nun, meine Damen«, sagte Fred wie ein Zeremonienmeister, »sind wir bereit für unseren kleinen Ausflug? Ich verspreche eine sanfte Reise und eine kühle Brise.« Er nahm meinen Ellbogen, als wäre ich seine Verabredung, und führte mich zum Auto. »Machst du gerne Spritztouren, Barbara?«

Ich nickte. In Wirklichkeit hatte ich keine rechte Lust auf einen Landausflug. Immerhin lebte ich auf dem Land. Wenn ich wollte, konnte ich jeden Tag Farmen anschauen. Boston zu entdecken, eine richtige Stadt, hätte mich viel mehr interessiert. Ich wollte in ein Restaurant und die Straßen entlangschlendern und abends ins Kino gehen, umgeben von Menschen, die ich vorher noch nie getroffen oder gesehen hatte. Das war der Grund, weshalb ich mein gepunktetes Kleid trug. Aber wir würden ja noch in ein Restaurant gehen, hatte Tante Avis gesagt, wo ich bestellen konnte, was ich wollte, einschließlich einer Vor- und Nachspeise.

»Was für einen schönen Wagen du hast, Fred«, sagte Mama, als sie darauf zuging und mit der Hand über den hinteren Kotflügel strich. »Er liegt so hoch über der Straße. Die Sitze sind so weit oben. Wir werden hinabschauen wie die Königin von England.« Fred hatte ihr zuerst die Tür geöffnet. Sie kletterte auf den Rücksitz. »Sieh nur, Barbara!« Sie winkte mich zu sich. »Ist das nicht unglaublich? Es ist, als würde man in einem Wohnzimmer sitzen.« Mama übertraf sich mal wieder selbst.

»Du machst es dir einfach bequem, Idella.« Fred lächelte breit. Mama hatte einen Volltreffer gelandet.

Ich kletterte neben sie. Das Innere war riesig. Der Sitz war mit weichem Leder überzogen, wie ein Sofa. Wegen der hohen Sitzkante baumelten meine Füße über dem Rand, ohne auch nur den mit Teppich ausgelegten Boden zu berühren.

»Wie lange hast du das Auto schon?«, fragte Mama, als Tante Avis und Fred vorne Platz nahmen. Tante Avis saß ganz nah neben ihm.

»Es ist fabrikfrisch, Idella, das 42er Modell«, verkündete Fred wie eine fleischgewordene Reklametafel.

Mama holte Luft. »Aber, es ist doch noch 1941.«

»Das stimmt.« Fred drehte sich zu ihr um und zeigte immer mehr Zähne, während er weiterredete. »Es ist vor knapp einem Monat vom Fließband gerollt. Ich hab einige Extras geordert – die Sitze, die Farbe – es ist ein französisches Rot das sie *Cerise* nennen – und es gibt ein paar andere Extras, die mit der Fahrleistung zu tun haben.«

»Ah ja«, sagte Mama, »die Pferdestärken und all das.« Sie lehnte sich zurück und spielte laut mit dem Wort *Cerise*. Es reizte sie, ein Wort in einer Fremdsprache zu sagen, insbesondere ein französisches. »›Saareeeze‹. Hmmmm … das reimt sich auf ›Babys‹.«

»Es reimt sich auch auf ›mies‹.« Avis grinste.

Fred war der geborene Fremdenführer. Er machte uns auf Gebäude aufmerksam, an denen wir vorbeifuhren, auf Besonderheiten ihrer Architektur. Dann wies er auf historische Stätten hin – oder wo wir in Bezug auf historische Stätten waren, in deren Nähe wir nicht kommen würden. Er beschrieb drei Statuen, die wir nicht sehen würden, und eine Kanone. »Diese Gegend schäumt nur so über vor Geschichte.« Fred wurde so lebhaft, dass Tante Avis zur Seite rücken musste, um etwas Raum zwischen sie zu bringen. »Hm, wenn ich einen anderen Weg genommen hätte – ich wünschte, ich hätte dran gedacht –, könnten wir direkt an den Gefechten von Lexington vorbeifahren, wo sie den Schuss abgefeuert haben, der ›um die ganze Welt gehört wurde‹.«

»Ich glaube nicht, dass wir den oben in Kanada gehört haben.« Avis drehte sich um und zwinkerte uns zu.

»Nein«, lachte Mama. »Ich hab's nicht so mit Geschichte. Wir haben in der Schule nicht viel mehr als die Grundlagen gelernt.«

Wir waren froh, als wir endlich aufs Land kamen. Mama war müde, und sie versank im Sitz. Jetzt war die Fahrt viel angenehmer, und wir konnten die Bäume an uns vorbeigleiten sehen. Außer dass Fred nicht zu bremsen war. Kaum hatten wir die Stadtarchitektur und die historischen Stätten hinter uns gelassen, stürzte er sich auf Scheunen und grasende Tiere und die Notwendigkeit von Fruchtwechseln. Er war ein unerschöpflicher Brunnen des Wissens. Mama stand kurz vor der Verzweiflung. Das war der Grund, weshalb sie nach vorne schoss und aufschrie, als sie die Reklame für Cider sah.

»Oh, schaut nur!«, rief sie. »Da kommt gleich ein Stand mit Cherry Cider. Den hab ich seit Jahren nicht mehr getrunken.« Ein großes, handgemaltes Schild war an einen Telefonmast genagelt, auf dem in unbeholfener Schrift CHERRY CIDER IN 1 MEILE stand. Damals habe ich mich gefragt, ob es ein Kind geschrieben hatte. Ich hätte es besser machen können.

»Fred, Liebling, lass uns etwas Cherry Cider kaufen. Es wäre schön, sich etwas die Beine zu vertreten.« Tante Avis' Blick glitt zurück zu Mama. »Magst du Cherry Cider, Fred, Liebling?« Sie streckte den Arm aus und zog sanft an einem Löckchen, das unter Freds Hut herauslugte. Ich hatte ihn bisher noch nicht ohne den Hut gesehen. Er ging bis über seine Ohren, was irgendwie komisch aussah.

»Ich glaube, ich hab noch nie welchen getrunken, Avis.« Das Auto wurde langsamer. »Das werde ich jetzt wohl rausfinden.« Er tätschelte Tante Avis' Knie auf dieselbe Art, wie ich meinem Hund Jigs den Kopf streichelte.

Unsere Ankunft bei dem Stand war ein Großereignis. Es fühlte sich an, als würden wir auf einem Ozeandampfer in den Hafen einfahren, so wie der Wagen in die kreisförmige Schotterstraße mit dem Verkaufsstand in der Mitte brauste. Die Menschen blickten auf.

»Oh, wie toll«, sagte Mama, als er schließlich zum Stehen kam.

Avis öffnete bereits ihre Tür.

Wir alle tranken die erste Flasche Cherry Cider, noch während wir ums Auto herumstanden. Fred lockerte den Korken mit den Daumen. Er schaut aus dem Flaschenhals raus wie Fred Astaires Zylinder, sagte Avis. Wir hatten kleine Papierbecher vom Stand bekommen. Fred goss vorsichtig ein, als wollte er keinen Tropfen vergeuden.

»Du meine Güte«, rief Mama, als sie den ersten Schluck nahm. »Der ist aber stark.«

Avis nippte nun ebenfalls. »Ja.« Sie nahm einen größeren Schluck. »Das ist ein starker Cider. Der ist ordentlich gegoren.«

»Hoffentlich nicht zu sehr?«

»Nein, nein, überhaupt nicht.« Avis hielt ihren Becher hoch, als wollte sie einen Trinkspruch ausbringen, und trank den Cider dann mit einem Zug.

»Ich glaube, der Mann am Stand hat mir zugeblinzelt.« Mama kicherte. »Könntest du mir nachschenken, Fred? Das ist gerade genau das Richtige.«

»Mir auch«, gurrte Avis.

»Vielleicht sollten wir noch etwas für die junge Dame finden?« Fred meinte mich.

»Ja, vielleicht«, sagte Mama.

»Oh, lass sie einen Becher hiervon haben, Idella«, beschwatzte Avis sie. »Das schadet ihr schon nicht. Edward ist nicht hier. Gönn ihr den Spaß.«

Mama sah mich mit schief gelegtem Kopf an, so wie ein Vogel schaut. »Hm, na gut.« Sie zuckte mit den Schultern und lächelte. »Ein Becher wird ihr wohl nicht schaden.«

Fred schenkte mir ein, ein wenig widerstrebend, so schien es mir. Der Cider sprudelte, was in meiner Nase kitzelte. Kühl und süß roch er, nach Erde, aber auf eine gute Art. Ich fühlte mich erwachsen.

»Holen wir uns noch eine Flasche«, sagte Mama aufgeregt, noch bevor wir die erste geleert hatten.

»Holen wir mehr als nur eine. Wir könnten welche mit nach Hause nehmen«, sagte Avis. »Was sagst du, Fred? Ich bezahle. Ich und Idella bezahlen.«

»Aber, aber, meine Damen. Ist das denn vernünftig? Er schmeckt köstlich, aber vielleicht sollten wir ein wenig vorsichtig sein. Er ist ja recht stark.«

»Wir bringen deiner Tante welchen mit«, sagte Avis. »Würde ihr das gefallen? Er würde ihr vielleicht guttun. Wahrscheinlich hat er eine heilende Wirkung, nicht wahr, Della?«

»Na ja«, sagte Mama, »er ist zumindest gut für das, was dich plagt.« Sie lachten beide.

Avis ließ sich nicht abbringen. »Komm schon, Freddie. Sei kein Spielverderber.«

»Wenn wir schon mal hier sind«, sagte Mama und machte eine ausladende Handbewegung zum Verkaufsstand. »Dann sollten wir auch. Einen annähernd so guten werden wir so bald nicht mehr finden.«

»Und da ist Barbara, die ein Kleid mit Kirschen trägt«, sagte Fred unvermittelt, und Tante Avis und Mama hielten inne und blickten auf meine sich kräuselnden roten Punkte. Er sah in meinen Becher und bemerkte, dass er leer war. Er goss mir ein bisschen nach, den letzten Rest der Flasche, und lächelte mich an, als wäre das unser Geheimnis.

Avis lachte. »Stimmt, die könnten wohl als Kirschen durchgehen, Freddie.«

»Aber ja«, sagte Mama und schob meinen Rock für meinen Geschmack etwas zu weit hoch. »Die Farbe ist genau die von Kirschen.«

»Nur ohne Stiele.«

»Und ohne Steine.«

»O nein. Keine Steine.« Das ließ die zwei in wildes Gelächter ausbrechen.

»Komm schon, Idella. Fred, du bleibst hier bei Barbara.« Avis packte Mamas Hand, und sie hüpften die wenigen Schritte zum Stand, wobei ihre ineinander verschränkten Hände hoch- und runterflogen.

»Sehr erfrischend!« Avis sprach als Erste mit dem Mann und reichte ihm die leere Flasche. »Wir dachten, Sie können die vielleicht noch mal verwenden.« Zu dem Zeitpunkt gab es keine weiteren Kunden.

»Genau, was ich gebraucht habe, dieser Cider. *So* erfrischend an diesem heißen Tag.«

»Oh, vielen Dank, Ma'am. Es war ein gutes Jahr für Kirschen.«

»Das will ich meinen«, sagte Mama.

»Der Cider ist so gut, ich denke, wir müssen noch mehr kaufen. Findest du nicht auch, Della?«

»O ja.« Sie kicherte.

Der Farmer nickte lächelnd. »Wie viel hätten Sie denn gerne?«

»Nun, da die erste Flasche *so* gut war und wenn Sie mir versprechen, dass er weiterhin so gut bleibt, Sie wissen schon, der gute Tropfen, also, dann hätten wir gern zehn Flaschen!«

»Zehn!« Das war Mama, die jetzt mehr wie sie selbst klang.

»Ja, Della, zehn. Warum zum Teufel nicht? Wie du selbst

gesagt hast, wenn wir schon mal hier sind, sollten wir auch. Die Zeit ist reif.«

»Du meinst, der Cider ist reif!«, sagte Mama. Das ließ sie regelrecht explodieren.

»Bitte, meine Damen«, sagte der Farmer, der sich über ihr Gekicher bemerkbar machte, »wenn Sie mir versprechen, dass Sie nicht alle auf einmal trinken, dann kann ich wohl zehn weitere Flaschen auftreiben.« Er blickte in unsere Richtung. Fred nickte ihm zu und tippte sich an den Hut wie ein Detective in einem Film.

»Sind die aus derselben Kiste? Wenn Sie verstehen, was ich meine?« Avis' Stimme war leiser als Mamas. Sie führten sich alle auf, als befänden sie sich in einem Krimi.

»Ja, Ma'am. Ich weiß, was Sie meinen.« Er zwinkerte Avis und Mama gleichzeitig zu. »Wenn die Damen mich für einen Moment entschuldigen würden.« Er verließ seinen Stand und kam mit mehreren Flaschen rotem Cider zurück. Sie hatten eine wunderschöne Farbe, wie rubinrote Bowlingkegel, die auf seinem Ladentisch aus Holz aufgereiht waren. Die Sonne schien durch sie hindurch, während er jede einzelne Flasche hochhob, um sie zu kontrollieren.

Der Grund, weshalb Tante Avis auf der Rückbank landete, war, dass wir die Flaschen irgendwie festhalten mussten, damit sie sicher verstaut waren. Sie konnten ja nicht einfach im Kofferraum umherrollen. Da hatte Avis die Idee, dass wenn sie zu uns auf die Rückbank kam und wenn wir alle dicht nebeneinandersaßen, wir die Flaschen zwischen uns stellen konnten und unsere Körper wie Kissen wären. Avis reichte Mama drei Flaschen. Dann stieg ich ein.

»Setz dich genau neben sie, Barb, Bein an Bein. Benutz deinen Rock wie eine Stoßstange.« Wir bekamen drei Flaschen zwischen uns geschoben. Dann gab Tante Avis drei weitere Flaschen herein, wir reihten sie an meiner anderen Seite auf, und sie kletterte neben mich. Fred stand neben der offenen Tür, hielt die vier übrigen Flaschen, ohne ein Wort zu sagen.

»Hier, Fred, Liebling, gib sie her. Della, du musst zwei von ihnen halten. Barb, Süße, reich die hier deiner Mutter.«

»Himmel, Avis. Zehn waren zu viel.« Mama nahm eine der Flaschen und stellte sie auf den Boden zwischen ihre Beine. »Versuch's mal so.«

Avis tat dasselbe und warf mir dann einen Blick zu. »Bei dir alles in Ordnung, Barbara? Du siehst ein bisschen blass aus.«

Ich nickte. Ich musste die Ellbogen fest an mich drücken und meine Hände in den Schoß legen. Ich spürte die glatt geschwungenen Flaschen, die zwischen uns eingekeilt waren. Die Sonne, die durch die Heckscheibe fiel, brannte heiß auf meinen Nacken. Ich sehnte mich danach, wieder eine Brise durch die offenen Fenster zu spüren.

»Ich glaube, so ist's gut, Freddie.« Avis lächelte ihn an. Fred nickte und schloss die Tür. Dann setzte er sich vorne hinters Lenkrad und ließ den Motor an.

»Ich hab euch Ladys eine Spazierfahrt über Land versprochen«, sagte Fred und nutzte den Rückspiegel, um einen Blick auf uns zu erhaschen. »Ich hab das Gefühl, als hätte ich euch etwas vorenthalten.«

»Nein, ich hatte eine wunderbare Zeit.« Mama sprach über seine Schulter. »Das war genug Land für mich. Wirklich.«

»Und wir haben Barbara versprochen, sie in ein Restaurant auszuführen. Nicht wahr, Barbie, Liebes?« Avis streckte die Hand aus und drückte mein Knie.

»Nun, dann lasst mich euch zumindest auf einem anderen Weg zurückbringen, damit ihr nicht dasselbe noch mal sehen müsst.«

»Alles, was sie von der Speisekarte will. Nicht wahr, Kleines?« Avis tätschelte mein Knie. »Ich denke, der kürzeste Weg wäre der beste, Fred.«

»O ja, der kürzeste Weg wäre prima«, fügte Mama hinzu. »Einfach prima.«

Aber er war bereits in eine andere Straße eingebogen und beschleunigte. Mama und Avis sahen sich an und verdrehten die Augen. Avis zuckte mit den Schultern. Mama zuckte ebenfalls mit den Schultern. Sie begannen zu kichern. Freds Augen waren gelegentlich im Rückspiegel zu sehen, wo er einen raschen Blick auf uns warf.

»Bald kommen wir an meiner Lieblingsfarm vorbei. Sie ist sehr schön gelegen, abseits der Straße. Und die Tiere werden dort wunderbar versorgt. Ich hab einmal angehalten und mich vorgestellt. Sie haben mir die Farm gezeigt. Wunderschöne Pferde. Sehr nette Leute.«

»Aber Fred, ich wusste gar nicht, dass du ein Hobbyfarmer bist.« Avis zeigte auf die Flasche Cider in ihrer Hand, damit wir sehen konnten, dass der Korken locker war. Mama nickte verstohlen.

»Oh, da gibt es viel, das du über mich nicht weißt, Avis.«

»Nun, das könnte man wohl über fast jeden von uns sagen.« Mit größter Vorsicht bearbeitete Avis den Korken in der Flasche. In dem Moment, als sie ihn herauszog, täuschte Mama ein Niesen vor.

»Gesundheit«, kicherte Avis.

»Vielen Dank, Avis.«

Freds Augen schossen in den Rückspiegel und zurück zur

Straße. »Gilt das auch für dich, Barbara?« Avis lehnte sich zur Seite und nahm einen Schluck. Ich setzte mich aufrechter hin, wagte nicht, zu ihr zu schauen.

»Entschuldigung?«, stammelte ich.

»Gibt es Dinge, die andere Menschen nicht über dich wissen?«

Augenblicklich fiel mir die Packung Eis ein, die in unserem Gefrierfach lag. Ich hatte sie geöffnet und vom Boden her ausgelöffelt, sodass der obere Teil noch fast unberührt aussah. Daddy musste es längst gemerkt haben.

»Das ist eine schwere Frage für ein Kind, Fred.« Avis lehnte sich zu ihm vor. Sie glitt mit einem Finger unter seinen Hut und kraulte ihn hinterm Ohr, während sie Mama die Flasche mit Cider reichte. »Ist das ein Falke dort oben?« Sie beugte sich noch weiter vor. Fred hatte auf dieser eher verlassenen Straße kräftig aufs Gas getreten. Mama nahm einen Schluck.

»Ich denke, das ist eine Krähe, Avis. Das solltest du wissen, immerhin kommst du doch aus Kanada. Ihr müsstet auf eurer Farm doch viele Krähen gesehen haben.«

»Wir hatten da oben viele Vögel.« Mama lehnte sich in die Kurve, gab die Flasche zurück.

»Himmel, ja.« Avis lachte. »Mehr als genug. Irgendwie hatten wir alle einen Vogel.«

Avis und Mama machten viel zu viel Lärm, redeten vor und hinter mir miteinander, damit Fred nicht merkte, dass in seinem Auto eine Party stattfand. Aber er hatte seine Augen fest auf die Straße gerichtet.

»Amüsiert ihr Ladys euch gut?«, fragte er schließlich.

»O ja, riesig.« Mama kicherte. Es war die Art von Kichern, die ich von ihr bisher nur zweimal gehört hatte – auf Cousine Ellas Hochzeitsfest, wo alle ein bisschen vom Champagner beschwipst gewesen waren, und samstagabends in der Küche, wenn Daddy und sie Whiskey Soda tranken und mit den Martins Karten spielten. Ich besah mir die beiden. Ihre Wangen und Nasen waren rot wie ein Radieschen.

»Und du, Avis? Genießt du unsere kleine Spritztour?« Fred starrte stur geradeaus.

»Oh, Freddie, sie verschlägt mir den Atem. Wirklich.« Sie wischte sich mit einem Taschentuch die Stirn. »Puh. Aber wirklich.«

Sie hatte ihren Lippenstift mit der Ciderflasche über ihrer Oberlippe verschmiert. Ich zeigte mit dem Finger auf meine eigene Lippe, um Avis darauf aufmerksam zu machen. Sie nahm ihre Puderdose aus der Handtasche, öffnete sie und brach in schallendes Gelächter aus.

»Ich seh aus, als hätt ich einen Gorilla geküsst.«

»Lass mich mal sehen.« Mama beugte sich hinüber. »Aber nein, Avis. Du siehst aus, als hättest du zwei Gorillas geküsst.«

»Nun, einer von ihnen war nicht Edward.«

»Das muss jetzt nicht sein, Avis.«

»Und der andere war definitiv nicht ich«, sagte Fred.

Mama und Avis verstummten beide. Sie sahen sich an, hoben die Augenbrauen und lehnten sich zurück. Mama spielte an dem Korken ihrer Flasche Cider herum und blickte aus dem Fenster. Avis wischte sich den Mund ab und trug den Lippenstift neu auf. Ich beobachtete Freds Augen im Spiegel. Wir fuhren schweigend weiter.

»Diese letzte Strecke ist unverfälschtes Stück Land, meine Damen. Halt deinen Hut fest, Avis.« Er bog mit dem Auto in einen Schotterweg ein. Wir wurden auf der Rückbank durchgerüttelt und herumgeschaukelt, sagten aber kein Wort. Kleine Steinchen flogen in hohem Bogen zu beiden Seiten des

Autos weg, während sich die Reifen durch Spurrinnen und Schotter gruben, der leise gegen das Blech der Radkappen klackerte.

Plötzlich gab es einen lauten Knall.

»Gottverdammt!« Mama hielt sich an ihrer Flasche fest, als der Inhalt explodierte. Cherry Cider, schäumend und rot, schoss zum Autodach und ergoss sich auf die Sitze, die Verkleidung, Mama und mich.

»Heilige Mutter Gottes!«, schrie Avis, als ihr Cider ins Gesicht spritzte.

»Das darf doch nicht wahr sein!« Mama war fassungslos.

Fred drosselte das Tempo und brachte den Wagen zum Stehen. Seine Hände umklammerten das Lenkrad. Schließlich drehte er sich um und starrte uns an. Alle meine wunderschönen Tupfen verschmolzen nun mit einem kirschroten Hintergrund. Das blasse gebürstete Leder von Freds Sitzen nahm die Farbe von Blut an, als der Cherry Cider hineinsickerte. Der beige Teppich unter meinen Füßen war ebenfalls rot. Fred stieg aus dem Wagen.

Tante Avis und Mama öffneten ihre Türen und stiegen aus. Mama hörte nicht auf, ihre fleckige Bluse mit den Fingern abzutupfen. »Wir brauchen etwas Selters.« Sie war vollkommen aufgelöst. Ich saß in der Mitte der Rückbank und benutzte mein Kleid, um den Cider aufzuwischen.

Fred steckte den Kopf zur Rückbank herein und griff über meinen Schoß hinweg. Die Sitze waren klebrig, der Teppich nass. Er nahm sein weißes Taschentuch aus der Tasche und drückte es gegen das Polster, bis es sich vollgesogen hatte. Dann stand er auf. »Steigt ein, beide. Steigt einfach ein.«

»Armer Fred«, keuchte Avis, aber sie klang nicht besonders bestürzt. »Arme Barbara. Schaut nur, schaut euch das Kleid an. Ihr Kirschkleid.« Aber sie lachte. »Ich muss pinkeln, ich mach mir gleich in die Hose«, sagte Avis, kaum mehr in der Lage, zu sprechen.

»O nein, Avis, bitte nicht.« Mama rang nach Luft. »Wir haben schon genug angestellt.«

Fred raste nun wie ein geölter Blitz. Er fuhr geradewegs zu der kleinen Stadt, durch die wir vor wenigen Meilen gekommen waren. Als er in die Hauptstraße einbog, blieb er vor einem kleinen Lebensmittelgeschäft stehen und zeigte auf ein Schild, das über der Tür hing. Es war eine Bushaltestelle von Greyhound, das Bild eines springenden Windhunds war darauf zu sehen.

»Hier, Ladys, ist Endstation. Ich hab euch auf eine Spazierfahrt mitgenommen, und die ist jetzt vorbei.« Er stieg aus, öffnete die hintere Tür neben Avis und half ihr aus dem Auto. »Und nimm deinen Cider mit.«

»Vielen Dank, Fred. Wie aufmerksam«, sagte Avis, als er ihr eine Flasche nach der anderen reichte. Mama beeilte sich, auf der anderen Seite auszusteigen.

Fred drehte sich um und zeigte über die Straße. »Wenn ihr einen Bus in diese Richtung nehmt, bringt er euch vielleicht bis hoch nach Kanada.« Dann holte er seine Geldbörse aus der Tasche und wählte einen Geldschein aus. Er bückte sich ins Auto, packte mich sanft, um mir hinauszuhelfen, und drückte mir den Schein in die Hand. »Das ist für dein Abendessen, Kleine. Leider werde ich dich nicht begleiten können. Bestell dir, was auch immer du von der Speisekarte willst. Und kauf dir außerdem ein neues Kleid. Du bist ein zauberhaftes junges Mädchen, Barbara, eine seltene Blume.« Dann zwinkerte er mir ein letztes Mal zu, tippte sich an den Hut und zog die Tür zu. »Ich hoffe, ihr müsst nicht zu lange warten, aber ihr scheint euch ja köstlich zu amüsieren.« Dann ließ er den Motor an und sauste davon.

»Dieser Scheißkerl.« Avis sah ihm nach. »Zumindest kann ich jetzt rauchen.« Sie stellte die Ciderflaschen vor ihre Füße und fischte eine Zigarette aus ihrem Täschchen.

Mama stand einfach da, hielt zwei Flaschen unter jedem Arm und blickte in die Richtung, in die der Wagen brauste. »Nicht zu fassen.« Sie wandte sich an Avis. »Du bringst einen wirklich in die schlimmsten Schwierigkeiten.«

»Aber wir amüsieren uns prächtig.«

Ich hielt einen Fünfzigdollarschein in meiner Hand. Als Mama ihn sah, versuchte sie anerkennend zu pfeifen, aber es gelang ihr nicht. Wir mussten einen Teil auf die Bustickets verwenden. Mama und Avis hatten ihr Bargeld für den Cider ausgegeben. Avis nahm mir den Geldschein aus der Hand und ging in das Lebensmittelgeschäft. Wegen meines unansehnlichen Kleides weigerte ich mich, sie zu begleiten. Ich fühlte mich elend, innerlich und äußerlich. Mama blieb neben mir stehen. Wenige Minuten später kam Avis mit drei Hotdogs und den Fahrkarten heraus.

»Er kommt in gut einer Stunde. Wir können einfach hier warten.« Sie zeigte auf einen Rasenstreifen. »Zumindest können wir uns hinsetzen. Ich hab uns was zu essen geholt.« Sie lachte. »Was zu trinken haben wir ja.« Wir saßen im Gras und aßen dampfend heiße Hotdogs mit durchgeweichten Brötchen. Avis und Mama tranken abwechselnd aus einer Flasche Cider. Avis tropfte Senf auf ihren Kragen, einen Fleck, der immer größer wurde, je mehr sie ihn mit einer trockenen Serviette wegzuwischen versuchte.

»Na schön. Jetzt sehen wir alle aus, als kämen wir direkt aus der Kloschüssel«, sagte Mama.

»Nicht gerade das, was wir zum Abendessen erwartet haben.« Avis streckte die Beine aus und zündete sich eine Zigarette an. »Aber ich hatte schlimmere.«

»O ja«, mischte sich Mama ein, »viel schlimmere. Einige davon hast du selbst zubereitet.«

Avis lachte. »Wir könnten immer noch bei Fred sein.« Die Zigarette hing zwischen ihren Zähnen.

Es war lustiger, nur mit den beiden zusammen zu sein. »Könnte ich etwas Cider bekommen?«, fragte ich und lächelte zum ersten Mal seit vielen Stunden.

»Aber langsam trinken«, sagte Avis, öffnete eine Flasche und reichte sie mir. »Kipp das Zeug nicht runter.«

Wir saßen schweigend beisammen, beobachteten die Leute, die in den Laden gingen und wieder herauskamen, und warteten. Mama grüßte jeden, der uns ansah, als wäre das hier ein völlig normales Picknick. Schließlich kam der Bus, und wir stiegen nacheinander ein. Der Fahrer warf mir einen neugierigen Blick zu, als er mein verschmiertes Kleid sah, und dann einen beunruhigten, als er die Flaschen bemerkte, die Mama und Avis trugen. Wir waren jetzt bei sechs.

»Keine Sorge«, sagte Avis mit einem verschmitzten Lächeln. »Wir hatten heute schon unseren Spaß.«

Wir gingen nach ganz hinten durch. Der Bus war nicht voll. Wir setzten uns in die letzte Reihe, in der die Sitze durchgängig waren, damit wir beieinander sein konnten. Wir stellten die Flaschen auf dem Boden vor uns auf und hielten sie mit den Füßen fest. Ich saß in der Mitte.

»Von Bussen hatten wir heute definitiv genug, Barbara«, sagte Mama und lehnte sich ins Polster zurück. »Aber ich bin froh, in diesem zu sein.«

»Es tut mir leid wegen deinem Kleid, Barb.« Avis strich

über den durchweichten Stoff. »Aber wir haben genug Geld für ein neues übrig. Der alte Fred hat sich nicht lumpen lassen, das muss man ihm zugutehalten. Wir fahren morgen in die Innenstadt und machen's wieder gut.« Sie legte mir die Hand aufs Knie. »Eine seltene Blume«, sagte sie lächelnd. »Damit hat er recht.«

Mama sah zu mir herab. »Das stimmt«, sagte sie. »Damit hat er wirklich recht.«

Nach dieser Geschichte sah Avis Fred natürlich nie mehr wieder. Und seine Tante kam auch nicht mehr in den Schönheitssalon.

Tante Avis hatte andere feste Freunde, viele. Einige habe ich kennengelernt, von anderen nur gehört. Rückblickend musste Fred für sie wohl wie ein guter Fang ausgesehen haben, wenn sie überhaupt jemals wieder einen Gedanken an ihn verschwendete. Avis hatte kaum Erfolgsgeschichten mit Männern aufzuweisen.

Am nächsten Tag bekam ich ein neues Kleid, das teurer war als alles, was ich je besessen hatte. Es war aus einem wunderschönen dunkelblauen Stoff, der irgendwie schimmerte. Avis meinte, es wäre ein Knaller. Ich habe das Kleid geliebt. Daddy bemerkte nicht, dass ich mit einem anderen Kleid nach Hause kam als dem, das ich bei der Abreise getragen hatte. Wir haben ihm kein Sterbenswörtchen von unserer Spritztour aufs Land erzählt.

Aber noch Jahre später, wenn Mama und Tante Avis und ich zusammen waren, blickte eine von uns auf und sagte: »Oh, ich wünschte, ich hätte jetzt ein Glas Cherry Cider. Es wäre so erfrischend.« Und wir drei fingen dann immer an zu kichern. Daddy sah von seiner Zeitung oder seinem Abendessen auf und schüttelte den Kopf – oder er verließ sogar das Zimmer, wusste er doch, dass er mal wieder ein Geheimnis der beiden nicht kannte, ein Geheimnis zwischen diesen zwei Schwestern. Aber dieses Mal wusste ich, worüber sie lachten. Ich wusste es. Also blieb ich im Zimmer und lachte mit ihnen.

Teil vier

Edward auf Achse

Prescott Mills, Maine
Juni 1956

»Verdammt, ich muss zurück in den Autosalon. Ist schon nach zwei.« Edward legte sich die Uhr wieder ums Handgelenk. Iris hatte sie ihm irgendwie mit den Zähnen abgemacht. Da waren Zahnabdrücke im Leder. Wie sollte er die nur Idella erklären? Er zog seine Hose an und klopfte sich Zweige und Kiefernnadeln von der Kleidung. »Ich hab einen Kunden, der später vorbeischauen wollte. Sucht einen Gebrauchtwagen. Ich hoffe, da krabbeln keine Ameisen in meinen Hosenbeinen.«

»Ach Eddie, noch nicht. Was soll die Hektik? Die Leute sagen immer, dass sie am Nachmittag noch mal reinschauen, und du siehst sie nie mehr wieder.« Iris saß im Schneidersitz auf dem Waldboden und zupfte mit ihren langen Fingernägeln an einem Kiefernzapfen. Sie trug nichts weiter als Edwards Sportsakko um die Schultern. Ihre Kleidung lag hinter ihr über dem Boden verteilt.

Er und Iris hatten es heute nicht mal bis in die Hütte geschafft, zu einem der Feldbetten mit den unbequemen, klumpigen Matratzen – es war, als würde man über Hüttenkäse rollen, hatte Iris gesagt, als er sie das erste Mal hergebracht hatte. Heute hatte sie es draußen tun wollen, versteckt zwischen den Bäumen, um den Frühling zu feiern. Sie hatte

Edward überredet, dass er sich auf den Boden hinter dem Campingtisch legte. Baumwurzeln bohrten sich ihm in den Rücken, egal wohin er rutschte, und er wartete, bis sie ihn vollständig entkleidet hatte. Sie trieb ihn schier in den Wahnsinn, am liebsten hätte er ihr nacktes Hinterteil gepackt und sich auf sie gerollt und sie ins Laub gepresst. Er konnte sich kaum zurückhalten, bis sie sich endlich auf ihn legte und ihm ihre Brüste ins Gesicht drückte. Teufel! Kein Vergleich zu Idellas kleinen Möpsen. Kein Vergleich.

»Lass uns das Badezeug von den Mottenkugeln befreien, Eddie, und schwimmen gehen.« Iris hatte jede Schublade in der Hütte durchwühlt.

»Ich fass nichts an, was Idella gepackt hat. Wir haben da drinnen schon genug Unordnung gemacht.« Edward trug seine Schuhe und Socken zum Campingtisch und setzte sich auf eine Bank. Iris war ein verrücktes Huhn. Es war verdammt kalt auf dem Boden, und einer dieser kleinen Büsche hatte Stacheln. Überall auf seinem Körper hatte er jetzt Kratzer.

»Sie wird glauben, dass Jugendliche eingebrochen sind und die Hütte im Winter benutzt haben. Lass uns das Badezeug holen und schwimmen gehen.«

Iris hatte gelacht, als Edward ihr von der Hütte und all den Vogelnestern in den Bäumen rundherum erzählt hatte. »Das hier ist auch ein Nest«, hatte sie über die Hütte gesagt. »Unser Liebesnest.« Und so hatte sie ihr Versteck seitdem genannt. »Unser Liebesnest.« Bei dem Gedanken musste Edward lächeln.

Iris sammelte die Teile des Kiefernzapfens ein, den sie zerpflückt hatte, und warf sie in die Bäume. »Da. Verstreute Samen, Eddie. Nächstes Jahr wird es hier einen Baum mit meinem Namen geben.« Sie stand auf.

Edward bemerkte, dass ihr sein Jackett bis zu den Knien ging. Sie wirkte klein darin, nur ihre Beine schauten heraus, und das Jackett bedeckte all die weichen Kurven und ihre großen Titten. Wie Hummer-Bojen wackelten sie in ihren Pullovern und waren trotzdem fest verankert. Iris' Körper hatte so viele Stellen, die man drücken und an denen man sich festhalten konnte. Idella bestand nur aus Haut und Knochen und Storchenbeinen.

»Komm schon, Eddie, rein ins Wasser.«

»Herrgott, Iris, es ist noch nicht mal Juni. Siehst du sonst jemanden schwimmen?«

»Nur mal kurz reinspringen! Um sagen zu können, dass wir's getan haben!«

»Iris, ich hab einen Kunden. Der verdammte Murphy wird ihn mir einfach wegschnappen, wenn der Kerl auftaucht und ich nicht da bin.« Iris setzte sich neben ihn auf die Bank und öffnete sein Jackett einen Spalt, sodass ihre Brüste zu sehen waren. »Letzte Woche hat er drei Autos verkauft, und zwei davon waren meine. Ich hab den ganzen Morgen mit dem Kerl verbracht, hab ihm das Auto so richtig schmackhaft gemacht ...«

»Eddie, dein Haar ist ganz zerzaust.« Iris holte seinen Kamm aus der Innentasche seines Jacketts. »Schau geradeaus.«

»Ich mach's ihnen so richtig schmackhaft ... Sie sagen, sie müssen noch mal drüber nachdenken, sich in einem anderen Autohaus umschauen ... Was kann ich schon tun?«

»Halt den Kopf still!«

»Und wenn sie zurückkommen und ich bin nicht da, beklaut mich dieser Murphy. ›Natürlich, Eddie‹, sagt er mit diesem beschissenen Grinsen, ›lass dir ruhig Zeit. Mach eine

Testfahrt in einem der neuen Plymouths. Kannst ja nicht dein ganzes Leben hier drinnen verbringen.‹ Mr. Oberfreundlich. Dieser Mistkerl.«

»Eddie, wir hatten eine so schöne Zeit. Hat es sich etwa nicht gelohnt, die Zeit mit der klitzekleinen Iris zu verbringen?« Sie zupfte ihm getrocknete Blätter aus den Haaren und strich mit den Fingern an der Innenseite seiner Ohrmuschel entlang. »Er hat aber recht. Du kannst nicht jeden Augenblick deines Lebens dort in dem Verkaufsraum verbringen. Du musst auch mal Spaß haben.«

»Was ist das auf meinem Kragen?« Edward knöpfte sein Hemd zu. »Es ist auch auf meinem Ärmel. Harz. Verdammt noch mal, ich bin voller Harz. Wie soll ich das nur Idella erklären?«

»Oh, Eddie, sag ihr einfach nichts. Sag ihr, dass sie das nichts angeht.« Iris kratzte mit ihren langen Fingernägeln das zähe Harz ab. »Du gehst doch auch nie *ihre* Kleidung durch und befragst sie über jeden Fleck und Spritzer, oder? Warum sollte sie es dann bei dir tun?«

»Sie geht sie nun mal durch, okay? Kontrolliert meine Taschen. Ihr entgeht nichts. Steck also keine Zettelchen mehr rein. Den letzten hätte sie fast entdeckt.«

»Und was wäre schon dabei? Wen kümmert's?« Iris öffnete den obersten Knopf seines Hemdes.

»Iris, hör auf.« Er schob ihre Hände weg. »Wir sind hier fertig. Zieh dich an. Wir müssen von hier verschwinden.«

»Da. Ich entferne das klebrige, alte Harz mit den Zähnen.« Iris presste sich an ihn und begann, an dem Fleck an seinem Kragen zu knabbern. Ihre Hände glitten langsam an seinen Seiten hinab und zwischen seine Beine. Sanft rieb sie über die Innenseite seiner Oberschenkel. »Hmmmm. Es riecht nach

Wald. Es schmeckt köstlich.« Sein Schwanz regte sich und reckte sich ihrer Hand entgegen. Sie hörte auf und lächelte ihn an. »Willst du mal probieren? Es ist jetzt in meinem Mund.«

Edward grinste und zog sie auf seinen Schoß, er presste sie an sich. »Gleich wird da noch was anderes in deinem Mund sein.« Er stand auf, drängte sein Knie zwischen ihre Beine und rollte Iris auf den kalten feuchten Boden.

»Oh, ich liebe es, ein paar Runden zu schwimmen, nachdem man sich geliebt hat! Du hättest nicht so schnell rausgehen dürfen, Eddie.« Iris ließ Idellas Badeanzug zu ihren Knöcheln gleiten und schob ihn mit dem Fuß auf die Erde. »Ich bin froh, den hier endlich loszuwerden. Man kommt sich wie ein Lampenschirm vor bei dem kleinen Röckchen, das einmal rundherum geht.« Iris machte sich gerne über Idellas Sachen lustig. »Und mir ist so kalt!« Sie lachte und schlang sich die Arme um den Körper, rieb sich die nackten Schenkel. »Du bist gar nicht ganz rein, Eddie. Du hast nicht mal deine Brille abgesetzt.«

»Ich war tief genug im Wasser.«

»Oh-oh. Du hast deinen Hut aufgesetzt. Ich weiß, was das bedeutet. Eddie ist fertig.«

Edward war vollständig angezogen. Er lehnte gegen seinen Wagen und beobachtete, wie Iris sich Schicht um Schicht anzog. Sie war ausgelassen, während sie rasch in ihre Kleidung hüpfte. Er holte seine Zigaretten aus der Hemdtasche. Seine Hände waren so steif und zittrig, dass es ihm fast nicht gelang, eine aus der Packung zu schütteln. Seine Finger waren weiß wie die Zigaretten. Das verdammte Wasser hatte ihn fast umgebracht. Seine Eier waren auf die Größe von Lutschern geschrumpft, die Idella im Laden verkaufte – »heiße Bälle«

nannten die Kids sie. Er lachte. An seinen war im Moment nichts heiß.

»Du solltest schwimmen lernen, Eddie. Es ist *so* erfrischend.« Iris hatte den Kopf zur Seite gelegt, um sich das Wasser aus den Ohren zu klopfen.

»Du hast doch gesagt, ich bin Erfrischung genug.«

»Und wir könnten es im Wasser tun.« Iris zog das Kleid über ihren feuchten Kopf und lächelte ihn durch den Halsausschnitt an. »Man kann es tun, während man sich im Wasser treiben lässt.«

»Echt? Woher willst du das wissen?«

Sie fuhr mit dem Arm ihren Rücken hinab und zog den Reißverschluss hoch. Er hasste den Gedanken, dass sie es mit einem anderen machte. Natürlich hatte sie es getan. Sie war kein Mauerblümchen. War jahrelang mit Dickie verheiratet gewesen. Jetzt war sie geschieden und bezeichnete sich selbst als *divorcée*, weil es Französisch war – das Französisch aus Frankreich, nicht aus Kanada. Jetzt war sie geschieden und fand es *chic*, wie sie es ausdrückte, weil es französisch klang – wie aus Frankreich, sagte sie dann, nicht aus Kanada.

»Ich wette, du und Idella habt es nie im Wasser getan.« Edward beobachtete, wie Iris vorsichtig ihre Nylonstrümpfe aufrollte und sie ihre Beine hochschob. Es war, als würde man einen Gummi tragen, dachte er, einen Gummi über jedem Bein. Sie behauptete, sie wäre zu alt für einen Braten in der Röhre, also musste er sich nicht damit herumplagen, eines dieser verdammten Dinger zu tragen. Was für ein Scheißzeug, diese Gummis. Platzten immer auf oder verschoben sich.

Iris hatte keine Kinder. Sie hatte gewartet und gewartet, um von Dickie schwanger zu werden, aber nichts war passiert.

Er und Idella bekamen andauernd Babys, ob sie nun wollten oder nicht. Ein gottverdammtes Mädchen nach dem anderen, vier davon, im Abstand von jeweils sieben Jahren. Das verflixte siebte Jahr, sagte jeder mit einem Zwinkern, wenn er davon hörte. Irgendein Marilyn-Monroe-Film. Wäre er mit Marilyn Monroe verheiratet, lägen keine sieben Jahre dazwischen. Und es wären nicht bloß Mädchen.

»Ich wette, du und Idella habt es bisher nirgendwo anders getan als zu Hause in eurem kleinen alten Bett. Ich wette, sie behält die ganze Zeit über ihr Nachthemd an.«

»Wir müssen uns beeilen.« Woher wusste Iris das nur? Clevere Frau. Er sah auf die Uhr. Himmel! Er drückte seine Zigarette in den Blättern aus und öffnete seine Wagentür. »Rein mit dir.«

»Und was soll ich damit tun, Eddie?« Iris hob den nassen Badeanzug vom Boden auf und hielt ihn Edward vor die Nase. »Soll ich ihn an einem Baum aufhängen?«

»Du gibst ihn mir lieber, sonst findet Idella ihn noch. Sie will am Sonntag hochkommen, um die Hütte herzurichten.« Edward nahm ihr den klammen Badeanzug aus der Hand. Er öffnete sein Handschuhfach, stopfte ihn hinein und knallte die Klappe zu.

»Das hast du mir gar nicht gesagt.« Iris schlüpfte in ihre Schuhe.

»Was?«

»Dass du am Sonntag mit ihr hochkommst, um die Hütte herzurichten.«

»Hab ich vergessen.« Edward ließ den Motor an. »Ich hab an andere Dinge gedacht.« Er grinste ihr zu und klopfte auf den Sitz neben ihm. »Steig ein.« Iris holte ihre Handtasche, zog den Pullover fest um sich und stieg ein. Sie schob sich neben ihn. Ihr Oberschenkel fühlte sich kalt an, selbst durch das Kleid.

Im Rückwärtsgang fuhr er langsam die holprige Auffahrt hinunter und schwenkte vorsichtig in die Straße ein. Sie war voller Schlaglöcher und matschigem Schlamm von der Farbe von Scheiße. Das Auto würde in einem dieser verdammten Löcher versinken, wenn er nicht umsichtig fuhr, und sie würden dann bis zu den Radkappen drinstecken. »Halt auf der Straße hier die Klappe, Iris. Ich muss mich konzentrieren.«

»Kümmere dich nur ums Fahren, Eddie. Ich bin brav.« Sie tätschelte sein Knie.

Edward beugte sich vor um zu sehen, was vor ihnen lag. Er würde sich Zeit lassen, versuchen geduldig zu sein, eines der verdammten Löcher nach dem anderen umfahren. Er musste zurück zum Autohaus. Er würde gar nicht erst versuchen, seine lange Mittagspause zu erklären. Sollten die Säcke doch die Augen verdrehen. Was kümmerte es ihn? Es ging sie einen feuchten Kehricht an.

Murphy nannte ihn »das Wiesel« – irischer Scheißkerl. Schlimmer als die Franzosen, diese Iren. »Eddie, der ist ein Wiesel«, sagte Murphy zu Jones und Battier und schlug Eddie auf den Rücken, als wäre es ein toller Witz. »Er kann einen Kunden aus hundert Meter Entfernung riechen.« Was sollte man seiner Ansicht nach denn tun? Faul auf dem Arsch sitzen und darauf warten, dass sie zu einem kämen? Edward Jensen war mit Herz und Seele Verkäufer. Er hatte in seinem Leben mehr Autos verkauft, als Murphy Furze aus dem Hintern kamen. Und das sagte schon etwas. Edward lachte erleichtert, als er das holprige Ende der Straße erreichte und in die Route 9 einbog.

»Worüber lachst du?« Iris lächelte ihn an. Sie mochte es nicht, in etwas nicht eingeweiht zu sein.

»Nichts.«

»Ein nettes Nichts?« Sie zog an seinem Ohr, als er den Wagen zum Stehen brachte. Sie parkten Iris' Auto jedes Mal auf diesem Rastplatz. Es war ein schieferblauer Plymouth Savoy mit zweiundzwanzigtausend Meilen auf dem Buckel. Ein gutes Auto. Edward hatte es ihr im vergangenen Oktober verkauft. Auf der Probefahrt hatte sie dicht neben ihm gesessen, hatte sich zu ihm gebeugt und Fragen gestellt, über die Scheinwerfer und dann über das Radio und dann über die Blinker, während sie immer näher rutschte und mit den Fingern über das Armaturenbrett strich. Dann hatte sie in den Rückspiegel geschaut und gesagt, welch wunderschöne blaue Augen er hätte und welch hübsche dunkle Augenbrauen, und so hatte alles begonnen. Und dann hatte er gesagt, dass sie hübsche Titten hätte. Oder dass sie wohl hübsch sein müssten, weil sie so hübsch ihre Bluse spannten und ihn anlachten, und sie hatte gesagt, sie würde sie ihm gerne irgendwann mal zeigen, und dann war er einfach weitergefahren, und sie hatten einen unglaublichen Nachmittag verbracht. Und noch dazu hatte er einen Verkauf abgeschlossen.

Edward drückte ihr Knie. Es war immer noch kalt. »Okay. Ich muss wieder zurück.«

Iris sah ihn an, das Haar nass und zerzaust. »Wann sehen wir uns wieder, Eddie, wenn Idella uns die Hütte wegnimmt? Wo sollen wir uns treffen, wenn wir unser Liebesnest nicht mehr haben?«

»Keine Ahnung.« Edward hatte nicht weiter als bis zu diesem Nachmittag gedacht. »Bei dir?«

»Du weißt, da können wir uns nicht treffen. Meine Mutter geht nie aus.«

»Ich kann mir jetzt nicht den Kopf darüber zerbrechen, Iris. Ich muss zurück.«

»Okay, Eddie.« Iris stieg aus und schloss die Tür.

»Wir finden eine Lösung, Iris, keine Sorge.«

»Es ist zu gut, um darauf zu verzichten, nicht wahr, Eddie?« Sie warf ihm eine Kusshand zu.

Er wendete den Wagen, bog in die Straße nach Portland ein und winkte matt in den Rückspiegel, während er beschleunigte.

Edward hatte Hunger. Er überlegte, ob er sich einen Burger holen sollte und vielleicht einen Becher Kaffee, bevor er zurückfuhr. Idella hatte ihm eines ihrer Frischkäse-und-grüne-Oliven-Dinger zum Mittagessen gemacht, aber er hatte es schon an einer roten Ampel auf dem Weg in die Stadt gegessen. Er hasste rote Ampeln. Konnte es nicht ausstehen, dort zu sitzen und zu spüren, wie der Motor dröhnte, und zuschauen zu müssen, wie sich die anderen Autos bewegten. Es gab nichts Schlimmeres, als links über eine große Kreuzung abbiegen zu müssen. Die Mistkerle aus der Gegenrichtung ließen einen nie fahren, bremsten nie ab. Er fuhr gerne allein, dann gab es niemanden, der ihn nervte – außer den Volltrotteln vor ihm. Leute, die sich zu langsam einfädelten, waren die Schlimmsten. Wenn er ausscherte und an ihnen vorbeiwollte, fädelten die sich nach links ein. Ließen ihm keine andere Wahl, als lautstark zu hupen und sie abzudrängen. Da war das A&W. Er riss das Lenkrad nach rechts. Der Wagen hinter ihm hupte. Irgendeine alte Schachtel, die längst nicht mehr auf der Straße sein sollte.

Edward suchte nach einer günstig gelegenen Säule, neben der er halten konnte. Er aß gerne im Auto. Er war immer hungrig, nachdem er mit Iris zusammen gewesen war. Sie saugte ihm regelrecht die Energie aus. Was für ein Teufelsweib! Er beugte sich aus dem Fenster, um den Knopf auf der Sprechanlage zu drücken. Die verdammte Säule war zu weit weg. Er musste die Tür öffnen und sich rauslehnen, um den Finger draufzubekommen. Eine verzerrte Stimme plärrte ihn an.

»Hallo?«, schrie er in das graue Kästchen. »Hallo?« Gottverdammte Sprechanlage! Er drückte beide Knöpfe. Warum gab es eigentlich zwei auf dem verflixten Ding? »Redet mal jemand mit mir?« Er stützte sich auf seiner Hupe ab. Das sollte sie wecken. »Ich will einen Cheeseburger!«, schrie er. Zornesröte schoss ihm ins Gesicht. »Ich will einen Cheeseburger, und ich will ihn jetzt, verdammt noch mal!«

Er blickte sich zu den anderen Autos um. Die Leute starrten ihn alle an. Hatten nichts Besseres zu tun, als sich den Bauch vollzuschlagen und blöd zu glotzen.

»Kann ich Ihnen helfen?« Eine junge Bedienung näherte sich mit einem Block und Bleistift in der Hand.

»Ja, das können Sie.« Er lächelte zu ihr hoch und zog die Tür zu. »Diese Sprechanlagen sind bescheuert. Bei Ihnen meine Bestellung aufzugeben, ist viel netter.«

Sie war erst ungefähr siebzehn, stellte Edward fest, im selben Alter wie Donna. Sie hatte einen Schmollmund, und ihre Lippen waren mit rosa Lippenstift vollgeschmiert. Sie trug eine dieser knappen Uniformen in der Farbe von Malzbier. Die Röcke waren schrecklich kurz. Donna würde er so was nie tragen lassen. Bei Gott, so würde er sie nicht aus dem Haus lassen. Wenn man Haut bis übers Knie sah. Das war eine Einladung.

Die junge Bedienung blickte ihn an und hielt ihren Bestellblock hoch. Sie drückte die Knie zusammen und presste die Arme an den Körper. In diesen knappen Uniformen musste man frieren. »Das ist ja eine besondere Behandlung, wenn Sie den ganzen Weg rauskommen, um meine Bestellung aufzunehmen.«

»Ja, kann sein.« Ihre Augen glitten immer wieder zurück zum Restaurant. Vielleicht hatte sie andere Bestellungen, um die sie sich dort drinnen kümmern musste, und der Burger von irgendjemandem wurde gerade kalt. Edward lächelte. Seiner würde schön heiß sein.

»Ich nehme das Nachmittagsspecial«, sagte er und zeigte zu der Anschlagtafel, die mit großen braunen Buchstaben beschrieben war. »Nummer zwei.« Er nahm immer dasselbe.

»Also ein Cheeseburger, ein mittleres Malzbier, eine Apfeltasche und einen Kaffee?«

»Ganz genau.« Er lächelte zu ihr hoch. »Vermutlich sind Sie im Menü nicht inbegriffen?« Er konnte sich einfach nicht zurückhalten. Es schien einfach die passende Antwort zu sein.

Sie schüttelte den Kopf und sah ihn mit zusammengekniffenen Augen an. »Nein, Sir, nie im Leben.« Sie spuckte es mehr aus, als dass sie es sagte, das dumme Weibsbild, und riss die Bestellung wie eine verfluchte Königin von ihrem Block. »Hier ist Ihre Kopie«, sagte sie und stopfte sie durchs Fenster. »Jemand wird es gleich rausbringen.«

»Ich mag meinen Kaffee schwarz!«, rief Edward ihrem fetten, kleinen Hintern nach, während der triumphierend zurück ins Schnellrestaurant wackelte.

Er wusste nicht, warum er das mit dem Kaffee gesagt hatte. Sie gaben einem immer diese kleinen Zuckertütchen und Sahne mit. So mochte er seinen Kaffee auch am liebsten, mit viel Zucker und Sahne. Einmal, als er einen dieser gottverdammten kleinen Becher aufgerissen hatte, war ihm die Sahne überall auf seine Brille und die Innenverkleidung gespritzt. Die winzigen Laschen, die man ziehen musste, waren nicht größer als der Arsch eines Flohs. Er musste den Daumen in die Folie rammen, um sie überhaupt zu erwischen. Und da war die Sahne auch schon überall. Er konnte nicht klar sehen, bis er an diesem Abend zu Hause war und Idella seine Brille mit heißem Wasser geputzt hatte. »Himmel, Edward, was hast du gemacht – dir die Sahne über den Kopf gegossen? So was ist mir ja noch nie untergekommen.« Sie musste immer ihren Senf dazugeben.

Am nächsten Tag hatte Iris ein paar kleine Flecken im Auto bemerkt und gleich lauter Fragen gestellt, um ihn dann mit der Sahne aufzuziehen. Er lachte. Sie hatte eine so schmutzige Fantasie. Sie war clever, diese Iris.

»Hier, bitte, Sir.« Ein fetter behaarter Trottel stand mit einem Tablett da. Er sah aus, als hätte man ihn gerade vom Männerklo gezerrt. Er hatte ein Klugscheißergrinsen im Gesicht. »Das wären dann ein Dollar und vierundvierzig Cent, einschließlich Steuer.« Edward zählte die vier Pennys ab. Kein Trinkgeld für diese Scheißkerle, nicht von Edward Jensen. Er reichte ihm das Geld, aber der Trottel blieb einfach stehen und hielt sich am Tablett fest.

»Sie müssen das Fenster noch ein paar Zentimeter runterkurbeln, Sir, sonst passt das Tablett nicht durch.«

»Das weiß ich. Ich wollte erst zahlen.«

»Ich habe beide Hände voll, Sir. Wenn Sie das Fenster runterkurbeln, nehme ich sehr gerne Ihr Geld.«

»Das glaub ich dir aufs Wort.« Edward kurbelte das Fenster

gerade genug herunter. Der Klugscheißer stellte das Tablett auf dem oberen Rand des Fensters ab und streckte die Hand aus. Edward reichte ihm das Geld.

Der Mann nahm es und lächelte. »Guten Appetit«, sagte er mit einem Augenzwinkern, drehte sich um und eilte zurück zum Schnellrestaurant. Wie ein gehetztes Schwein, dachte Edward. Auf dem Tablett gab es weder Sahne noch Zucker. Diese Scheißkerle. Das hatten die extra gemacht.

Edward fuhr zu seinem Stellplatz vor dem Autohaus. Er war vier Stunden fort gewesen. Er warf einen prüfenden Blick in den Rückspiegel, um zu kontrollieren, ob er noch irgendwo Iris' Lippenstift hatte. Ein Krümel von der Apfeltasche klebte ihm am Kinn. Er richtete den Spiegel aus, um eine bessere Sicht nach hinten zu haben. Ja, dort stand Murphy, die Hände wie ein Nichtsnutz in den Hosentaschen, und beobachtete ihn. Edward schob den Spiegel zurück und stieg aus dem Wagen. Zurück zur Arbeit. Es hatte ihm gutgetan rauszukommen, sich die Beine zu vertreten.

»Na, sieh mal an, wer da ist! Wir dachten schon, du hast dich verfahren, bist falsch abgebogen!«, sagte Murphy mit dieser munteren, aufgekratzten Stimme, als wäre er im Radio. Das bedeutete immer Ärger. »Wo hast du gesteckt, Eddie?« Murphy ließ ihn nicht mal in Ruhe zu seinem Schreibtisch gehen, folgte ihm wie eine läufiger Hündin. »Wir haben grade angefangen, uns Sorgen zu machen, nicht wahr, Jones?« Ralph Jones sah nicht von der Zeitschrift hoch, die er hinter seinem Schreibtisch las.

»Ich hatte 'nen Kunden. Eine Probefahrt.« Edward zog sein Jackett aus und hängte es über den Stuhl. Er konnte Iris' Parfüm riechen.

»Den Verkauf abgeschlossen?«

»Ich arbeite dran.« Mistkerl. Edward öffnete die Schublade seines Schreibtisches, als suchte er dort nach etwas Wichtigem, und hielt den Kopf gesenkt. Würde er in Murphys Gesicht blicken, gäbe es kein Halten mehr. Edward nahm eine Seite der Herstellerpreisliste in die Hand, die immer ganz oben lag, über seinen Zeitschriften und Witzbüchern. Murphy stand direkt vor seinem Schreibtisch.

»Ich hoffe, dass es klappt, Eddie. Das hoffe ich wirklich.«

Edward sah auf. »Nein, das ist aber nett von dir, Murphy!«

»Jaja.« Murphy stützte sich mit den Händen auf dem Schreibtisch ab und beugte sich zu ihm. Edward roch die Pep-O-Mints, die Murphy ständig lutschte. »Es ist nämlich so, Edward, dieser Kunde, den du dir angeln wolltest... nun, der hat dich davon abgehalten, den einzusacken, den du schon am Haken hattest.«

»Wirklich?« Verdammt, dieser Kerl, dieser Blair, dem er gestern die ganze Zeit Honig ums Maul geschmiert hatte. Der Mistkerl war zurückgekommen, wie er's gesagt hatte.

»Wir haben ihn so lang wie möglich hingehalten, Eddie, weil wir dachten, dass du dir nur schnell einen Happen holst und jede Minute auf den Parkplatz einbiegst. Wir haben sogar deine Frau im Laden angerufen, um zu schauen, ob du ihr vielleicht einen kleinen Überraschungsbesuch abstattest. Ich glaube, Blair war sein Name, oder?« Edward nickte. »Er hat schon nach Luft geschnappt, Eddie. Wir mussten ihn entweder vom Haken nehmen oder ihn zurück ins Wasser werfen. Er war drüben bei Rubell Motors gewesen, und die hatten auch die Angel nach ihm ausgeworfen. Die hätten ihn sich sicherlich gekrallt, hätte ich ihn hier rausspazieren lassen.

Wäre ich nicht eingesprungen. Er hat langsam die Geduld verloren.«

Edward beobachtete, wie Murphys Zunge beim Reden die Pfefferminzpastille im Mund herumschob. »Du hast den Verkauf abgeschlossen?«

»Konnte ihn doch nicht rüber zu Rubell werfen, oder, Eddie?« Murphy hob die Schultern, als täte ihm etwas leid. Dieses schmierige Arschloch.

»Der gebrauchte, zweitürige Belvedere, den die Marston letzte Woche in Zahlung gegeben hat? Den hab ich ihm aufgeschwatzt.« Edward wollte, dass der Mistkerl Murphy wusste, wer für den Verkauf in Wirklichkeit verantwortlich war, wer die harte Arbeit geleistet hatte. »Er wollte sich die Autos nur ganz unverbindlich anschauen, als ich ihn in die Finger bekommen habe. Er wollte gar nichts kaufen, bis ich ihn rumgeführt habe.«

Murphy grinste. »Oh, das bezweifle ich nicht, Eddie, keine Minute.« Er setzte sein widerliches zuckersüßes Lächeln auf, das Edward ihm am liebsten aus dem Gesicht gekratzt hätte. »Eigentlich, Eddie, hab ich sogar noch eins draufgesetzt. Er hat ein fabrikneues bestellt. Mit Extras. Klimaanlage. Radio. Besondere Farbe. Viertürig. Noch dazu ein Cabrio.«

Edward spürte, wie es in seinem Magen brodelte. Das Malzbier, das er so schnell hinuntergekippt hatte, rächte sich nun. Er hielt sich an der Schublade fest, wartete, dass Murphy endlich die Klappe hielt. Er brauchte diesen Verkauf. Verdammt. Manchmal saß man hier eine geschlagene Woche rum und hatte rein gar nichts zu tun. Füllte ein ganzes Heft mit diesen Kreuzworträtseln aus. Selbst Murphy hatte diese Sportheftchen. Dann ist man für ein oder zwei mickrige Stunden fort, verschwindet mal für einen Moment, und dann passiert's.

»Hast du mich gehört, Eddie?« Noch immer Murphy. »Du warst irgendwie in Gedanken versunken.« Edward sah ihn an. »Ich sagte, deine Frau will, dass du sie anrufst. Hoffe nur, ich hab sie nicht unnötig beunruhigt, als ich versucht habe, dich zu erreichen.«

»Ich ruf sie gleich an.« Edward griff nach seinem Telefon. Das würde zumindest Murphy von seinem Tisch vertreiben.

»Mach das, Eddie.« Murphy ging endlich weg. »Wollte deine nette Frau nicht beunruhigen.« Edward beobachtete, wie Murphy in seine Tasche griff und ein weiteres Pep-O-Mint herausdrückte.

Er drehte sich mit dem Gesicht zur Wand, wo sein Kalender hing, irgendeine überdachte Brücke in Vermont, und hielt den Hörer ans Ohr. Er wählte seine eigene Arbeitsnummer, damit er ein Besetztzeichen bekam. Er konnte jetzt nicht mit Idella reden. Die Mistkerle hier würden an seinen Lippen hängen und Idella würde ihn mit Fragen bombardieren. Er hatte nicht die Kraft, sich Antworten auszudenken.

»Wo warst du?« Das waren die ersten Worte aus Idellas Mund, sobald die Ladentür hinter dem Kunden mit seinem Sixpack zugefallen war. Sie stand hinter der Kasse in Jensen's Drive-In, die Hände auf der geschlossenen Lade. Ihre Nylonstrümpfe waren wie kleine braune Doughnuts zu ihren Knöcheln hinabgerutscht. Edward hatte gerade genügend Zeit gehabt, durch den Seiteneingang zu schlüpfen und sich eine Tüte Humpty Dumpty vom Regal mit den Kartoffelchips zu schnappen.

»Bei einem Kunden.« Edward stopfte sich eine Handvoll Chips in den Mund.

»Vier Stunden?«

»Woher weißt du, wie lang es war?«

»Weil ich im Autohaus angerufen habe. Sie haben gesagt, dass du eben losgefahren bist. Von dir habe ich ja nichts gehört!«

»Ich hab versucht anzurufen, aber es war besetzt.«

»Das hat auch Mr. Murphy gesagt. Aber ich habe genau hier an der Kasse gestanden, den ganzen lieben langen Tag seit neun Uhr morgens, und das Telefon hat kein einziges Mal geklingelt, außer als Mr. Murphy angerufen hat, um sich nach dir zu erkundigen. Im Vergleich zum Telefon war ich viel beschäftigt. Pat hat sich krankgemeldet, und George konnte nicht einspringen, weshalb ich hier stehe, seit ich heute Morgen aufgewacht bin. Ich fall gleich tot um. Ich musste drei Bierlieferungen wegräumen, plus Oakhurst, Old King Cole und Humpty Dumpty. Die ganze Zeit sind Kids reingestürmt, die Leergut zurückgebracht haben und dafür Süßigkeiten wollten. Ich konnte nicht mal aufs Klo, bis Mrs. Rudolf kam, und ich sie gebeten habe, kurz aufzupassen, während ich nach oben gehuscht bin. Ich wäre fast geplatzt.«

»Gütiger Himmel, Idella, dafür kann ich doch nichts. Du gibst mir für alles die Schuld. Du würdest mir sogar die Schuld geben, wenn du furzt.«

»Mach dich nicht lächerlich.«

»Wer nörgelt denn an mir rum, seit ich durch die gottverdammte Tür bin?«

Die Ladentür ging auf, und ein Kunde trat ein. »Guten Abend«, rief Idella fröhlich. »Was kann ich für Sie tun?«

Edward ging zur Fleischtheke im hinteren Teil des Ladens. Die Lichter waren aus, und die Schatten fühlten sich gut an. Er setzte sich auf den wackligen Küchenstuhl, der dort stand, und starrte auf die Auslage, auf die ungeschnittene Lyoner

Wurst und die Salami, die weißen Pappkartons mit sorgfältig abgewogenem und abgepacktem Hackfleisch und die Würstchen von Jordan's Meats, winzigen Penissen, die an den Enden zusammengebunden waren und aufgeschichtet in den Schachteln lagen. Sie gaben etwas in die Würstchen, damit sie rot aussahen. Er wusste nicht, warum.

Er hörte, wie Idella vorne im Laden belangloses Zeug redete. »O ja, bevor man sichs versieht, sind alle Kinder von der Schule. Nein, wir machen keinen Urlaub. Wir haben die Hütte draußen am Highland Lake. Wir fahren am Sonntag wieder hoch. Aber es ist so schwierig, sie instand zu halten und gleichzeitig den Laden zu führen. Und gute Mieter sind so schwer zu finden. Was die Leute mit Sachen anstellen, wenn sie jemand anderem gehören. Sie brauchen auch Streichhölzer? Im Winter treiben sich Jugendliche dort rum und brechen ein und benutzen die Hütte zum Trinken und für andere Sachen. Es ist schrecklich. Brauchen Sie eine Tüte?« Das hohe Trillern von Idellas Stimme klang wie fließendes Wasser, ein Leck, das einfach nicht zu stopfen war.

Himmel, Idella wollte die Hütte so bald wie möglich vermieten, denn andernfalls würden Barbara und Donna sie andauernd mit ihren Freundinnen benutzen wollen, um schwimmen zu gehen. Edward griff in seine Hemdtasche und schüttelte eine Lucky Strike heraus. Er und Iris benutzten die Hütte seit dem vergangenen Herbst. Im Winter wurde es dort verdammt kalt. Aber sie hatten schon für Hitze gesorgt, Iris und er. Edward suchte in seinen Hosentaschen nach Streichhölzern. Einmal waren sie durch den Schnee gestapft, als die Straße zur Hütte nicht geräumt gewesen war. Der Schnee ging ihnen bis zu den Knien. Sie hatten sich eine Schneeballschlacht geliefert. Das hatte er seit seiner Jugend nicht mehr getan. Sie hatten die Wolldecken rausgeholt, die Idella in den großen Taschen eingemottet hatte, und ein Feuer mit dem restlichen Holz gemacht, das draußen auf der Veranda gestapelt lag. Mit einer Flasche Crown Royal und ein paar italienischen Sandwiches aus dem Laden hatten sie es sich gut gehen lassen. Idella machte tolle Sandwiches, das musste selbst Iris eingestehen.

Wo waren nur die Streichhölzer? Er klopfte seine Taschen ab, suchte immer wieder an denselben Stellen – Hemd, Hose, Jackett. Verdammte Streichhölzer. Wahrscheinlich hatte Iris sie in ihre Handtasche gesteckt. Sie klaute ständig Sachen aus seinen Taschen. Sagte, sie hätte gerne Dinge von ihm um sich. Er stand auf und wartete hinter der Fleischtheke, bis Idella zur Kühlbox ging und die Tür aufschob. Sie füllte sie nach jedem Kunden auf, damit das Bier immer kalt war. Edward ging zur Kasse und schnappte sich ein Päckchen Streichhölzer. Idella beugte sich über die Kühlbox wie eine Kuh im Stall, und nur ihr Hintern und die knochigen Beine ragten hervor. Sie stellte das warme Sixpack ganz nach hinten, damit die kalten vorne standen. Edward wusste, dass das seine Aufgabe war. Und das hätte er auch getan. Nach einer Zigarette. Er ging zurück zu seinem Stuhl und zündete sich im Dunkeln seine Lucky Strike an.

Er zupfte sich Tabakfussel von der Zungenspitze und dachte an Iris, deren Zunge so unglaublich geschickt war. Er nahm einen langen Zug und spürte, wie sich seine Lunge mit Rauch füllte. Warum irgendjemand dieses Filterzeug rauchte, das sich anfühlte, als hätte man Baumwolle im Mund, konnte er einfach nicht verstehen. Entweder man rauchte oder eben nicht. Wohin könnten sie jetzt gehen, Iris und er? Er blies Rauch aus und beobachtete, wie er sich zur Decke kringelte.

Iris hielt nie die Klappe, wenn sie es taten, redete die ganze Zeit mit ihrer weichen und leisen Stimme. Herrgott noch mal, das war die einzige Zeit, in der er Idella jemals zum Schweigen brachte. Iris dagegen flüsterte ihm Schweinkram zu. Sie stachelte ihn an, neckte ihn, bis er ihr mit der Zunge den Mund stopfen musste und sich so hart und fest in sie drängte, als wäre er der König der Straße und würde mit dem Fuß das Gaspedal so weit durchdrücken, wie es ging. Gütiger Himmel.

»Wo zum Teufel hast du gesteckt? Ich hab gedacht, du bist oben auf dem Klo, bis ich die Zigarette gerochen habe. Hier bin ich nun den lieben langen Tag auf den Beinen, während du eine Spritztour machst – zumindest kommst du mal raus –, und wenn du schließlich hier bist, setzt du dich gleich wieder und lässt mich stehen. Hättest du mir nicht zumindest helfen können, die Kühlbox wieder aufzufüllen?«

»Herrgott noch mal, Idella, ich helf dir schon genug. Was denkst du, was ich den ganzen Tag mache? Aufs Land rausfahren und die Bäume anschauen? Ich hab versucht, gottverdammte Autos zu verkaufen, das hab ich getan, während du hier mit den Kunden ein Kaffeekränzchen abhältst.« Schon wieder hackte sie auf ihn ein, immer hackte sie auf ihn ein, sie gönnte ihm nicht mal die Freude einer einzigen Zigarette.

»Hast du welche verkauft?«

»Hätte ich, ein nagelneues Cabrio, wenn dieser Murphy-Wichser mir nicht in dem Moment den Kunden abspenstig gemacht hätte, in dem ich mal rausgehe, um mir was zu Essen zu kaufen, damit ich nicht andauernd in seine hässliche Fresse schauen muss. Ich hab gestern den ganzen Nachmittag mit diesem Kunden verbracht. Er meinte, er müsste noch mal mit seiner Frau drüber reden. Seine Frau, von wegen. Er war drüben bei Rubell, der Mistkerl. Ich hab ihm einen richtig guten Deal gemacht. Dann kommt er heute zurück und unterschreibt bei Murphy, während ich mir was zu Essen hole.«

»Aber Murphy hat hier angerufen und nach dir gefragt.«

»Natürlich, um sich abzusichern. Er hatte den Verkauf längst über die Bühne gebracht, der verdammte Betrüger.« Edward spürte, wie ihm die Hitze ins Gesicht schoss. Er trommelte mit den Fäusten auf seine Oberschenkel.

»Mach dir nichts draus. Da kann man nichts machen. Setz dich. Ich hol dir ein Bier.« Idella ging zur Kühlbox. »Es ist ein verdammt hartes Geschäft, sich so seinen Lebensunterhalt zu verdienen. Das weiß ich.« Sie holte ein kaltes Budweiser heraus, ersetzte es durch eine Flasche vom Ende der Reihe und öffnete es an der Kühlbox. »Hier, setz dich und trink. Bist du hungrig? Ich hab dir ein paar Sandwiches gemacht.« Edward nickte, er war hungrig. Er nahm einen Schluck vom Bier. »Lass mich alles herholen.« Idella zog das Holzbrett herunter, das ihnen immer als Tisch diente, und packte ein langes dünnes Sandwich aus dem weißen Papier, in das es eingeschlagen war. Die Leute kamen von überall her, um sich mittags ihre Sandwiches hier zu kaufen, dachte Edward. Jensen's Drive-In machte die besten Sandwiches. »Willst du noch einen Extraschuss Öl?« Edward nickte. Idella träufelte etwas Olivenöl aus der Flasche übers Sandwich. Sie benutzte echtes Olivenöl. »Extra Schinken?« Edward nickte erneut. Sie holte eine Scheibe Schinken von der Fleischtheke und steckte sie mit in das lange Brötchen. »Setz dich. Ich bring dir auch noch ein paar Chips.«

»Barbecue«, rief ihr Edward mit vollem Mund hinterher.

»Mach die Bierreklame aus, Edward. Und sperr die Vordertür zu. Es ist nach elf. Ich kassiere keinen einzigen Kunden mehr ab. Himmel, was für ein Tag! Ich bin so müde, ich könnte umfallen.« Idella stieß einen tiefen Seufzer aus. Sie stand mit dem Gesicht zur Ladentheke vor der Kasse, zählte die heutigen Einnahmen und legte die abendliche Bankeinzahlung beiseite. Edward würde sie zur Casco Bank auf der Main Street fahren, und sie würde das Geld in den Nachtbriefkasten werfen. »Zehn, zwanzig, dreißig …«

»Woher haben wir die neuen Sorten?« Edward hatte die Tür abgesperrt, die Neonreklame ausgeschaltet und im Vorbeigehen die Gefriertruhe mit dem Eis geöffnet.

»Siebzig, achtzig …« Idella hörte auf, die Scheine auf den Haufen zu legen. »Vom Eiscremelieferanten, was denkst du denn? Verdammt, Edward, ich versuche zu zählen.«

»Herrgott noch mal, es war nur eine Frage.« Er beugte sich hinab, um sich die gefrorenen Packungen genauer anzusehen.

»Einhundert, einhundertzehn … Mach jetzt bitte nichts auf.«

»Ich guck doch bloß!«

»Einhundertdreißig.«

Sie hatte die Zehner fertig gezählt. Edward lehnte sich in die Gefriertruhe, um die Geschmacksrichtungen auf den Packungen zu lesen. »Banane mit Rum. Das klingt verdammt gut. Denkst du, das ist legal?«

»Natürlich. Da ist nur Rumaroma drin, das ist alles.«

»Davon muss ich was probieren.«

»Jetzt nicht, Edward. Es ist zu spät. Hattest du nicht schon genug? Ich hab gesehen, dass du dir ein Payday genommen hast.« Idella begann den nächsten Haufen zu zählen. »Fünf, zehn, fünfzehn, zwanzig …« Er hörte das leise *patsch, patsch, patsch* der Banknoten, als sie sie auf einen Haufen schnalzte.

»Wo sind die Löffel?« Edward holte eine Riesenpackung Eis heraus.

»Dreißig, fünfunddreißig... Mach die Gefriertruhe zu... vierzig... Hinten... bei der Spüle... fünfzig.«

»Aua! Verdammt noch mal, wer hat den Stuhl da stehen lassen!«

»Du... siebzig... Schalt das Licht an... fünfundsiebzig... Muss ich denn alles alleine machen?... Achtzig.«

»Nein, du musst nicht alles alleine machen.« Er streckte sich und zog an der Schnur des Lichtschalters, darauf bedacht, nicht den Fliegenfänger zu berühren, der daneben hing. Das hatte er auf schmerzhafte Weise gelernt.

»Bring mir eine kleine Schüssel mit, ja? Du kannst die Packung nicht alleine essen. Zumindest *solltest* du es nicht... Einhundert.«

»Ich dachte, es wäre zu spät für einen Snack?« Edward freute sich, sie umgestimmt zu haben.

»Nun ist sie offen, nicht wahr? Bring mich nicht auf die Palme.«

Edward wollte etwas Lustiges sagen, das Idella zum Lachen brachte, etwas über eine Palme, aber ihm fiel nichts ein. Wäre es Iris, mit der er redete, wären sofort lauter schlagfertige Antworten aus ihm herausgesprudelt, und sie würden längst lachen, vom selben Löffel essen und sich das kalte Eis gegenseitig von Mund zu Mund schieben.

»Eins, zwei, drei, vier, fünf, sechs, sieben, acht, neun...« Sie zählte die Einer. Er holte eines der weißen Pappschälchen, die Idella benutzte, um Hackfleisch abzuwiegen, und begann, Eiscreme für sie hineinzuschaufeln. Ihm reichte es, einfach aus der Packung zu essen.

Das Telefon klingelte.

»Um Himmels willen, wer könnte das sein? Edward! Gehst du ran? Wahrscheinlich irgendein Kind, das wissen will, ob wir Prince Albert in der Dose haben. Die finden das so lustig.«

Es hatte nun schon dreimal geläutet. Edward, völlig überrumpelt von dem schrillen Klingelton, hielt die Eispackung und die Löffel in der einen und Idellas Pappschälchen in der anderen Hand. »Jaja, ich komm ja schon. Verdammte Kinder!«

»Lass ihn raus, sagen sie immer. Lass ihn aus der Dose.« Idella häufte immer vier Vierteldollar zu einem Stapel. »Das nervt so. Wir sollten einfach nicht rangehen ... Vier, fünf ...«

»Jensen's Drive-In.« Edward hatte Idellas Schüssel und Löffel hingestellt und den Hörer abgehoben. »Hallo?«

»Eddie-Bärchen?«

Es war Iris. Edward wurde rot. Er drückte die Packung Eis an sich und umklammerte den Hörer. »Ja«, sagte er, wobei er seine fröhliche Verkäuferstimme annahm. »Ja«, sagte er erneut, als hätte er auf eine zweite Frage geantwortet. Idella hörte mit Zählen auf. Sie beugte sich vor und nahm ihre Schüssel Eis.

»Eddie, is' sie da?« Iris' Stimme war leise, kaum zu verstehen, ihre Worte kamen langsam. Sie hatte getrunken.

»Ja, Sir. Ja.« Edward nickte und hielt die Eiscremepackung an sich gepresst. Idella beobachtete ihn von der Ladentheke aus, während sie ihr Eis aß.

»Eddie-Bärchen, ich vermiss dich *so* sehr. Ich muss dich sehen. Kannst du kommen? Biiitte! Meine Mutter schläft. Sie wird nicht aufwachen. Ich vermiss dich doch.«

»Wirklich?« Edwards Stimme wurde lauter und vergnügter. Das Eis lag kalt an seiner Brust.

»Eddie, wo werden wir uns ohne unsere Hütte treffen? Ohne unser Liebesnest? Das ist unsere Hütte.« Iris weinte.

Himmel, was war hier los? So etwas hatte sie noch nie getan. Er begann zu nicken, als würde er etwas anderem als ihrem Weinen am Telefon lauschen.

»Wer ist es?«, formte Idella mit dem Mund und winkte mit dem Löffel, um seine Aufmerksamkeit zu ergattern. »Wer ist es?«

»Eddie, ich liebe dich. Ich k…kann so nicht mehr weitermach'n. Du musst sie verlass'n.«

»O nein, du brauchst dich deswegen nicht schlecht zu fühlen.« Edward bedeutete Idella, still zu sein.

»Du musst es ihr sag'n … Wir gehörn susammen … du und deine klitzekleine Iris.«

»Ja, sicher, auf jeden Fall. Ja. Danke für den Anruf. Wir sehen uns morgen.« Er hängte auf. Verdammt. Seine Achseln tropften, das Eis tropfte. Sein Gesicht brannte.

»Wer war das?« Edward starrte Idella an. Sie stellte ihre leere Schüssel weg. »Edward?«

»Murphy.«

»Murphy?«

»Ja. Er wollte sich entschuldigen.«

»Entschuldigen?«

»Weil er mir den Deal vermasselt hat. Weil er mir meinen Kunden weggeschnappt hat. Hat sich schuldig gefühlt.«

»Echt?«

»Wollte, dass ich ihm verzeihe.«

»O mein Gott.«

»Hat getrunken.«

»Kaum zu glauben.«

»Ja. Armer Dreckskerl.«

»Ich schätze, er hat doch ein Gewissen.«

Edward beobachtete benommen, wie Idella weiter das

Kleingeld zählte und die Pennys mit zwei Fingern in Zehnergruppen über die Ladentheke schob.

»Lass uns von hier verschwinden«, sagte er. »Lass uns abschließen und nach Gorham fahren.«

»Das hört sich gut an. Ich liebe es, in der Nachtluft Auto zu fahren.«

»Leg das Geld in den Beutel.«

»Ich bin sofort fertig. Kümmere du dich ums Eis. Es tropft dir schon das Hemd runter.«

Edward saß im Wagen und wartete auf Idella, die die Einnahmen zum Nachtbriefkasten brachte. Himmel, sie führte sich auf wie eine Verbrecherin, blickte beim Überqueren der Main Street verstohlen in beide Richtungen, um sicherzugehen, dass niemand sie beobachtete, während sie den Beutel unter die Achseln geklemmt hielt. Und sie war so langsam. Schrecklich langsam. Er wollte endlich wieder los.

»Da bin ich«, sagte sie, als sie schließlich neben ihn ins Auto kletterte. »Das haben wir sicher hinter uns gebracht.« Edward fuhr bereits an, als sie die Tür schloss. »Nur mit der Ruhe, Edward! Lass mich erst mal richtig einsteigen! Willst du mich umbringen?«

»Waren die Einnahmen gut?«

»In Ordnung. Wir haben eine Menge Bier verkauft. Das macht viel aus. Mann, bin ich müde! Alle Lieferungen kamen heute auf einen Schlag. Ich dachte, ich verlier den Verstand. Und dann ist eine Horde Kinder reingestürmt, um sich in aller Seelenruhe ihre Tüten mit Süßigkeiten zusammenzustellen. Die Forrest-Kinder. Jemand sollte etwas wegen ihnen unternehmen. Die sind schrecklich wild.«

Edward erreichte die Ampel auf der Main Street, als sie

gerade auf Rot umschaltete. Warten, warten, warten und noch mehr warten! Idella neben ihm war nicht zu bremsen – welche Kunden gekommen und wer was gesagt hatte. Normalerweise hörte er ihr gerne zu, aber heute war er einfach zu unruhig.

Es gab keinen Verkehr in der Stadt. Jeder war im Bett oder schaute fern. Steve Allen würde gerade seine Gäste hereinbitten, die Anfangswitze waren vorbei. Er sah das flackernde graue Licht der Bildschirme, während er an den Häusern in der Gorham Road vorbeifuhr.

»Alle schauen die *Tonight Show*«, sagte Idella, »mit Steve Allen.« Es war, als könnte sie Gedanken lesen.

Sie kamen zu den breiten Landstraßen, an denen die Farmen lagen, wo er aufgewachsen war und Autofahren gelernt hatte. Er liebte es, nachts über die Landstraße zu brausen. Es beruhigte ihn.

»Fühlt sich die kühle Luft nicht gut an, nachdem man den ganzen Tag eingesperrt war?« Idella hatte das Fenster heruntergekurbelt und steckte den Kopf hinaus. »Schau dir nur die Pferde dort drüben an, Edward, wie sie die Köpfe über den Zaun strecken. Man kann sie grade noch ausmachen. Rappen.« Edward kannte die Pferdefarm. Es war Gillies Stall. Als er noch ein Kind war, gehörte sie den Brackets. Sie hatten damals nichts weiter als zwei oder drei große alte Arbeitsgäule, so wie das Pferd seines Vaters.

»Sind die Pferde nicht hübsch?« Idella beugte sich hinunter, hob eine Dose Budweiser vom Boden auf und öffnete sie. Während dieser nächtlichen Fahrten teilten sie sich immer ein, zwei Bier, wobei sie die Dose tief unten hielten, damit sie nicht von der Polizei gesehen wurde. »Hmmm. Lecker. Und kalt.« Sie reichte ihm die Dose. »Willst du?«

Edward nahm das Bier und trank einen Schluck. Was sollte er nur wegen Iris und diesem Anruf machen? Und dieses Weinen und Jammern – das hasste er. Er würde mit ihr reden müssen. Sie dürfte nie mehr wieder im Laden anrufen. Er wusste nicht, was auf einmal in sie gefahren war. Auf diese Art von Problemen hatte er keine Lust.

»Du bist schrecklich schweigsam.«

»Ich fahre.«

»Ich weiß, es ist hart, den ganzen Tag in dem Autosalon zu sitzen. Ich weiß nicht, wie du das schaffst. Warten und warten und nie wissen, ob jemand reinkommt. Es ist so seltsam, dass Mr. Murphy angerufen hat. Und noch dazu so spät am Abend. Denkst du wirklich, er hat getrunken?«

»Du kennst die Iren. Die sind schlimmer als die Franzosen.«

»Meine Familie ist größtenteils irisch, Edward.«

»Und sie haben alles gesoffen, was nicht festgeklebt war.«

»Das stimmt.« Idella seufzte und nahm einen Schluck aus der Dose. »Das stimmt.«

Idella und Iris. Die meisten Männer treffen ihr ganzes Leben keine Frau, deren Name mit einem I anfängt. Er hatte zwei von ihnen an der Hand. Idella und Iris. Zwei I. Himmel! Was für eine verrückte Welt! Er fuhr weiter, immer die Landstraßen entlang.

Er hatte sich eigentlich gar nicht auf Iris einlassen wollen. Es war einfach passiert – sie war ihm in den Schoß gefallen. Es war Dickie, ihr Exmann, der sie zu ihm geschickt hatte. Wusste, dass sie einen guten Verkäufer brauchte. Edward hatte ihm in den vergangenen fünf Jahren zwei Autos verkauft, beides gute Deals. Wenn man jemandem einen guten Deal macht, kommen sie wieder. Sie vertrauen einem. Sie erzählen es ihren Freunden. Edward hatte mehr Leute aufzuweisen, die vorbeigeschaut und nach ihm gefragt hatten, als zu Murphys Beerdigung kommen würden. Iris war also aufgetaucht und hatte nach ihm gefragt, nach Edward Jensen. Alle hatten die Köpfe nach ihr umgedreht, als sie hereinspaziert war. Sie hatte dieses Kleid mit all den Knöpfen getragen. Bei dem Gedanken an das Kleid musste Edward lächeln. Es war grün gewesen. Oder blau.

Bei manchen Dingen vertraute Iris noch darauf, dass Dickie sie in die richtige Richtung lotste. Er war kein schlechter Mensch. Dickie. Sie hatten oft über seinen Spitznamen gelacht, Iris und er. Der arme Kerl war ein Trinker. Um nichts in der Welt konnte er dem Alkohol widerstehen und verlor einen Job nach dem anderen. Ein Schweißer. Man kann nicht gleichzeitig einen Schneidbrenner halten und trinken. Er wurde einmal zu oft gefeuert, und Iris hatte die Schnauze voll. Sie hat ihn verlassen. Bekommt Unterhalt von dem armen Mistkerl. Wohnt aber immer noch bei ihrer Mutter. O Mann.

Edward bog nach rechts in die Standish Road. Er fuhr gerne an der Stelle vorbei, wo das alte Haus gestanden hatte. Jetzt war da nur noch ein Feld, nichts weiter. All die Mühe, die Dad sich gemacht hatte, um seinen Lebensunterhalt zu verdienen. Und jetzt war alles flach und nur noch etwas, woran man einfach vorüberfuhr.

»Da stand das alte Haus«, sagte er, während sie vorbeifuhren. »Dort hinten war die Farm.«

»Ja.« Idella raschelte mit Papier, riss etwas auf.

»Was hast du da?«

»Nichts. Nur eins von diesen Ring Dings.«

»Hast du auch eins für mich?«

374

»Natürlich. Du glaubst doch nicht, ich nehme nur eins für mich mit, oder? Hier, streck die Hand aus.«

»Das ist eine nette Überraschung.«

»Ich dachte, wir hätten uns was verdient, etwas Leckeres. Es war so ein anstrengender Tag.«

Edward stopfte sich den runden Schokokeks in den Mund. Er mochte die cremige Füllung in der Mitte. Idella würde ihren mit kleinen Mäusebissen essen. Sie aß alles mit diesen kleinen Bissen, kaute und kaute und kaute.

Auf Idella hatte sich Edward im Grunde auch nicht einlassen wollen. Ganz sicher hatte er nicht nach dem gesucht, was er gefunden hatte, als er an jenem Abend in Scarborough zu der Tanzveranstaltung im Grange gegangen war. Mit wem war er gleich noch mal dort gewesen? Eva Gallant? Cora sowieso? Vielleicht war er allein gekommen. Es hatte eine Menge Mädchen gegeben, die gerne mit Edward Jensen ausgingen. Sie waren alle froh, mit ihm zusammen gesehen zu werden. Das hatte er gewusst.

Er war schon eine Weile im Grange gewesen, bevor er Idella überhaupt bemerkt hatte. Sie hingegen musste ihn gesehen haben. Er war ein guter Tänzer. Der beste dort. Sie hatte alleine in einer Ecke gesessen, mit übereinandergeschlagenen Knöcheln und wippenden Füßen, die sich zur Musik bewegten. Und ihre Hände waren auf dem Schoß verschränkt, als würde sie ein kleines Tier halten. »Was versteckst du da?«, hatte er sie gefragt. »Eine Maus?« – »Nein, nichts«, hatte sie geantwortet, »nur Luft.« Sie hatte die Hände geöffnet, um es ihm zu zeigen, und sie lachten. Sie hatte ein süßes Lächeln, diese Idella, ein wirklich süßes Lächeln. Sie war groß und dünn, das sah er sogar, obwohl sie saß. Größer als er. Edward blickte jetzt zu ihr hinüber, wie sie im Auto neben ihm saß. Er lachte. Sie saß genauso wie früher da. Ihre Knöchel waren gekreuzt, und sie umschloss mit den Händen immer noch die Luft.

»Warum lachst du?« Idella drehte sich zu ihm.

»Die Art, wie du sitzt. So hast du auch dagesessen, als ich dich zum ersten Mal gesehen habe.«

»Wirklich?« Sie lächelte und schaute wieder aus dem Fenster zu den vorbeifliegenden Feldern.

Edward hatte von Stanley Hillock erfahren, dass sie mit dem Zug aus Kanada heruntergekommen war, um in den Staaten Arbeit zu finden. Laut Stan war ihr Name Idella. Nie zuvor hatte er diesen Namen gehört. Er wusste nicht, dass er ihn noch den Rest seines Lebens hören würde.

Er fuhr weiter in die süße Juninacht. Er hatte sich zwischen sie und Raymond Tripp gedrängt, als der mit ihr tanzte. Armer Raymond. Wohnte sein ganzes Leben bei seiner Mutter und ging immer noch von Haustür zu Haustür, um seinen Fisch zu verkaufen. Idella kaufte Schellfisch von ihm und Jakobsmuscheln, wenn er welche hatte. Edward hatte gewusst, dass es ihr gefallen würde, wenn er sie aus Raymonds Armen entführen würde. Das gefiel ihnen allen. Er hatte ein paar Tänze mit ihr getanzt, dann hatte er sie aus der Hintertür des Grange und die Treppe hinunter und hinaus zwischen die Bäume geführt, wo er seine Flasche versteckt hatte. Ein einziger kleiner Schluck würde ihr nicht wehtun, hatte er gesagt. Er wusste, er sah gut aus. Dunkles Haar, nach hinten gegelt, blaue Augen. Die Mädchen fuhren darauf ab. Und sagten es ihm auch immer. Idella war schüchtern gewesen, aber sie hatte nicht Nein gesagt. Sie hatte natürlich auch mehr über Whiskey gewusst, als sie anfangs preisgegeben hatte. Ihren Vater und ihren Bruder hatte er bis zum heutigen Tag nicht kennengelernt.

Sie hatte als Köchin draußen in Cape Elizabeth gearbeitet. Reiche Leute. Aber nett. Sie hatten ein kleines Mädchen namens Barbara. Sah aus wie Shirley Temple. Sie kam manchmal runter in die Küche, wenn er Idella besuchte, und setzte sich auf sein Knie, und er ließ sie dort reiten. Hübsches kleines Ding. Als Idella dann mit ihrem ersten Kind schwanger war, hatte er das Baby Barbara nennen wollen, falls es ein Mädchen würde. Was es auch wurde. Was alle vier wurden. Weil das kleine reiche Mädchen so nett zu ihm war. Idella hat die anderen Namen ausgewählt. Da hatte er ihr freie Hand gelassen.

»Das Ring Ding hat mich durstig gemacht.« Idella griff hinab, holte das zweite Bier vom Boden und öffnete es. Zu diesen Fahrten brachte sie immer zwei mit, nur für alle Fälle. »Das Bier ist so kalt, dass meine Finger brennen. Willst du einen kleinen Schluck, um das Ring Ding runterzuspülen?« Idella kicherte. »Das Ring-a-Dingie? Dein Dingie?«

»Gib mir das Budweiser.« Das erste Bier hatte ihre Laune bereits gehoben. Es könnte wohl noch ganz lustig mit ihr werden. Er nahm die Dose und legte sie sich in den Schritt. »Ich wärm es für dich mit meinem Dingie – meinem Ring-a-Dingie.«

»Aber Edward.« Idella lachte. »Du Schmutzfink!«

»Wenn du einen Schluck willst, kannst du einfach rübergreifen und dir das gute Stück schnappen.«

»Ich dachte, du kannst keine ›Gespräche‹ führen, während du fährst?«

Er lachte. »Du wolltest die Dose doch wärmer, nicht wahr?«

»Nicht wirklich. Ich wollte sie nur nicht *so* kalt, das ist alles.« Sie lachte. »Gib sie her. Ich will einen Schluck.«

»Du musst sie dir schon holen. Ich fahre.«

»Das weiß ich, du Spinner.« Idella legte die Hand um die Bierdose, die nun zwischen seinen Beinen eingeklemmt war. Sie war verdammt kalt, das stimmte. Idella ließ die Dose sanft hin und her kreisen, ohne sie zu nehmen.

»Was tust du da?«, fragte Edward. Kalt oder nicht kalt, dort unten regte sich etwas.

»Ich drehe sie«, sagte sie ausgelassen. »So herum und dann so herum.«

»Also, ich bekomm gleich einen Ständer.«

»Wirklich?«

»Hmmmmm.« Edward legte die Hand auf ihr Knie. »Heb deinen Rock.«

»Warum sollte ich das denn tun?« Sie war nicht abgeneigt, das wusste Edward.

»Du würdest es nicht bereuen.« Langsam arbeiteten sich seine Finger vor, rafften den Stoff ihres Rocks und schoben ihn ihre Beine hoch.

»Edward! Pass auf!« Ein Truck preschte auf einmal mit Fernlicht die Straße entlang und donnerte wie ein Zug herbei. Er war aus einer Seitenstraße gekommen und raste bergab genau auf sie zu. Edward riss das Steuer nach rechts und landete in der Böschung. Der Truck jagte weiter und drückte im Vorbeifahren kräftig auf die Hupe, wobei er beide Straßenseiten beanspruchte. Kieselsteine stoben hinter ihm auf.

»Großer Gott«, keuchte Idella, die Hand auf dem Armaturenbrett.

»Verdammter Scheißkerl! Er ist aus dem Nichts aufgetaucht. Ich hab überall das verdammte Bier auf mir. Meine Hose ist ganz nass.« Edward befühlte den Sitz. »Es ist einfach auf allem. Dieser gottverdammte Hurenbock gehört eingesperrt. Wenn ich den Scheißkerl erwische!«

Idella zog ein paar Kleenex aus ihren Taschen.

»Gib mir auch dein Taschentuch.«

»Meine Hose ist ganz durchnässt.«

»*Ich* werd sie nicht abtupfen. So sind wir überhaupt erst in diesem Schlamassel gelandet.« Idella wischte den Sitz ab.

»Ich sollte mir den Wagen anschauen.« Edward glitt zur Seite, stieg aus dem Auto und ging außen herum nach vorne. Kein einziger Kratzer. Er trat gegen den Reifen. Alles war matschig – wohl von dem Waldweg, der zur Hütte führte. Morgen würde er den Wagen zur Waschanlage bringen. Er seufzte. Seine Hose war nass und klebte an seinen Oberschenkeln. Er musste pinkeln. Er drehte sich vom Wagen weg in Richtung Feld, öffnete den Reißverschluss und pinkelte in die Dunkelheit. Es war eine Kuhweide. Er sah ein paar Tiere, die ihm mit ihren großen weißen Köpfen zunickten. Wie alte Schachteln sahen die aus, die immer wissen wollten, was los war. Seine Mutter war so gewesen – hatte stundenlang auf ihrer Veranda gesessen. Hatte immer was über jeden zu erzählen gehabt, wenn auch nichts Gutes.

Er seufzte und blickte hoch. Sterne. Er machte sich nie die Mühe, sie sich anzuschauen. Blinkten von irgendwo aus der Leere dort oben zu ihm herab. Hier draußen roch es gut – Frühlingserde hatte einen eigenen Geruch. Er erinnerte ihn daran, wie er Erdbeeren gepflückt hatte. Er war als Kind raus auf die Felder gegangen und hatte die kleinen wild wachsenden Beeren gepflückt.

Er zog den Reißverschluss zu und löste die klammfeuchte Hose von seinen Beinen. Es fühlte sich an, als hätte er in die Hose gemacht. Was für eine Nacht! Was für eine gottverdammte Nacht! Jedes Mal, wenn er geglaubt hatte, er könnte sich auf etwas freuen, war irgendein Scheiß dazwischengekommen. Es wäre besser, gleich nach Hause zu fahren. Idella war schrecklich ruhig. Er ging zu seiner offenen Wagentür und setzte sich hinters Lenkrad.

»Was hast du gemacht?«, fragte er und lächelte, als er sah, dass sie den Rest der Dose trank.

»Hab hier gesessen und auf dich gewartet, was sonst?« Sie lächelte und war nicht wütend.

»Und du hast weitergefeiert?«, zog Edward sie auf, streckte den Arm aus und nahm ihr die Dose aus der Hand. Ein letzter Schluck war noch drin.

»Nein, nicht wirklich. Aber ich muss pinkeln.«

»Hm, dort drüben ist ein gutes Gebüsch. Da sieht dich außer den Kühen niemand. Ich schalt auch die Scheinwerfer nicht ein.« Er lachte, wobei ihm der Gedanke kam, es doch zu tun.

»Das wäre dir schon zuzutrauen.« Idella wühlte in ihren Taschen. »Ich brauche was zum Abwischen. Ich habe all meine Kleenex fürs Bier aufgebraucht. Ich hasse es, nichts zu haben. Hast du nicht irgendwo Servietten?«

»Himmel, Idella, das ist ein Auto, kein Restaurant.«

»Vielleicht hast du noch welche von A&W. Ohne dich könnten die doch glatt zumachen.« Sie drückte mit dem Handballen gegen das Handschuhfach. Die Klappe schnappte auf. »Was zum Geier ist das?«

Heilige Scheiße. Edwards Hände lagen wie festgefroren auf dem Lenkrad.

»Was in Gottes Namen hast du da?« Idella lehnte sich in den schwachen Schein der Glühbirne im Handschuhfach. »Ist das deine Badehose?« Sie legte sie auf ihre Knie. »Himmel, ja. Das ist sie.« Sie griff ein zweites Mal hinein. »Und das… Heilige Mutter Gottes… das ist mein Badeanzug. Das ist meiner.« Idella starrte auf die Kleidungsstücke. »Aber Edward …«, sagte sie schließlich. Ihre Stimme kam aus der Dunkelheit. »Die sind nass.« Sie sagte es so leise, dass er sie kaum hörte. Ihr Daumen zog kleine Kreise, sie strich ununterbrochen über Edwards Hose. Das kratzende Geräusch füllte das ganze Auto.

Edward wünschte, sie würde es endlich hinter sich bringen und ihn beschimpfen. Er wusste nicht, welche Ausrede er ihr auftischen würde. Ihm fiel nichts ein. Dann begann sie zu schniefen. Sie würde nicht laut werden und ihn anbrüllen. O nein. Sie würde dort sitzen und schniefen und ihre Lippen würden beben. Sie würde den ganzen Weg nach Hause schniefen und ihn leiden lassen. Er griff nach seinem Taschentuch. Sie hatte es fürs Bier benutzt. So hatte dieser ganze Mist begonnen – mit der Suche nach verfluchten Servietten. Dieser Scheißkerl in seinem Truck. Wenn er diesen Bastard jemals in die Hände kriegen würde, würde er ihn anzeigen. Er würde ihm die gottverdammten Reifen aufschlitzen, wenn sich ihm die Gelegenheit bot.

»Bring mich nach Hause, Edward. Ich will nach Hause.« Sie lehnte zusammengesunken an ihrer Tür.

Edward ließ den Motor an und schaltete die Scheinwerfer ein. Diese verfluchten Kühe starrten ihn alle an mit ihren dumpfen Augen, die im grellen Licht der Scheinwerfer funkelten, und schüttelten ihre dummen Köpfe. Er fuhr rückwärts, riss den Wagen herum und hastete über die vertraute dunkle Straße. Er wünschte, er könnte die ganze Nacht hindurch fahren, immer weiter und weiter, die Kühe und den Laden und diesen Scheißkerl Murphy und Iris und Idella hinter sich lassen. Nichts blieb gut. Nichts blieb einfach. Iris würde an ihm herumzerren, würde wollen, dass er etwas Neues fand, wo sie sich treffen könnten, würde im Laden anrufen. Das musste aufhören. Und Idella würde anfangen, Fragen zu stellen und jeden seiner Schritte überwachen wollen. Sie würden ihn jetzt beide beobachten. Die beiden I. Er drückte den Fuß noch fester aufs Gaspedal.

Der Überfall

Prescott Mills, Maine
Juni 1963

»Das willst du doch gar nicht. Du willst die Waffe nicht auf mich richten.« Idella stand hinter der Ladentheke.

»Tun Sie, was ich sage, Lady. Ich mein's ernst.« Aber er hatte ihr bisher noch nichts befohlen – seit er die Gelegenheit hatte, etwas zu sagen. Er konnte kaum schlucken, so trocken war sein Mund. »Geben Sie mir all Ihr Geld. Sofort!« Er krächzte es heraus. Und er hätte pinkeln sollen, bevor er die Sache hier abzog.

Er war hinter dem Regal mit den Humpty-Dumpty-Kartoffelchips hervorgetreten. Auf seiner rechten Wange war der Abdruck des Gitters zu sehen, wo er sich gegen das Metallgestell gelehnt hatte. Er hatte warten müssen, bis der Zigarettenlieferant abgehauen war. Dann war ein Kind reingekommen und hatte zehn Minuten gebraucht, um sich zu entscheiden, wofür es seine fünf Cent ausgeben wollte. Außerdem war er hungrig. Er hätte etwas essen sollen. Es gab zu Hause nie was zu essen. Und wenn doch, schnappte es ihm sein Alter weg.

Idella hatte den sonderbaren jungen Mann – eigentlich noch ein Junge – den Laden betreten und zwischen den Regalen verschwinden sehen. Er war regelrecht hereingeschlichen. Sie hatte ihn noch nie zuvor hier gesehen. Sie war mit dem Lieferanten beschäftigt gewesen, hatte den Jungen zwar aus den Augenwinkeln beobachtet, dann jedoch verloren. Er hatte vor den Chips gehockt, sie wusste nicht, wie lange schon. Etwas an ihm war eigenartig, und jetzt wusste sie, was es war.

Sie konnte sich nicht entscheiden, ob sie ihn sich für die Polizei genau anschauen oder lieber wegsehen sollte, um ihn nicht identifizieren zu können. Sie hatte gelesen, dass das sicherer für das Opfer war. Ihr Herz pochte sehr schnell, und ihre Wangen brannten von innen. Ihr Blutdruck schnellte rasant in die Höhe, kein Zweifel.

»Aber das ist doch keine Lösung.« Ihre Gürtelschnalle drückte sich in ihren Bauch, als sie sich gegen die Ladentheke lehnte. Sie wagte nicht, einen Schritt zurückzugehen und den Druck zu lösen.

»Ich will bloß das Geld«, sagte er und nickte zu der geschlossenen Kasse, »und ein paar Schachteln Camel – nein, Winston. Geben Sie mir all Ihre Winston.« Um seinen Worten Nachdruck zu verleihen, zeigte er mit der Waffe kurz auf die Zigaretten. Er hielt sie tief an seiner Hüfte.

»Nun, im Moment habe ich nicht viel«, sagte sie, darauf bedacht, nicht mal den kleinen Finger zu bewegen. »Ich habe gerade den Zigarettenlieferanten mit dem Großteil aus der Kasse bezahlt. Es lohnt sich nicht, dafür das Gefängnis zu riskieren.«

»Wer hat was von Gefängnis gesagt? Ich red hier über Geld, nicht Gefängnis. Und Zigaretten. Geben Sie mir die Winston – und ein paar kalte Sixpacks.«

»Und wie willst du das alles tragen?«

»Lassen Sie das mal meine Sorge sein, Lady.« Nachdrücklich stach er wieder mit der Waffe durch die Luft. Er erschrak über sich selbst und hielt sie fest an sich gepresst.

»Also, du kannst dir das Bier holen – aber wenn du kaltes

willst, musst du dafür welches in die Kühlbox stellen. Ich habe den ganzen Morgen damit verbracht, die Box aufzufüllen, und ich bin wirklich fertig.«

Es entging ihr nicht, dass er sich unwohl fühlte, er war ein verängstigtes dürres Kind. Seine Zähne waren schlecht. Es schien niemanden zu geben, der ihn zum Zahnarzt brachte. »Du darfst niemandem sagen, dass ich es dir verkauft habe. Ich verliere sonst meine Lizenz. Du bist zu jung, um Bier zu kaufen, und ich will nichts damit zu tun haben.« Nie im Leben war er achtzehn. Sie hatte ein gutes Auge dafür. Es kamen ständig Jugendliche herein, die Bier kaufen wollten, und wenn sie damit durchkämen, müsste sie den Preis bezahlen.

»Verdammt noch mal, Lady, keine Sorge. Ich klau es und kauf es nicht, also keine Sorge, okay?«

»Es gibt keinen Grund zu fluchen. Nur weil du eine Waffe hast, bedeutet das nicht, dass du fluchen musst.«

»Was sind Sie, meine Mutter? Hab ich auf einmal zwei Mütter? Eine reicht.«

»Du weißt nicht, wie glücklich du dich schätzen kannst, eine Mutter zu haben.«

»Sie haben meine nie getroffen.«

Idella ging einen Schritt von der Ladentheke zurück, sodass sich ihre Gürtelschnalle nicht länger in ihren Bauch drückte. Er war nur ein dürres Kind, und sie würde nicht zulassen, dass er ihr wehtat. Dafür war sie zu alt.

»Hören Sie, ich hol das Bier, und Sie füllen eine Tüte mit Essen. Versuchen Sie keine Tricks, nur das, was ich Ihnen sage. Ich hab die Waffe genau hier, und ich bin schnell und Sie alt.«

»Das ist für mich nicht von Bedeutung. Ein paar Sixpacks und ein bisschen Geld. Ich bin nicht blöd.« Sie sah ihn eindringlich an. »Was soll ich in die Tüte packen? Ich greife jetzt unter die Ladentheke und hole eine braune Papiertüte hervor und öffne sie. Ich will nur, dass du weißt, was ich tue, damit du nicht nervös wirst.«

»Wer ist hier nervös?« Er hob die Schultern. »Ich will doch bloß endlich abhau'n. Geben Sie mir ein paar von den Sahnetörtchen dort.« Er nickte zum Gebäckregal unter den Kartoffelchips. »Und was von den Devil Dogs, den Twinkies und ein paar Tüten Beef Jerky, die da oben neben den Zigaretten.«

»Ist das alles, was du willst? Sahnetörtchen und Devil Dogs?« Kein Wunder, dass seine Zähne schlecht waren. Das wollte sie ihm am liebsten sagen, aber es ging sie ja nichts an. Sie wollte ihn nicht noch nervöser machen, als er eh schon war. Seine Mutter sollte ihm das sagen. Wahrscheinlich wäre es schon zu spät für ihn. Er würde kein schönes Leben haben.

Die Augen des Jungen huschten über die Regale. Das gefiel ihm. Er könnte alles haben. Sein Blick heftete sich auf ein Regal mit Nudeldosen und Pizzasoßen, Handseifen und Toilettenpapier. Vermutlich sollte er sich eine Rolle mitnehmen. In Bussen gab es nie welches. Wenn man in einem Bus pinkeln musste, wurde einem schlecht.

»Du solltest noch etwas außer Süßigkeiten mitnehmen. Wie wär's mit einem Sandwich? Soll ich dir ein Sandwich machen?«

Allein bei dem Gedanken lief ihm das Wasser im Mund zusammen. »Das wäre toll.«

»Ich muss nach hinten, um es zuzubereiten. Passt du währenddessen auf den Laden auf?«

»Was?«

»Wenn jemand reinkommt, frag einfach, was er will.«

»In Ordnung. Okay. Aber Beeilung.«

»Ich komme jetzt hinter der Ladentheke vor und gehe nach hinten, um das Sandwich zu machen. Du wirst die Tür vom Kühlregal auf- und zugehen hören. Und ich werde ein Messer zum Schneiden benutzen müssen.«

»Genug mit dem Gesülze.«

»Magst du Oliven? Manche Menschen machen sich nichts draus.«

»Ja, klar.« Er würde vor Hunger gleich in Ohnmacht fallen. Er schnappte sich eine große Tüte Chips vom Regal und riss an der Verpackung. Seine Finger waren schweißnass, und mit der Waffe in der Hand rutschte er immer ab. Die Tüte ließ sich nicht öffnen. Idella stand da und beobachtete ihn.

»Soll ich das für dich tun?«

»Nein.« Er packte mit den Zähnen die obere Ecke der Tüte und zerrte daran. In hohem Bogen flogen die Chips in alle Richtungen. Sie landeten auf seinen Armen und Schultern und klebten dort wie fettige Federn. Er drückte sich die aufgerissene Tüte mit dem Arm, der die Waffe hielt, an den Bauch und stopfte sich mit der freien Hand die Chips in den Mund. Er isst wie ein Schwein, dachte Idella.

»Was gibt's da zu glotzen? Machen Sie schon das Sandwich!«

Idella war unsicher, was sie mit den Armen und Händen tun sollte. Sie streckte sie aus und kam hinter der Ladentheke hervor. Kartoffelchips knirschten unter ihren Schuhen, aber sie blieb nicht stehen, um sie aufzuheben. Wie ein Zombie ging sie in den hinteren Teil des Ladens, hinter die große Fleischtheke, in der Würstchen und Mortadella und Salami lagen.

»Ich höre alles!«, rief er, den Mund voller zerkauter Chips.

Er brauchte ein Bier. Er schaute durch die Glastüren des

Kühlregals. Miller High Life – »Der Champagner unter den Bieren«. Er schob die Tür auf und nahm sich ein Sixpack. »Ich beobachte Sie!«

»Ich schneide jetzt die Tomaten«, rief sie. Er hörte das *klack, klack, klack* ihres Schneidens, gleichmäßig und effizient. »Ich benutze jetzt das Messer und werde gleich die Schneide-maschine benutzen. Ich kann dann die Tür nicht hören, also musst du ein Auge darauf werfen.«

Er griff ins Kühlregal und packte sich ein zweites Sixpack, dann schloss er die Tür mit dem Fuß.

»Hast du warmes Bier reingestellt?«, rief sie. Himmel, dachte er, die hört jedes Geräusch. »Nimm die kalten von hinten, schieb sie nach vorne und stell die warmen ganz hinten rein.«

»Okay, okay, ist ja gut.«

»Willst du zwei Sandwiches? Ich kann genauso gut gleich zwei machen.«

»Klar.« Er schob zwei warme Sixpacks ins Kühlregal. Er musste seine Waffe in die Tasche stecken und sich hinknien. Das eisige Kühlregal fühlte sich gut an, das Schnurren des Motors und die kalten Flaschen, die an seinen Armen entlangrieben. Er schloss die Augen. Irgendwann an diesem Tag würde er in einen Greyhound Richtung Süden steigen, wo sie überall Klimaanlagen hatten. Jedes Zimmer würde sich da so gut anfühlen wie dieses Kühlregal.

Idella legte in Streifen geschnittenen Scheiblettenkäse auf die Brötchen. Das wird es in den *Prescott Mills Obser-ver* schaffen, dachte sie. Auf jeden Fall erscheint es in der Polizeikladde, wenn nicht sogar auf der Titelseite. Vielleicht wollen die ein Foto. Es wäre gut, wenn ein Bild reinkäme – das könnte das Geschäft beleben. Die Anwohner würden in den Laden kommen und nachfragen, und dann würden sie sich verpflichtet fühlen, etwas zu kaufen. Sie seufzte – vielleicht würde die ungewollte Reklame helfen, das Geld wettzumachen, das er sich unter den Nagel reißen würde. Es war immer etwas. Letzte Woche hatte eines der Kühlregale den Geist aufgegeben. Gestern war hinten eine Colaflasche explodiert. Jemand hätte getötet werden können. Zumindest würden sie nicht wieder die Bierlizenz verlieren – wie damals, als Edward an einem Sonntag Bier verkauft hatte. Gott, da hätte sie ihn umbringen können. Sie jagte die große Salami durch die elektrische Schneidemaschine. Man arbeitet so hart, um ein Geschäft aufzubauen, will ein wenig Gewinn machen, kommt jeden Tag morgens und abends hierher – und dann zieht er eine solche Show ab. Will sich wichtig machen und verkauft sonntags einer Gruppe Hobbyjägern Bier. Verdeckte Ermittler, jeder Einzelne von ihnen. Sie seufzte erneut und verpackte die restlichen Scheiben. Es war immer etwas. Und jetzt das hier.

Der Junge kroch aus dem Kühlregal und schob die Tür zu. Die Wurstschneidemaschine setzte ein, schrill und kreischend. Bei dem Geräusch stellten sich ihm die Nackenhaare auf. Es klang wie die verdammten Papiermaschinen in der Fabrik. Seine Mutter hatte so lange an einer gestanden, dass sie sie nicht mehr hörte. Er würde nicht sein ganzes Leben so verbringen, den Maschinen zuhören und Kohl riechen. Es liegt der Geruch von Geld über dieser Stadt, sagte seine Mutter immer. Aber es war das Geld anderer Leute, und es stank nach vergammeltem Kohl. »Ist höchste Zeit, dass du in der Fabrik anfängst, Junge. Findest du nicht, es ist Zeit, dass du etwas beisteuerst?« Es war schlimm genug, dass der Alte wieder in ihrem Leben aufgetaucht war und ihnen die Hölle heiß machte. Aber er würde ihm nicht vorschreiben, was er zu tun hatte. »Du lebst in dieser Stadt, also arbeitest du in der Fabrik.« Das war alles, was er zu hören bekam. Nein danke.

Er zog ein Bier heraus, machte es am Kühlregal auf und nahm einen langen Schluck. Es war so kalt, dass es ihm in der Kehle brannte.

»Sie dürfen das hier nicht trinken.«

Zwei kleine Jungen standen vor ihm und starrten zu ihm hoch. Er hatte sie nicht in den Laden kommen hören.

»Arbeiten Sie hier?«, fragte der ältere Junge. Er war vielleicht neun. Seine schmutzige Faust war geballt.

»Und wenn?« Er stellte das Bier ins Keksregal hinter ihm.

»Wir haben Nickel!« Der kleinere Junge öffnete seine Hand. »Können Sie uns bedienen?«

Er sah in die Richtung, aus der das Geräusch der Schneidemaschine kam. Die alte Frau brauchte ewig.

»Machen Sie schon, Mister!« Die Jungen standen bereits vor der Süßigkeitenauslage.

Während er hinter die Ladentheke trat, schob er die Waffe tiefer in seine Hosentasche. Wenn der Alte herausfand, dass sie fehlte, war er geliefert.

»Mister!«

»Okay, okay!« Er beugte sich hinunter und griff in die große, verglaste Ladentheke. Die Süßigkeiten lagen hübsch drapiert da – das Zeug für einen Penny unten und die vollen Schachteln mit Schokoriegeln im oberen Regal. Er schnappte sich ein Karamellbonbon und stopfte es sich in den Mund.

»Müssen Sie das nicht bezahlen?« Der ältere Junge warf ihm einen argwöhnischen Blick zu.

»Das gehört zu meinem Job. Ich darf mir alles nehmen, was

ich will.« Er aß noch eines. »Und, was wollt ihr Jungs? Beeilt euch. Wer ist zuerst dran?«

»Pete, was willst du?« Der ältere Junge stupste seinen kleinen Bruder an.

»Wie viel kosten die da?«

»Einen Penny. Alles dort unten kostet einen Penny.« Er hatte gehört, wie die alte Dame dieselbe Frage beantwortet hatte, während er hinter den Kartoffelchips gekauert war.

»Wie viele krieg ich für einen Nickel?«

»Fünf.« Er ging in die Hocke, um sich die Auslage anzuschauen. Der kleine Junge starrte durch das verschmierte Glas zu ihm hoch. »Nun mach schon, oder ich entscheide für dich.«

»Nimm ein Eis, so wie ich, Pete. Wenn du meins siehst, willst du auch eins. Komm schon.« Der ältere Junge führte Pete zur Eistruhe, schob die Glastür auf und spähte hinein. »Willst du Orange oder Kirsche?«

»Orange.«

»Hier.« Er reichte seinem Bruder das Eis. »Halt es am Stiel fest.«

Er griff wieder hinein und holte eines für sich heraus. »Ich hab Sie hier noch nie gesehen.« Er schloss die Gefriertruhe und blickte zu dem Mann hinter der Ladentheke.

»Ja? Wohnst du hier etwa oder was? Weißt du alles, was hier los ist?«

»Wo ist Mrs. Jensen?«

»Das würde ich auch gern wissen.«

»Hier bin ich. Hallo Wayne.« Idella tauchte aus dem hinteren Teil des Ladens auf, in den Händen einen Stapel Sandwiches, jedes fest in Wachspapier eingeschlagen und mit Klebeband verschlossen. »Ihr Kids habt, was ihr braucht?« Sie türmte die Sandwiches am Ende des Ladentisches zu einer ordentlichen Pyramide auf. Eines lag etwas abseits.

»Hi, Mrs. Jensen. Ich soll auch Brot kaufen.« Wayne legte eine zerknüllte Dollarnote auf die Ladentheke. Er griff ins Brotregal und nahm sich eine Tüte abgepacktes Brot.

Idella trat hinter die Kasse. Der junge Mann stand neben ihr. »Die Kinder sollen verschwinden.« Sie nickte und drückte auf einen Knopf. Die Geldschublade sprang mit einem *Ping* auf. »Nicht wieder zumachen«, flüsterte er, als sie den Geldschein des Jungen glatt strich und in die Kasse legte.

»Hier ist dein Wechselgeld. Du brauchst keine Tüte, oder?«

»Nein.« Wayne nahm das Brot mit der einen Hand und schob Pete mit einem ausgestreckten Finger durch die Ladentür. Petes klebrige Eisverpackung segelte zu Boden, als die Tür hinter ihnen zufiel.

»Diese Kinder«, sagte sie mit einem Kopfschütteln. Sie widerstand dem Drang, das Papier aufzuheben.

»Ich will das ganze Geld aus der Kasse. Alles. Ich muss hier weg. Ich hab die Waffe in der Tasche, und ich weiß, wie man sie benutzt, wenn es sein muss.« Er war froh, sie nicht mehr in der Hand zu halten. Vermutlich hatte er ihr schon genug Angst eingejagt.

Sie wollte ihm sagen, dass er einen Gang zurückschalten sollte, dass sie ihr Möglichstes tat, aber sie hielt es für das Beste, einfach alles zu machen, was er sagte und ruhig zu bleiben. Dennoch, es war irgendwie erbärmlich. Sie nahm die Scheine aus der Kasse, zählte sie automatisch, während sie sie ihm gab, als wäre es sein Wechselgeld. »Neunundsiebzig, achtzig, einundachtzig. Einundachtzig Dollar.«

»Das ist alles? Das war's?« Er stopfte sie in seine Brusttasche.

»Willst du auch das Kleingeld?«

»Alles!« Er hielt die Brusttasche auf. Sie sammelte das Kleingeld zusammen und schüttete es hinein.

»Auch die Rollen mit Nickel!«

»Das wird aber sehr schwer.«

»Lassen Sie das mal meine Sorge sein. Her damit.«

»Du willst die Pennys?«

»Alles.« Er quetschte die Rollen mit Kleingeld in seine hintere Hosentasche. Sie waren wie kleine harte Würste, die sich in seinen Hintern bohrten.

»Bist du sicher, dass du all die Bierflaschen mitnehmen willst?« Idella hatte zwei große Papiertüten mit einem *Ratsch* geöffnet und steckte sie ineinander.

»Tun Sie, was ich sage.« Er musste standhaft bleiben. Ihm wurde so heiß, dass ihm das Hemd wie Tapete am Rücken klebte. Der große Schluck Bier war das Einzige, was er im Magen hatte. Er hätte sich übergeben können. »Legen Sie die Sandwiches obendrauf. Geben Sie mir gleich ein paar, wenn Sie schon so verdammt viele gemacht haben.«

Er blickte zu dem Haufen mit Sandwiches. Auf dem einen, das abseits lag, stand mit schwarzem Stift »OHNE«.

»Wofür steht das ›ohne‹?«, fragte er.

Idella sah ihn an. »Das bedeutet ohne Zwiebeln. Manche Leute mögen keine Zwiebeln. Sie bekommen davon Blähungen.«

Der Junge betrachtete das Sandwich eine Weile. »Vielleicht sollte ich keine Zwiebeln essen. Ich will im Bus keine Blähungen haben.«

»Damit hattest du bisher keine Probleme, oder?«

»Nein.«

»Dann ist es auch jetzt unwahrscheinlich. An deiner Stelle würde ich mir keine Sorgen machen.«

»Hm, Sie sind nicht ich.«

»Du bist sehr empfindlich.« Sie legte drei nicht gekennzeichnete Sandwiches in seine Tüte.

Der junge Mann verlagerte sein Gewicht von einem Bein aufs andere. Die Lady hatte recht, was all das Kleingeld anbelangte. Er müsste seinen Gürtel enger schnallen. Seine Hose würde ihm sonst von den Hüften rutschen. Verdammt, das wurde ja immer schlimmer.

»Hallo, Mrs. Jensen!« Die Ladentür öffnete sich mit einem Klingeln, und eine herzliche Stimme ertönte.

»Hallo, Rickie! Was kann ich heute für Sie tun?«

»Diese Sandwiches sind eine Augenweide! Bin schon seit dreizehn Stunden unterwegs.« Ein untersetzter Kunde ging an den Süßigkeiten und Kühlregalen vorbei und blieb vor Idella stehen. Seine muskulösen Arme waren nackt, gaben den Blick auf einen großen grünen Anker über dem Ellbogen frei, um den sich eine blaue Schlange wand. »Ich glaub, ich könnte meinen Truck essen.«

»O nein, doch nicht Ihren Truck.« Idella nickte und lächelte. »Morgen früh würden Sie es bereuen.«

»Ja«, gluckste er. »Wahrscheinlich. Sollte mich lieber ans Bier halten.« Er schritt schwerfällig zum Kühlregal mit den Getränken und riss eine Schiebetür auf. »Schön kalt, Mrs. Jensen.«

»Ich gebe mein Bestes.«

»Na, hallo, junger Mann! Hab gar nicht gesehen, dass dort noch jemand ist. Haben Sie sich endlich etwas Hilfe geholt, Mrs. Jensen?« Er grinste den Jungen an.

»Nun … ja, ja, so könnte man es sagen. Zumindest für heute.« Idella und der junge Mann starrten sich an. »Das ist … Dalton … der Sohn meines Bruders aus Kanada. Er ist nur auf der Durchreise und hilft mir heute aus.«

»Ich denke, sie könnte dich an jedem Tag des Jahres gebrauchen. Mrs. Jensen arbeitet zu hart.«

»Oh, das wäre schön!«, sagte Mrs. Jensen und lächelte dem jungen Mann zu. »Aber Kinder haben ihren eigenen Kopf.«

»Erzählen Sie das bloß nicht meinen. Die wissen das auch so.« Er griff in seine Tasche und zog einen zusammengerollten Packen Scheine heraus. »Geben Sie mir ... ach, was soll's, geben Sie mir drei von den Sandwiches!« Idella nahm zwei von dem Haufen. Ihre Hand schwebte über dem einen, das mit »OHNE« gekennzeichnet war.

»Dick belegt! Ich hoffe, die sind dick belegt. Mit allem Drum und Dran.«

»Oh ja«, sagte sie und nahm das dritte vom Stapel.

»Dalton, hm? Was ist denn das für ein Name?«

»Oh, in meiner Familie ein häufig benutzter. So hieß mein Bruder.«

»Wirklich? Wie ungewöhnlich. Nun, freut mich, dich kennengelernt zu haben, Dalton.« Der Junge nickte. »Er ist einer von der ruhigen Sorte, das merk ich gleich. Meine Kids sind immerzu am Plappern.«

»Er redet, wenn er möchte, nicht wahr, Dalton?«

»Ja, Ma'am.«

»Noch dazu höflich. Das gefällt mir. Er sollte auch weiter hier arbeiten! Und, was bekommen Sie von mir?«

»Das macht drei Dollar und zwölf Cent, Steuern eingerechnet«, sagte sie, nachdem sie es im Kopf berechnet hatte.

»Hm, ich hab bloß Zehner.« Er klatschte einen auf die Ladentheke. »Geben Sie mir ruhig ein paar Vierteldollarmünzen raus, wenn's geht. Die brauch ich für die verdammten Mautmaschinen.«

Idella blickte den Jungen an und riss die Augen weit auf,

als wollte sie ihm etwas sagen. Sie hustete ein leises, trockenes Husten. Er sah ausdruckslos zurück. Sie nickte in Richtung der leeren Kasse und hob die Augenbrauen.

»Moment noch. Geben Sie mir eine Schachtel Camel. Und eine Schachtel Winston für meine Alte. Hält sie davon ab, sich zu beschweren. Man muss sie bei Laune halten, wenn man sie bei sich halten will!« Rickie schlug mit der Handfläche auf die Ladentheke. Daltons Schultern schossen ein paar Zentimeter in die Höhe. »Nun, Mrs. Jensen, ich wette, ich schulde Ihnen jetzt etwas mehr. Raus damit.«

»Ein glatter Betrag, Rickie. Zehn Dollar. Auf den Penny genau.«

»Das kann doch nicht stimmen. Das kann nicht genug sein.«

»O doch. Zehn Dollar auf den Penny genau.«

»Wenn Sie es sagen. Sie sind der Boss. Passen Sie auf sich auf, Mrs. Jensen.« Er wandte sich an den Jungen und zwinkerte ihm zu. »Lass dich nicht zu sehr herumkommandieren.«

»Werde ich nicht.«

Mit festem Griff schnappte sich Rickie seine Tüte mit Sandwiches und Zigaretten. »Schön kalt!«, dröhnte er, als er sich sein Sixpack unter den Arm klemmte und zur Ladentür marschierte. »Sieh mal einer an, wer da kommt!«, rief er. »Die Polizei ist mir auf den Fersen, Mrs. Jensen. Officer Abbott schaut, was ich so treibe. Ich hab gesehen, wie er sich im Gebüsch unten an der Interstate versteckt hat, und ich hab gehupt.« Rickie hielt die Tür weit auf und sagte lautstark: »Ich denke, ich hab ihn aufgeweckt!«

Ein Polizeiwagen hatte neben Rickies Sattelzug geparkt, und ein dünner junger Officer lehnte an der Wagentür und lachte, die Arme über seinem schwarzen Schulterhalfter verschränkt.

Idella blickte zu dem Jungen. Er war aschfahl geworden. »Officer Abbott sieht aus, als könnte er ein kaltes Getränk vertragen, oder, Dalton? Hol eine Cola aus dem Kühlregal und mach sie auf. Erspar ihm die Mühe, selbst reinkommen zu müssen.«

Der Junge zog eine Flasche heraus und reichte sie Rickie.

»Das ist aber sehr nett von Ihnen, Mrs. Jensen. Ist ziemlich clever, die Polizei bei Laune zu halten.«

Die Tür schloss sich mit einem lauten Krachen hinter ihm, was das OFFEN-Schild klirren ließ, das an einer Kette hing.

»Verdammt!« Der Junge war völlig aufgelöst. »Jetzt muss ich warten, bis die Kerle mit ihrem Mittagessen fertig sind. Gibt es ein Fenster, durch das ich rausklettern kann?«

Idella schüttelte den Kopf. »Ich muss mich hinsetzen. Ich muss mich wirklich hinsetzen.« Sie seufzte, als würde das letzte bisschen Luft aus einem Ballon gepresst werden, und ging zu dem gelben Stuhl am Süßwarenregal. Sie ließ sich langsam nieder, stützte sich am Regal ab. »Du nimmst dir, was du zu brauchen glaubst, oder du gehst hoch und wartest dort, das ist mir egal, aber ich muss mich hinsetzen. Das ist zu viel für mich.«

Sie sackte vor seinen Augen wie ein altes Taschentuch in sich zusammen. »He, wollen Sie was trinken?«, fragte er. »Ein Ginger Ale? Ich hol Ihnen ein kaltes.«

Sie starrte in die Auslage mit den Süßigkeiten. Mit einem Schlag sah sie alt aus, wie sie die Hände schlaff vor sich verschränkt hatte, jeweils eine auf einem Knie. Ihr Kopf zitterte langsam vor und zurück, immer ein paar Zentimeter in jede Richtung.

Er eilte zur Kühlbox und hob die Abdeckung. Die geriffelten Flaschendeckel starrten zu ihm hoch: orange, kirschrot, braun wie Schokolade und rote Coladeckel. Die vom Ginger Ale waren dunkelgrün mit weißen Buchstaben. Seine Mutter hatte ihm das immer gegeben, wenn ihm schlecht war. Sie hatte ihm dann eine Flasche Ginger Ale gebracht und ihn in ihrem großen Bett liegen lassen, während sie in der Fabrik war. Sie hatte damals Nachtschicht und kam erst morgens um sechs nach Hause. Dann war sie so müde, dass sie sich lediglich die Schuhe auszog, »Rutsch rüber« flüsterte und sich aufs Bett neben ihn legte, manchmal sogar einfach auf die Decke, ohne ein Kissen. Das war die Zeit, als es nur sie zwei gab – bevor der Alte zurück war.

Er tauchte seine Hand in das kalte Wasser um die Flaschen. Die Kühlbox gurgelte als Antwort. Eigentlich könnte er sich auch eine Limonade holen, um das Bier in seinem Magen zu verdünnen. Es stieg ihm schon in den Kopf, benebelte alles. Er hätte es nicht so schnell in sich hineinkippen dürfen. Er musste ruhig Blut bewahren. Mit einer Hand zog er einen violetten Deckel heraus, eine Traubenlimonade, und mit der anderen ein Ginger Ale. Die Flaschen klirrten durcheinander.

»Ich stell gleich zwei warme rein«, rief er ihr zu. »Ich füll die Box gleich wieder auf, so wie Sie's machen.« Mit dieser Geste wollte er sie aufmuntern. Er bückte sich und holte mit einer Hand zwei Flaschen aus einem Träger mit warmen Getränken. Er drückte sie in die schmalen Lücken, dann öffnete er die kalten Getränke mit dem Flaschenöffner und trat hinter die Ladentheke, um Mrs. Jensen ihre Flasche zu reichen. Sie hatte sich immer noch nicht gerührt oder etwas gesagt. Sie starrte weiter die Süßigkeiten in der Auslage an.

Da lehnte ein Klappstuhl, und der Junge setzte sich. Er

hörte, wie Autos vorbeifuhren. Jeden Augenblick konnte eines anhalten und er müsste wieder in die Rolle von Dalton schlüpfen. Das Polizeiauto und der Truck standen vor dem Laden, unter einer großen Ulme auf dem Kiesparkplatz. Rickies Lachen schoss explosionsartig wie Munition aus ihm heraus. Die beiden Männer schienen sich prächtig zu amüsieren.

»Sie brauchen sich keine Sorgen machen, ich tu Ihnen nichts. Ich werde bloß warten, bis ich von hier verschwinden kann. Ich weiß, das Zeug hat mehr als zehn Dollar gekostet. Sie haben mir aus der Patsche geholfen, und ich will nicht, dass Sie Angst haben. Ich leg einen Teil des Wechselgeldes zurück.«

Sie seufzte und griff, ohne ihn anzusehen, nach dem Ginger Ale. »Vielen Dank«, sagte sie, aber jegliche Kraft war aus ihr entwichen. Sie nahm einen winzigen Schluck vom Ginger Ale.

»Sie sollten das Ginger Ale austrinken. Ich denke, Sie brauchen Flüssigkeit.« Sie verhielt sich auf einmal so sonderbar.

»Meine Schwester und ich, wir haben ihm immer gesagt, er soll abhauen – uns verlassen und ein besseres Leben beginnen. Wir alle wollten das natürlich. Auf dieser Farm war kein Leben möglich. Nicht so, nicht dort oben in Kanada, wo es einfach nichts gab. Wir haben ihm das wenige Geld angeboten, das wir von Gott weiß wem bekommen hatten, nicht viel, aber wir dachten, er wäre der älteste und sollte zuerst weg. Der einzige Sohn. Dad hat zu viel von ihm erwartet – und schien ihn gleichzeitig nicht besonders zu mögen. Er hat viel an Dalton ausgelassen. Ich kann das nicht erklären.« Sie nippte an ihrem Ginger Ale.

»Dann, eines Tages, war er verschwunden. Er war in unser

Zimmer geschlichen und hatte unsere mickrigen Ersparnisse geklaut.« Ihr Gesicht wurde ganz rot. »Es muss ihn fast umgebracht haben, das zu tun. Er war so stolz. Irgendwo hatte er einen Stift und ein Stück Zeitung gefunden und er hatte ›Tut mir leid‹ in großen Buchstaben draufgeschrieben und mit seinem Namen unterzeichnet. Er war niemand, der seine Gefühle offen gezeigt hat. Es sah so erbärmlich aus.«

Idella seufzte. Sie setzte die Brille ab und drückte die Finger auf ihren Nasenrücken. Ihre Augen waren geschlossen. Er bemerkte, wie runzlig ihr Gesicht war. Mit geschlossenen Augen und ohne Brille sah sie alt aus. Er griff hinter sich und holte ein kleines Päckchen Kleenex aus dem Karton, eines dieser kleinen Päckchen, das seine Mutter immer in ihrer Handtasche hatte. Er riss es auf, zog das erste Taschentuch ein Stück heraus, damit es leicht herauszunehmen war, und legte es ihr aufs Knie. Draußen aßen der Cop und Rickie gerade die letzten Bissen ihrer Sandwiches.

Er wartete, bis sie aufhörte zu schniefen – sie hatte das Kleenex genommen und sich die Augen gewischt –, dann wandte er sich ihr wieder zu. »Und wo ist er schließlich gelandet?«

Idella setzte ihre Brille wieder auf und sah aus dem Fenster, jedoch nicht in die Richtung, in der Rickie und der Cop ihre Wagentüren zuschlugen und sich über den Lärm ihrer Motoren hinweg etwas zuriefen. Der Cop fädelte sich als Erster in die Straße ein und fuhr den Berg hinab. Rickie hupte und winkte dem Laden zu, dann dröhnte er den Berg runter nach Gorham. Sie waren fort. Der Junge saß da und wartete auf ihre Antwort.

»Wir wussten lange Zeit nicht, wo er steckte. Dad war fuchsteufelswild. Er brauchte ihn auf den Kartoffeläckern und in der Scheune. Niemand von uns ließ ein Wort über das Geld fallen. Dad sagte, er wäre ein gottverdammter nichtsnutziger Scheißkerl. Er hat nur so mit Schimpfwörtern um sich geworfen, wenn er wütend war. Aber er hat Dalton vermisst. Wir haben alle gemerkt, dass ihn sein Verschwinden hart getroffen hatte, doch er sagte nie etwas. Er saß nur immer nach dem Abendessen allein am Tisch und starrte in die Petroleumlampe. Wenn er sich auf die Lippe biss, dachte er an meine Mutter. Wenn er den Kopf schüttelte, dachte er an Dalton. Wir wussten, dass wir ihn dann besser in Ruhe ließen.«

Der Junge wusste, dass Mrs. Jensen weder ihn noch die Straße oder die Süßigkeiten in der Auslage sah. Ein Auto wendete auf dem Kiesparkplatz, winzige Steinchen spritzten unter den Reifen hervor. Mit einem immer leiser werdenden Rauschen fuhr es weg.

»Meine Schwester und ich wussten lediglich, dass er das Geld genommen hatte und mit dem Postboten in die Stadt gefahren war. Wir haben angenommen, dass er nach Westen wollte, zu den Weizenfeldern, um dort einen Job zu ergattern. Wir waren von der Außenwelt abgeschnitten. Wir wussten, er würde nicht schreiben.« Sie machte eine Pause und drehte sich zu ihm. »Jetzt spielt es keine Rolle mehr, wohin er gegangen ist. Er hatte sein ganzes Leben Probleme mit dem Trinken, und ich weiß nicht, ob er jemals fand, wonach er gesucht hat.«

Die Ladentür ging auf. Eine Frau mittleren Alters mit Lockenwicklern im Haar und einem roten Kopftuch darüber trat ein. »Hallo, Mrs. Jensen«, rief sie. Sie knallte Milchkartons und mehrere Sixpacks mit Limonade und ein paar Laibe Brot auf den Ladentisch. »Wie geht's Ihnen heute? Sie sehen müde aus.«

»Oh, ich habe mir wohl eine Erkältung eingefangen. Nicht der Rede wert. Sie fahren heute zur Hütte?« Idella stand auf und trat hinter die Kasse. Der Junge saß schweigend da.

»Die Jungs werden das ganze Wochenende dort sein, also fahr ich hoch und lüfte schon mal durch.«

»Ist das alles?«

»Das wird uns am Leben halten, bis sie den Fisch zum Abendessen gefangen haben, von dem sie die ganze Zeit reden. Obwohl ich das erst glaube, wenn ich ihn sehe.« Sie streckte den Arm und schnappte sich zwei große Tüten Chips. »Wenn ich schon dabei bin, kann ich die auch gleich noch mit einpacken.«

Idella lachte. Der Junge beobachtete, wie sie die Frau bediente – die Lebensmittel einpackte, ihr mit dem Geld herausgab, das er zurückgelegt hatte, und sich übers Wetter unterhielt. Sie schien für die Kasse geboren zu sein. Es war schwer, sie sich mit einer Schwester und einem Bruder und jemandem, den sie »Dad« nannte, vorzustellen.

Eine weitere Frau kam herein. Um ihn herum surrte die Geräuschkulisse. Er war müde und unsäglich hungrig. Das Bier, das er in sich hineingekippt hatte, drückte ihn nieder. Der Frau in dem orangefarbenen und weißen Kleid am anderen Ende der Ladentheke zuzusehen, fühlte sich an, als würde man durch ein Kaleidoskop schauen. Alles schien so weit weg zu sein. Er konnte die Augen kaum offen halten. Es war heiß hier drinnen. Man spürte es besonders, wenn man still dasaß. Sein ganzer Körper war wie Blei. Das Gebläse der Kühlgeräte summte und summte. Das *Ping* der Kasse bei jedem Öffnen und Schließen war das einzige Geräusch, das zu ihm durchdrang, wie eine Glockenboje im dichtesten Nebel. Sein Mund öffnete sich einen Spalt. Die sanfte Luft, die er einatmete, lag kühl auf seiner Zunge. Seine Augen fielen zu.

Das Licht war anders, als er erwachte. Er saß immer noch auf dem Klappstuhl neben den Süßigkeiten. Etwas war zwischen seinen Hals und die Stuhllehne gestopft. Er zog einen Pullover mit einem Blumenmuster hervor. Sein Nacken war kalt und schweißnass. Die Kühlboxen summten und summten. Wie konnte er immer noch hier sein?

»Ich dachte mir schon, dass du bald aufwachst. Komm, setz dich nach hinten und iss ein Sandwich.« Mrs. Jensen tauchte hinter dem Süßwarenregal auf. Sie trug eine Schürze und hielt einen Wischmopp in der Hand. »Geh außen rum«, sagte sie und deutete mit dem Finger, »der Boden ist hier überall nass.«

Ihr Verhalten hatte sich verändert. »Mach schon. Ich muss den Laden wieder aufmachen, und ich möchte davor noch mit dir reden. Ich hatte zur ›Inventur‹ geschlossen, damit du in Ruhe schlafen konntest.«

Er stand hinter der Ladentheke und blinzelte sie an. Er hatte das Gefühl, von einem Pflug überrollt worden zu sein. Er war hungrig.

»Ich habe die Zigaretten und das Bier, das du dir nehmen wolltest, zurückgestellt. Sie sind wieder in den Regalen, in die sie gehören. Ich lass das nicht zu. Ich lass nicht zu, dass du mit diesen Dingen von hier wegspazierst. Du bist minderjährig.« Sie tauchte den alten Wischmopp in einen Eimer und folgte ihm damit, während er in den hinteren Teil des Ladens schlurfte. »Und in absehbarer Zukunft wirst du deine Waffe nicht zu Gesicht bekommen, das verspreche ich dir. Eher friert die Hölle zu.« Er wollte nur essen, essen, essen.

»Setz dich auf den Stuhl dort, iss und hör zu, was ich dir zu sagen habe. Ich habe lange nachgedacht. Es war so ruhig und friedlich, als das Licht aus war.«

Er konnte sich das Sandwich nicht schnell genug in den Mund schieben.

»Du bleibst sitzen. Ich werde dir etwas erzählen. Officer Abbott kam noch mal zurück, während du geschlafen hast. Sein Klopfen hätte dich fast geweckt, aber du hast zu tief und fest geschlafen. Das wundert mich gar nicht. Es muss schrecklich anstrengend sein, einen Laden zu überfallen.« Der Junge hörte auf zu kauen und blickte sie an.

»Iss weiter. Ich habe ihm nichts verraten.« Sie setzte sich auf einen Stapel Bierkästen. »Officer Abbott hatte beim Herumfahren wohl ein komisches Gefühl, nachdem er sich von Rickie verabschiedet hatte. Scheint so, als hätte Rickie dich ein wenig bei ihrem Gespräch beschrieben, und was er gesagt hat, passte auf einen jungen Mann, der heute Morgen versucht hat, das LaRosa draußen auf der Interstate 302 auszurauben. Anscheinend hat es der junge Mann mit der Angst zu tun bekommen und ist weggerannt, als ein Auto aufgetaucht ist.« Mrs. Jensen schwieg einen Moment und starrte den Jungen eindringlich an. Dann fuhr sie fort: »Nun, ich musste dich ihm zeigen, wie du dort wie ein Baby mit offenem Mund geschlafen hast, bevor er sich zufriedengab.« Sie hielt inne und sah ihm beim Essen zu.

Der Junge nickte.

»Ich sage nicht, dass du versucht hast, das LaRosa auszurauben, und ich will es auch gar nicht wissen. Aber mich wirst du nicht ausrauben. Das lade ich mir nicht auf die Schultern. Ich werde das restliche Geld nehmen und es in die Kasse tun, wo es hingehört.« Er hatte sein Sandwich weggelegt und hörte ihr zu. »Ich schicke dich mit etwas anderem von hier weg.«

Mit einer feierlichen Geste zog sie einen Samtbeutel aus ihrer Tasche. »Sie hat meinem Großvater gehört. Er hat sie als junger Mann aus England mitgebracht. Sie funktioniert noch.« Sie holte eine Taschenuhr aus dem Beutel. Ganz langsam entwirrte sie die Kette und hielt sie hoch. »Diese Uhr ist aus achtzehn Karat Gold. Ich habe George, einen Blick darauf werfen lassen, der sich damit aus… Er ist sehr bewandert in solchen Dingen. Deshalb hatte ich sie zufälligerweise hier im Laden. Sie muss sehr wertvoll sein. Ich werde sie dir schenken.«

Der Junge starrte auf das Gold, das vor seinen Augen kreiste. Noch nie hatte er so eine wunderschöne Uhr gesehen. Er wischte sich das Öl von den Fingern.

Idella legte sich die Uhr auf die Handfläche und strich beim Reden langsam mit dem Finger um ihren Rand. »Ich habe sie nun schon seit vielen Jahren. Fast vierzig Jahre lang. Eigentlich stand sie mir gar nicht zu. Sie hätte Dalton gehören sollen. Dad hat sie mir gegeben, nachdem Dalton von der Farm abgehauen ist. Das hat er getan, um ihn zu kränken. Es war seine Art, um sich von ihm loszusagen.« Ihre Finger glitten wieder und wieder um das Ziffernblatt. »Ich hatte immer ein schlechtes Gewissen, sie zu besitzen. Und natürlich sind wir alle weggegangen. Keiner von uns ist geblieben. Aber Dalton war der Erste. Ich habe es meiner Schwester nie erzählt. Ich habe die Uhr all die vielen Jahre versteckt. Als Dalton ein kleiner Junge war, hat er sie geliebt. Dad hatte ein Geheimversteck für die Uhr, und Dalton hat ständig gefragt, ob er sie halten und ihr Ticken hören dürfte.« Sie schüttelte den Kopf. »Sie hätte ihm gehören sollen. Ich habe sie ihm mehr als einmal angeboten, aber er wollte sie nicht.« Sie sah zu dem Jungen. »Ich schenke sie dir. Du nimmst sie mit nach Hause und bewahrst sie an einem besonderen Ort auf. Dalton ist schließlich in Chicago gelandet, wo er in Fabriken gearbeitet hat. Er hat mit Händen und Füßen versucht, von uns wegzukommen. Er hatte nie etwas, an dem er sich festhalten konnte – etwas von seiner Familie, das ihm gezeigt hat, woher er stammte, dass wir ihn liebten. Nichts ist an ihn weitergegeben worden – abgesehen vom Trinken.«

Sie legte die Uhr auf die Ladentheke.

»Sie gehört dir, wenn du sie mit nach Hause nimmst und darüber nachdenkst, was du aus deinem Leben machen möchtest. Ich lege sie hierher und lass dich jetzt in Ruhe. Ich muss wieder aufsperren. Falls du die Uhr nimmst, gibst du das Geld zurück. Lass dir aber Zeit mit dem Essen. Nimm dir eine Tüte Chips, wenn du willst.« Sie ging durch den Laden. Lichter flackerten an, ein Schlüssel drehte sich.

Der Junge saß im Halbdunkel auf dem Stuhl und betrachtete die goldene Uhr auf der Ladentheke vor ihm. Die Tür öffnete und schloss sich wieder. Er hörte Schritte, das Geräusch der Kühlbox, deren Abdeckung aufgeschoben und dann wieder geschlossen wurde, leises Geplapper. Es war, als läge er im Bett und bruchstückhafte Fetzen einer Unterhaltung zweier Erwachsener wehten zu ihm herüber. Mrs. Jensens Stimme drang zu ihm, schwebte unbekümmert über all den anderen Geräuschen. »Wirklich?« – »O ja?« – »Ist das dann alles?« – »Möchten Sie eine Tüte?«

Der Junge knüllte das ölige Einschlagpapier seines Sandwiches zu einem festen Ball zusammen und warf es in den Mülleimer. Er ging zum Waschbecken, machte einen Lappen nass und wischte das Öl von der Ladentheke. Er wusch sich die Hände mit der Seife neben dem Waschbecken, ging dann zum Tisch und holte das Geld aus seinen Taschen, einschließlich der sechzehn Dollar, die ihm gehörten. Er war froh, es loszuwerden. Er starrte auf die goldene Uhr. Er nahm sie und hielt sie in der Hand. Zuerst fühlte sie sich glatt und kühl an, dann weich und warm, als sie in seine Handfläche sank. Er hielt sie sich ans Ohr und lauschte dem leisen gleichmäßigen Ticken. Sie hatte sie aufgezogen und gestellt. Es war früher Abend. Die Männer kamen auf dem Weg von der Arbeit für ihr Bier und ihre Zigaretten herein, so wie sie es vorausgesagt hatte. Er ließ die Uhr in den Samtbeutel gleiten. Er steckte ihn in seine Hemdtasche, drückte die Hand dagegen und trat dann ins gleißende Neonlicht des vorderen Ladenteils. Mrs. Jensen stand allein hinter der Kasse, wo er sie auch ganz am Anfang gesehen hatte. Sie blickte ihn an.

»Vielleicht... vielleicht könnte ich mal an einem Samstag für Sie arbeiten. Die Kühlregale auffüllen. Sie wissen schon, ein bisschen aushelfen, um das heute wiedergutzumachen, um mich zu revanchieren.«

»Vielleicht«, sagte sie, ohne ihn aus den Augen zu lassen. »Das wäre schön.«

»Das Geld hab ich dort hingelegt, wie Sie gesagt haben.«

Sie nickte.

»Ich geh jetzt. Ich lass Sie jetzt in Ruhe.« Er ging zur Ladentür, blieb stehen und sah zu ihr zurück.

»Sie fühlt sich so gut an«, sagte sie mit einem schüchternen Lächeln. »Sie fühlt sich so gut an, wenn man sie in der Hand hält, nicht wahr?«

Seine Hand glitt zurück an seine Brusttasche. Auch so konnte er das leise Ticken der Uhr durch den Samtbeutel noch ausmachen. Er nickte, dann öffnete er die Tür und stieg die knarrende Holztreppe hinab.

Er machte sich auf den Heimweg, ging langsam und dachte an all die Orte, an denen er sie verstecken könnte.

Lange nachdem der junge Mann verschwunden war, stand Idella da und starrte in die Ferne. Sie war erschöpft. Sie hatte noch nicht realisiert, was geschehen war. Sie ging zur Ladentür und schob den Riegel vor. Sie schaltete die Lichter wieder aus. Es war so ruhig hier drinnen, wenn nur die Kühlregale summten. Sie würde den Laden noch etwas länger schließen – bis Edward vom Autosalon nach Hause kam und zu toben und zu schreien beginnen und wissen wollen würde, warum zum Teufel sie an einem Samstagabend geschlossen hätte. Sie würde es ihm nicht erzählen. Etwas war geschehen, aber sie wusste selbst nicht genau, was. Sie hatte etwas zu Ende gebracht, und es fühlte sich gut an. Vielleicht hatte sie eine neue Tür aufgestoßen. Sie wollte eine Weile darüber nachdenken.

Sie ging zur Kühlbox und zog eine kalte Flasche Miller heraus. Sie würde nicht einmal eine warme zurückstellen. Sie schritt zur Ladentheke und blickte auf den Haufen Sandwiches, die sie vorhin zubereitet hatte. Ihre Augen blieben auf dem einen ruhen, das etwas abseits lag, das mit der Aufschrift »OHNE«. Sie trug es in den hinteren Teil des Ladens, nahm ihr kaltes Bier mit. Sie seufzte und setzte sich auf den Stuhl, auf dem der Junge zwei Sandwiches gegessen hatte. Der arme Kerl. Ihr entging nicht, dass er aufgeräumt hatte. »Ich wette, das tut er zu Hause nicht«, sagte sie erfreut. Sie wickelte das Sandwich aus dem weißen Papier. Der Zettel steckte in dem aufgeschnittenen Brötchen zwischen den Essiggurken und den Salamischeiben. Das Papier war vom Öl durchsichtig geworden und mit schwarzem Pfeffer bedeckt. Sie zog es aus dem Sandwich und hielt es hoch. Der Wachsmalstift war kaum verschmiert. »HILFE! ÜBERFALL! POLIZEI RUFEN!« Sie schüttelte den Kopf und begann langsam ihn in schmierige Fetzen zu reißen, die träge auf das aufgeschlagene Wachspapier fielen. Dann griff sie in das Glas mit eingelegten Oliven und holte genügend heraus, um das Sandwich eng zu belegen. Sie nahm einen Schluck Bier. »Das schmeckt gut. Schön kalt, Mrs. Jensen. Genau wie ich's mag.«

Die Totenwache

Boston
Januar 1966

»Verdammt! Wir haben die verfluchte Leiche verloren!« Avis stand am Bahnsteig der North Station, ihren kleinen Lederkoffer zwischen die Knie gepresst, als könnte auch der spurlos verschwinden. »Dalton, wir haben Dad verloren. Was zum Teufel sollen wir jetzt machen?«

»Ruf Stan an. Er wird wissen, was zu tun ist.«

Avis konnte nicht aufhören, sich den Schnee von den Füßen zu stampfen, auch wenn er bereits vor einer Stunde geschmolzen und in ihre Stiefel geflossen war. Sie waren gestern spät am Abend aus dem Zug von Connecticut ausgestiegen in dem Glauben, Dad wäre in seinem Sarg im Gepäckwagen hinter ihnen hergerollt. Der Zug nach Kanada fuhr erst am nächsten Morgen, und sie wollten noch etwas Schlaf bekommen, weshalb sie losgezogen waren und sich ein Zimmer in einem Hotel genommen hatten, das Dalton kannte. Aber als sie am Morgen in den Bahnhof getaumelt waren, um mit Dad im Schlepptau zu seiner eigenen Beerdigung zu tuckern, und sich vergewissern wollten, dass der Leichnam mit dem anderen Gepäck an Bord war, war kein Leichnam zu finden, nicht für Geld noch gute Worte.

Dalton schritt ratlos vor Avis auf und ab, als versuchte er zu bestimmen, welcher der Züge auf beiden Seiten des Bahnsteigs einen Ausweg bieten mochte. Seine Beine waren so lang und drahtig, dass jeder seiner Schritte so aussah, als würde er springen. Er brauchte ein weites Feld vor ihm, nicht die bedrückende Enge dieses Bahnsteigs, der mit Fremden in dicken Mänteln vollgestopft war, die alle genau wussten, was sie wollten und wie sie es schaffen würden. Keiner von ihnen hatte eine Leiche verloren, die in ihrem Sarg aufgebahrt lag.

»Was genau hat der Gepäckmensch gesagt?«, fragte Avis.

»Nirgends im Bahnhof gibt's einen Sarg. Gab keinen mehr seit Samstag letzter Woche, und der ist nach Toledo gegangen, und er glaubt, es war eine Frau. Er wird den Bahnhof in Connecticut anrufen, aber das wird wegen dem Schnee eine Weile dauern, der Bahnbetrieb ist zusammengebrochen, und wenn wir nicht hier und jetzt in den Zug nach Kanada steigen, werden wir in absehbarer Zeit nicht nach Kanada kommen, denn das ist heute die einzige Zugverbindung nach New Brunswick. Und er hat so seine Zweifel wegen morgen, denn er hat gehört, dass der Sturm erst mal schlimmer werden soll, bevor es besser wird. Er meint, sie werden ihn wahrscheinlich den ›Blizzard von '66‹ nennen. Das wird einer, den man in Erinnerung behält. Er meint, es ist seltsam, einen Sarg so zu verlieren, weil gar nicht so viele hier eintreffen und sie die normalerweise schon bemerken, und ob wir einen Beleg oder eine Quittung hätten?« Dalton blieb vor Avis stehen. »Ich dachte, vielleicht hast du so was?«

»Himmel, war der geschwätzig. Hat ihm denn niemand in den letzten zehn Jahren eine Frage gestellt?« Avis durchsuchte ihre Handtasche nach irgendeinem Schein oder Beleg oder einem Stück Papier mit einer Nummer. »Nichts.«

»Schau in deinen Handschuhen nach. Vielleicht steckt er in einem der Finger.«

»Schau doch in deinen eigenen verfluchten Handschuhen nach.«

»Ich hab keine.«

»Ich hab keinerlei Erinnerung daran, dass mir irgendjemand irgendetwas gegeben hätte.« Avis stülpte ihre Handschuhe um. »Ich hatte nie was. Du warst es doch, der mit dem Mann in der Uniform gesprochen hat, bevor wir in Cohasset eingestiegen sind! Hast du nicht mit irgendeinem Schaffner gequatscht? Ich auf keinen Fall.«

»Also, wenn ich mit jemandem geredet habe, erinnere ich mich nicht. Ich war wirklich müde.«

»Du warst besoffen, das ist alles.« Avis steckte die Hände in ihre Manteltaschen. Nichts außer Zigaretten in der einen Tasche und ein Loch im Futter der anderen. Sie bohrte den Finger hindurch und öffnete ihren Mantel, um es Dalton zu zeigen. »Da. Vielleicht ist es so passiert.«

»Verdammt, ich hab auch eins.« Dalton steckte seine gesamte Faust durch das Futter seiner Manteltasche und winkte Avis. »Wir haben das Problem gelöst.«

»Wir haben gar nichts gelöst. Es gab keinen Beleg. Ich denke, wir haben den Sarg zum Bahnhof gebracht, und dann hat keiner von uns drauf geachtet, ob er auch wirklich im Zug war. Der verdammte Leichenwagen hat ihn einfach abgeladen und ist davongesaust. Alles Weitere hat ihn nicht mehr interessiert.«

»Muss man eine Fahrkarte für einen toten Mann lösen?«

»Man muss zumindest irgendwas tun. Man kann keinen Leichnam mit sich rumtragen, als wäre es ganz normales Gepäck.«

Dalton blieb wieder stehen und fuhr sich hastig übers Kinn. »Herrgott, ich hab vergessen, mich zu rasieren.«

»Wahrscheinlich hat Dwight angenommen, dass wir uns darum kümmern, immerhin ist es unser Vater, nicht seiner.« Avis seufzte.

»Er hätte es besser wissen müssen.« Dalton schüttelte den Kopf. »Andererseits, er hat dich geheiratet. Das zeugt nicht gerade von gesundem Menschenverstand.«

»Halt verflucht noch mal die Klappe!«

»Er hätte uns alle drei sicher in den Zug verfrachten müssen.« Dalton begann wieder nervös auf und ab zu gehen.

»Er war froh, uns aus dem Auto zu haben. Armer alter Dwight. Er hat jetzt wohl für eine Weile genug von uns Hillocks.«

Dalton drehte sich kurz vor einer offenen Zugtür um. »Eines weiß ich mit verdammter Sicherheit.«

»Und das wäre?« Avis griff in ihre Manteltasche und zupfte eine Zigarette aus der Packung. So wie es sich anfühlte, waren nur noch drei übrig.

»Ich brauch einen Drink.« Dalton streckte den Arm aus und schnappte sich die Zigarette.

»Du hattest doch erst einen.«

»Der war weder groß noch stark genug. Die paar Schlucke.« Ihre Finger glitten zurück in die Tasche. Zwei Zigaretten. »Rauch deine eigenen verfluchten Zigaretten!«

»Sind schon weg.«

»Und hör auf mit dem Rumgelaufe! Es ist, als würde man mit einer Fliege auf dem Misthaufen reden. Bleib stehen. Wir müssen eine Entscheidung treffen.«

Dalton blieb stehen und sah zu ihr herab. »Ich steig in keinen Zug, um zu Dads Beerdigung zu fahren, solange wir Dads Leichnam nicht haben.«

Avis zündete sich ihre Zigarette an, nahm einen tiefen Zug

und blies den Rauch an Daltons Ohr vorbei. »Irgendwas muss beim Umsteigen schiefgelaufen sein. Er wartet bestimmt immer noch auf irgendeinem Bahnsteig in Connecticut.«

»Der Mann hat gesagt, ich soll in fünfzehn Minuten noch mal nachfragen.« Dalton zündete seine Zigarette an ihrer an.

»Wie lang ist das her?«

Dalton blickte zu der großen, runden Bahnhofsuhr. »Zwanzig Minuten. Was, wenn jemand ihn mitgenommen hat?«

»Wer würde denn schon einen Sarg mitnehmen, du Schwachkopf?«

»Wer würde weggehen und einfach einen stehen lassen?« Ihre Augen trafen sich, während sie sich gegenseitig den Rauch ins Gesicht bliesen.

»Nun mach schon«, sagte Avis und wedelte ihn wie eine Mücke fort. »Geh und finde den Gepäckmenschen!«

Avis beobachtete, wie Dalton durch die Menge schritt. Selbst mit hängenden Schultern und einem zerknirschten Gesichtsausdruck überragte er alle anderen um einen Kopf.

»Letzter Aufruf, letzter Aufruf für den Canadian nach Halifax, Nova Scotia, auf Gleis neun. Der Zug hält in Portland, Lewiston, Augusta, Bangor, Houlton und St. John's. Endstation Halifax. Letzter Aufruf.«

Avis rauchte. Das war der Zug, den sie eigentlich nehmen mussten. Sie betrachtete den Schaffner, der am Bahngleis auf und ab ging, den Menschen beim Einsteigen in die Waggons half. Sie schaute in die Fenster und sah in den vollgestopften Gängen Passagiere, die ihr Gepäck auf den Ablagefächern über ihren Köpfen verstauten. Einige zogen bereits ihre Handschuhe und Schals aus, legten sich die Mäntel um die Schultern, glitten auf ihre Plätze und machten es sich für die lange Reise in den Norden gemütlich. Bald würden sie in Magazinen blättern und Zeitungen vor sich ausbreiten. Manch einer würde in den Salonwagen gehen, sobald sich der Zug in Bewegung setzte, und heißen Kaffee bestellen. Zigaretten würden zum Leben erwachen, ihre Besitzer sich in die Sitze zurücklehnen und hinaus in den Sturm schauen.

Avis sehnte sich danach, bei ihnen im Zug zu sein. Sie wollte an einem Fensterplatz sitzen, die Beine unterschlagen. Ihre Füße waren kalt, ihre Lederstiefel durchnässt. Sie war unsäglich müde. Sie hatte das Bedürfnis, sich zusammenzurollen und alles auszublenden, während die Welt sich weiter um sie drehte.

Es hatte die ganze Nacht geschneit – ein ausgewachsener Nordoststurm. Sie und Dalton hatten nicht viel geschlafen. Himmel, jedes Mal, wenn sich einer von ihnen auf dem klapprigen Bett umdrehte, sangen die Sprungfedern Halleluja. Und der Wind pfiff unter dem Fenster durch, als stünde es weit offen, so verdammt kalt war es. Dann schaltete Dalton auch noch das Licht ein, um pinkeln zu gehen, knallte beim Rückweg gegen das Bett und beanspruchte mit seinen langen Hillock-Beinen den ganzen Platz, sobald er wieder drinnen lag – es war eine grauenvolle Nacht. Schließlich sagten sich beide: Zum Teufel!, standen auf, rauchten fast ihren gesamten Zigarettenvorrat, bis ihnen die Streichhölzer ausgingen, und tranken jeden Tropfen von Dwights Whiskey.

Dad hätte seinen Spaß gehabt, hätte er sehen können, wie sich seine zwei »verdammte Spinner« den Kopf zerbrachen, wo sie seinen Leichnam gelassen hatten. Avis fand es nicht besonders lustig. Ihr Schädel pochte, als würde ihn jemand mit einem Vorschlaghammer bearbeiten. Sie hatte den Schock noch nicht überwunden, dass Dad fort war, nie mehr unangekündigt in der Stadt auftauchen würde, wütend oder betrunken oder beides zugleich. Sie hatte sogar seine Stimme gehört, wie er alles kommentiert und Witze auf Kosten anderer gemacht hatte, während die Leute den ganzen Tag über kamen, um sich von ihm zu verabschieden. Seine Stimme war so präsent in ihr, dass sie auch ohne ihn ein Eigenleben führte.

Dads Stimme hatte sich im Lauf der vergangenen drei Jahre verändert, seit diesem ersten Schlaganfall, der ihn halbseitig gelähmt hatte. Er war so wütend gewesen, weil er eine Hälfte von sich nicht mehr bewegen, nicht mehr richtig reden oder ohne zu sabbern trinken konnte, dass er alles in Reichweite seines guten Beins getreten hatte. Er hatte Avis ein paarmal genauso hart getreten, wie er gegen die Möbel trat.

Sein zweiter Anfall vor drei Monaten hatte ihn völlig stumm zurückgelassen. Sie war damals bei ihm eingezogen. Der arme alte Dwight hatte ihr beim Packen zugeschaut und sie rübergefahren. Die letzten drei Monate hatte sie bei Dad gewohnt, hatte ihn gepflegt. Er konnte mit seinen Augen reden. Avis verstand seine Bedürfnisse. Sie kümmerte sich um ihn wie um ein Baby. Sie las ihm stundenlang vor, wie Mutter früher. Ehefrau, Mutter, Tochter. Das alles drei war sie ihm am Ende gewesen.

»Also gut, Schwesterchen, er liegt auf dem Bahnsteig in Connecticut. Sie schicken ihn zu uns nach Boston. Sollte mittags hier sein, aber ohne Garantie, wegen dem Wetter.« Dalton winkte mit einer Packung Lucky Strikes. Er hatte für Nachschub gesorgt. »Ohne ihn können sie seine Beerdigung schlecht abhalten, also werden wir sie nicht verpassen.« Er trat seinen Zigarettenstummel auf dem Bahnsteig mit einer schnellen Drehung des Absatzes aus. »Sieht ihm ähnlich, diesem störrischen Mistkerl, seine eigene Beerdigung zu verpassen.«

»Es wäre das Beste, Stan oben in Maine anzurufen«, sagte Avis. »Er wird wissen, was zu tun ist.«

»Ja. Es wäre das Beste, die Katze aus dem Sack zu lassen.«

»Sie werden uns die Schuld geben.« Avis knöpfte ihren Mantel zu, als würde sie sich zum Kampf rüsten. »Bist du bereit?«

»Ja.«

»Das werden wir noch ewig zu hören bekommen.«

»Ja.«

»Ich rufe Stan an.« Avis marschierte den Bahnsteig entlang und die Treppe hoch.

Seit sie fünf war, hatte sie sich immer darauf verlassen, dass ihr Cousin Stanley Hillock ihr aus der Patsche half. Hier war sie nun, fünfundfünfzig Jahre alt und verheiratet mit dem armen sanftmütigen Dwight, aber Stan war noch immer der Mann, den es anzurufen galt.

»Hoffentlich nimmt er ein R-Gespräch an«, rief Dalton ihr hinterher.

Bathurst, New Brunswick

Idella starrte vergebens die Gleise hinab. Sie zog ihren Mantel aus Eichhörnchenfell fest zu, um die kalte Nässe fernzuhalten. Winziger Graupel peitschte ihr in die Augen und traf sie an der Nasenspitze. In naher Zukunft würden keine Züge mehr auf diesen Gleisen fahren. Derjenige, der gerade abgefahren war, hatte schon eine dreistündige Verspätung und – noch wichtiger – weder Dad in seinem Sarg noch Avis oder Dalton an Bord gehabt, wie es eigentlich geplant, wie es ausgemacht gewesen war, wie sie es versprochen hatten. Diese gottverdammten Schwachköpfe.

Gefrorener Regen prallte klirrend an den Metallschienen ab, den Holzgattern und den Dachschindeln des Bahnhofs in Bathurst. Man hörte das Knirschen der Sohlen, während die Menschen über den Bahnsteig schlenderten, ein Großteil von ihnen Hillocks oder ehemalige Hillocks oder solche, die einen Hillock geheiratet hatten. Sie waren alle hier und warteten auf Dad – »Wild Bill Hillock«, wie sie ihn kannten und er selbst sich gerne genannt hatte. Die gesamte Familie säumte den Rand des Bahnsteigs, blickte vergeblich das dunkel werdende Stück Gleis hinab, das in die schwarze Leere mündete, eingeschlossen von Graupel.

»Kein Ehrengast. Keine treuen Begleiter.« Ihre Schwester Emma stellte sich neben Idella. Sie war ihr kleines Schwesterchen, aber sie war die schwerste und größte der drei Hillock-Mädchen.

»Und jetzt?«

»Ich weiß nicht, was wir tun sollen«, sagte Idella. »Ich bin ratlos.«

»Heut' Abend wird's keine Züge mehr geben, Miss Hillock. Sie sollten lieber reingehen.« John Farley, seit Menschengedenken Bahnhofsvorsteher in Bathurst, nannte sie immer noch Miss Hillock, auch wenn sie sich selbst als Mrs. Jensen betrachtete und schon über dreißig Jahre mit Edward verheiratet war. »Tut mir leid, dass sie verschollen sind«, sagte er und wischte sich gefrorenen Graupel von seiner Mütze.

»Ach, wir werden sie schon finden, ganz sicher«, sagte Idella, die mit einem Schlag besorgt war. »Sie müssen ja irgendwo sein.«

»Wir hätten es niemals den beiden überlassen dürfen.« Emma seufzte.

»Da führt der Blinde den Blinden.« Idella seufzte.

»Wahrscheinlich warten sie, bis sich der Sturm gelegt hat«, sagte Emma. »Haben sich wahrscheinlich irgendwo verkrochen. Ich geh zurück in den Bahnhof.«

»Ich bleibe noch ein bisschen hier stehen, um etwas Luft zu schnappen.«

»Bleib nicht zu lange.« Emma tätschelte Idellas pelzige Schulter. »Oh, du bist so flauschig, wie ein Bärenjunges.«

Idella sog die kalte, scharfe kanadische Luft tief in sich ein. Großer Gott, was für eine Woche. Was für eine Zeit. Und sie hatten es noch nicht hinter sich. Eddie war zum Glück mit den Kindern zurück nach Maine gefahren. Jeder hatte ihn satt gehabt. Insbesondere nach dem Vorfall mit dem Ohr – als er Avis in den Keller gefolgt, betrunken die Treppe hinuntergestürzt und mit einem Gejaule unten gelandet war, das Tote hätte wecken können. Alle sagten, es wäre ein Wunder, dass Dad nicht aus seinem Sarg gesprungen war. Und wie Eddies Brille so perfekt auf dem kleinen Regal oben am Treppenabsatz gelandet war, als hätte man sie absichtlich dort hingelegt, während Edward selbst bis ganz nach unten purzelte. Niemand konnte es sich verkneifen, etwas dazu zu sagen.

Eddies Ohr blutete wie ein Schwein. Die Wunde musste mit mehreren Stichen genäht werden. Und das, wo er doch Blut nicht sehen konnte. Zum Glück war der Krankenwagen in der Nähe gewesen. Und der Verband! Beim Gedanken daran, wie er in diesem sonderbaren Winkel um seinen Kopf gewickelt war, musste Idella lachen. Eddie hatte darauf bestanden, seinen Hut zu tragen, der wie ein Vogelnest oben auf dem Verband saß. Herr im Himmel, wie sie ihn aufgezogen hatten – Avis und Dalton. Wenn sie sich einmal an etwas festgebissen hatten, gaben sie so schnell nicht auf. Sie versuchten immer, den anderen zu übertrumpfen. Eddie hasste es. Je mehr er sich ärgerte, umso lustiger sah er aus. Alle waren so ausgelassen, der Alkohol floss in Strömen, und es war ein so merkwürdiger Anlass – Dad, der in Avis' Wohnzimmer aufgebahrt lag, die Stühle, die die Wände säumten. Den Leuten fiel die Decke auf den Kopf. Wenn Dad dort gewesen wäre, hätte er einen Heidenspaß mit Edward gehabt – es war so einfach, Eddie zu provozieren.

Was in Gottes Namen sich Edward dabei gedacht hatte, Avis' Heizung reparieren zu wollen, konnte sie sich beim besten Willen nicht vorstellen. Er konnte nicht mal eine Glühbirne wechseln, ohne einen Wutanfall zu bekommen. Etwas lief immer schief. Die Glühbirnen waren zu zerbrechlich und zersprangen in seiner Hand oder das Gewinde funktionierte nicht oder sonst irgendetwas. Er führte sich auf, als wären die Glühbirnen absichtlich so entworfen worden, um ihm, Edward Jensen, das Leben schwer zu machen.

Es war ihm nicht recht gewesen, dass sie überhaupt hierhergereist war. Aber nie im Leben hätte er sie abhalten können. Nach Dads Trauergottesdienst in Connecticut war sie fest entschlossen gewesen, mit nach Kanada zu fahren und zuzusehen, wie Dad nach all den vielen Jahren neben Mutter beigesetzt wurde. »Ich fahre auch den ganzen weiten Weg«, hatte sie gesagt. »Den ganzen weiten Weg!« Edward hatte schließlich eingelenkt.

Idella blickte sich um. Sie war jetzt die Einzige auf dem Bahnsteig. Draußen war es scheußlich, und sie musste auf die Toilette. Sie stellte ihren Mantelkragen hoch und ging in das kleine Bahnhofshaus aus Holz. »Ich habe genug Luft geschnappt«, sagte sie, als sie die Tür hinter sich schloss.

Die Menschen hatten sich in Grüppchen zusammengekauert, ohne ihre Mäntel oder Stiefel oder Hüte auszuziehen.

Gespräche zischten um sie herum wie der Dampf unzähliger Wasserkessel. Jeder überlegte, was als Nächstes zu tun wäre.

Idella stampfte den Schneematsch von ihren Füßen, und die dunklen Pfützen auf dem alten Holzboden breiteten sich noch weiter aus. Dann wischte sie den Graupel von ihrem Mantel, bevor er schmolz und der Pelz nass wurde.

»Himmel, Della«, sagte Onkel Sam, »ich hab noch nie so viel Fell gesehen, außer an einem Bären. Du, Guy?«

»Nein, ich auch nicht.« Onkel Guy streckte die langen Beine aus und zwinkerte Idella zu. »Außer vielleicht auf deinem Rücken, Sam.« Sie würden sich beide auf diesen Knochen stürzen und daran kauen, bis er völlig abgenagt war, um die Zeit schneller verfliegen zu lassen.

Onkel Sam und Onkel Guy hatten Idella wegen ihres Pelzmantels aufgezogen, seit sie aus dem Wagen gestiegen war. Jedem war er ins Auge gesprungen, und einfach jeder hatte eine Bemerkung fallen lassen. Man konnte nichts wirklich Schönes haben, ohne dass die Leute sich aufführten, als hätte man es nicht verdient oder sie betrogen oder als hielte man sich für etwas Besseres. Herrgott noch mal, es war nur Eichhörnchenfell, und Idella hatte während des Krieges hart dafür in der Flugzeugfabrik gearbeitet, hatte am Fließband gestanden und Teile zusammengesetzt. Sie hatte ihn sich verdient.

»Sieht nass aus, Idella«, fuhr Onkel Sam fort. »Schüttel dich mal.«

»Schüttel das Ding aber nicht in meiner Richtung aus«, sagte Guy, dessen Kopf aus der Gruppe auftauchte, mit einem Blick auf sie.

Idella schüttelte ihren Mantel in der Nähe der Tür aus und ging auf die Damentoilette. Sie war zum Glück leer. In keiner der Kabinen gab es Toilettenpapier. Es war gut, dass sie immer ein Päckchen Kleenex in der Tasche hatte. Sie betrat eine Kabine. Die Tür hatte kein Schloss. Mit einem Seufzen zog sie ihre Hose herunter, stützte sich mit einem Ellbogen auf den angewinkelten Knien ab, hielt die Tür mit der anderen Hand zu und kauerte sich über den kalten Toilettensitz. Nicht in hundert Jahren hätte sie sich auf diesen Sitz gesetzt.

Um zum Waschbecken zu gelangen, musste sie um Pfützen auf dem Zementboden treten. Hastig schob sie die Hände unter den Hahn und wieder hinaus. Das Wasser war eiskalt. Der Heißwasserhahn funktionierte an solchen Orten nie. Sie wischte sich die Hände an einem Kleenex ab und steckte die restlichen zurück in ihre Handtasche. Sie entschied, Lippenstift aufzutragen. Ihre Lippen waren immer so trocken, vor allem im Winter. Sie zog die Lippen zu zwei horizontalen Linien, betupfte sie im dämmrigen Licht mit Farbe und presste sie aufeinander. Na also. Sie machte einen Kussmund und warf sich im Spiegel ein mattes Lächeln zu.

Als sie aus der Damentoilette trat, kauerte Emma vor dem Holzofen. Die Hillock-Mädchen bekamen die besten Plätze zugewiesen. Sie wedelte mit den Händen vor dem Feuer.

»So wie ich das sehe…« Onkel Sams Stimme erhob sich hinter Idella. Er sprach zum gesamten Raum voller Menschen, und alle drehten sich in seine Richtung, um ihm zuzuhören. »Bill lässt sich schön Zeit, um herzukommen, geht seinen eigenen Weg. Wie immer. Ich schlage vor, wir warten drüben in der Kirche und sind bereit, um ihn zu empfangen. Lasst uns für Bill das Beste aus der Situation machen.«

Idella blickte in Sams vertrautes Gesicht, das dem ihres Dads so ähnlich war. In seinem Mund waren nicht mehr allzu viele Zähne zu sehen, aber wenn er lächelte, konnte man seine Freundlichkeit spüren. Er war ein gut aussehender Mann gewesen. Die Leute hier oben kümmerten sich nicht besonders um ihre Zähne. Wenn man nicht mit einem besonders widerstandsfähigen Gebiss gesegnet war, lebte man mit ihnen oder ließ sie sich ziehen.

Mr. Farley, der Bahnhofsvorsteher, schlurfte zum Holzofen und schürte das Feuer. Er ging von einem Grüppchen zum nächsten, nickte und lächelte. Heute waren mehr Menschen in der kleinen Bahnhofshalle versammelt als damals zu Kriegsbeginn, als die Männer auszogen, um gegen die Deutschen zu kämpfen. »Ihr bleibt hier so lange, wie ihr wollt.« Mr. Farley war ein begnadeter Gastgeber. Er war ein echter Gentleman. »Ich werde erst zusperren, wenn der Letzte draußen ist. Heute ist kein normaler Tag.«

Mr. Farley hatte Idella an dem Tag in den Zug geholfen, als sie in die Staaten abgehauen und von hier verschwunden war, vor fast vierzig Jahren. Er hatte ihr die Hand geschüttelt, als hätte er gewusst, dass etwas Bedeutendes im Gange war, und ihr alles Gute für die Reise gewünscht. Er hatte dieses Wort benutzt. »Reise«. Sie war so verängstigt und gleichzeitig wild entschlossen gewesen, hatte lediglich zwanzig Dollar gehabt, die sie in ihrem Schuh versteckt hatte. Dad hatte das Geld von irgendjemandem bekommen – wahrscheinlich von Onkel Sam – und hatte es ihr genau hier am Bahnhof gegeben, kurz bevor sie eingestiegen war. »Sag ihnen, du hast zweihundert«, hatte er ihr geraten. »Wenn du zur Grenze kommst. Zweihundert.« Dad wusste es. Er wusste, dass sie wegmusste.

Jetzt war sie zurück, vielleicht zum letzten Mal. Die Farm stand schon eine Weile leer. Irgendwann würde jemand etwas Gutes darin sehen und einziehen. Für die Menschen hier oben wäre das alte Haus etwas Gutes. Sie wäre nicht über-

rascht, wenn einige ihrer Verwandten gerade darüber nach-
dachten, wer sich dort niederlassen würde.

Dem Gesetz nach würde alles natürlich an Dalton gehen.
Er war der Älteste und der einzige männliche Nachkomme.
Für die Schwestern bliebe nichts als das, was sie aus dem Haus
abstauben konnten – was eine Umschreibung für nichts war.

»Dann lasst uns in die Kirche gehen.« Emma erhob sich.
»Es macht keinen Sinn, auf einen Zug zu warten, der nicht
kommen wird.«

Idella ging zu ihr. »Ich könnte nach Maine telefonieren,
vielleicht hat Edward etwas gehört.«

Sie standen Seite an Seite, starrten in den flackernden
Holzofen.

»Wo zum Teufel stecken sie?«, fragte Emma.

Idella seufzte. »Die Spinner.«

»Die verdammten Spinner.«

Sie zogen sich die Mäntel fest um den Körper und schüttelten unbewusst im Gleichklang die Köpfe.

»Wo zum Teufel sind wir?« Avis saß eingezwängt zwischen
Dalton und Stanley vorne im Wagen.

»Es gibt nur eine Straße, und auf der sind wir«, antwortete
Stan. »Kurz vor Bangor.«

»Bin ich eingeschlafen?«

»Ja. Das kannst du laut sagen.«

»Himmel. Wie lang sind wir schon unterwegs?«

»Fast acht Stunden.« Stan fuhr unaufhaltsam durch die
Dunkelheit. Die Scheibenwischer des Leichenwagens schwangen hin und zurück wie ein Schaukelstuhl.

»Hat es die ganze Zeit gestürmt?«

»Ja.«

»Ich fühl mich wie eine runzlige Erbse, die in der Schote eingepfercht ist. Meine Beine haben keinen Platz.« Avis verlagerte das Gewicht auf ihrem Sitz. »Alles an mir ist taub. Ich kann meinen Hintern nicht mehr spüren.«

»Schieb ihn nicht zu mir.« Dalton erwachte allmählich aus dem Schlaf. »Mann, meine Ellbogen sind irgendwo hinter meinen Knien.« Er starrte stumpf aus dem Fenster. »Heilige Scheiße. Was ist dort draußen los?«

»Ein bisschen von allem. Von Boston bis Portland hat's geschneit. In der Nähe der Küste geregnet. Zum Teil ist es gefroren und kam als Graupel runter.«

»Was für eine Bescherung.« Avis starrte aus der Windschutzscheibe.

»War doch die ganze Zeit so.«

»Ich mein nicht bloß das Wetter«, sagte Avis.

»Ich auch nicht«, erwiderte Stan.

Dalton kratzte mit dem Fingernagel über das Seitenfenster. »Es ist alles verschwommen.«

»Das wäre es für dich auch bei strahlendstem Sonnenschein, so fertig wart ihr zwei.« Stans langer Körper war hinter dem Steuer des Leichenwagens wie zusammengefaltet. Sein Hals war ähnlich dem eines Aasgeiers nach vorne gekrümmt, damit er überhaupt durch die Windschutzscheibe sehen konnte.

»Ich nehme an, Dad ist hinten?« Avis versuchte, den Kopf zu drehen und durch das kleine Fenster zu spähen.

»Ja. Wir haben Bill als Ballast. Hat vier erwachsene Männer gebraucht, um ihn reinzuhieven.«

»Hab ich geholfen?« Dalton rieb sich die Augen.

»Nein.«

»Er hat erwachsene Männer gesagt, Dalton.«

»Ich bin erwachsen.«

»Ich wusste nicht, in welches Loch ihr zwei euch verkrochen habt, als ich in die North Station kam. Ich hielt es für das Beste, Bill schon mal einzuladen, damit wir nicht ohne ihn losfahren.«

»Hast du lange auf uns warten müssen?«, fragte Avis mit einem Blick auf Stan. Der Kragen seines vertrauten Flanellhemdes war aufgestellt. Avis wusste, dass er unter seinem Mantel Hosenträger trug.

»Lange genug, um euch zu finden.«

»Tut mir leid, Stan. Wir haben jegliches Zeitgefühl verloren.«

»Ihr habt alles Mögliche verloren. Kann sich einer von euch daran erinnern, dass ich euch aus der Bar am Bahnhof rausgezogen habe?«

»Nicht wirklich.« Avis seufzte.

Dalton schüttelte den Kopf, er nahm seine Umgebung allmählich deutlicher wahr. »Kannst du dieses Ding hier den ganzen Weg hochfahren? Wenn du willst, kann ich übernehmen.«

»Macht doch keinen Sinn, mit vier Leichen anzukommen.« Stan blickte zu Dalton.

»Verdammt, sie könnten uns einfach alle vergraben und es hinter sich bringen.« Avis lachte. »Emma und Della werden uns wahrscheinlich sowieso in der Scheune aufknüpfen.«

Stan schob sich noch näher an die Windschutzscheibe. »Ich kann kaum mehr sehen als das, was ein paar Zentimeter vor mir ist.«

»Und das ist deine Nase.« Avis kicherte.

Stan lachte. »Es tut gut, Gesellschaft zu haben. Selbst wenn es nur ihr zwei seid.«

»Wer außer dir, Stan, könnte mitten in einem gottverdammten Schneesturm einen Leichenwagen auftreiben?« Avis strich mit der Hand über das Armaturenbrett. MITCHELLS BESTATTUNGSUNTERNEHMEN – GORHAM, MAINE war in Goldbuchstaben auf das Leder geprägt.

»Hab Mitchell versprochen, ihm im Frühjahr einen Brunnen hinterm Haus zu graben«, sagte Stan. »Wir bauen darauf, dass die Bevölkerung in Gorham in den nächsten Tagen nicht schrumpft.«

»Auf das Wohl der Einwohner Gorhams!« Avis durchwühlte ihre Tasche nach ihrem Flachmann. »Willst du auf Gorham anstoßen, Dalton?«

»Hab Gorham nie gemocht.« Dalton griff nach Avis' Flasche und nahm einen Schluck.

»Ich habe Mitchell versprochen, dass jeder Hillock südlich vom Nordpol – und von denen gibt es eine ganze Menge – ihm was schuldet. Werden uns in seine fähigen Hände begeben, wenn unsere Zeit gekommen ist.«

»Werd versuchen, mich dran zu erinnern«, sagte Dalton und nahm einen weiteren Schluck. »Wenn meine Zeit gekommen ist.«

Sie fuhren eine Weile schweigend weiter. Die Geräusche des Sturms erfüllten das Auto – sein Tosen und Schlagen und Heulen. Stan hatte seine Aufmerksamkeit fest auf die Straße gerichtet. Avis und Dalton starrten geradeaus, während die Scheibenwischer vor ihnen von einer Seite zur anderen quietschten.

»Der alte Bock ist tot.« Daltons Stimme war deutlich und unerwartet.

Avis sah zu ihm. »Du klingst froh.«

»Ich kann atmen. Konnte ich nie, als er noch am Leben war.«

»Du bekommst die Farm, du Bastard.«

»Das wird mein Leben verändern. Herr über diesen Haufen Wind und Steine zu sein.«

»Du erbst alles«, sagte Avis. »Weil du der einzige Junge bist.«

»Der einzige Junge, von dem wir wissen.«

»Was soll das heißen?«

»Da gibt es mehr als einen Hillock, der auf den Namen Bastard hört. Und ich wäre nicht überrascht, wenn ein paar von ihnen einen französischen Akzent oder indianische Zöpfe hätten.«

»Das weißt du doch gar nicht.«

»Verdammt, wahrscheinlich kannte er nicht mal die Hälfte von ihnen. Warum, glaubst du, haben sich die französischen Mädchen, die bei uns gearbeitet haben, immer so schnell die Türklinken in die Hand gegeben?«

»Sie waren dumm wie Stroh, das war der Grund.«

»Verdammt, hätte er ab und an die Hände von Mutter gelassen, anstatt sie mit seinem stinkenden Samen vollzupumpen, wäre sie vielleicht nicht bei einer Geburt gestorben.«

»Das ist ja eine schöne Art, wie du über uns denkst. Wenn er nach dir aufgehört hätte, wären die Dinge viel besser gelaufen, ist es das, was du sagen willst, Dalton?«

»Sogar noch vorher«, sagte Dalton leise.

»Scheint, ich hatte mehr Spaß, als ihr zwei geschlafen habt. Vielleicht wäre es das Beste, wenn ihr jetzt den Mund haltet.«

»Gibt's was Neues?« Onkel Sam stand von der Kirchenbank auf und ging in den Mittelgang.

»Nichts. Dwight antwortet nicht. Edward auch nicht. Es

klingelt einfach nur.« Idella hatte fast eine Stunde versucht, sie zu erreichen.

»Die Leitungen sind wohl zusammengebrochen«, bot Onkel Guy als Erklärung an.

»Es hat die ganze Zeit geknackt, das stimmt«, sagte Idella. »Ich weiß nicht, wo sie gelandet sind.«

»Rutsch rüber.« Avis stieß Dalton den Ellbogen in die Rippen.

»Die einzige Möglichkeit rüberzurutschen, besteht darin, die Tür aufzumachen und rauszuspringen.«

»Na, dann mal los. Ich kann so nicht länger sitzen.«

»Wenn's dir hier zu eng ist, warum legst du dich dann nicht hinten neben Dad?«

»Vielleicht tu ich das ja.«

»Wie ich gehört habe, wäre das nicht das erste Mal.«

»Was zum Teufel soll das heißen?«

»Du weißt verdammt gut, was ich meine.«

»Ich weiß, was du meinst, du blöder Arsch, und es ist nicht wahr.«

»Hört auf rumzumaulen, und zwar beide. Wir sind gleich in Houlton. Wir trinken einen Kaffee und versuchen noch mal anzurufen und ihnen zu sagen, dass wir Bill haben.«

»Ich muss pinkeln«, sagte Avis.

»Wie es aussieht, gibt es dort vorne einen Diner. Scheint weder richtig offen noch richtig geschlossen zu sein.«

Stan hielt mit dem Leichenwagen vor dem schummrigen Restaurant. »Eine der Reklametafeln ist zumindest erleuchtet, und ich sehe jemanden hinter der Theke.« Er öffnete seine Tür und stieg aus. »Herrgott noch mal, sitzt die Hose eng.«

»Es pisst wie aus Kübeln«, sagte Dalton, als er erst das eine lange Bein und dann das andere aus dem Auto streckte.

»Wir sollten nicht übers Pissen reden, bis ich's getan habe«, sagte Avis aus dem Innern des Wagens. »Einer von euch muss mich hier rausschälen.«

»Mir war der Schnee lieber«, sagte Stan und zog Avis aus dem Auto. »Zumindest kann man den sehen.«

»Draußen ist alles vereist«, sagte Idella. »Es ist fürchterlich. An meiner Nase hängen Eiszapfen.«

»Erfolg gehabt?« Emma trat auf sie zu, als sie zurück in die Kirche kam und die Nässe von ihren Stiefeln stampfte.

»Die Leitungen in Connecticut sind definitiv tot. Die Telefonistin konnte nirgends durchkommen.«

»Und Edward?«

»Antwortet immer noch nicht. Aber es scheint zumindest durchzuklingeln.«

»Das Kratzen der Scheibenwischer zieht mir durch den ganzen Kopf«, sagte Avis. Sie fuhren durch die Nacht, und allein die grünlichen Lichter des Armaturenbretts ließen die Umrisse der drei zusammengekauerten Gestalten erkennen. Avis seufzte und schloss die Augen. Aus der verschmierten Windschutzscheibe zu starren, der Versuch, den zitternden Lichtkegeln der Scheinwerfer zu folgen, die sich kraftlos nach der Straße streckten, hatte sie erschöpft.

Dalton hatte sich an sie gedrängt und schnarchte. »Gibt nichts Besseres als Eier mit Speck, damit die Welt wieder in Ordnung ist«, waren seine letzten und einzigen Worte, nachdem sie das Diner verlassen hatten. Er war sofort eingeschlafen, sobald sie zurück auf der Straße waren.

»Keine Sorge, Stan«, flüsterte Avis, »ich werde nicht schlafen.«

»Ich bin wieder fit. Der Kaffee hat geholfen. Ich wünschte bloß, wir hätten jemanden dort oben erreicht. Niemand war zu Hause. Die warten wohl alle in der Kirche auf uns.«

Avis hatte ihre Augen geschlossen. Sie faltete die Hände und lauschte den Geräuschen um sie herum – dem gleichförmigen *Tum-Bum* der Scheibenwischer, dem Schmatzen der Reifen, die Regen und Schnee wegspritzten, Daltons krächzendem, rauchigem Atem, während er mit dem Kopf an das Seitenfenster gepresst schlief, den langen Körper gekrümmt wie zusammengerollte Farnblätter.

Trotz der Kälte und Enge und Müdigkeit wollte sie nicht, dass die Fahrt jemals endete. Sie hatte die einzigen drei Männer, die sie jemals wirklich geliebt hatte und von denen sie mit Sicherheit sagten konnte, dass sie sie auch liebten, ganz für sich allein. Della und Emma liebten sie wie Schwestern. Aber sie waren nicht so versöhnlich. Vermutlich liebte Dwight sie, diese arme gute Seele von einem Menschen, aber sie konnte diese Liebe nicht erwidern. Sie war dankbar für seine Güte, dafür, dass er ihr ein Dach über dem Kopf bot. Und für den Umstand, dass er sie geheiratet hatte, obwohl er wusste, wer sie war, und nicht deswegen. Aber sie war ihm verpflichtet, und das kitzelte das Schlimmste aus ihr heraus.

Dalton drehte sich im Schlaf, schob seine Knie unter ihre Beine. Avis schob sie zurück. Gerade mal genug Fleisch, um die Knochen zu bedecken. Sie und Dalton waren nie besonders gut darin gewesen, das zu tun, was sie tun sollten oder was von ihnen erwartet wurde – außer jetzt, wo jeder erwartete, dass sie sich betranken und alles vermasselten, da übertrafen sie sich selbst.

Auch wenn sie sich in den Haaren lagen, was ziemlich häufig der Fall war, führten sie gemeinsam einen Krieg gegen alle anderen. Sie hatten immer unter einer Decke gesteckt. Als sie etwa zehn und fünfzehn waren, hatten sie einen Plan ausgeheckt – sie wollten Hummer an die Passagiere der Züge verkaufen, die durch Onkel Sams Besitz fuhren. Der Zug machte dort einen Zwischenstopp, um Wasser aufzuladen, und die beiden kletterten an Bord und verkauften, was auch immer Dalton in dem kleinen, von ihm selbst gebauten Boot gefangen hatte. Avis übernahm das Reden, sie wusste schon damals, dass es eine Rolle spielte, wie man nach Dingen fragte und wie man dabei aussah. Sie verkauften die Hummer für sechs Cent das Stück und gaben bei jeder Gelegenheit mit ihrem angehäuften Vermögen an. Dalton gab sein Geld dafür aus, weitere Fallen zu kaufen, und verlor dann jegliches Interesse an dem ganzen Unternehmen.

Avis hatte ihr Geld – es waren nicht einmal fünf Dollar – in vielen, vielen Verstecken aufbewahrt, eines ausgefallener als das andere, bis Dad eines Tages zufällig darauf stieß, während er in der Scheune einen Sack mit Saatgut ausleerte. Die Münzen waren längst vertrunken und weg, als Avis schließlich ihr Verschwinden bemerkte. »Das geschieht dir ganz recht, weil du immer so geheimniskrämerisch bist«, hatte Idella gesagt. Kein Mitleid, nicht von ihr. »Hättest du das Geld einfach im Schlafzimmer gelassen, wäre das nicht passiert.« Der Spaß hatte jedoch gerade darin gelegen, es vor Idella versteckt zu halten.

Avis wusste, dass sie Dads Liebling war. Sie hatten Trost beieinander gefunden. Sie drückte die Augen fester zu. Es hatte Zeiten gegeben, an denen sie von dem Bedürfnis überwältigt wurde, ganz allein mit ihm zu sein, vergraben in einem Zimmer, neben ihm liegend, sich den körperlichen Zuspruch zu holen, den sie brauchte. Wenn sie ruhig in seinen Armen lag, fühlte sie sich zu Hause. Selbst Stan, der gute Stan, nahm wahrscheinlich das Schlimmste an, dachte, dass sie etwas Schmutziges getan hatten. Aber dem war nicht so. In dieser Welt waren sie beide so einsam gewesen, sie und Dad, so wie das gottverdammte Haus, in dem sie lebten, spindeldürr und verloren auf der breiten Klippe, den Windböen ausgesetzt, die von allen Richtungen herauffegten. So hatte sich Avis als kleines Mädchen gefühlt, nachdem Mutter gestorben war und es niemanden gegeben hatte, dem sie ihre Geheimnisse oder Ängste hätte anvertrauen können. Della war … was? Zu argwöhnisch? Selbst zu verängstigt, um ihr echten Trost zu spenden.

Niemand, der Dad poltern und toben hörte, der ihn trinken und schimpfen und sich danebenbenehmen sah, hätte je geahnt, welche Qualen dieser Mann durchlitten hatte, selbst Jahre nach Mutters Tod. Er ließ sich nichts anmerken, weder nach der Beerdigung noch nach der ersten Zeit, als die Leute glaubten, er hätte es langsam überwunden. Aber Avis wusste es besser.

Es war Avis, die sich entschloss, ungebeten zu ihm hinunterzugehen, als Della endlich eingeschlafen war. Sie schlüpfte neben ihr aus dem Bett und huschte auf Zehenspitzen die Treppe hinab in sein Zimmer. Ohne ein Wort zu sagen, kletterte sie neben ihn, und er drehte sich und drückte ihren mickrigen Körper an sich und schlang die Arme um sie, und so schliefen sie. Dad musste irgendwann aufgewacht sein und sie nach oben getragen haben, denn sie wachte am nächsten Morgen zusammengerollt neben ihrer Schwester auf. So hatte es begonnen, ihre besondere Nähe, die ein Leben lang angedauert hatte.

Avis wusste, dass sich die Leute über sie und Dad das Maul

zerrissen. Sie spürte die Blicke, die sich tief in sie bohrten. Die alten Schachteln oben in Kanada verurteilten sie. »Die war im Gefängnis«, sagten ihre Augen, wenn sie sie ansahen. Avis war schon häufig das Gesprächsthema eines langen Nachmittagsschwätzchens gewesen. Sie konnte sie regelrecht hören, Maisey Moore und Mrs. Doncaster, wie ihre Teetassen klirrten und sie an ihrem trockenen Toast knabberten, wie sie die Worte kaum zurückhalten konnten, bis sie den letzten Krümel hinuntergeschluckt hatten. »Eingesperrt, weil sie unten in Boston Männer in ihr Zimmer gelockt hat.« – »Hat sich auf eine Art Gangster eingelassen.« – »Der soll gut aussehen. Er hat sie zu allen möglichen Dingen getrieben, bis sie schließlich geschnappt wurden.« Avis seufzte. Tommy war gut aussehend gewesen, das ließ sich nicht leugnen.

Es war Dad, der nach Boston runtergefahren war und sie aus der Hölle geholt hatte, in die sie zwei Jahre eingesperrt gewesen war. Keine ihrer Schwestern ahnte auch nur die Hälfte von dem, was sie ertragen hatte, was ihr angetan worden war. Alles, was sie wussten, war, dass sie dort eine Ausbildung zur Kosmetikerin gemacht hatte. Als wäre sie in einer Art Mädchenpensionat gewesen.

Zumindest hatte Idella Edward nichts verraten, diesem Idioten. Idella würde nie erfahren, wie oft er versucht hatte, seine großen ungeschickten Hände unter ihren Rock zu schieben. Selbst bei der Totenwache, an der Dad in ihrem Wohnzimmer aufgebahrt gelegen und das Haus voller Menschen gewesen war, war er ihr runter in den Keller gefolgt, um ihr bei der kaputten Heizung zu helfen. Verdammter Idiot. Er wollte ein Feuer zum Brennen bringen, aber nicht das in der Heizung. Sobald er mehr als zwei Drinks intus hatte, bedeutete er nichts als Ärger. Avis lachte.

»Was ist so lustig? Ich könnte jetzt auch was zum Lachen brauchen.«

Avis blickte zu Stan rüber, dessen vertraute Gestalt nur aus Ecken und Spitzen bestand, ein waschechter Hillock. Er hatte sich vorgebeugt und fixierte angestrengt das winzige Stück Straße, das er erkennen konnte. Er wurde allmählich müde. Der Sturm schien schlimmer zu werden.

»Ach, ich hab über Edward gelacht. Er ist die Kellertreppe runtergefallen und hat mit dem Verband um den Kopf so lustig ausgesehen. Als er sich den bescheuerten Hut mit der breiten Krempe aufgesetzt hat, den er immer trägt und der dann auf dem Mullverband gethront hat, hätte ich mir fast in die Hose gemacht.«

»Armer Eddie.« Stan kicherte. »Aber wenn man sich wie ein verdammter Idiot benimmt, dann passieren einem auch die dümmsten Sachen.«

»Er ist selbst schuld«, sagte Avis.

»Was findet ihr zwei so lustig?« Dalton kam wieder zu sich. »Verdammt, wenn eine Stelle nicht schmerzt, dann tut sie weh, und wenn sie nicht wehtut, ist sie nass. Am liebsten würde ich Dad aus dem verfluchten Sarg werfen. Ich brauch ihn mehr als er.« Er spähte nach vorne. »Himmel noch mal, ist das jetzt Eis?«

»Ist schon seit einer halben Stunde mehr Eis als Regen. Ich würde gern rechts ranfahren, um die Windschutzscheibe freizukratzen«, sagte Stan, »aber ich hab Angst, dass uns die Karre nicht mehr anspringt, wenn wir anhalten. Das Gebläse in diesem Leichenwagen ist dem hier nicht gewachsen.«

»Wahrscheinlich soll es hier drin gar nicht zu heiß werden, wenn ihr versteht, was ich meine«, meinte Dalton mit einem Blick nach hinten.

»Ja. Vielleicht hast du recht«, stimmte ihm Stan zu.

»Lasst uns das Thema wechseln«, sagte Avis.

»Was ist los, Idella? Gibt es Neuigkeiten? Bist du durchge-kommen?« Die Kirchenbänke waren voll. Die Leute hatten sich schräg hingesetzt, um sich besser unterhalten zu können. Stimmen redeten von allen Seiten auf sie ein.

Sie stand ganz vorne in der kleinen anglikanischen Kirche, wo der Sarg hätte liegen sollen, und sagte laut, damit jeder sie hören konnte: »Ich habe Dwight nicht erreicht. Die Leitungen bei ihm sind tot. Aber ich habe schließlich Donna unten in Maine ans Telefon bekommen – sie ist meine Zweit-älteste. Ich weiß nicht, wo Edward steckt. Donna hat gesagt: ›Sie haben den Sarg verloren. Stanley ist los, um ihn zu holen. Er hat den Sarg.‹« Idella zitierte Donna Wort für Wort, langsam und bedächtig. »Das sollte sie uns von Katherine ausrichten – Stans Frau. Anscheinend haben Avis oder Dalton oder beide den Sarg – mit Dad – verloren, irgendwo zwischen hier und dort, anscheinend eher dort, und Stan hat einen Leichenwagen aufgetrieben und ist losgefahren, um sie abzuholen. Soviel ich verstanden habe, sind sie hierher unterwegs.«

Jubel breitete sich in der Kirche aus, durchbrochen von Rufen wie »Guter alter Stan!« und »Auf Stan kann man sich verlassen!«.

»Ich weiß …« Idella hielt die Hände hoch, um die Anwesenden zur Ruhe zu bringen, und sprach etwas lauter: »Ich weiß, wenn Stanley mit von der Partie ist, wird er sie herbringen.« Sie nickte, um ihrer kleinen Rede einen Abschluss zu verleihen. So hatte sie noch nie vor einer Menschenmenge gesprochen. »Vielen Dank für euer Kommen.« Sie blieb vorne stehen und hob den Kopf. »Ich bin am Ende meiner Weisheit, was wir nun tun sollen.«

»Wir bleiben!« Alle begannen durcheinanderzurufen, dass sie ausharren würden.

»Komm und trink was, Idella«, winkte Onkel Sam sie zu sich.

»Wir können in einer Kirche nicht trinken!«, sagte Idella, der durchaus aufgefallen war, dass Flaschen in den Kirchenbänken weitergereicht wurden wie Klingelbeutel an einem Sonntagmorgen.

»Gottverdammt, draußen ist alles vereist.« Onkel Guy stand am Fenster. »Es klebt auf allem wie ein neuer Farbanstrich.«

Sam war jetzt aufgestanden und lehnte sich über die Kirchenbank. »Ich möchte auf Bill anstoßen, meinen großen Bruder, Bill Hillock. Möge er in Frieden ruhen, wo auch immer er stecken mag.«

Flaschen wurden hochgehalten. Es schien, dass die Mehrzahl der Anwesenden etwas zu trinken dabeihatte. »Auf Bill«, raunte es durch die kleine Kirche, einige Stimmen gemeinsam, andere durcheinander.

Dann gingen die Lichter aus. Ein lauter Knall war zu hören, und völlige Finsternis umgab sie, als wäre ein schwarzer Samtvorhang gefallen.

»Heilige Mutter Gottes«, ertönte eine Stimme.

»Gottverdammt«, antwortete eine andere aus der Dunkelheit.

»Zur Hölle«, murmelte Dalton, als er auf das Hinterrad des Leichenwagens starrte, das sich als Antwort auf Avis' Fuß auf dem Gaspedal drehte.

»Nimm den Fuß vom Gas, Avis!«, rief Stan ihr zu. »Ist bloß das Hinterrad, das wir zurück auf die Straße bekommen müssen.«

»Hab noch nie solches Eis erlebt.« Dalton blickte zu den hervorstehenden Gebilden zu beiden Seiten der Straße. Die Bäume waren gekrümmt vom Gewicht des Eises, das sich ununterbrochen an ihnen festgesetzt hatte.

»Wir brauchen hier was, damit das Rad nicht durchdreht«, sagte Stan. Er kniete sich hin und befühlte den Boden um das Rad.

»Wo ist Edward mit seinem Sack Sand, wenn man ihn braucht?« Avis gesellte sich zu den beiden Männern an der Rückseite des Autos. »Wie wär's mit meinem Hut? Der ist eh schon im Eimer. Von einem Leichenwagen überrollt zu werden, würde ihm höchstens noch guttun.«

»Wenn das so ist«, sagte Dalton, »lege lieber ich mich vors Rad. Es sollte zumindest etwas geben, wofür ich zu gebrauchen bin.«

Ein plötzliches Krachen hallte vom Wald hinter ihnen wider.

»Was zum Teufel war das?«, schrie Avis.

»Sie haben mich erwischt«, flüsterte Dalton, ohne sich zu bewegen.

»Ein Baum ist auseinandergebrochen«, sagte Stan. »Das Eis bringt ganze Bäume zum Umfallen. Gib mir deinen Hut, Avis. Vielleicht hilft er dem Reifen über die paar Zentimeter hinweg.«

Ein zweites und drittes Krachen schoss aus dem dunklen Wald. Dalton stellte sich neben Stan ans Heck des Wagens und bereitete sich aufs Schieben vor. Avis kletterte hinters Steuer.

»Los, Avis«, sagte Stan. »Langsam und vorsichtig. Wenn wir ihn wieder auf der Straße haben, halten wir nicht mehr an.« Dalton und Stanley lehnten sich mit den Schultern gegen das Auto, die Finger unter die Kotflügel gekrallt. »Ein bisschen mehr!«, rief Stan. »Schieb wie der Teufel!« Die beiden hievten den Leichenwagen nach vorne, über den Hut und auf die Straße. Das Auto machte einen Satz, scherte mit dem langen Hinterteil nach links und kam stockend und schief zum Stehen.

»Es gibt einen Gott da oben!«, rief Dalton in die Dunkelheit.

»Hol meinen Hut!«

Stan bückte sich zurück hinters Lenkrad. »Ich schätze, wir schaffen's in drei Stunden, wenn wir langsam und vorsichtig fahren. Es wird weit nach Mitternacht sein.«

»Tut mir leid, dass wir dich in dieses Schlamassel reingezogen haben.« Avis schob Stans Brille zurück auf seine lange Nase.

»Ich wette, die umgefallenen Bäume dort hinten, das war Dad, der zum letzten Mal einen abgefeuert hat.« Dalton knallte seine Tür zu und verriegelte sie.

»Es ist nach Mitternacht«, sagte Idella.

»Zeit spielt keine Rolle mehr«, sagte Emma. »Wir bleiben.«

Idella setzte sich auf eine Kirchenbank. Ein paar der Männer hatten Laternen aus dem hinteren Teil des Kirchenschiffs geholt und hängten sie an den Dachsparren auf. Lange graue Schatten schlingerten über die Wände bis zur Decke. Es war zugleich unheimlich und wunderschön. Alle sahen so groß aus, wie sich aufbäumende Riesen. Idella zog ihren Eichhörnchenmantel enger. Es war kalt hier und feucht. Der weiche Pelz war tröstend, ein echter Luxus. Sie fühlte sich wie ein Eichhörnchen, das sich in einem Loch zusammengerollt hatte und abwartete, bis sich der Sturm verzog. Der Wind peitschte immer noch um die kleine Kirche und ließ in dem Glockenturm ein gespenstisches Geräusch ertönen. Der Sturm riss die Glocke vor und zurück, und manchmal läutete sie, ohne dass jemand an dem Seil gezogen hätte. »Das ist Bill, oben im Himmel, der nach dem Zimmerservice klingelt«, sagten sie nun jedes Mal, wenn sie läutete. »Er bestellt mehr Whiskey.«

Gefrierender Regen strömte unablässig herab. Gelegentlich ließ er ein wenig nach, und das Klopfen, das wie Tausende kleiner Hühner klang, die um Einlass bittend aufs Dach und gegen die Wände und Fenster pickten, wurde so leise, dass man es kaum mehr hören konnte, und dann schwoll es wieder an.

»Das sind die Seelen all der Hummer, die er außerhalb der Jagdsaison gefangen hat«, sagte Onkel Ernest, nachdem es eine Weile ruhig gewesen war. »Die kleinen Tiere, die er zurück ins Wasser hätte werfen sollen, spazieren übers Dach.«

»Hör auf!«, sagte Maisey. »Du machst uns Angst.«

»Dann müsste hier eigentlich auch bald ein großer Hirsch durchspringen«, sagte Onkel Guy. »Erinnert ihr euch, als Bill damals den Bock aus dem Wald treiben wollte und einer von euch verdammten Idioten ihn angeschossen hat? Das waren Bills Worte, nicht meine.«

Idella wollte nicht an diese Zeit erinnert werden, als sie Dad nach dem Unfall hatte pflegen müssen.

»Wir haben ihn auf eine alte Tür gebunden, um ihn aus dem Wald zu schaffen«, sagte Onkel Sam.

»Ich hab meine guten Laken geopfert. Nicht dass es mir

was ausgemacht hätte.« Die liebe alte Mrs. Doncaster, dachte Idella, als sie ihre Stimme hörte.

»Bill hat immer behauptet, er hätte deine Schlafzimmertür eingetreten, Elsie, und wäre in deinem Bettzeug aufgewacht.« Alle lachten.

»Es war nicht meine Schlafzimmertür«, sagte Mrs. Doncaster. »Aber es waren meine guten Laken.«

Idella blendete den Lärm um sie aus. Sie versuchte an etwas Gutes zu denken, das Dad für sie getan hatte, etwas Nettes. Orangen an Weihnachten. Woher hatte er die? An Weihnachten hatte er für jeden von ihnen immer eine Orange und vielleicht einen Waschlappen. Und das eine Mal hatte er ihr eine neue Bürste geschenkt, nachdem sie versprochen hatte, ihr Haar wieder lang wachsen zu lassen. Tante Francie hatte ihr und Avis einen Bob geschnitten, damit sie schick aussahen. Dad hasste es. Er mochte lange Haare – so wie Mutters Haare. Dad war so verloren, nachdem Mutter gestorben war. Trotz all seiner Fehler. Der arme Mann war ganz allein gewesen mit drei Kindern im Haus und ohne einen Schimmer, wie man Wäsche wusch.

»Die beste Geschichte über Bill ist die, als er vor Gericht gezerrt wurde, weil er einem kleinen Bauernmädchen einen Braten in die Röhre geschoben hatte.« Dieser Trottel Will Smythe musste das durch die Kirche grölen. Musste diese Geschichte wieder herauskramen.

»Was war es gleich noch mal, das Bill zum Richter gesagt hat?«, fragte Onkel Guy.

»Die Klappe nach oben in den Heuboden, die war seine Rettung.« Will Smythe war ein solches Großmaul, dachte Idella. »Das Mädchen hat gesagt, er hätte sie hochgetragen, ihr wisst schon, gegen ihren Willen.«

»Bill ist im Gericht aufgestanden, war so groß, wie ich ihn noch nie zuvor gesehen habe.« Onkel Ernest redete dazwischen. »Und er hat dem Richter fest in die Augen geschaut …«

»Ich erzähl das, Ernest«, fiel ihm Will Smythe ins Wort. Sie waren beide ganz versessen darauf, die Geschichte zum Besten zu geben. »Und er ist aufgestanden und hat gesagt: ›Euer Ehren, Sie sehen, was für ein großer Mann ich bin. Und Sie wissen, von was für einer kleinen Klappe sie redet. Denken Sie wirklich, ich hätte die junge Frau gegen ihren Willen die Treppe hochtragen können, durch die Klappe und auf den Heuboden, und das mit einem gottverdammten Ständer?«

»Hat den Richter zum Lachen gebracht, dort oben auf seiner Bank«, sagte Onkel Sam. »Er hat die Klage auf der Stelle abgewiesen.«

Idella hasste diese Geschichte. Unzählige Male hatte sie mitanhören müssen, wie Dad alle Anwesenden damit erheitert und Jubeln und Klatschen geerntet hatte und zu einem Drink eingeladen worden war, und das, Herrgott noch mal, trotz der Notlage des armen Mädchens. Idella wusste nicht, was mit dem Mädchen und seinem Baby geschehen war.

Die Dinge nahmen ihren Lauf, als Dad allein auf der Farm lebte. Sie lehnte den Kopf zurück. Jeder Zentimeter an ihr war erschöpft. Das Gewirr an rauen vertrauten Stimmen umschloss sie, als befände sie sich in einem Traum. Sie stellte sich vor, dass das leise Flackern der Kerzen auf der Totenbahre sanft ihre geschlossenen Lider berührte wie ein warmes Stück Butter.

»Es ist verdammt schade, dass Bill das hier verpasst«, sagte Onkel Sam leise, als das Lachen verklang.

Seine Worte brachten jegliches Gespräch zum Verstummen. Die Menschen lauschten dem Eis, das herabfiel.

Idella seufzte. Jeder hatte zumindest eine Geschichte über Dad parat. Sie selbst hatte die eine oder andere, die sie jedoch nicht erzählen würde. Einige Geschichten würde sie für sich behalten, die schmerzhaften, die sie wahrscheinlich nie einer anderen Menschenseele anvertrauen würde, gewiss nicht Edward. Großer Gott. Und es gab Geschichten, die Avis für sich behalten und deren Ausmaß Idella nie erfahren würde. Vermutlich wollte sie es auch gar nicht.

Bill Hillock war kein Heiliger, soviel stand fest. Ein komplizierter Mann. Er war so grob mit Dalton umgegangen. Hatte ihn manchmal windelweich geprügelt, als würde er seine ganze aufgestaute Wut auf den Schultern des armen Dalton auslassen. Es hatte Dalton gezeichnet. Sein Trinken und Umherziehen. Er und Avis hatten das beide von Dad. Sie hatten getrunken, um ihm zu gefallen. Sie alle wollten ihm stets gefallen, auf die eine oder andere Art, und sich um ihn kümmern. Er brauchte mehr Fürsorge, als er es sich eingestehen wollte. Nach Mutters Tod hatte Idella ihr Bestes gegeben – sie hatte gekocht und geputzt und genäht. Verdammt, sie war doch selbst noch ein Kind gewesen. Und er hatte es als selbstverständlich angesehen. Hatte ihr nie gedankt oder ihr seine Zuneigung gezeigt. Die hatte er für Avis aufgespart.

Wer kannte schon das ganze Ausmaß? Zumindest hatte Avis nun Dwight und war ein wenig zur Ruhe gekommen. Idella konnte sich nicht erinnern, wo sich die beiden begegnet waren. Jedes Mal, wenn sie ihn traf, saß er zusammengesunken in der Ecke, während Avis trank und ununterbrochen redete. Doch er war ein lieber Mann, der keiner Fliege was zuleide tun konnte.

Idella vergrub ihre Hände in den Manteltaschen und rieb

das seidenweiche Innenfutter zwischen Daumen und Zeigefinger, wieder und immer wieder.

»Wir haben's fast geschafft, Avis. Keine zehn Meilen mehr bis Tetagouche«, sagte Stan.

»Man kann mich auch jetzt schon für tot erklären«, sagte Dalton.

»Warte, bis Della uns in die Finger bekommt«, sagte Avis. »Dann erst wirst du wissen, was tot sein bedeutet.«

»Nur gut, dass Eddie nicht hier ist, nicht wahr?«, sagte Emma mit einem schwachen Lächeln und glitt neben Idella. »Er hat's nicht so mit Warten.«

»Ich hab mich mit ihm abgefunden«, sagte Idella. »Er ist nicht schlimmer als der Rest. Wenigstens trinkt er in Maßen.«

»Wir alle mussten uns mit Menschen abfinden«, sagte Emma.

»Und Edward ist tausendmal verlässlicher als Dad. Viel rücksichtsvoller. Wir haben dort auf der Farm eine ganze Menge ertragen müssen. Es war kein gutes Leben für ein junges Mädchen, mit einem solchen Mann aufwachsen zu müssen, und ohne Mutter. Du ahnst nicht mal die Hälfte. Alles, was ich hatte, war Avis, und das war nicht viel.«

»Na ja, ich hatte weniger, oder?« Emmas Stimme war fest und entschlossen. »Ich war auf mich allein gestellt. Keine Mutter, kein Vater, keine Schwestern, kein Bruder, bei denen ich lebte – oder mit denen ich mich wenigstens streiten konnte. Ich habe euch nur alle naselang auf der Farm besucht. Du weißt, Dad hat mir Angst eingejagt. Ich hab mich vor ihm gefürchtet. Er war so schroff. Ich habe seine liebevolle Seite nicht oft zu Gesicht bekommen, nicht wahr?«

»Aber Emma«, flüsterte Idella, völlig überrascht. Tränen liefen ihrer Schwester die Wangen hinab. Emma weinte nie. Sie hatte immer einen Witz oder eine lustige Bemerkung auf den Lippen, um Dingen den Ernst zu nehmen.

»Ich hatte immer das Gefühl, dass er meinen Anblick gehasst hat – dass ihr mich alle gehasst habt. Er hat es nie offen zugegeben, aber ich habe es gespürt. Wenn ich bei euch war, hab ich ihn daran erinnert. Du weißt schon, an ihren Tod. Ich hatte immer das Gefühl, als wäre ich schuld. Weil ich geboren wurde. Und er kam einfach nicht darüber hinweg.«

»Aber Emma.« Idella nahm ihre Hand. »Wir haben alle gedacht, du hättest solches Glück, dass Tante Beth und Onkel Paul dich aufgenommen haben. Sie wollten dich so sehr, hatte man uns gesagt. Du hattest ein richtiges Zuhause mit zwei Elternteilen. Wurdest adoptiert.«

»Es gibt schmutzige, schmutzige Geheimnisse.« Emma wischte sich die Wangen und sah Idella nicht an. »Gott weiß, wir haben alle schmutzige Geheimnisse. Lass es uns so formulieren, ich war froh, von dort wegzukommen. Dad wird es nie erfahren, ob es ihn nun gekümmert hätte oder nicht, er wird es nie erfahren. Aber nach dem, was mir zu Ohren gekommen ist, war er selbst nicht viel besser.«

»Beim Allmächtigen.« Idella starrte beim Reden in die flackernden Kerzen. »Was für arme Würmer wir waren. Schamlosen Männern ausgeliefert.«

»Irgendwann einmal, wenn wir alle betrunken sind oder nüchtern, keine Ahnung was von beidem, fragen wir Avis, was sie zu diesem Thema zu sagen hat«, meinte Emma.

»Das denke ich nicht«, sagte Idella. »Das werde ich wohl nicht tun. Manche Dinge sollten besser ungesagt bleiben. Ich will nicht mehr wissen, als ich jetzt schon weiß.«

»Es ist alles Teil des Erwachsenwerdens, das hat man mir gesagt«, erklärte Emma. »Immer wenn ich aufbegehrt oder nachgefragt habe. Alles, was dir jemand wegnimmt oder von dir will, ohne zu fragen, ist ›Teil des Erwachsenwerdens‹.«

»Was ist das für ein Lärm?« Onkel Sam sprang auf und brachte die wartenden Trauergäste zum Schweigen.

Idella hob den Kopf. Sie hörte es ebenfalls.

»Das ist eine Hupe!«, sagte Onkel Sam.

Alle hasteten zu den Fenstern, ein paar kletterten auf die Kirchenbänke, um etwas zu sehen. Einige Männer öffneten die Türen und traten hinaus in den Sturm. In weiter Ferne konnte Idella Scheinwerfer ausmachen, die die Straßenbiegungen entlangkrochen, der Main Street entgegen. Die Hupe dröhnte ohne Unterlass.

Alle redeten wild durcheinander.

»Bei Gott, es ist Bill!«

»Es ist Bill Hillock! Kommt um Mitternacht die Main Street runtergefahren! Sieht ihm das nicht ähnlich? Hätte er es sich nicht genau so gewünscht?«

»Gütiger Himmel, es ist nach Mitternacht. Es ist zwei Uhr morgens.«

»Es ist drei.«

Das Hupen wurde lauter. Alle drängelten sich nach vorne, knöpften ihre Mäntel zu und liefen hinaus, um die Straße zu säumen. Es war wie bei einer Parade, jedoch mitten in der Nacht, während eines Eissturms, mit nur einem einzigen Fahrzeug in der Prozession. Die Leute riefen und johlten und klatschten, als käme eine ganze Kompanie Soldaten aus dem Krieg nach Hause. Irgendjemand bahnte sich einen Weg zum Glockenseil und läutete die Kirchturmglocke. Daraufhin erscholl von überall Jubel und Freudengeschrei.

Idella zog ihren Mantel fest um sich und trat auf die Stufen vor der Kirche. Der Sturm ließ ein wenig nach. Emma kam und stellte sich neben sie. »Die verdammten Spinner haben's geschafft«, flüsterte sie.

Und dann kam der Leichenwagen. Während er langsam vorbeifuhr, schlugen die Leute mit der Hand dagegen und klopften aufs Dach. Die ganze Zeit über dröhnte die Hupe. Es war Avis, das konnte Idella jetzt sehen. Avis saß beinahe auf dem Schoß des armen Stan und lehnte auf der Hupe, als wäre sie dort festgewachsen.

Die beiden Schwestern standen auf den Stufen vor der Kirche, als der Leichenwagen heranrollte und schließlich hielt. Alle versammelten sich um das Auto, als wäre ein Filmstar zu einer Premiere gekommen. Stans Tür öffnete sich zuerst. »Ich brauch jetzt 'nen Drink.«

Die andere Tür öffnete sich, und Dalton tauchte auf, schwerfällig und ungelenk. Als er seinen Rücken endlich entrollt hatte, rief er: »Ich brauche *zwei* Drinks – und eine Zigarette!« Die Leute liebten es.

Schließlich schlängelte sich Avis heraus, die wie ein begossener Pudel aussah. Sie wandte sich an die Anwesenden: »Ich will eine ganze verdammte *Flasche* Whiskey und ein *Päckchen* Zigaretten!«

Idella beobachtete, wie Will Smythe herbeigeeilt kam und Avis hochhob, als wäre sie eine Feder, und sie sich auf die Schultern setzte! Jemand reichte Avis einen Flachmann. Ein anderer gab ihr eine angezündete Zigarette.

»Die Beerdigung kann beginnen!«, rief Onkel Sam.

»He, was ist mit Bill? Wir müssen ihn mit reinnehmen!«

Die hintere Tür des Leichenwagens wurde geöffnet und Avis wieder abgesetzt – dem Himmel sei Dank, dachte Idella.

Bei diesem Eis war es nur eine Frage der Zeit, bis jemand stürzte und sich den Hals brach. Avis sah keiner ihrer Schwestern in die Augen.

Stan und Dalton gingen um den Leichenwagen herum. »Ich habe Bill bis hierher gebracht«, sagte Stan. »Dann bring ich ihn auch in die Kirche.«

»Er hat schon lange keine Kirche mehr von innen gesehen«, sagte Dalton und nahm einen letzten Zug von seiner Zigarette. Er kippte den Drink hinunter, den ihm jemand gegeben hatte, beugte sich in den Leichenwagen und griff nach dem Sarg. »So wie ich.«

Männer stellten sich in zwei Reihen auf, hievten den Sarg heraus und stemmten ihn auf die Schultern.

»Passt auf mit dem Eis!«, riefen die Frauen und traten auf der Kirchentreppe zur Seite, um sie durchzulassen. »Seid vorsichtig!«

Idella und Emma standen schweigend auf der obersten Stufe und sahen dem Sarg nach, der in der Kirche und den Mittelgang hinab verschwand. Schwarze Umrisse steuerten auf das goldene Flackern der Kerzen zu, die den vorderen Teil der Kirche erleuchteten. Zögerlich gesellte sich Avis zu ihren Schwestern.

»Sieh mal einer an, was die Katze gebracht hat.« Emma lächelte und streckte die Hand aus. »Himmelherrgott noch mal, ihr habt euch ganz schön Zeit gelassen.« Sie begann zu lachen.

»Na komm schon«, sagte Idella. »Lasst uns reingehen.«

Die Schwestern betraten gemeinsam die Kirche und den Mittelgang.

Sandwichpapier und Tüten und Pappbecher mit einem letzten Schluck Whiskey wurden rasch weggeräumt, bevor der Sarg abgesetzt werden konnte. Nachdem lange herumhantiert und mit Taschenmessern gestochert wurde, bekam Stan den Deckel auf und klappte ihn hoch. Laternen und Kerzen wurden hergebracht.

Die vier Hillock-Kinder waren die Ersten, die sich um den Sarg aufstellten, der nun auf einem Podest stand. Die Gemeinde reihte sich hinter ihnen auf und wartete geduldig, um einen Blick auf Bill zu werfen, bevor der Gottesdienst anfing.

Die vier standen schweigend da und sahen auf ihren Vater herab, während das Kerzenlicht unheimliche Schatten auf seine eingesunkenen Gesichtszüge zeichnete. Dann führte Idella sie pflichtbewusst im Gänsemarsch an, damit sie ihre Plätze in der ersten Reihe einnahmen und darauf warteten, dass die Totenfeier begann.

Es war das Licht der Laternen und Kerzen, das die Totenfeier geheimnisvoll machte, dachte Idella. Sobald der Leichnam vorne in seinem Sarg aufgebahrt war, kehrte der feierliche Ernst zurück. Bill Hillock war tot und musste beerdigt werden.

Joe Major, der Pastor, war nach Hause gegangen, als er gehört hatte, dass der Sarg verschwunden war. Jetzt war er aus seinem Bett aufgestanden und trug eine hübsche einstudierte Rede vor. Und der Chor, bestehend aus gutherzigen alten Frauen, die wie Soldaten die ganze Nacht ausgeharrt hatten, sang so rein und süß, dass alle in Tränen ausbrachen. Ihre Schatten schwankten über die Wände, als sie nach vorne kamen und sangen. Mrs. Foster spielte ganz passabel Orgel und untermalte den Gesang, und es war einfach ergreifend. Menschen, von denen Idella nie angenommen hätte, dass sie singen konnten, kannten die Texte auswendig und stimmten mit ein. Insbesondere Onkel Ernest und Onkel Sam sangen aus voller Kehle mit, tief und rau, aber wunderschön.

Idella klappte das Gesangbuch zu, das sie abwesend während der Trauerfeier gehalten hatte, und legte es neben sich auf die Kirchenbank. Sie hatte sich mehr umgesehen als gesungen, den Ausdruck auf den Gesichtern der anderen in sich eingesogen. Es waren einfache Gesichter mit harten Kanten und Furchen auf ihren Stirnen und um ihre Münder und Augen wie in aufgeplatztem Zement. Das Licht der Laternen ließ sie noch tiefer aussehen. Diese Gesichter, beim Singen nach oben gewandt und beim Gebet tief nach unten, hatten jeglicher Art von Sturm und Unwetter getrotzt, unbeirrt, ihr ganzes Leben lang. Sie bearbeiteten ihre Felder, auf denen im Grunde nur dorniges Gestrüpp und Wildgräser wachsen konnten, und mühten sich ab, Dad und Onkel Sam eingeschlossen, um ein paar Kartoffeln und Karotten und Steckrüben zutage zu bringen, zusammen mit den Steinen, die sich bei jedem Spatenstich zu verdoppeln schienen. Das waren die Menschen, die sie als kleines Mädchen hier oben gekannt hatte, vor so langer Zeit. Sie gingen auf die Jagd und fischten und schlugen sich so gut es ging durch, waren tiefer verwurzelt in dieser Erde als ihre angebauten Pflanzen und zäher, als es ein Fremder vermuten würde.

Idella hatte ihr Kanada weit hinter sich gelassen, um ein besseres Leben zu finden. Sie war zwar nur ein Hausmädchen gewesen und eine Köchin, aber es hatte dazu geführt, dass sie Edward getroffen und geheiratet und die Kinder und den Laden und ein Haus in Prescott Mills bekommen hatte. Im Vergleich zu den Leuten hier fühlte sie sich reich, eingehüllt in ihren Pelzmantel, in dem Bewusstsein, dass sie unten in Maine ein hübsches Haus besaß und einen Lebensmittelladen, den sie führte. Sie war zu neuen Ufern aufgebrochen, hatte alles gewagt und fühlte sich erleichtert und zugleich traurig, diesen Schritt getan zu haben.

Als das letzte Amen durch die Reihen hallte, erhob sich Idella mit allen anderen und bereitete der Trauerfeier ein Ende. Sie blickte aus dem Fenster. Es war noch nicht richtig hell, aber das würde es bald. Der Sturm hatte sich endlich gelegt. Jetzt war es an der Zeit, Dad zu seinem Grab zu geleiten. Zwei von Onkel Sams Söhnen waren vorausgegangen, um es vorzubereiten. Das Loch war irgendwann gestern Vormittag gegraben und mit Planen abgedeckt worden.

Idella beobachtete, wie sich Dads Brüder und Dalton und Stanley den Sarg auf die Schultern stemmten und zur Tür marschierten.

»Alles an Bord, das an Bord gehört«, murmelte Dalton, als er an Idella vorbeischritt. Er sah schrecklich aus, einfach schrecklich, aber Idella wusste, dass man ihm das nicht verübeln konnte.

»So etwas hab ich noch nie gesehen«, sagte Idella, als sie zusammen mit Avis und Emma hinten in Sams Auto saß und den Blick über die Landschaft gleiten ließ, die zaghaft mit dem Erwachen des Lichtes zum Vorschein trat. Sie brachten Dad nach New Bandon, wo er neben Mutter begraben werden sollte. Der Himmel hatte sich von einem nebelumhüllten Grau zu Gelb und Pink gewandelt, und dann war die Sonne aufgegangen und hatte einen Morgen offenbart, an dem alles mit einer kalten kristallklaren Glasur überzogen war, von der das sich darin spiegelnde, blendende Licht in alle Richtungen zurückgeworfen wurde. Es war unglaublich, als hätte sich über Nacht eine neue Welt gebildet. Nichts schien vertraut.

Jeder Zentimeter war von dickem Eis bedeckt. Kleine unscheinbare Gewächse und Büsche und das Unkraut am Straßenrand waren in filigrane Eisskulpturen verwandelt worden. Alles hing welk herab, als wäre es in andächtiges Beten vertieft, war abgebrochen oder stach in sonderbaren Winkeln heraus, wie die Gerätschaften der Farmer – Rechen und Sensen und Spaten –, die achtlos weggeworfen und irgendwo gelandet waren, als die Farmer ihre Arbeit beendet hatten.

»Was geschieht nur mit den kleinen Vögeln?«, fragte Idella unvermittelt.

»Wahrscheinlich fallen die auf ihre kleinen Ärsche«, sagte Avis lachend. »Wie wir.«

»Himmel, Idella.« Emma lachte vorne, eingekeilt zwischen Dalton und Onkel Sam. »Es sieht dir so ähnlich, dass du dich um die Vögel sorgst.«

»Ich hab mich bloß gefragt«, sagte Idella. »Wollte nur Konversation machen.«

»Komm, lass es«, sagte Avis.

Sie saßen schweigend da, und jede starrte aus ihrem Fenster, den ganzen Weg bis zum Friedhof.

Alle standen zusammengedrängt um das Grab und beobachteten ruhig und leise, wie die Männer das Wasser abschöpften. Sie schöpften und schöpften. Ein ununterbrochenes Platschen erfüllte die Luft. Es würde ihnen nicht gelingen, das Loch vollständig zu leeren.

»Wir müssen ihn wohl oder übel hinablassen«, sagte Onkel Sam schließlich. »Das hier ist wie ein Zapfhahn an der Blase der Erde.«

»Lasst uns ein letztes Mal auf Dad anstoßen«, sagte Dalton und holte feierlich eine neue Flasche Whiskey aus seiner

Manteltasche. Idella konnte sich nicht erklären, woher er die hatte.

»Verdammt noch mal, ja«, sagte Avis.

Es schien irgendwie angebracht zu sein, dachte Idella. Selbst dass es früher Morgen war, hätte Dad gefallen.

»Kommt her, Kinder von Bill«, rief Dalton, als wäre er ein Priester. »Lasst uns den Sarg öffnen und es richtig machen.«

Stanley und Dalton schraubten die Beschläge des Sargs auf und schoben den Deckel hoch. Idella spähte hinein. Im grellen Licht des Morgens sah Dad nicht mehr besonders gut aus. Sein Gesicht war noch tiefer eingefallen, und das Make-up, das sie im Bestattungsunternehmen aufgetragen hatten – er hätte sich mit Händen und Füßen gewehrt, hätte er das kommen sehen –, es wirkte wächsern und aufdringlich.

»Er sieht nicht mehr aus wie er selbst«, sagte Avis, als sie herabstarrte.

»Das sind seine Hände«, sagte Idella. »Seine langen Finger. Die Hände sind noch ganz er selbst.«

»Ja.« Emma nickte.

Alle vier – Avis, Idella, Emma und Dalton – hockten sich gegen den Rand des Sargs. Stan hielt am Fußende eine Hand auf den geöffneten Deckel. Die Menschen traten ein Stück zurück und ließen Bills Kinder ein letztes Mal Abschied nehmen.

»Irgendwie kommt mir das nicht richtig vor«, sagte Emma, »ihn in einem Anzug zu sehen. Eines dieser roten Flanellhemden, die er immer getragen hat, hätte besser gepasst.«

»Er konnte sich ganz schön herausputzen, wenn er wollte«, sagte Avis. »Er war ein gut aussehender Mann.«

»Ich werde mit dem Trinkspruch beginnen«, sagte Dalton. »Lasst es uns dem Alter nach tun.«

Er hob die Whiskeyflasche. »Auf Dad!« Er nahm einen großen Schluck. »Auf den alten Scheißkerl!« Er reichte die Flasche Idella.

»Auf Dad«, sagte Idella und nippte am Whiskey. »Auf Dad.«

Die Flasche ging an Avis und dann an Emma, und beide erhoben sie, um auf Dad zu trinken, bevor sie sich einen Schluck gönnten. Dalton nahm Emma die Flasche ab und verschloss sie.

Avis stand gegen den Sarg gelehnt da und starrte hinein. Dann trat sie beiseite. »Ich hasse es, ihn in das kalte Wasser zu stecken.«

»Leg den Whiskey zu ihm rein.« Dalton reichte die Flasche an Stan weiter. »Dort, unter seine Füße. So kann er sich einen Drink genehmigen, falls er ihn brauchen sollte, wenn das Wasser eindringt.«

»Es gibt genug Platz.« Stan schob die Whiskeyflasche in den Sarg. »Lasst ihn uns versiegeln und hinablassen.«

Alle schauten zu, als der Sarg langsam hinabgesenkt wurde. Ein deutliches Platschen war zu hören, als er auf dem Boden auftraf. Niemand sagte etwas. Onkel Sams Jungen und ein paar der Smythes packten ihre Schaufeln und begannen Klumpen von der aufgehäuften Erde neben dem Grab abzukratzen. Sie mussten erst durch die Eisschicht brechen, die den Berg wie ein harter Zuckerguss überzog. Es wäre ein anstrengendes Stück Arbeit, aber sie waren genug Leute, sagten sie, und würden sich abwechseln. Der Rest sollte zurück nach Hause gehen.

»Tja«, sagte Dalton und half Emma den Hügel hinab zum Auto, »das war's.«

»Mutter und Vater sind vereint.« Idella blickte sich ein letztes Mal um, während die Männer hackten und schaufelten. Dann drehte sie sich zu Dalton und ihren Schwestern. »Wir sind jetzt Waisen – allein auf der Welt.«

»Oh, das sind wir schon seit sehr langer Zeit«, sagte Avis.

»Ja, verdammt«, sagte Dalton.

»Wir waren unser ganzes Leben Waisen.« Avis zündete sich bereits wieder eine Zigarette an.

Sie kletterten in Onkel Sams Wagen und fuhren die zwei Meilen zu dem kleinen baufälligen Haus auf der Klippe, in dem sie alle geboren worden waren.

Dreimal Schlagseite

Avis stand in der Eingangshalle und nahm alles in sich auf. »Pisspott Palace, dem Gestank nach zu urteilen«, sagte sie und wedelte mit der Hand vor dem Gesicht.

»Man gewöhnt sich daran«, sagte Idella. »Ich hab Parfüm in der Tasche, *Evening in Paris.* Willst du einen Spritzer?«

»Ich will eine Zigarette. Die Hälfte dieser Leute sieht tot aus, Idella.«

»Na ja, sie warten. Einige sind eingedöst. Wegen der Drogen. Du weißt schon, die Medikamente.«

»Worauf warten sie? Auf ihre Entlassung?«

»Auf die Spielstunde!«, sagte Idella. »Wir haben das große Los gezogen, Avis. Es ist Freitagnachmittag. Um drei bringt das Personal Erfrischungen.«

»Holen sie die Feuerwehrschläuche raus, etwas in der Art?«

»Schau, da ist Eddie. Er versucht sich an einem Kreuzworträtsel und sieht uns nicht. Sie haben ihn für mich schon hergeschoben.«

»Das ist Eddie? Verdammt noch mal, Idella. Ein Rollstuhl?«

»Seine Beine funktionieren seit dem Autokino nicht mehr.«

»Er ist ein verdammter Mistkerl. Ich kann nicht glauben, dass er dich dazu überreden konnte.«

Idella seufzte. Sie hatte nicht gehen wollen, aber er hatte

diesen Film unbedingt anschauen wollen – *Miss America Goes Down*. Wegen der Bilder aus dem *Playboy* – er hatte geglaubt, die echte Miss America zu sehen. Und dann, als sie es nicht war, wollte er sofort von dort verschwinden, riss die Lautsprecher aus der Halterung und raste direkt auf die Leinwand zu. Sein Fuß hatte sich auf dem Gaspedal verkrampft, und er konnte ihn nicht bewegen – er hatte schon wieder einen Anfall. Im Grunde hätte er nachts überhaupt nicht fahren dürfen. Und dann hatte er nicht nur die Leinwand gerammt, sondern war nach links geschlittert, hatte die kleinen Zementpfosten gestreift, die dort standen, und war noch weiter nach links gerutscht, wo er in drei oder vier Autos geknallt war, bevor Idella endlich hinübergreifen und den Schlüssel umdrehen konnte. Himmel noch mal! Und als die Polizei kam, war sein Fuß immer noch auf dem Gaspedal. Sie hatten ihn geradewegs ins Krankenhaus und dann ins Pflegeheim gebracht.

Das war nun schon über einen Monat her, und Edward redete über nichts anderes als wieder nach Hause zu kommen. In der ersten Nacht hatte er eine Krankenschwester überredet, Paulette bei der Arbeit anzurufen, und er hatte ihr hundert Dollar geboten, wenn sie ihn von hier fortbrachte. Als Idella davon hörte, hätte es ihr fast das Herz gebrochen.

Die ganze Woche lag er ihr nun schon in den Ohren, dass sie ihn nach Hause bringen sollte. Er ging auch den Krankenschwestern auf die Nerven. Sie hatten Idella gebeten, dass sie mit ihm redete, ihm die Sache mit seinen Beinen erklärte. Der Arzt meinte, er müsse wohl bleiben, aber sie fürchtete sich davor, es ihm zu sagen.

Sie hatten ihn fixiert, mit dicken, gepolsterten Gurten, damit er nicht aus dem Rollstuhl fiel. Seine Zehen berührten kaum die Fußstützen. Er trug einen blauen Trainingsanzug und Laufschuhe – die Sohlen waren funkelnagelneu, kein bisschen schmutzig.

Avis konnte die Veränderungen an ihm immer noch nicht fassen. »Selbst sein Bauch ist weg«, sagte sie. »Ein Wahrzeichen ist verschwunden.«

»Lassen wir ihn noch eine Weile in Ruhe.« Idella nahm Avis' Arm und machte einen tiefen Atemzug.

Avis las laut von einer Tafel neben der Tür vor: »›Willkommen im Orchard Near the Shore.‹ Das stimmt, es liegt in der Nähe des Ufers. ›Freitag, 5. Dezember 1986. Wolkig/Schneefall möglich.‹ Das ist clever.«

»Für die Bewohner ist es angenehm zu wissen, welcher Tag und wie das Wetter ist«, sagte Idella.

Genau in diesem Moment bemerkte Eddie sie. Er fing sofort an zu poltern: »Du solltest um zwölf hier sein. Ich war schon fertig – und dann bist du nicht aufgetaucht. Ich musste alles zurück in meine Schubladen legen.«

»Ich habe gesagt, ich komme um drei«, sagte Idella. »Und das ist es noch nicht mal. Eddie, sieh nur, wen ich dir mitgebracht habe! Avis hat mich hergefahren.«

»Die Schwestern verbünden sich gegen mich, was?«

Auf der anderen Seite des Zimmers traf eine Pflegerin gerade die Vorbereitungen für die Spielstunde.

»Sieh nur«, sagte Idella. »Alle kommen hereingerollt. Das dort in den großen Pantoffeln ist Gladys. Sie ist Lehrerin – na ja, sie unterrichtet nicht mehr – und Mr. Davis, er ist Buchhalter. Er war es. Ich hole uns eine Erfrischung.«

Die kleine Getränkeausgabe war auf der anderen Seite des Raums. Während das Mädchen ein Tablett belud, versuchte Avis, Konversation mit Eddie zu betreiben, was für sie ebenso angenehm war, als würde sie einen Aschenbecher mit der Zunge auslecken. So hatte sie es zumindest immer beschrieben.

»Nun, Eddie. Wie geht's?«

Eddie zuckte mit den Schultern, dann öffnete er die Hände und ballte sie zu Fäusten. »Ich steck in diesem verdammten Rollstuhl«, sagte er. »Sobald ich wieder laufen kann, hau ich hier ab. Ich kauf mir ein neues Auto.«

Idella konnte sehen, dass Avis zappelig wurde, ihre Handtasche aufklappte, einen kleinen Spiegel und einen Lippenstift herauszog und sich frisch machte.

Eddie meldete sich wieder zu Wort: »Mein Vater hatte ein Auto aus Holz.«

»Das hast du schon oft erzählt.« Sie verdrehte die Augen und sah zu Idella, die sie von der anderen Zimmerseite her beobachtete.

»Weißt du, für wie viel er das Auto verkauft hat? Für fünf Dollar! Er hat das Auto einem miesen Gauner verkauft, für fünf Dollar!«

»Wäre heute wohl mehr wert«, sagte Avis.

»Das Auto wäre eine Stange Geld wert! Ich hab noch die Hupe. Man hat sie mit dem Fuß betätigt. Es gab allerdings kein Lenkrad. Nur einen Hebel. Ich erinnere mich, wie ich das Auto übers Feld gefahren habe! Verdammter Gauner! Er kam eines Tages vorbei, als ich bei der Arbeit war, irgendein Trödelhändler. Und mein Vater hat es ihm für fünf Dollar verkauft!«

Avis gab sich alle Mühe, aber Idella wusste, wie sie sich fühlte. Für Idella war es sonderbar, Tag für Tag hier mit Eddie zu sitzen. Sie redeten nicht viel, ab und an ein kleines Gespräch, für gewöhnlich über das Essen, das er als letztes gehabt hatte oder bald haben würde oder sich wünschte. Normalerweise ihren Hummereintopf. Großer Gott, wie sehr er den liebte! Im Laufe der Jahre hatte sie für diesen Mann unzählige Hummereintöpfe gekocht und Fische in der Pfanne gebraten.

Die meiste Zeit schien er nichts mitzubekommen – doch manchmal blickte er unvermittelt auf, als würde er etwas suchen, und sah sie, und sie winkte matt und lächelte, und sein ganzes Gesicht strahlte. Er nickte dann, ein schwaches Lächeln des Wiedererkennens, und sie war froh, hergekommen zu sein. Es war ihm ein Trost, dachte sie, in dieses alte Gesicht zu schauen, das er seit über fünfzig Jahren kannte und dem er so lange zugehört hatte. Ein Stück Zuhause.

Sie trug das Tablett hinüber, brachte Avis eine Plastikschüssel mit Kartoffelecken mit und gab Eddie ein paar in die Hand.

»Wenn mir jemand erzählt hätte, dass ich einmal hier sitzen, Kartoffelecken essen und mit Eddie quatschen würde, hätte ich ihn gebeten, mich auf der Stelle zu erschießen«, sagte Avis.

Eddie grübelte immer noch über das Auto nach. Er hielt die Hände jetzt, als würde er ein Lenkrad umklammern. »Denkst du, ich kann mit dem Auto nach Hause fahren?«

»Das weiß ich nicht, Eddie«, sagte Idella.

»Wohin würdest du wirklich wollen«, fragte Avis, »wenn du fahren könntest?«

»Nach Old Orchard Beach«, sagte er. »Zu Toby's. Und mir ein paar Zwiebelringe holen.«

»Früher bist du nicht nur für ein paar läppische Zwiebelringe nach Old Orchard gefahren, nicht wahr, Eddie?«, sagte Avis.

Er lächelte. »Hübsche Mädchen.«

»Ja«, sagte Avis. »Ich und Idella.«

»O mein Gott!«, entfuhr es Idella. »Das erinnert mich an etwas. Sieh mal, Eddie, ich habe eine Überraschung für dich. Das habe ich gefunden, als ich meine Taschen ausgemistet habe. Muss schon seit Jahren dort gesteckt haben.« Sie hielt eine kleine, zerknitterte Fotografie hoch. »Hier, Avis, schau nur!«

»Mich tritt ein Pferd!«, lachte Avis. »Das sind ja wir drei. Wo war das?«

»Na, in Old Orchard Beach. Auf dem Pier. Unsere Haare sind schrecklich zerzaust vom Wind. Und unsere Kleider sind nach hinten geblasen, ganz aufgebauscht. Wir sind glücklich, Avis.«

»Du siehst besoffen aus, Idella.«

»Lies, was hinten drauf steht. »›Dreimal Schlagseite‹ – das sagt doch alles.«

»Lass mich mal sehen«, sagte Eddie.

Idella starrte auf das Bild. »Was hältst du da hoch, Eddie?«

Er lachte. »Einen Plastikhummer. Ich hab ihn für Avis' Freund gekauft. Wir hatten ihn nach Old Orchard zum Hummeressen eingeladen. Er hat das Foto gemacht.«

»Ach, das war doch der, der *nicht* getrunken hat«, sagte Idella. »Der war merkwürdig.«

»Wir haben alle Hummer gegessen«, sagte Eddie, »und er ist auf einmal aufgesprungen und rausgerannt. Er hat sich mitten auf dem Pier übergeben. Ich hab gefragt, ob er Hilfe braucht, und er hat mich angefaucht, ich soll die Hände von Avis lassen! Gott! Hat behauptet, ich wäre hinter Avis her.« Eddie betrachtete das Foto. »Das war nicht der Gangsterfreund, oder? Der ins Gefängnis musste?«

»Edward!«, sagte Idella.

»Der hat dich in alle Zeitungen gebracht, was?«

Avis warf ihm einen Blick zu. »Nein, das war nicht der.«

»Na ja, das Gefängnis hat dir gutgetan! Immerhin warst du dafür verantwortlich, dass der Kerl mit dem Hummer ...«

»Edward!«, rief Idella.

Avis sagte: »Ich brauch eine Zigarette.«

»Hier drinnen ist das Rauchen verboten«, fiel ihr Eddie ins Wort. »Man darf nicht rauchen.«

»Entweder geh ich eine rauchen, oder ich bring ihn um«, sagte Avis. »Was ist dir lieber, Idella?«

»Darüber muss ich kurz nachdenken.«

»Also, ich geh vorne raus – da hab ich eine Bank gesehen. Und dann packen wir's, Idella. Mir reicht's.« Sie nahm ihren Mantel von dem Stuhl, über den sie ihn geworfen hatte, wühlte nach ihren Zigaretten und ging hinaus.

»Deine Avis bläst dir immer den Rauch ins Gesicht«, sagte Eddie.

»Ich schau mal lieber nach ihr«, sagte Idella. »Ich bin gleich zurück.«

Draußen fielen ein paar vereinzelte Schneeflocken. Sie fand Avis auf der Bank. »Piep, piep«, sagte sie. »Kann ich rauskommen?«

»Nein.«

»Ich beschwere mich auch mit keiner Silbe über den Rauch«, sagte sie. »Bei dir alles in Ordnung?«

»Hab mich schon mal wohler gefühlt. Soviel steht fest.« Avis wischte etwas Schnee von der Bank, und Idella setzte sich neben sie.

»Ihr zwei seid so hässlich zueinander. Du bist schrecklich nachtragend. Herrgott noch mal, warum rufst du dir nicht die schönen Erinnerungen ins Gedächtnis?«

»Vielleicht hab ich im Gegensatz zu dir keine schönen Erinnerungen, Idella.«

»Ach, hör auf! Hör auf, dich zu bemitleiden! Du hattest ein schweres Leben. Das will ich gar nicht leugnen. Wir kommen beide von ganz unten und haben versucht, das Beste daraus zu machen. Du hattest Beziehungen. Du hattest Dwight. Du hattest eine Karriere als Friseurin. Du hast Flechtteppiche gemacht. Du hast dein Leben gelebt. Ein Teil davon hat nicht so gut geklappt. Na und? Aber Menschen haben dich geliebt, Avis. Dad hat dich geliebt! Mutter hat dich geliebt! Das weiß ich.«

»*Du* hast die Erinnerungen an sie, Idella, ich nicht.«

»Ich habe versucht, dich daran teilhaben zu lassen! Ich habe doch auch nur ein paar Erinnerungsfetzen. Wie ich Eier mit ihr aufgesammelt habe, ihr das Haar gekämmt, den ganzen Zimt aufgebraucht habe. Ich hätte sie für mich behalten können.«

»Brich dir bloß keinen ab.«

»Du machst mich so wütend! Du machst es einem so schwer, dich zu lieben! Du stößt einen von dir weg, immer und immer wieder.«

»Woher willst du das wissen?«

»Weil ich dich liebe!«, sagte Idella. »Ich liebe dich, verdammt noch mal! Du Dummkopf. Und es tut mir leid, dass du keine Kinder bekommen konntest. Und es tut mir leid, dass du getrunken hast. Mir tun viele Dinge leid. Aber du bist auch nicht immer besonders nett zu mir gewesen. Und du bist so gemein und gehässig zu Eddie.«

»Er macht es einem aber auch leicht.«

»Es ist Zeit, damit aufzuhören. Uns bleibt nicht mehr viel Zeit. Mach das Beste daraus! Das versuche ich zumindest, indem ich hierherkomme und Eddie Kleinigkeiten bringe, die ihn glücklich machen. Ich versuche das Beste aus dem zu machen, was ich habe. Deshalb habe ich das Foto mitgebracht. Wir haben so glücklich ausgesehen, vom Wind zerzaust und ausgelassen. Dreimal Schlagseite.«

»So sind wir nun mal«, sagte Avis.

»Ich habe vergessen, wie hart es oft war.«

»Sei's drum, aber was hab ich denn vorzuweisen? Zumindest hast du die Mädchen. Was habe ich? Ein paar Flechtteppiche.«

»Deine Teppiche sind wunderschön.«

»Es hieß, entweder Teppiche flechten oder an Leberzirrhose sterben. Ich wollte nicht mit gelbem Gesicht sterben. Ich wollte nicht, dass die versammelten Menschen auf mich herabschauen und darüber tuscheln, wie gelb ich aussehe. Also hab ich mit dem Trinken aufgehört und Teppiche geflochten.«

»Gott sei Dank hast du aufgehört. Das Trinken hätte dich fast umgebracht. Und du warst hässlich, wenn du betrunken warst.«

»Das war ich, oder?«

»Hast gezetert und geflucht. Hässlich. Das war der Grund, warum dich Eddie das eine Mal rausgeworfen hat.«

»Und er soll ein Engel gewesen sein? Eddie Jensen, der so wenig von den Röcken lassen konnte wie Bären vom Honig.«

»Du kannst dir deine Gemeinheiten über ihn sparen«, sagte Idella. »Du siehst doch, was aus ihm geworden ist. Er ist ein alter Mann, der nie wieder aus diesem Rollstuhl kommt. Er kann nicht auf die Toilette gehen, ohne dass ihm zwei Leute dabei helfen.«

»Du hast recht. Ich hab gesehen, was aus ihm geworden ist.«

»Es war Dad, der dich zum Trinken angestiftet hat«, sagte Idella. »Das weiß ich. Ich hatte ein schlechtes Gewissen, weil ich dich mit ihm auf der Farm alleingelassen habe. Das habe ich mir nie verziehen. Aber ich musste weg! Wir mussten alle von dort weg!«

»Warum hattest du deshalb ein schlechtes Gewissen?«

»Dad war so unberechenbar«, sagte sie. »Ständig hat er Wutanfälle bekommen. Ich weiß, ihr beide … hattet eine besondere Beziehung. Ich hätte dich mit ihm dort nie allein lassen dürfen. Er hat dich zum Trinken verleitet. Das hat zu Dingen geführt … Vielleicht … Keine Ahnung … Es war nicht gesund.«

»Du weißt doch gar nicht, wovon du da redest. Als du mit dem Postboten davongefahren bist, musste ich das Kochen und Putzen und all die anderen Dinge übernehmen, wofür du früher zuständig warst. Und ich war nicht gut darin. Anstelle eines leckeren Eintopfes mit Brötchen, der auf dem Herd auf ihn wartete, hat Dad mich in der Küche gefunden, wie ich versucht hab, eine Dose Bohnen zu öffnen. Ich hab es nie gemocht, das Kochen und Putzen. Ich wollte auch nie gut darin sein. Ich hab erlebt, wie es bei dir war – alles perfekt machen und nicht das kleinste bisschen Anerkennung dafür bekommen. Und Dad, tief in seinem Innersten, hungrig wie er war, Gott steh ihm bei, er hat mich verstanden. Weil wir verwandte Seelen waren.«

»Ich weiß. Das weiß ich.«

»An fast allen Abenden haben wir am Tisch gesessen und Whiskey getrunken. Wie alt war ich da, vielleicht siebzehn? Ich hab mit einem Schluck oder zwei angefangen. Er meinte, es würde helfen, mein Essen runterzuspülen. Oder wir haben uns betrunken und dann etwas zusammen gekocht. An manchen Abenden gab es nichts weiter als Kartoffeln. Dann war ich so weit, mein eigenes Glas zu bekommen. Er trank aus der Flasche. Wir saßen am Tisch, und das war die Zeit, als wir uns unterhielten, beim Whiskey. Ich wurde verrückt dort oben. Ich hab mir nichts sehnlicher gewünscht, als von dort zu verschwinden. Und wollte ihn gleichzeitig nicht alleinlassen.«

»Und was ist mit dem anderen? Den Gerüchten?«

»Und was mag das wohl sein?«

»Du weißt genau, wovon ich rede, Avis.«

»Also schön, Idella. Wie du willst. Wir waren allein auf dieser gottverlassenen Farm. Wir waren einsam. Manchmal haben wir beide geweint. Ich hab wegen der Mutter geweint, die ich nie hatte. Er wegen der Frau, die er verloren hat. Er hat sich nämlich die Schuld gegeben. Sie ist bei der Geburt seines Babys gestorben. Wir saßen am Küchentisch und haben versucht, uns gegenseitig zu trösten. ›Avis-Mavis‹, hat er gesagt, immer und immer wieder. ›Avis-Mavis, Sahnetörtchen‹. Er hat mir übers Haar gestreichelt und über Mutter geredet – wie wunderschön ihr Haar war. Wie sanftmütig sie war. Manchmal hat er mich im Arm gehalten. Ich bin nie viel von Menschen im Arm gehalten worden. Nicht als Kind. Aber er war genauso einsam. Er hat unsere Mutter bis zum Tag seines Todes vermisst. ›Ich hatte die Beste‹, hat er gesagt. ›Es gibt keine Bessere. Keine auch nur halb so Gute.‹ Im Vergleich zu ihm hatte keiner eine Chance. Denn keiner war auch nur halb so gut wie Dad.«

»Aber du hast nie …?«

»Ich kenne die Wahrheit. Und die war nicht hässlich.«

Idella zögerte einen Moment. Dann sagte sie: »Vielen Dank. Dass du mir das erzählt hast.«

»Ich hab dir nie für die Briefe gedankt, die du mir geschrieben hast. Ins ›Hotel‹.«

»Gern geschehen. Ich habe mich schrecklich um dich gesorgt. Ist dir das nie in den Sinn gekommen? Dass sich jemand um dich sorgen könnte?«

»Kann ich nicht behaupten.«

»Das habe ich mir schon gedacht. Apropos – du hast nie erzählt –, wie war der Service im ›Hotel‹?«

»Fesselnd«, sagte Avis, und sie mussten beide lachen. Danach saßen sie einfach da. Ein paar Schneeflocken fielen herab, Avis rauchte, und Idella wedelte den Rauch fort. Idella war sehr still. Avis warf ihr einen Blick zu, aber sie legte einen Finger an die Lippen.

»Schhhh! Ich kann's hören.« Sie begann zu summen. Dann zu singen, zu hauchen, ganz leise: »*Hush-a-bye, don't you cry, go to sleepy, little baby …*«

»Was zum Teufel ist los mit dir?«, fragte Avis.

»Das ist das Lied. Es gab ein besonderes Lied, das Mutter immer gesungen hat.«

»Erinnerst du dich an ihre Stimme?«

Idella schloss die Augen. »Ich weiß nicht genau. Manchmal höre ich eine Stimme in meinem Kopf, die ihre sein könnte. Sie hat auf der Veranda gesessen und Dad vorgesungen.«

»Noch mal«, sagte Avis.

Das tat sie, sehr sanft, und das Lied schien zwischen ihnen in der Luft zu schweben. »Das war's«, sagte Idella.

»Stell dir das nur vor.«

»Das habe ich«, sagte Idella. »Viele Male.« Dann, nach einer Weile: »Der Rauch geht mir auf die Nerven, Avis. Ich gehe rein und schau, was Edward so macht.«

»Ich rauch noch zu Ende, und dann nichts wie weg, Idella.«

»Verstanden. Over und out.« Und sie ging wieder hinein.

In Ordnung, dachte Avis, so sieht's also aus. Ich bin noch nicht tot – im Gegensatz zu ein paar dieser Vögel hier. Das mickrige bisschen Leben, das mir noch bleibt, will ich in meinem Wohnwagen verbringen. Ich will allein leben, bis ich bereit bin, und dann in meinem Wohnwagen sterben – während ich den Eichhörnchen lausche, die übers Dach trippeln. Großer Gott, lass mich mein Ende nicht an einem Ort wie diesem erleben. Lass mich auf meiner Türschwelle sterben. All die Menschen, die mal ein Leben hatten. Die sitzen hier und warten auf die nächste Mahlzeit oder Pille oder aufs Pissen oder Blutdruckmessen. Dem Gestank nach verrotten und pinkeln sie hier gleichzeitig. Nein. Nein danke.

Sie ging zurück ins Haus und sagte: »Zieh deinen Nerz an, Idella. Es ist Zeit, die Fliege zu machen. Ich will nach Hause, bevor der Schnee schlimmer wird.«

»Schon Zeit zu gehen?«, fragte Edward.

»Ja«, sagte Idella. »Es gibt bald Abendessen.«

»Machst du Hummereintopf?«

Sie sammelte ihre Sachen ein. »Vielleicht ein Käsesandwich.«

»Ich will Hummereintopf!« Er stemmte die Hände auf die Armlehnen des Rollstuhls, als wollte er aufstehen. »Verdammt! Ich kann mich nicht aufrichten!«

»Ach Eddie«, sagte sie, »du musst hierbleiben.« Avis war schon an der Tür.

»Was zum Teufel ist los mit dem Stuhl!«, rief er. »Herrgott noch mal, Idella!«

»Ich kann nicht, Eddie. Ich kann nicht. Du kannst nicht mit nach Hause. Du kannst nicht mehr gehen! Der Arzt sagt, du musst hierbleiben. Eddie, ich kann dich nicht mit nach Hause nehmen, ich kann einfach nicht!«

Und diesmal verstand er sie. Er hörte auf sich abzumühen, saß einfach da und starrte sie an. Sie glaubte, er würde in Tränen ausbrechen. Aber dann rief Avis: »Eddie, sieh mal!«

Sie war zur Tafel gegangen, hatte die Kreide genommen und den Monat in »April« und das »Wetter« in »Regen« verändert. Eddie bemerkte es und lachte. Dann legte sie einen Finger an den Mund, und Eddie nickte lächelnd.

Idella ging zu ihm und nahm seine Hand. »Na gut«, sagte sie, »Avis und ich fahren jetzt nach Hause.«

»Kommst du morgen?«

»Ich weiß nicht, ob ich's schaffe«, sagte sie. »Ich ruf an. Tschüs. Mach's gut.«

Er sah zu ihr hoch. »Du bist mein Mädchen, Idella.«

»Das weiß ich«, sagte sie. »Tschüs, Eddie.« Sie gab ihm einen Kuss auf die Wange und tätschelte seine Hand.

Und genau in diesem Augenblick begann es zu donnern, ein leises Grollen in der Ferne. »Ich fass es nicht«, sagte Idella. »Ein Aprilschauer! Avis, woher wusstest du das?«

»Ich hab einen besonderen Draht zu Gott.«

»Leg ein gutes Wort für mich ein.«

»Das tue ich immer«, sagte Avis. »Und jetzt nichts wie raus hier.«

April 1987

Als Idella im Heim ankam, saß Eddie mit der Hupe im Schoß da, der aus dem Holzauto. Sie hörte, wie er in sich hineinmurmelte, »Fünf Dollar« und »Dieser Verbrecher«. Dann bemerkte er sie, streckte die Hand nach ihr aus und sagte: »Hat Avis dich gebracht?«

»Agnes Knight hat mich abgesetzt. Sie holt mich in einer Stunde wieder ab.« Sie zog ihren Mantel aus.

»Ist sich Avis zu gut, um dich zu fahren?«

»Avis ist fort, Eddie.«

»Fort? Wohin zum Teufel ist sie?«

»Fort. Für immer. Das hab ich dir doch erzählt. Sie ist vor zwei Monaten gestorben. Du erinnerst dich nicht, oder?«

»Sie ist tot?«, sagte er.

»Ja.« Und sie begann, die Geschichte von vorne zu erzählen. »Sie hatte einen Unfall. Sie ist hinter einem großen Laster ausgeschert. Da waren aber zwei Laster, verstehst du? Und sie hat nur den ersten abgewartet. Sie wusste nicht, dass es zwei waren.«

»Und dabei ist sie gestorben?«

»Nicht auf der Stelle. Nicht sofort.«

»Heilige Scheiße.«

Sie erklärte es ihm ein weiteres Mal, denn sie wusste, dass er sich nicht erinnerte, dass sich sein Gedächtnis nichts mehr merken konnte. »Sie schien keine schlimmen Verletzungen zu haben. Einer ihrer Nachbarn da draußen saß im Auto hinter ihr. Er meinte, als der Krankenwagen kam und sie sie mitnehmen wollten, hat sie einen Anfall bekommen. Sie ließ es nicht zu. Sie sagte, es sei dort drinnen viel zu eng und sie könnte nicht atmen, und sie hatten Angst, sie würde sich noch mehr verletzen. Sie war außer sich. Also hat der Nachbar sie in seinem Auto mitgenommen. Er hat sie auf die Rückbank gelegt. Sie hat darauf bestanden, die kühle Luft auf ihrer Haut zu spüren. Er hat alle Fenster aufgekurbelt und sie zur Notaufnahme gefahren.«

»Was ist mit dem Auto?«, fragte Eddie.

»Oh, das hatte einen Totalschaden. Wie auch immer, sie

hatte eine gebrochene Rippe. Sie haben sie am nächsten Tag mit all ihren Medikamenten entlassen. Ich denke, sie hat die Pillen verwechselt. Aber sie hat darauf bestanden, nach Hause in ihren Wohnwagen zu kommen. Sie war wie Dad, als er angeschossen wurde – sie wollte nur weg von dort, verstehst du? Stan hat sie nach Hause gebracht, und am nächsten Morgen ist er zu ihr gefahren, um sie zum Frühstück einzuladen, sozusagen als kleine Aufheiterung. Sie lag zusammengerollt auf der Seite, als würde sie schlafen. Es standen frische Maismuffins auf der Küchenzeile. Sie muss sie dort zum Abkühlen hingestellt haben und dann ins Bett gegangen sein. Ich steh immer noch unter Schock, Eddie. Ich hab es noch nicht realisiert. Das Bild von ihr in dem Sarg, in ihrem Hosenanzug, das will mir einfach nicht aus dem Sinn. Etwas mit ihrem Kopf hat nicht gestimmt. Ein merkwürdiger Winkel – zu hoch. Das kann nicht bequem sein.«

»Ich hab ihr das Auto verkauft«, sagte Eddie. »Ich könnte hier eine Menge Autos verkaufen. Dieser Krankenschwester Claire würde ich einen guten Deal machen. Sie bringt mir Pringles. Ich bewahre sie in der Schublade auf, um sie vor meinem verdammten Bettnachbarn zu verstecken. Er hat meine Pringles auf seinem Bett verteilt. Hat sie zerbröselt, damit man sie nicht mehr stapeln kann. Der gottverdammte Mistkerl hat versucht, zu mir ins Bett zu klettern. Er zieht die Decke weg und legt seine Hand auf mein Bein. Dann setzt er sich neben mich und sagt: ›Rutsch rüber, Martha.‹ Dachte, ich wäre seine tote Frau, der verrückte Idiot.«

»Ich kämm dir die Haare«, sagte sie. »Um solche Dinge kümmern sie sich hier nicht.« Sie holte ihre Bürste heraus.

»Du bist wie meine Mutter, machst immer so einen Wirbel um alles.«

»Oh – ich bitte dich! Deine Mutter hat dich nie von vorne bis hinten bedient, so wie ich das all die Jahre gemacht habe. Sie wollte, dass die anderen Menschen *sie* bedienen! Ich eingeschlossen! Jetzt gib mir deine Hand.«

»Du willst meine Hand halten?«

»Nein, ich will deine Nägel schneiden. Leg deine Hand flach hin, damit ich rankomme. Hast du an den Nägeln gekaut?«

»Muss ja irgendwas essen«, sagte er und lachte über seinen Witz. »Nun sag schon, hast du mir was mitgebracht?«

»Na ja. Pringles. Auch wenn es so ziemlich das Letzte ist, was du brauchst.«

»Wie viele Sorten?«

»Zwei – Paprika und Sour Cream. Die werden eine Weile reichen.« Sie legte ihm die Dosen in den Schoß. Er versuchte, eine zu öffnen, aber er konnte die Aufreißlasche nicht finden.

»Lass mich das machen.«

»Willst du eins, Idella?«

»Ich bin nicht hungrig.«

Sie konnte immer noch nicht verstehen, dass Avis fort war. Auf dieser Welt war Avis kein wichtiger Mensch gewesen. Keiner von uns ist das, dachte Idella, aber ihr Tod ist ein solcher Verlust, so schwierig sie auch war. In Avis' Gegenwart war immer etwas los. Sie war das Salz in der Suppe für sie alle.

Gewiss, Avis und Eddie kamen nie sonderlich gut miteinander aus. Idella ahnte, dass er wahrscheinlich einen Annäherungsversuch bei ihr gemacht hatte, vor vielen, vielen Jahren. Avis hatte eine Anspielung fallen lassen. Sobald Eddie ein Glas zu viel getrunken hatte, konnte er ein richtiger Mistkerl sein. Idella wurde dann albern, amüsierte sich, aber

Eddie wurde ... tja, sie konnte niemanden im Laden einstellen, der zu hübsch oder zu jung war.

Und gleichzeitig war er so prüde, was seine eigenen Töchter anbelangte. Es war ein Wunder, dass Barbara geheiratet und überhaupt einen Freund gehabt hatte, so wie er sich aufgeführt hatte. Er blieb wach, um auf sie zu warten, spionierte am Fenster, folgte ihr mit dem Auto, sogar bis ins Kino. Einmal ist er geradewegs in den Kinosaal gestürzt, wo die armen Kinder einen Film anschauen wollten, und wie ein wilder Stier durch die Reihen gestürmt. Das war so lustig. Barbara ist auf der anderen Seite rausgeschlichen und nach Hause gefahren. Dann ist er zurückgekommen, fluchend und polternd, und sie lag oben im Bett und kicherte in sich hinein, da war sich Idella sicher. Bis zum heutigen Tag wusste er nicht, was damals in Wahrheit geschehen ist.

Auf einmal fiel Idella auf, dass Eddies geräuschvolles Kauen aufgehört hatte. Er war mal wieder eingenickt – all die Pillen, die er nahm. Sie saß da und betrachtete ihn, ihren Eddie. Sie dachte an die anderen Frauen, seine diversen Freundinnen. Sie hatte von ihnen gewusst – hatte kleine Hinweise gefunden, Dinge, die in einer Tasche oder im Auto vergessen worden waren. Einmal war sie auf ihren eigenen nassen Badeanzug im Handschuhfach gestoßen. Das war diese eine gewesen – Iris. Sie hatte Briefe von ihr gefunden. Bis zum heutigen Tag bewahrte sie sie in der obersten Schublade ihrer Kommode auf.

Die Sache mit Iris hatte jahrelang angedauert. All die Tage, an denen er angeblich noch länger im Autohaus zu tun hatte und erst spät nach Hause kam. Und dort wartete sie dann, stand am Herd und kochte ihm um neun oder zehn Uhr abends sein Essen und konnte nie mit Sicherheit sagen, ob er wirklich im Autohaus gewesen war oder nicht. An einigen Abenden vermutlich schon. Was hätte sie tun können? Da waren die Kinder. Der Laden. Das Haus. Wohin hätte sie gehen sollen? Sie hatte gehofft, dass er der anderen eines Tages überdrüssig werden würde. Dann hatte sie gelernt, damit zu leben, so gut es ging.

Aber diese Iris. Das war schlimm. Sie machte ihm Geschenke. Er kam mit neuen Hemden nach Hause, und Idella wusste, woher sie stammten. Und es wurde erwartet, dass sie dort stand und sie bügelte. Eines Tages weigerte sie sich. Sie nahm all diese Hemden – eines lag sogar ausgebreitet und fast fertig auf dem Bügelbrett – und zerknüllte sie und schleuderte sie ihm ins Gesicht. »Sie kotzen mich an!«, rief sie. »Ich werde auf gar keinen Fall hier stehen und sie bügeln. Das kannst du dir abschminken!«

»Ich verschwinde, Idella«, begann er zu brüllen. »Ich verschwinde!«

»Na, geh schon«, sagte sie. »Und wohin? Zu Iris? Du willst ein besseres Leben mit Iris führen? Ich weiß nämlich alles. Ich weiß alles über sie. Ich habe die kleinen Zettel gefunden, die sie dir zusteckt und die du in deinen Taschen vergisst. Du verdammter Idiot! Wer zum Teufel macht die ganze Wäsche und bügelt? Wer muss deine Taschen ausleeren und findet alles? Unterschrieben mit ›ich‹ in kleinen Buchstaben. Das ist alles – i, c und h. Dieses Miststück!«

Und eines Tages kam die Wahrheit ans Licht. Idella hatte es vor den Kindern geheim gehalten. Sie hatte es vor allen geheim gehalten. Aber eines Abends brach die Hölle los. Paulette, sie war ein Teenager, hatte ein Date. Vielleicht war es sogar mit Buzz. Das erste Zusammentreffen mit seinem zukünftigen Schwiegervater, ja, das musste es gewesen sein.

Typisch. Also, Paulette und Buzz waren draußen beim Flughafen. Das machten die Leute damals – und Idella war nicht naiv. Sie fuhren hinaus und küssten sich und beobachteten die Flugzeuge. Die beiden bogen also in eine Parklücke, und Paulette blickte hinüber – wen sah sie da in dem Auto neben ihr? Eddie! Mit Iris.

Die Katze war aus dem Sack. Paulette kam ins Haus gerannt, so aufgebracht war sie. Und er kam hinter ihr hergerast. Welch ein Aufruhr! Und er wollte es leugnen! Er wollte *sie* anschreien, weil sie dort gewesen war! Was war das für eine Zeit! Sie erzählte es Paulette, erzählte ihr alles. Sie würde ihn nicht in Schutz nehmen, wenn er so dämlich war. Sie hatte keine Kraft mehr.

Sie machte also das Beste daraus, ging jeden Tag in den Laden und zog die Kinder auf. Und sie hatten ein gemeinsames Leben. Es war nicht alles schlecht. Zumindest kam er jede Nacht nach Hause. Er kam immer nach Hause. Aber es steckte irgendwo in ihr, dieses Wissen. Eine Traurigkeit, die immer da war.

Der Teil, den Avis nie verstehen wollte, war, dass sie ihn liebte. Und das tat sie. Sie war sein Mädchen. Das sagte er immer zu ihr: »Du bist mein Mädchen.« Weiß Gott, er war kein Prinz. Er trieb jeden in den Wahnsinn. Aber er jagte niemandem Angst ein – nicht wie Dad.

Bei ihrer ersten Begegnung, als sie noch jung waren, da waren sie so verliebt. Sie hatte es nie für möglich gehalten, dass sich jemand in sie verlieben könnte. In die magere, dürre Idella. Es war Avis, die den Männern den Kopf verdrehte, mit ihrer Figur und ihrem dicken Haar und ihrer kecken Art. Männer fielen regelrecht vor ihr auf die Knie – und sie trat einfach über sie hinweg und ging zum nächsten. Als Idella aber Eddie fand … na ja, das war alles, was sie wollte. Damals war er sehr aufmerksam. Er konnte nicht genug von ihr kriegen. Große blaue Augen und dunkle Haare und dieses Lächeln. Sie heiratete ihn vom Fleck weg, mit all seinen Fehlern und Schwächen. Die zeigten sich erst viel später.

Und sie hatten so viel gemeinsam durchgestanden. Über fünfzig Jahre. Er arbeitete schwer, all die vielen Jahre, in denen er Autos verkaufte. Außerdem trank er nicht – zumindest nicht so, wie sie es von zu Hause kannte. Avis hasste ihn vom ersten Tag an. Und sie liebte ihn.

Als Idella aufsah, schlummerte Eddie noch immer. Sie versuchte ihn zu wecken, aber er war wie weggetreten. Es tat ihr für ihn leid, dass er ihren Besuch verschlafen würde. Er ließ sich schon Stunden, bevor sie überhaupt kam, hierherbringen. Der Gedanke brach ihr das Herz. Claire hatte es ihr erzählt. Sie war nett zu Edward. Er mochte es, wenn sie ihn wegen seiner blauen Augen neckte. Das gab ihm das Gefühl, dass ein Teil von ihm immer noch attraktiv war.

Vermutlich verlieren Augen ihre Farbe nicht, dachte sie. Man verliert so viele Dinge. Alles wird einem genommen oder verblasst. Es überraschte sie, dass Augen ihre Farbe behielten.

Es hupte zweimal – Agnes Knight war gekommen, um sie abzuholen. Sie überlegte, ob sie ihm etwas auf die Tafel schreiben sollte. Und sie schrieb: »Idella war hier.« So würde er sich daran erinnern, dass sie zu Besuch gewesen war. Armer Liebling, dachte sie. Ich habe Glück. Ich kann nach Hause fahren und die Vögel füttern, mir eine Tasse Tee machen, ein kleines Abendessen zubereiten. Ich kann immer noch alles selbst machen, solange ich mich nicht überanstrenge. Ich freue mich darauf, nach Hause zu fahren und eine schöne Tasse Tee zu trinken.

Eddie rutschte in seinem Stuhl hin und her.

Hm, dachte er, ich werd wohl auf die Hupe drücken. Claire hat mir zum Geburtstag dieses Lenkrad geschenkt, für den Rollstuhl hier. Passt zu meiner Hupe. Fehlt nur das Gaspedal. Da war dieses kleine Auto, die Überraschung aus der Cracker-Jack-Tüte. Idella hat sie mir an dem Tag gegeben, an dem sie gestorben ist. Herzinfarkt. Hat sie mir hiergelassen, ist dann nach Hause gegangen und gestorben.

Erinnerst du dich an die Busreisen, die wir gemacht haben, Idella? Maine Line Tours. Hätte nie gedacht, dass ich irgendwohin fahren würde, wenn ich nicht selbst hinterm Steuer sitze. Aber die Busse hatten gute Fahrer. Wir sind in die White Mountains oder nach Popham Beach gefahren. Du warst immer die Letzte, die zurück zum Bus kam. »Hier ist das Schlusslicht«, sagte ich dann immer, »die Nachhut.« Schöne Restaurants haben wir auf den Busreisen besucht, die ganze Busladung. Die haben uns einen guten Deal gemacht – *all you can eat.* Da bekam man noch was für sein Geld, das hat mir gefallen. Ins Yokum's sind wir oft gegangen, unten in New Hampshire. Nettes Restaurant. Und ins Silent Woman oben in Waterville. Was für ein Name. Auf dem Schild war eine Frau, die ihren Kopf vor sich auf dem Teller getragen hat. »Das ist ein guter Name«, hab ich zu Idella gesagt. Ich hab versucht, eins dieser Schilder in dem Souvenirladen zu kaufen, aber sie hat mich nicht gelassen. Sie wollte, dass ich still bin. Jetzt ist sie still ... verdammt noch mal ... jetzt ist sie still. Aber ich hör sie in meinem Kopf. All die Jahre, wenn man jemandem so lange zuhört, dann hört man ihn auch weiterhin, als hätte man ein Radio in sich.

In dem Stuhl dort, dem grünen – da hat sie immer gesessen. In ihrem Thron. Königin Idella, hat sie sich genannt. Ich schlafe in diesem verdammten Rollstuhl ein. Sie geben mir Beruhigungsmittel. Ich bin oft aufgewacht und hab zu dem Stuhl geschaut, und dann hat sie dort gesessen. Sie hat gelächelt und mir zugewinkt. »Ich bin hier, Eddie«, hat sie gesagt, »ich bin hier.« Wenn ich jetzt aufwache, schau ich rüber und seh sie immer noch. Ich rede mit ihr. Ich sage ihr, dass ich sie liebe. Das hab ich nie gemacht, denn sie war da. Einfach da. Über fünfzig Jahre lang.

Zum ersten Mal bin ich ihr im Grange begegnet. Es gab da Tanzveranstaltungen. Sie war ein Mauerblümchen – schüchtern, aber hübsch. Saß in der Ecke mit den Händen im Schoß. Sie hat nie erfahren, dass ich Raymond Tripp einen Dollar bezahlt hab, damit er sie zum Tanzen auffordert und ich ihn ablösen kann. Ich dachte, ihr würde das gefallen, wenn ich mich zwischen sie dränge. Ich hab's geplant, hab mit ihm einen Deal gemacht.

Beim nächsten Mal, als ich sie gesehen habe, hab ich drüben in Old Orchard Whiskey verkauft. Die Prohibition. Ich war draußen auf dem Pier, und sie saß dort mit Avis. »Eddie Jensen«, hat sie gesagt, »was für eine Überraschung!«

Ha, dann sind wir Avis losgeworden. Die war vielleicht sauer! Ich hab Idella Salzwasser-Toffee gekauft. Das wollte sie mal kosten. Wir standen auf dem Pier, während die Wellen unter uns rauschten. Mir hat sich dabei der Magen umgedreht, aber Idella hat's gefallen, dem Meer zuzuschauen. Dann sind wir unter dem Pier entlangspaziert, im Schatten der Pfeiler. Dort unten war Idella gar nicht mehr so schüchtern. Wir haben uns prächtig amüsiert. Toffeeküsse. Wir sind am Wasser spazieren gegangen. Ich mag es nicht, wenn meine

Füße nass werden, aber Idella war bis über die Knie drin, ganz nass und glücklich und hübsch. Wir sind bis zu einer Stelle ohne Beleuchtung spaziert. Muss Pine Point gewesen sein. Die Lichter von Old Orchard waren bis zum Strand zu sehen. Wie Diamanten, hat sie gesagt. Als würde ich ihr all diese Diamanten zu Füßen legen, diese funkelnden Lichter.

Wir haben uns in die Sanddünen gesetzt. Es war schön. Besser geht's nicht. In dieser Nacht brauchte ich keinen Whiskey. Ich hatte alles, was ich brauchte, die ganze Zeit über. Dieser Dollar für Raymond Tripp war der beste Deal, den ich je gemacht habe.

Von M + C. einfach zu; Frühling 2019

Danksagung

Mein tiefer Dank geht an eine Vielzahl von Autoren und Lektoren – wahre Verbündete für Beverly und mich –, die sich hingebungsvoll der Aufgabe gewidmet haben, Beverly Jensens Werk nach ihrem Tod der Welt zu präsentieren. Von maßgeblicher Bedeutung waren Beverlys Lehrerin für kreatives Schreiben, die Schriftstellerin Jenifer Levin; der Schriftsteller Howard Frank Mosher; die Lektorin und Autorin Katrina Kenison; mein alter Freund Larry Richman, Gründungsverleger der Sow's Ear Press; Stephen Donadio, Carolyn Kuebler und Joshua Tyree bei der *New England Review*; Stephen King und Heidi Pitlor, die die *2007 Best American Short Stories* ausgewählt haben; Michel Eckersley bei Digital Design; unser Agent Gail Hochman; Christopher Russel bei Viking Penguin; und schließlich Carole DeSanti, unsere Lektorin, die das Potential dieses Buchs erkannt und es bis zur Veröffentlichung begleitet hat.

Unsere Kinder Noah und Hannah haben im Großen und Kleinen ihren Beitrag geleistet, und auch andere Freunde haben eine wichtige Rolle gespielt: Sam Blackwell und Ara Watson, die Beverly zum Schreiben animiert haben; Jennie Torres, Beverlys Zimmergenossin im College; Andrea Vasquez, Beverlys Cousine und ebenfalls Schriftstellerin; und insbesondere Beverlys Schwestern Barbara, Donna und Paulette.

Jay Silverman